JOURS

Un récit de

BARBARES

William Finnegan

Grajagan, Java 1979

Jours Barbares

Une vie de surf

Traduit de l'anglais (États-Unis) par
Frank Reichert

William Finnegan

FEUILLETON
Non-Fiction

Éditions
du sous-
sol

Titre original
Barbarian Days, A Surfing Life
Barbarian Days a été publié pour la première fois par Penguin Press en 2015.

© 2015 by William Finnegan.
© Éditions du Seuil, sous la marque des Éditions du sous-sol, 2017,
pour la traduction française.

Photographies :
Page 4 : Mike Cordesius
476 : Ken Seino
Toutes les autres photographies sont la propriété de l'auteur, William Finnegan.

Photo de couverture : © William Finnegan

Conception graphique : gr20paris
ISBN : 978-2-36668-181-1

À Mollie

Il avait été tellement occupé à élaborer des phrases qu'il en avait presque oublié les jours primitifs où penser ressemblait à une tache de couleur étalée sur une page blanche.

EDWARD ST. AUBYN, *Le goût de la mère*[01]

01 — Traduction de l'anglais par Anne Damour, 2007, éd. Christian Bourgois. *(Toutes les notes sont du traducteur.)*

❶

AU LARGE DU DIAMOND HEAD

Honolulu : 1966-1967

Bien que je ne me sois jamais considéré comme un enfant protégé, le collège de Kaimuki fut pour moi un choc. Nous venions d'emménager à Honolulu, j'étais en quatrième, et la plupart des élèves étaient des "camés, des sniffeurs de colle et des voyous". C'est du moins ce que j'écrivais à l'époque à un ami de Los Angeles. Ce n'était pas vrai. Ce qui l'était, en revanche, c'était que les *haoles* (les Blancs, dont je faisais partie) ne formaient à Kaimuki qu'une minorité dérisoire et incroyablement impopulaire. Les "Natifs", comme je les appelais à l'époque, semblaient nous détester, nous plus que d'autres. C'était assez exaspérant dans la mesure où la plupart des collégiens hawaïens étaient bâtis comme des armoires à glace, et que le bruit courait qu'ils aimaient la bagarre. Les "Asiatiques" (à nouveau, selon ma propre terminologie) étaient le groupe ethnique le plus important de l'école. Lors de ces premières semaines, je ne distinguais pas encore les Japonais des Chinois ou des Coréens – pour moi, c'étaient tous des Asiatiques. Pas plus que je n'avais remarqué l'existence d'autres tribus d'importance, telles que les Philippins, les Samoans et les Portugais (ces derniers n'étaient jamais regardés comme des *haoles*), sans même parler des nombreux autres gamins diversement métissés. Je croyais même, sans doute, que le grand gars de l'atelier de menuiserie de l'école, qui s'était immédiatement pris pour ma personne d'un intérêt teinté de sadisme était hawaïen.

Il portait des chaussures noires pointues bien cirées, des pantalons étroits et des chemises à fleurs bariolées. Ses cheveux crépus étaient coiffés en une banane de rocker et il donnait l'impression de se raser depuis la naissance. Il parlait rarement, et toujours pour s'exprimer dans un pidgin qui m'était inintelligible. C'était une sorte de truand en herbe, qui avait manifestement redoublé plusieurs fois et se contentait de tuer le temps en attendant de laisser tomber le lycée. Il se nommait Freitas – je n'ai jamais entendu son prénom –, mais il ne semblait pas lié au clan des Freitas – famille nombreuse dont cinq garçons au moins, tous aussi tapageurs les uns que les autres, étaient inscrits au collège de Kaimuki. Le Freitas aux chaussures pointues m'avait sciemment étudié pendant plusieurs jours, me rendant de plus en plus nerveux, puis s'était mis à se livrer sur moi à de menues agressions destinées à éprouver mon sang-froid, par exemple en me cognant légèrement le coude pendant que je me concentrais sur ma boîte de cireur à moitié terminée.

J'avais trop peur pour me rebiffer, et il ne m'avait jamais adressé la parole. Ça faisait partie du jeu, apparemment. Ensuite, il a mis au point un autre divertissement assez grossier, mais ingénieux lors des séances où nous restions assis dans l'atelier. Il s'installait derrière moi et, dès que le prof avait le dos tourné, il me frappait sur la tête avec une fine baguette de bois. *Bong... bong... bong...* sur un rythme gentiment régulier, avec, entre deux coups, une pause assez longue pour m'autoriser à espérer un court instant que ç'allait s'arrêter. Je n'arrivais pas à comprendre comment le prof n'entendait pas tous ces chocs vibrants qui perturbaient le cours. Ils étaient assez bruyants pour attirer l'attention des autres élèves, lesquels, au demeurant, semblaient trouver le petit rituel de Freitas fascinant. Sous mon crâne, bien entendu, c'étaient autant d'explosions fracassantes. Freitas se servait d'une longue baguette de bois – d'environ un mètre soixante –, mais il ne frappait jamais très fort, ce qui lui permettait de persévérer de tout son saoul sans laisser aucune marque, et ce, à prudente (pour ne pas dire lointaine) distance, ce qui, sans nul doute, ajoutait du piment à sa prestation.

Je me demande si je serais resté aussi passif que mes condisciples s'il s'en était pris à un autre élève. Probablement. Dans sa bulle, le prof ne s'inquiétait que de ses bancs de scie. Je ne faisais rien pour me défendre. Si j'ai fini par comprendre que Freitas n'était pas hawaïen, j'ai dû me persuader qu'il me fallait accepter cette humiliation. Après tout, je n'étais qu'un haole maigrichon, sans aucun ami.

J'ai considéré plus tard que mes parents m'avaient inscrit par erreur au collège de Kaimuki. C'était en 1966, et les écoles publiques de Californie, surtout dans les banlieues pour la classe moyenne où nous habitions, étaient parmi les meilleures du pays. Les familles que nous connaissions n'envisageaient jamais de mettre leurs gosses dans une école privée. Les écoles publiques d'Hawaï étaient tout à fait différentes : paupérisées, baignant encore dans la tradition du colonialisme, des missions et des plantations, et, d'un point de vue scolaire, à mille lieues en-dessous de la qualité des établissements américains moyens.

On ne s'en serait jamais douté, toutefois, lorsqu'on regardait l'école élémentaire où étaient inscrits mes jeunes frères et sœur (Kevin avait neuf ans, Colleen sept, et Michael trois, de sorte qu'à cet âge il était encore exempté de toute scolarisation). Nous avions loué une maison à la lisière du quartier riche de Kahala, et l'école élémentaire de Kahala était un petit havre bien subventionné, à l'enseignement progressiste. Hormis le fait que les enfants étaient autorisés à se rendre à l'école pieds nus — étonnant exemple de la permissivité tropicale, trouvions-nous —, elle aurait pu se trouver dans un quartier huppé de Santa Monica. Cela dit, elle n'avait ni collège ni lycée. Sans doute parce que toutes les familles du secteur qui pouvaient se le permettre envoyaient leurs gosses dans les écoles secondaires privées qui, depuis des générations, éduquaient la classe moyenne — ainsi que les familles les plus riches d'Honolulu (et d'une grande partie d'Hawaï, au demeurant).

L'ignorant, mes parents m'avaient inscrit au collège le plus proche, dans le Kaimuki ouvrier, derrière le cratère du Diamond Head[01], où ils présumaient que ma petite vie d'élève de quatrième se déroulait comme prévu alors que j'étais presque entièrement englué dans les vicissitudes de la brutalité des petites terreurs des cours de récré, de la solitude, des bagarres, et que, au terme d'une existence de jeune Blanc inconscient des réalités sociales, bien protégé dans les faubourgs ségrégués de

01 — "La Tête de diamant." Cratère d'un volcan endormi d'Hawaï, à Honolulu.

Californie, je m'efforçais de trouver ma voie dans un monde pluriethnique. Les classes elles-mêmes semblaient composées à partir de l'origine raciale. Du moins pour les matières principales : les élèves étaient affectés à différents groupes en fonction des résultats de leurs tests, et ces groupes passaient d'un professeur à l'autre. On m'avait placé moi-même dans un groupe censé être de haut niveau, où pratiquement tous les autres élèves étaient des filles japonaises. Il ne s'y trouvait aucun Hawaïen, Philippin ou Samoan, et les cours, assez guindés et bien peu exigeants, m'ennuyaient comme jamais l'école ne m'avait rasé jusque-là. Que je ne parusse même pas exister socialement aux yeux de mes condisciples n'arrangeait pas les choses. Tant et si bien que je passais mes heures de cours, vautré sur un des bancs du fond, un œil rivé aux branches des arbres derrière la fenêtre, pour tenter d'évaluer la force et la direction du vent, ou à dessiner, page après page, des vagues et des planches de surf.

Je surfais déjà depuis trois ans quand mon père a décroché cet emploi qui nous conduisait à Hawaï. Jusque-là, il avait surtout occupé le poste d'assistant de direction pour des séries télévisées – *Dr Kildare, Agents très spéciaux.* Il était maintenant directeur de production d'une nouvelle série, un programme de variétés de trente minutes inspiré d'une émission radiophonique locale intitulée *Hawaii Calls.* L'idée c'était de filmer un orchestre de calypso près d'une cascade, Don Ho en train de chanter dans un bateau au fond de verre, des vahinés dansant devant un volcan crachant le feu et le reste à l'avenant. "Ce ne sera peut-être pas l'*Amateur Hour* hawaïenne, disait mon père, mais pas loin.
— Si c'est à ce point mauvais, on fera semblant de ne pas te connaître, avait répondu ma mère. Bill *qui*, déjà ?"
Le budget de notre emménagement à Hawaï avait dû être très serré, si l'on se fiait à l'exiguïté du cottage que nous louions (Kevin et moi devions dormir sur le divan à tour de rôle) et à l'état de la vieille Ford rouillée que nous avions achetée pour nous déplacer. Mais la maison était proche de la plage – juste au bout d'une allée bordée d'autres cottages dans une rue

nommée Kulamanu –, et le temps, chaud même en janvier à notre arrivée – nous faisait l'effet d'un luxe inouï.

La seule idée de vivre à Hawaï m'excitait au plus haut point. Tous les surfeurs, tous les lecteurs de revues de surf – et j'avais mémorisé presque tous les articles et toutes les photos des magazines que je détenais – y passaient le plus clair de leur vie imaginaire, que cela leur plût ou non. Et voilà que je m'y retrouvais, que je foulais des pieds le sable (rugueux, dégageant une odeur bizarre) d'une plage hawaïenne, que je goûtais à son eau de mer (chaude, odeur étrange) et que je ramais vers les vagues hawaïennes (petites, sombres, poussées par le vent).

Rien ne ressemblait à ce à quoi je m'étais attendu. Dans les magazines, les vagues hawaïennes étaient toujours énormes et, sur les clichés en couleur, allaient du bleu profond, au large, à un pâle, impossible turquoise. Le vent soufflait toujours *offshore* (de la côte vers la mer, l'idéal pour le surf) et les *breaks**01 eux-mêmes étaient d'olympiens terrains de jeu créés pour les dieux : Sunset Beach, le Banzai Pipeline, Makaha, Ala Moana, Wainea Bay.

Or la mer sur laquelle donnait notre maison n'avait rien à voir avec ça. Même Waikiki, connu pour ses breaks réservés aux débutants et aux foules de touristes, se trouvait de l'autre côté du Diamond Head – son versant glamour, iconique –, tout comme les autres parties d'Honolulu dont tout le monde a entendu parler. Nous étions sur le versant sud-est du volcan, au pied d'une petite pente nichée, au fond d'une plage ombragée à l'ouest de Black Point : juste un banc de sable humide, étroit et désert.

L'après-midi de notre arrivée, durant ma première et frénétique inspection des eaux locales, j'ai trouvé la scène du surf déconcertante. Les vagues se brisaient çà et là sur la frange extérieure d'un récif exposé et moussu. Tout ce corail ne manquait pas de m'inquiéter. Il était particulièrement tranchant. Puis j'ai remarqué, tout à fait à l'ouest et assez loin en mer, le ballet familier de silhouettes en forme de bâtonnets, montant, retombant, éclairées en contre-jour par le soleil vespéral. Des

---

01 —Les termes du jargon du surf suivis d'un astérisque renvoient au glossaire, présent en fin de livre, dès leur première occurrence.

surfeurs ! J'ai remonté le sentier au pas de gymnastique. Tout le monde à la maison s'affairait à défaire les valises ou à se bagarrer à propos des lits. J'ai enfilé un maillot, j'ai agrippé ma planche et je suis sorti sans mot dire.

J'ai ramé vers l'ouest sur quelque six cents mètres, le long d'un lagon peu profond, en me cantonnant près du rivage. Les maisons du bord de mer ont fini par disparaître, remplacées sur le sable par le contrefort escarpé et broussailleux du Diamond Head. Puis, le récif s'est effacé sur ma gauche, dévoilant un large chenal – des eaux plus profondes, où nulle vague ne se brisait – et, plus loin, dix ou vingt surfeurs surfant un éparpillement de lames sombres m'arrivant à la poitrine, sous un vent modéré soufflant du large. J'ai ramé lentement jusqu'au lineup* en faisant un long détour pour observer les rides*. Ces surfeurs étaient doués. Tous avaient un style lisse et coulé, sans fioritures. Personne ne tombait. Et personne non plus, bien heureusement, n'a paru me remarquer.

J'ai contourné la session puis je me suis faufilé dans une partie du lineup plus sauvage. Il y avait de nombreuses vagues. Les take-offs* étaient un peu branlants mais aisés. J'ai laissé ma mémoire musculaire prendre le dessus et j'ai surfé deux petites droites ramollos. Les vagues étaient différentes – mais pas trop – de celles que j'avais connues en Californie. Changeantes mais pas intimidantes. J'ai bien vu du corail au fond des eaux, mais, en dehors de deux têtes affleurant assez haut près du rivage, rien de trop proche de la surface.

On riait et bavardait beaucoup parmi les autres surfeurs. Même en tendant l'oreille, je n'en comprenais pas un mot. Sans doute parlaient-ils *pidgin*[01]. J'avais bien lu quelques pages à propos du pidgin dans le *Hawaii* de James Michener, mais, la veille de mon entrée au collège de Kaimuki, je n'en avais encore jamais entendu. Ou peut-être était-ce une langue étrangère. J'étais le seul haole (encore un mot emprunté à Michener) dans l'eau. À un moment donné, un type plus âgé est passé devant moi en ramant, m'a montré l'horizon et m'a crié : "Là-bas !" C'est le seul mot qu'on m'ait adressé ce jour-là.

---

01 — Créole hawaïen souvent appelé *pidgin hawaïen*, forme de créole utilisé aux îles d'Hawaï mêlant le vocabulaire issu de la langue hawaïenne et de l'anglais.

Et il avait raison : une autre série de vagues, la plus grosse de l'après-midi, arrivait du large et je lui fus reconnaissant de m'avoir prévenu.

Le soleil se couchant, la foule s'est raréfiée. J'ai cherché à suivre les surfeurs des yeux pour voir où ils allaient. La plupart semblaient emprunter un sentier escarpé du versant du Diamond Head, leurs planches pâles se balançant régulièrement sur leur tête, l'aileron devant, au gré des descentes et des montées. J'ai pris une dernière vague jusqu'aux eaux blanches puis entrepris en ramant le long trajet de retour jusque chez moi. Les maisons étaient éclairées à présent. L'air était plus frais, les ombres d'un noir bleuté sous les cocotiers le long du rivage. Je rayonnais littéralement, heureux de ma bonne fortune. J'aurais aimé pouvoir dire à quelqu'un : *Je suis à Hawaï. J'ai surfé à Hawaï.* Puis je me suis rendu compte que je ne connaissais pas même le nom du spot.

Il s'agissait des Cliffs – les Falaises. Un arc composite de récifs qui s'arrondissait vers le sud et l'ouest sur quelque six cents mètres à partir du chenal d'où j'étais sorti pour la première fois en ramant. Pour connaître l'existence d'un nouveau spot de surf, il vous faut d'abord étaler votre science des autres breaks – de toutes les autres vagues que vous aurez appris à connaître intimement. Mais, à l'époque, je n'avais encore emmagasiné qu'une dizaine ou une quinzaine de noms de spots californiens, dont un seul que je connaissais vraiment : une plage de galets de Ventura. Et rien dans cette expérience ne me préparait aux Cliffs, où, après cette première session, je me suis efforcé d'aller surfer deux fois par jour.

C'était un spot remarquable toute l'année, où il y avait toujours des vagues sur le littoral sud d'Oahu, même hors saison, ce que j'ai rapidement fini par découvrir. Les récifs, au large du Diamond Head, se trouvent à l'extrémité sud de l'île, et interceptent donc la moindre houle qui passe ; mais aussi beaucoup de vent, y compris les *williwaws* locaux, ces brusques rafales de vent froid qui descendent des flancs du cratère. Et, conjugué avec la vaste étendue en dents de scie du récif et la houle qui déboule tous azimuts, ce vent crée des conditions météorologiques changeantes qui, dans un paradoxe que je n'appréhendais pas sur le moment, se traduisent d'heure en heure par une réfutation "houleuse" de l'idée même de persistance. Les Cliffs étaient complexes et lunatiques au-delà de tout ce que j'avais connu.

Les petits matins étaient remarquables à ce sujet et me laissèrent longtemps perplexe. Pour me glisser dans une vague avant d'aller à l'école, je devais sortir au point du jour. Je savais de ma courte expérience que la mer aurait dû être d'huile à l'aube. Toujours est-il que, sur le littoral californien, le vent ne souffle pratiquement jamais le matin. Ce n'était semble-t-il pas le cas sous les tropiques. Et certainement pas aux Cliffs. Au lever du soleil, les alizés sont parfois très violents. Les palmes faseyaient au-dessus de moi quand je dévalais le sentier, ma planche waxée* sur la tête. Depuis le bord de mer, je voyais les vagues écumer au large, par-delà le récif, et se déverser d'est en ouest sur un océan bleu roi. Les alizés sont censés souffler du nord-est, ce qui, en théorie, serait plutôt propice pour un littoral orienté vers le sud, mais, aux Cliffs, ils se débrouillaient toujours pour longer la côte, assez puissants sous cet angle pour saborder la plupart des spots.

Malgré tout, ce site présentait une sorte de grondante régularité, qui, du moins pour mon niveau, restait surfable même dans ces conditions déplorables. Presque personne ne venait surfer si tôt, ce qui faisait de l'aube le meilleur moment pour explorer la principale zone de take-off*. J'ai commencé à repérer les hauts-fonds rapides et traîtres, ainsi que les points faibles qui exigent, pour continuer, un virage rapide à 180°. Même par une journée venteuse, avec des vagues qui vous arrivent jusqu'à la taille, il restait possible d'en écumer certaines pour de longues et satisfaisantes sessions improvisées. Le récif avait des milliers de difficultés, qui changeaient très vite avec la marée. Et, quand le chenal intérieur commençait à virer au turquoise laiteux − teinte qui n'était pas très loin d'évoquer les vagues hawaïennes fantoches des magazines −, cela signifiait, ai-je fini par comprendre, que le soleil était suffisamment haut dans le ciel et qu'il fallait dès lors que je file avaler mon petit déjeuner. Quand la marée était trop basse et que je ne pouvais plus ramer dans le lagon je savais qu'il me fallait un peu plus de temps pour rentrer chez moi, en progressant avec difficulté sur le sable doux à gros grain, tout en luttant pour garder le nose* de ma planche pointé face au vent.

Les après-midi étaient différents. Le vent était d'ordinaire plus léger, la mer moins chahutée, et d'autres surfeurs étaient présents. Les Cliffs avaient son groupe d'habitués. Au bout de quelques sessions, j'ai fini par en reconnaître quelques-uns. Dans les spots californiens que j'avais fréquentés, le nombre de vagues surfables était généralement limité, et se mettre en position pour en prendre une exigeait souvent de jouer un peu des coudes tout en respectant un ordre bien précis. Un jeune, surtout s'il manquait d'alliés (d'un grand frère par exemple), devait prendre garde à ne pas indisposer, fût-ce par inadvertance, un des caïds locaux. Rien de tout ça n'existait aux Cliffs, il y avait de la place pour tout le monde, de nombreuses vagues se cassaient à l'ouest du principal *take-off* – il était même possible, à condition d'ouvrir l'œil, de prendre un tube en train de se former au large –, du coup je me sentais tout à fait libre de poursuivre mes explorations des franges. Personne ne m'embêtait. Personne ne me cherchait des noises. L'exact opposé de ce que je vivais tous les jours au collège.

Le comité d'accueil du collège consistait en une série de combats aux poings, dont certains étaient fixés officiellement au préalable. Il y avait près du campus un cimetière, avec, dans un angle, un carré d'herbe à l'abri des regards où les gamins allaient régler leurs comptes. Je me suis retrouvé en train d'affronter un certain nombre de jeunes Freitas – dont aucun, *a priori*, n'avait de lien de parenté avec mon tortionnaire chevelu de l'atelier. Mon premier adversaire était si jeune et si petit que je me suis même demandé s'il allait au collège. La méthode qu'employait le clan Freitas pour exercer ses membres à la bagarre consistait, semblait-il, à dénicher un débile qui manquait d'alliés ou de cervelle pour décliner le défi, puis à dépêcher dans l'arène leur plus jeune combattant ayant quelques chances de sortir vainqueur. S'il perdait, en revanche, ils envoyaient le costaud suivant au casse-pipe, et ce, jusqu'à la défaite de l'idiot de service. Le tout de manière tout à fait impartiale : les combats étaient arrangés et arbitrés par les Freitas les plus âgés, et plus ou moins à la loyale.

Mon premier combat n'eut qu'un public clairsemé – il n'inté-ressait franchement pas grand monde –, mais je n'en crevais pas moins de trouille, n'ayant personne pour me rassurer ni la première idée des règles. Mon adversaire se révéla d'une vigueur et d'une férocité stupéfiantes pour sa taille, mais il avait les bras trop courts pour porter des coups, et j'ai fini par le soumettre sans que nous n'en pâtissions trop l'un ou l'autre. Son cousin, qui le remplaça presque aussitôt, était davantage de mon gabarit, et notre affrontement fut plus agressif. J'ai tenu le choc, mais, quand un Freitas plus âgé est intervenu pour déclarer le match nul, nous avions tous les deux des cocards. Il y aurait une revanche, a-t-il ajouté, et, si d'aventure je l'emportais, un dénommé Tino viendrait me casser la gueule, aucun doute là-dessus. L'équipe des Freitas s'est retirée. Je me rappelle les avoir regardés remonter la longue pente du cimetière en roulant des mécaniques, rigo-lards et débraillés – une joyeuse milice familiale ! Ils étaient visiblement en retard à un autre rendez-vous. Mon visage me lançait, mes jointures étaient douloureuses, mais j'avais le tournis tant j'étais soulagé. Puis j'ai remarqué deux haoles de mon âge qui, l'air penaud, se planquaient dans les buissons à la lisière de la clairière. Je me suis plus ou moins souvenu de les avoir vus au collège, mais ils sont repartis sans piper mot.

J'ai gagné la revanche, me semble-t-il. Puis Tino m'a cassé la gueule, aucun doute là-dessus.

Il y eut d'autres bagarres, y compris une empoignade de plusieurs jours avec un gamin chinois de ma classe d'agronomie qui refusait d'abandonner, même quand je lui enfonçais le nez dans la boue rouge du carré de laitues. Cette amère querelle dura une semaine. Elle reprenait tous les après-midi et aucun n'en sortait jamais vainqueur. Les autres garçons de la classe, qui prenaient plaisir au spectacle, veillaient à ce que le prof ne nous surprît pas en flagrant délit.

J'ignore ce qu'en pensaient mes parents. Estafilades, ecchy-moses et même œil au beurre noir, tout cela pouvait s'expliquer : football, surf, tout ce qu'on voudra. Mon intuition, qui me paraît juste rétrospectivement, c'est qu'ils ne pouvaient strictement rien y faire, de sorte que je ne leur en ai jamais parlé.

Au large du Diamond Head

Un groupe de racistes vint à ma rescousse. Ils se faisaient appeler la "In Crowd[01]" (la bande des Branchés). C'étaient des haoles et, malgré le nom risible de leur bande, ils étaient d'une méchanceté impressionnante. Leur chef était un gamin bravache et dévoyé, à la voix rauque et aux dents cassées, du nom de Mike. Il n'était guère imposant physiquement mais fichait la pagaille dans le collège avec une arrogante témérité, qui paraissait faire réfléchir à deux fois jusqu'aux plus balèzes des Samoans. On finit par apprendre que le véritable domicile de Mike était un centre de redressement et que sa fréquentation du collège n'était due qu'à une permission de sortie dont il comptait bien tirer le maximum. Il avait une sœur cadette, Edie, blonde, maigre et sauvageonne, et leur maison de Kaimuki servait de quartier général à l'In Crowd. Au collège, ils se réunissaient sous un grand *Albizia saman*, sur une colline de terre rouge, juste derrière le bungalow de bois brut où j'apprenais la dactylo. Mon intronisation fut informelle. Mike et ses copains se contentèrent de me faire savoir que j'étais autorisé à venir les rejoindre sous le grand arbre. Et ce fut de la bouche des membres de l'In Crowd, qui semblait d'ailleurs compter plus de filles que de garçons, que j'appris, d'abord dans les grandes lignes puis dans le détail, comment s'articulait le racisme local. Nos principaux ennemis, m'expliqua-t-on, étaient les "*mokes*", terme qui semblait désigner quiconque était coriace et basané.

"Tu t'es déjà frité avec des mokes", me dit Mike. C'était vrai, me suis-je rendu compte.

Mais ma carrière de boxeur ne tarda pas à s'arrêter. Les gens avaient l'air de savoir que je faisais partie du gang haole, et ils se choisirent d'autres souffre-douleur. Le Freitas de l'atelier de menuiserie lui aussi commença à me laisser tranquille. Mais avait-il pour autant rangé sa baguette de bois ? Difficile de l'imaginer inquiété par l'In Crowd.

J'étudiais discrètement le surf des habitués des Cliffs – ceux qui semblaient le mieux lire les vagues, trouvaient les poches de vitesse et exécutaient de superbes virages avec leurs planches.

01 — Chanson de 1964 de Dobie Gray, interprétée aussi par the Ramsey Lewis Trio, Bryan Ferry et bien d'autres.

Ma première impression en fut confirmée : jamais je n'avais vu une telle fluidité. Pieds et mains opéraient en un stupéfiant synchronisme. Les genoux étaient plus fléchis que dans le surf que je connaissais, les hanches plus libres. On n'assistait pas à beaucoup de nose-riding, technique en vogue sur le continent à l'époque et qui exigeait, quand l'occasion se présentait, d'avancer prudemment jusqu'au bout de sa planche – et de poser cinq puis dix orteils sur son nose en défiant les lois évidentes de la flottaison et de la glisse. Je n'en savais rien sur le moment, mais j'étais témoin du plus pur style îlien. Je me contentais de prendre des notes mentalement dans le chenal et, sans même y penser, j'ai commencé à moins m'avancer sur le nose.

Il y avait quelques jeunes types, dont un garçon très sec, au dos bien droit, qui semblait avoir à peu près mon âge. Il se tenait toujours à l'écart de la plus grosse vague et ne surfait que les périphériques. Mais je me démanchais le cou pour le voir surfer. Même sur les petites vagues merdiques qu'il choisissait, il atteignait une vitesse sidérante tout en gardant une posture impeccable. De tous les surfeurs de mon âge que j'avais vus en action, c'était de loin le meilleur. Il se servait d'une planche singulièrement courte, légère, au nose pointu – une Wardy blanc ivoire lustrée, au vernis de finition incolore. Il m'a surpris en train de l'observer et m'a paru plus embarrassé que je ne l'étais. Il m'a dépassé en ramant furieusement, l'air ulcéré. Par la suite, je me suis efforcé de ne pas me trouver sur son chemin, mais, le lendemain, il m'a accueilli en me faisant un signe du menton. J'espérais que ma joie ne se voyait pas trop. Puis, quelques jours plus tard, il m'a adressé la parole.

"Mieux d'ce côté", m'a-t-il lancé en tournant les yeux vers l'ouest alors que nous traversions une petite série de vagues. C'était une invitation à me joindre à lui pour surfer une de ses vagues obscures et dédaignées. Il n'eut pas à me le demander deux fois.

Il s'appelait Roddy Kaulukukui et avait treize ans, tout comme moi. "Il est si bronzé qu'on dirait un Nègre", ai-je écrit à mon ami de Los Angeles. Roddy et moi avons d'abord affronté les vagues avec prudence, puis nous fûmes de plus en plus à l'aise. Je les prenais aussi bien que lui, ce qui était déjà une victoire en soi, et j'apprenais à connaître le spot, entreprise qui devint très vite commune. Les deux plus jeunes garçons des Cliffs que nous étions avions plus ou moins conscience d'être en quête d'un ami de notre âge. Mais Roddy ne sortait pas tout seul dans l'eau. Il avait deux vrais frères et une manière de frère honoraire, un Japonais du nom de Ford Takara. L'aîné, Glenn, était un pilier du lineup. Glenn et Ford sortaient tous les jours. Ils n'avaient qu'un an de plus que nous mais pouvaient rivaliser avec n'importe qui sur la grosse vague. Glenn en particulier était un superbe surfeur, au style à la fois fluide et élégant. Leur père, Glenn Senior, surfait aussi, tout comme John, le cadet, encore trop minot pour se mesurer aux Cliffs.

Roddy entreprit de me briefer sur les autres habitués. Le gros type qui apparaissait aux meilleurs jours et partait très loin au large, en arrachant tellement que tout le monde s'arrêtait pour le regarder, se nommait Ben Aipa. (Quelques années plus tard, des photos d'Aipa et des articles à son sujet feraient florès dans les magazines.) Le Chinois qui s'est pointé par le plus gros temps que j'aie vu aux Cliffs – une violente houle hors saison, venue du sud par un après-midi sans vent et un ciel plombé – s'appelait Leslie Wong. Son style était soyeux, velouté, et il ne daignait surfer aux Cliffs que lorsque la journée était exceptionnelle. Leslie Wong prit la vague du jour et s'y engagea, le dos légèrement arqué, les bras ballants, faisant ainsi passer pour aisée une entreprise extrêmement difficile voire, disons-le, quasi extatique. Je voulais être plus tard Leslie Wong. J'appris petit à petit à distinguer ceux qui, parmi les habitués des Cliffs, étaient susceptibles de rater une vague – de ne pas réussir à la prendre ou de se vautrer –, et à leur passer devant, tranquillement, sans pour autant leur manquer de respect. Même parmi cette clique de surfeurs qui savaient se tenir, il restait essentiel de ne froisser personne. Dans l'eau, les ego mâles (je n'ai jamais vu une fille surfer aux Cliffs) sont toujours très tendus, de façon plus ou moins subtile.

C'est Glenn Kaulukukui qui devint mon surfeur préféré. Dès qu'il prenait une vague et se redressait comme un chat sur sa planche, j'étais incapable d'arracher mes yeux au spectacle des lignes qu'il décrivait, à la vitesse qu'il réussissait, je ne sais comment, à acquérir, aux impros qu'il inventait. Il avait une tête énorme, qu'il semblait toujours rejeter légèrement en arrière, des cheveux longs blanchis et roussis par le soleil, qui flottaient librement, des lèvres épaisses, des épaules noires d'Africain, et il évoluait avec une extraordinaire élégance. Mais il y avait quelque chose d'autre — appelez ça esprit ou ironie — qui accompagnait son assurance et sa beauté innées, quelque chose de doux-amer qui lui permettait, dans pratiquement toutes les situations sauf les plus délicates, d'avoir l'air de s'appliquer intensément tout en se moquant de lui-même.

Il s'est aussi moqué de moi, mais sans méchanceté, quand j'ai mis trop de puissance dans un kickout* puis tenté de terminer sur un élégant moulinet en tranchant avec maladresse dans l'épaule de la vague pour placer ma planche parallèle à la sienne dans le chenal. "Lâch'-toi, Bill. Mont'-leur la lumière." Même moi je savais que c'était un cliché pidgin — une exhortation galvaudée. Mais c'était aussi une assez piquante pointe de sarcasme. Il me chambrait et m'encourageait tout à la fois. Nous avons ramé ensemble vers l'extérieur. Alors que nous étions presque arrivés, nous avons vu Ford prendre une série de vagues depuis leur creux puis adopter une ligne futée pour se faufiler entre deux sections difficiles. "*Yeah, Fawd*, a murmuré Glenn, l'air d'apprécier. *Spock dat* ![01]" Puis il m'a distancé pour rejoindre le lineup.

Un après-midi, Roddy m'a demandé où j'habitais. J'ai montré l'est, vers la crique ombragée de Black Point. Il l'a répété à Ford et à Glenn puis il est revenu me trouver, l'air penaud, parce qu'il voulait me demander quelque chose. Pouvaient-ils laisser leurs planches chez moi ? L'idée d'être accompagné sur le chemin du retour m'a bien plu. Notre cottage avait un petit jardin, avec un bouquet de bambous haut et épais qui le cachait de la rue. Nous avons entassé nos planches dans les bambous et nous nous sommes rincés dans l'obscurité au tuyau d'arrosage. Puis nous sommes repartis tous les trois à pied, vêtus de notre seul caleçon, mais soulagés de ne pas avoir à traîner nos planches jusqu'à Kaimuki, au loin.

01 — "Ouais, Ford. Mate-moi ça !"

Le racisme des gars de l'In Crowd était plus un état de fait qu'une doctrine. Il semblait n'avoir aucune prétention historique, à la différence, mettons, des skinheads qui, eux plus tard, se revendiqueront du nazisme et du Ku Klux Klan. Hawaï a connu de nombreux suprémacismes blancs, en particulier parmi ses élites, mais l'In Crowd ne savait rien des élites. La plupart des gamins étaient pauvres et vivaient dans des conditions déplorables, encore que certains avaient été virés de leur école privée et étaient tout simplement tombés en disgrâce. Pour n'être pas assez cool, le gros des élèves haoles du collège de Kaimuki était en réalité méprisé par l'In Crowd. Ces haoles qui n'étaient d'aucun clan semblaient pour la plupart des enfants de militaires, ou de pauvres hères qui n'étaient pas d'Hawaï. Tous paraissaient désorientés et effrayés. Les deux qui m'avaient vu combattre les Freitas sans me venir en aide en faisaient partie. De même qu'un garçon taiseux, asocial et d'une taille impressionnante pour son âge, qu'on surnommait Lurch.

Il y avait d'autres haoles plus futés, qui refusaient de se prêter au jeu des bandes. Ces gosses, pour la plupart des surfeurs du versant du Diamond Head côté Waikiki, savaient faire profil bas quand ils étaient en minorité. Ils savaient aussi reconnaître un loser. Et puis, si le besoin s'en faisait sentir, ils disposaient pour s'en sortir de leurs propres renforts. Mais, ces premiers mois, j'étais encore trop ignorant pour prendre conscience de leur existence.

Comme partout, le fait d'être un gars cool à l'adolescence reste en grande partie un mystère, mais la force physique (comprenez la puberté précoce), la confiance en soi (avec des points de bonus supplémentaires quand on défie les adultes), les goûts musicaux et vestimentaires, tout cela comptait. Je voyais mal comment j'aurais pu me targuer d'une de ces qualités. Je n'étais pas très grand – en vérité, à ma grande honte, la puberté semblait même m'éviter. Je n'étais pas branché, ni côté fringues ni côté musique. Et, surtout, je n'étais pas un voyou – je n'étais même pas allé en prison. Par contre j'admirais le cran des gamins de l'In Crowd et je n'allais pas m'amuser à remettre en question ceux qui me soutenaient.

Au départ je croyais que la principale activité de l'In Crowd serait la guerre des gangs. D'ailleurs, il était sans cesse question de la reprise des hostilités contre diverses bandes rivales de "mokes". Mais Mike donnait toujours l'impression de conduire à des pourparlers une délégation chargée de ramener la paix, et les bains de sang étaient évités grâce à de laborieuses manœuvres diplomatiques permettant de sauver la face. Ces trêves étaient officialisées par des cuites solennelles, bien avant l'âge légal. Le plus clair de l'énergie du groupe était en réalité consacré aux ragots, aux fêtes, à de menus larcins et au vandalisme. Les jolies filles ne manquaient pas dans l'In Crowd, et j'en pinçais un jour sur deux pour l'une ou pour l'autre. Personne ne surfait.

Il se trouva que Roddy, Glenn et Ford Takara fréquentaient tous le collège de Kaimuki. Mais je ne traînais pas avec eux là-bas. C'était un exploit, dans la mesure où, pratiquement chaque après-midi et tous les week-ends, nous nous retrouvions dans l'eau tous les quatre. Et Roddy ne tarda pas à devenir mon meilleur ami. Les Kaulukukui vivaient à Fort Ruger, sur le versant nord du cratère du Diamond Head, près du cimetière adjacent au collège. Glenn Senior était dans l'armée et leur appartement se trouvait dans un vieux baraquement militaire niché sous la route du volcan, dans une petite plantation de kiawe. Roddy et Glenn avaient toujours vécu à Hawaï, qu'on appelait aussi la Grande Île. Ils y avaient de la famille. Et, à présent, une belle-mère avec qui Roddy ne s'entendait pas. Elle était coréenne. Est-ce que je savais à quoi ressemblaient les Coréens ? Roddy était tout disposé à me l'apprendre.

Confiné dans ses quartiers à la suite d'une dispute avec sa belle-mère, il me fit part de son malheur dans la chambre étouffante qu'il partageait avec Glenn et John, dans un chuchotement amer.

Il me semblait en connaître un rayon sur le malheur : en témoignage de ma solidarité, j'acceptais de rater des vagues cet après-midi-là. Il n'y avait même pas une revue de surf dans sa chambre que j'aurais pu feuilleter en grimaçant de manière compatissante. "Pourquoi a-t-il fallu qu'il l'épouse, elle ?", se lamentait Roddy.

Glenn Senior venait surfer avec nous à l'occasion. C'était un personnage terrifiant, austère et tout en muscles. Il menait ses fils à la baguette, sans aucune gentillesse. Pour autant, il semblait se détendre au contact de l'eau. Il lui arrivait même parfois de rire. Il surfait avec une énorme planche à la manière des anciens, dans un style très simple, en dessinant de longues lignes parfaitement équilibrées le long des falaises des Cliffs. Dans sa jeunesse, il avait surfé Waimea Bay, m'ont appris ses fils, tout fiers.

Waimea Bay se trouve sur le littoral nord. La baie est considérée comme le plus important spot de grosses vagues au monde. Je n'en savais rien, sinon que c'était un lieu mythique – une sorte de scène, en fait, réservée aux seules prouesses de quelques héros du surf, omniprésents dans les magazines spécialisées. Roddy et Glenn n'en parlaient pas beaucoup, mais, à leurs yeux, Waimea était bel et bien un lieu important, une affaire à prendre avec le plus grand sérieux. On ne surfait là-bas que quand on y était prêt. Et bien sûr la plupart des surfeurs ne le seraient jamais. Mais, pour les petits Hawaïens qu'ils étaient, Waimea et les autres grands spots de la North Shore (la Côte Nord) représentaient chacun une sorte de point d'interrogation... en forme d'ultime examen.

J'avais toujours imaginé que seuls les plus grands surfeurs se frottaient à Waimea. Mais je me rendais compte à présent que des paters du coin y surfaient également et que leurs fils les imiteraient peut-être en temps voulu. Ces gens n'apparaissaient jamais dans les magazines du continent. Et il y avait à Hawaï de nombreuses familles semblables à celle des Kaulukukui – des *ohanas*, des petites communautés qui se connaissaient entre elles et qui surfaient avec talent depuis des générations tout en respectant la tradition.

Dès notre première rencontre, Glenn Sr. m'a rappelé Liloa, l'ancien monarque d'un bouquin que j'aimais beaucoup, *Umi : The Hawaiian Boy Who Became a King*. C'était un livre pour enfants qui, si je me fie à l'inscription jaunie de sa page de garde, avait d'abord été offert à mon père par deux tantes qui l'avaient acheté à Honolulu en 1939. L'auteur, Robert Lee Eskridge, en a aussi fait les illustrations, que je trouve magnifiques. Très simples mais puissantes, pareilles à des gravures sur bois aux couleurs luxuriantes. Elles montraient Umi, ses jeunes frères et leurs aventures dans l'ancienne Hawaï : dévalant des montagnes de liane de volubilis en liane de volubilis ("De liane en liane, les garçons progressaient à une vitesse fulgurante."), plongeant dans des piscines formées par des cordons de lave, traversant la mer à bord de canoës de guerre ("Les esclaves accompagneront Umi au palais de son père à Waipio."). Sur certaines illustrations figuraient des hommes adultes, gardes, guerriers ou courtisans, dont les visages m'effrayaient – par leur cruauté stylisée, dans un monde impitoyable fait de potentats tyranniques et de sujets tremblants. Au moins les traits de Liloa, le roi et père secret d'Umi, étaient-ils parfois adoucis par la sagesse et la fierté paternelle.

Roddy croyait en Pele, la déesse hawaïenne du feu. Elle vivait, disait-on, sur la Grande Île, parce que c'était elle qui faisait entrer les volcans en éruption quand elle était en colère. Elle était connue pour être jalouse et violente, et les Hawaïens s'efforçaient de l'amadouer par des offrandes propitiatoires de porc, de poisson et de liqueur. Sa célébrité était telle que les touristes eux-mêmes connaissaient son existence. Pour autant, Roddy, en me faisant sa profession de foi, m'a très clairement laissé entendre qu'il ne parlait pas du personnage kitsch mais de tout un monde religieux, préalable à l'arrivée des haoles – un monde entièrement hawaïen, avec des tabous compliqués et des règles élaborées, des secrets, une compréhension durement gagnée de la terre, de l'océan, des oiseaux, des poissons, des bêtes et des dieux. Je l'ai pris d'emblée au sérieux. Je savais déjà dans les grandes lignes ce qui était arrivé aux Hawaïens – comment les missionnaires américains et les autres haoles les avaient assujettis, avaient volé leurs terres, les avaient décimés en leur transmettant des maladies contagieuses et avaient converti les survivants au christianisme. Je ne me sentais pas responsable de cette cruelle dépossession. Je ne ressentais aucune culpabilité de gauche, mais j'en savais assez long pour boucler mon clapet de jeune athée.

Nous avons entrepris de surfer ensemble sur de nouveaux spots. Roddy n'avait pas peur comme moi du corail, et il m'a indiqué des coins où les vagues se cassaient sur les récifs entre ma maison et les Cliffs. La plupart n'étaient praticables qu'à marée haute, mais certains n'étaient que des trous minuscules, de minces fentes entre des rochers nus où des vagues clémentes, protégées en partie du vent, se dissimulaient de la vue de tous. Ces breaks étaient généralement nommés d'après la famille qui vivait ou avait vécu en face, m'apprit-il – Patterson, Mahoney. Il y avait aussi un spot de grosses vagues, connu sous le nom de The Bomb (la Bombe), près de Patterson. J'avais parfois vu, à marée basse et par les bons jours, des vagues grossir au large (leur crête écumante à mesure que la houle forcissait) mais sans jamais devenir assez grandes pour se casser. Roddy parlait de la Bombe en chuchotant d'une voix inquiète. Il s'y préparait, manifestement.

"Cet été, a-t-il précisé. Au premier Grand Jour."

D'ici là, nous avions Kaikoo. C'était un break de Black Point, en eau profonde, visible depuis le creux de notre sentier. S'aligner n'y était pas facile, les vagues étaient toujours plus grosses qu'il y paraissait, et ce spot m'effrayait un peu. Roddy la première fois a pris la tête vers le large, en ramant dans un chenal profond originellement creusé par Doris Duke, l'héritière du tabac, pour servir de havre à des yachts privés ; celui-ci était d'ailleurs toujours niché en contrebas de son manoir, perché dans la falaise. Roddy a pointé le rivage mais je m'inquiétais trop des vagues qui déferlaient pour m'intéresser à la maison de Doris Duke.

D'épaisses lames bleu sombre, parfois d'une taille effrayante, semblaient surgir de l'océan profond. Les vagues filant à gauche étaient courtes et faciles, rien que de très grosses gouttes d'eau, en réalité, mais Roddy m'a assuré que les vagues partant vers la droite étaient meilleures. Il s'est mis à ramer plus loin vers l'est, en s'enfonçant plus profondément dans le break. Sa témérité m'a paru insensée. Les droites me paraissaient closed-out*, impraticables et terriblement violentes et, même si l'on parvenait à en prendre une, elle conduirait, j'en étais certain, tout droit sur de gros récifs à l'air vorace, au large de Black Point. Y perdre sa planche, c'était ne plus jamais la revoir. Et où rentrer à la nage ? J'ai louvoyé pour éviter les lames, à moitié hystérique, en m'efforçant de garder un œil sur Roddy. Il semblait prendre les quelques vagues, mais c'était difficile à dire. Il a fini par revenir près de moi, l'air l'hilare, en souriant d'une manière narquoise de mon air paniqué. Mais il m'a pris en pitié et n'a rien ajouté.

J'ai fini par adorer les droites de Kaikoo. Le spot était souvent désert, à l'exception de quelques types qui savaient bien surfer. En les observant les bons jours depuis les rochers de Black Point, j'ai commencé à entrevoir la topographie du récif et comment, avec un peu de chance, éviter la catastrophe. Malgré tout, c'était un spot tordu d'après mes critères et, quand, dans mes lettres à cet ami de Los Angeles, je me vantais d'avoir surfé les grosses vagues de ce terrifiant break en eau profonde, je ne répugnais pas à mentir, racontant avoir été emporté avec Roddy par des courants violents jusqu'à mi-chemin de Koko Head, pourtant à des kilomètres de là vers l'est. Mes descriptions détaillées de la traversée d'un gros tube – la caverne formée par une vague qui se casse brutalement – en surfant une droite de Kaikoo n'en recelaient pas moins, d'un autre côté, une part d'authenticité. Je me souviens encore plus ou moins de cette vague.

Le surf a toujours eu pour horizon cette ligne tracée par la peur, qui le rend différent de tant de choses et, en tout cas, de tous les autres sports de ma connaissance. On peut sans doute le pratiquer avec des amis, mais, quand les vagues se font trop grosses ou qu'on a des ennuis, on ne trouve plus personne.

Tout, au large, semble s'entremêler de façon perturbante. Les vagues sont le terrain de jeu. Le but ultime. L'objet de vos désirs et de votre plus profonde vénération. En même temps, elles sont votre adversaire, votre Némésis, voire votre plus mortel ennemi. Le surf est votre refuge, votre bienheureuse cachette, mais il participe aussi d'une nature hostile et sauvage – d'un monde dynamique, indifférent. À treize ans, j'avais pratiquement cessé de croire en Dieu. Un nouveau rebondissement dans ma vie qui avait laissé comme un vide dans mon univers : l'impression d'avoir été abandonné. L'océan était un dieu insoucieux, infiniment dangereux, incommensurablement puissant.

Pourtant, même enfant, on attendait que vous en preniez la mesure, chaque jour. On exigeait – c'était une question de survie, capitale –, que vous connaissiez vos limites, tant physiques que mentales. Mais comment les connaître à moins de les éprouver ? Et si l'on ratait l'épreuve ? Vous étiez aussi censé garder votre sang-froid quand ça tournait mal. La panique est le premier pas vers la noyade, entendait-on partout. Les aptitudes de l'enfant devraient aussi, normalement, s'épanouir en grandissant. Ce qui est impensable à un moment donné devient parfois envisageable l'année suivante. Mes lettres de Honolulu de 1966, qu'on a récemment eu la gentillesse de me retourner, se distinguent par des considérations honnêtes sur la peur plutôt que par des fanfaronnades ridicules. "Ne crois surtout pas que je sois devenu courageux. Ce n'est pas le cas." Je sentais que les frontières du possible semblaient doucement et par saccades reculer.

Ce fut clair dès mon premier Grand Jour aux Cliffs. Une longue et durable houle s'était levée pendant la nuit. Les *sets* (des vagues plus grosses qui d'ordinaire arrivaient par paquets) nous écrasaient de leur hauteur, de longues murailles grises et vitreuses parfois très puissantes. J'étais si pressé de constater l'excellence que j'avais acquise dans mon petit spot que j'en ai oublié ma timidité habituelle pour m'avancer avec les autres à la rencontre de la plus grosse série. Je me suis retrouvé dépassé et, terrifié, j'ai été roulé par les plus grosses. Je n'étais pas assez vigoureux à l'époque pour rester sur ma planche à l'intérieur de lames de presque deux mètres de haut, même en "faisant la tortue" − c'est-à-dire en retournant ma planche, en pointant le nose hors de l'eau, en enroulant mes jambes autour et en m'agrippant de toutes mes forces aux rails*. L'eau blanche me l'a arrachée des mains, puis m'a envoyé valdinguer et m'a maintenu sous l'eau le temps d'une longue et authentique raclée. J'ai passé le plus clair de l'après-midi à nager. Néanmoins, j'ai tenu jusqu'au crépuscule. J'ai même pris et surfé quelques vagues mahousses. Et j'ai vu ce jour-là un surf − celui de Leslie Wong, entre autres − qui m'a serré le cœur de bonheur : de longs moments de grâce sous pression qui sont restés comme gravés en moi ; ce que, d'une certaine façon, je désirais plus que tout au monde. Pendant que mes parents dormaient, cette même nuit, je suis resté éveillé sur mon divan en bambou, le cœur battant encore sous le coup de l'adrénaline résiduelle, à écouter tomber la pluie sans pouvoir trouver le sommeil.

Notre existence dans le petit cottage de Kulamanu faite de bric et de broc, n'avait presque rien d'un mode de vie à l'américaine. Il y avait des geckos dans les murs, des rats de canne sous le plancher et d'énormes blattes dans la salle de bains. Des fruits étranges – mangues, papayes, lychees, caramboles – dont ma mère avait appris à juger la maturité puis à les peler et à les découper avec fierté. Je ne me rappelle pas si nous avions la télé. Les sitcoms qui, sur le continent, avaient constitué une sorte de récréation domestique – *My Three Sons*, *Jinny de mes rêves*, et même *Max la Menace*, mon préféré – ressemblaient désormais à des rêves en noir et blanc à demi effacés, échappés d'un monde que j'avais laissé derrière moi. Notre propriétaire, Mrs. Wadsworth, nous surveillait d'un œil suspicieux. Pourtant je trouvais géniale l'idée d'être locataires. Mrs. Wadsworth avait un jardinier, ce qui me valait une entière existence de loisir. En Californie, les corvées de jardinage avaient occupé la moitié de mon temps libre.

Encore autre chose, à propos de notre nouvelle vie exotique : rarement le ton montait en famille, parce que ce nouvel environnement laissait encore chacun de nous légèrement abasourdi. Et nos rares disputes ne dégénéraient jamais en hurlements, coups de ceinture et fessées, comme nous en endurions régulièrement à L.A. Lorsque ma mère criait : "Attendez que votre père soit rentré !", elle n'avait plus l'air aussi sérieuse. C'était comme si, en s'imitant, elle singeait malicieusement son moi antérieur, une sorte de maman de sitcom, et même les plus petits savaient qu'elle blaguait.

Mon père travaillait au moins six jours par semaine. Quand nous l'avions le dimanche à la maison, nous allions nous balader dans l'île – franchir le Pali (la passe dans les montagnes qui semblent dominer Honolulu comme un mur vert) escarpé, trempé et battu par les vents, ou nous partions pique-niquer à Hanauma Bay, derrière Koko Head, où la plongée dans les récifs est fabuleuse. Il rentrait presque chaque soir et, en certaines occasions spéciales, nous allions dîner dans un restaurant d'un centre commercial de Kahala, à l'enseigne de Jolly Roger, chaîne de restaurants sur le thème de la piraterie où les burgers portent les noms de personnages de Robert Louis

Stevenson. Un soir, nous sommes allés voir le *Blanche-Neige* de Disney dans un drive-in, sur la Liliuokolani Driveway, tous les six empilés dans notre vieille Ford Fairlane. Je m'en souviens parce que j'ai écrit à mon ami de L.A. avoir trouvé le film "psychédélique".

L'Hawaï de mon père était un endroit vaste et passionnant. Il se rendait régulièrement dans les îles voisines pour diriger des équipes de tournage et des comédiens au cœur des forêts tropicales, de villages éloignés, filmant parfois des séquences délicates sur des canoës instables. Il a même tourné un court-métrage sur Pele dans un champ de lave de la Grande Île. Sans s'en rendre compte, il jetait là les fondations d'une carrière parallèle de spécialiste d'Hawaï – il passa le plus clair de la décennie suivante à réaliser des longs-métrages ou des émissions télévisées dans les îles. Son travail impliquait de constantes prises de bec avec les syndicats locaux, principalement ceux des camionneurs et des dockers, qui contrôlaient le transport du fret. Ces querelles ne manquaient pas d'une certaine ironie dans la mesure où il était lui-même un syndicaliste convaincu, issu d'une famille de militants actifs, des cheminots du Michigan. De fait, la légende familiale affirmait qu'à New York, où j'ai vu le jour, il avait passé la nuit de ma naissance dans une cellule après avoir été ramassé lors d'un piquet de grève devant les studios de CBS, où il était journaliste et où avec ses amis ils cherchaient à s'organiser. Bien qu'il n'en parlât jamais, notre émigration en Californie, alors que je n'étais encore qu'un nourrisson, lui avait été imposée par des difficultés professionnelles liées à son militantisme. C'était à l'apogée de la puissance du sénateur Joseph McCarthy.

Les syndicats hawaïens, à la même époque de l'après-guerre, accomplissaient des miracles. Menés par un avant-poste de dockers de la West Coast allié à des gauchistes locaux nippo-américains, ils avaient même réussi à rassembler les travailleurs agricoles des plantations et à changer le visage de l'économie féodale. Cela sur un territoire où, avant guerre encore, le harcèlement des grévistes et des meneurs, allant jusqu'à leur meurtre par des nervis de la direction ou des policiers, restait généralement impuni. Cependant, au milieu des années 1960, le mouvement ouvrier hawaïen, comme les syndicalistes du continent, était devenu complaisant, bureaucratique et infesté par la corruption. Mon père, bien qu'il se fût pris d'affection pour certains de ses leaders, qu'il combattait pourtant chaque jour, ne semblait pas avoir retiré grand-chose de positif de ce combat.

Son travail nous propulsait parfois sur d'étranges orbites. Un restaurateur hyperactif du nom de Chester Lau, par exemple, était devenu accro à la série *Hawaii Calls* et, pendant des années, ma famille fut invitée à d'improbables *luaus*, festins de cochon rôti et autres événements mondains qui, organisés par Chester, se déroulaient habituellement dans un de ses établissements.

Mon père avait acquis une conscience suffisamment lucide du monde ouvrier local pour savoir que les rues (et peut-être les écoles) d'Honolulu risquaient d'être dangereuses pour un jeune haole. Ne fût-ce qu'en raison d'un jour de congé (officieux) notoirement connu et intitulé *Le jour où l'on tue un haole*. Cette "fête" soulevait de nombreuses polémiques, y compris dans les éditoriaux des journaux locaux (qui s'en offusquaient), encore que je n'eusse jamais réussi à découvrir quel jour exactement elle tombait. "N'importe quel jour, répondait Mike, le chef de notre In Crowd. Quand les mokes le décident." Je n'ai jamais eu vent non plus d'homicides perpétrés durant cette fête. Les cibles principales du *Jour où l'on tue un haole,* disait-on, étaient en fait les militaires en permission, qui, généralement, se déplaçaient par petits groupes autour de Waikiki et dans le quartier chaud du centre-ville. Que mes meilleurs amis fussent les jeunes autochtones qui garaient leurs planches dans notre jardin rassurait certainement mon père. Ils avaient l'air de savoir se défendre.

Il avait toujours redouté les petits voyous. S'il me fallait affronter un garçon plus grand ou si j'étais seul contre plusieurs... "Ramasse un bâton, un caillou, tout ce que tu auras sous la main", me conseillait-il. Gardait-il le souvenir de raclées ou d'humiliations qu'il aurait subies à Escanaba, sa ville natale du Michigan ? Ou bien l'idée que son enfant chéri, son Billy, pût se retrouver seul à en découdre avec des loubards le perturbait à ce point ? Quoi qu'il en soit, je n'ai jamais suivi son conseil. Il y avait sans doute eu à Woodland Hills, la banlieue de Californie où nous vivions, de nombreuses bagarres, à coups de bâton ou de caillou, mais jamais sous la forme de ces affrontements brutaux qu'envisageait mon père. Une fois, il est vrai, un petit Mexicain – un étranger – m'avait chopé après l'école sous des poivriers, cloué au sol en me maintenant les bras, puis avait fait gicler du jus de citron dans mes yeux. Une bonne occasion sans doute d'attraper un bâton. Mais, sur le moment, j'avais eu le plus grand mal à croire que c'était vraiment en train de m'arriver. Du jus de citron ? Dans mes yeux ? Alors que je ne connaissais même pas celui qui me faisait ça ? Les yeux m'ont piqué pendant des jours. Je n'ai jamais rapporté l'incident à mes parents. C'eût été une infraction au Code d'honneur des garçons. Je ne leur ai jamais parlé non plus (ni à personne d'autre) de Freitas et de sa baguette en bois.

Mon père dans la peau d'un enfant effrayé – c'était une image que je peinais à me représenter. C'était Papa, le grand Bill Finnegan, fort comme un grizzly. Ses biceps, qui tous nous émerveillaient, étaient pareils aux loupes marbrées du chêne. Jamais je n'aurais des bras semblables. J'ai hérité de la constitution de ma mère, maigre comme un *stockfish*. Mon père semblait n'avoir peur de personne. En vérité, il était même d'une irascibilité mortifiante. Il ne craignait pas d'élever la voix en public. Je trouvais sa combativité embarrassante. Il lui arrivait de demander aux commerçants et aux restaurateurs qui accrochaient un écriteau mentionnant qu'ils s'accordaient le droit de refuser de servir certaines personnes ce qu'ils entendaient *exactement* par là ; et, si la réponse ne lui plaisait pas, il leur répondait avec colère qu'il n'avait plus qu'à aller autre part et que jamais plus il ne reviendrait chez eux. Ça n'est jamais arrivé à Hawaï, c'était très fréquent sur le continent. Je ne savais pas à l'époque que ces avertissements étaient un code pour "Réservé aux Blancs" – c'était aux derniers jours de la ségrégation raciale légale. Quand il commençait à élever la voix, je me contentais de me recroqueviller et de fixer le sol.

Ma mère se prénommait Pat. Son nom de jeune fille était Quinn. Sa silhouette de saule pleureur était trompeuse. Sans aucune aide ménagère et avec un mari absent la plupart du temps, elle a élevé quatre enfants sans même avoir l'air d'en faire trop. Elle avait grandi dans un Los Angeles qui n'existe plus – celui de Roosevelt et des ouvriers blancs catholiques de gauche –, et les gens de sa génération, qui ont atteint l'âge adulte après guerre, étaient d'une grande et allègre insouciance. Progressistes, ils allaient à la plage, accrochaient pour la plupart leur étoile à l'industrie du spectacle – les maris y travaillaient tandis que leur épouse gérait la couvée banlieusarde. Ma mère avait la grâce nonchalante d'une joueuse de tennis. Elle savait aussi se débrouiller pour joindre les deux bouts. Quand j'étais petit, je croyais que les carottes, les pommes et la salade composée étaient au menu sept soirs par semaine pour tout le monde. En réalité, à l'époque et en Californie, il s'agissait des ingrédients les plus sains et les moins chers. Ma mère venait d'une famille d'immigrants irlandais, cultivateurs en Virginie-Occidentale, et, davantage encore que mon père, c'était une enfant de la Grande Dépression. Le sien, un réparateur de réfrigérateurs alcoolique, était mort jeune. Elle n'en parlait jamais. Sa mère, restée seule pour élever trois filles, avait repris ses études et était devenue infirmière. Quand ma grand-mère avait vu pour la première fois mon père, qui rendait deux centimètres à ma mère, elle avait, paraît-il, poussé un soupir et lancé : "Bon, ben, tous les plus grands sont morts à la guerre."

Ma mère était infiniment conciliante. Elle n'aimait pas la voile mais passait la plupart de ses week-ends à voguer sur les petits voiliers successifs que mon père, dès que nous avons été un peu moins fauchés, achetait. Il s'en entichait quelque temps avant de le revendre pour en acheter un autre. Elle n'aimait pas le camping mais nous accompagnait sans se plaindre. Elle n'aimait pas non plus Hawaï, ce que j'ignorais à l'époque. Elle trouvait son provincialisme étouffant. Elle avait grandi à Los Angeles et vécu à New York, et la lecture du journal quotidien d'Honolulu lui était très clairement pénible. Elle était très sociable, pas snob pour un sou, et elle avait réussi à se faire quelques amis à Hawaï. Mon père, lui, n'en voyait guère l'utilité – quand il ne travaillait pas, il préférait rester en famille –, mais le large cercle d'amis que nous lui connaissions à Los Angeles et qui, tous, travaillaient aussi dans le showbiz, manquait cruellement à ma mère, tout comme ses amis d'enfance.

Elle nous a caché tout cela durant des années et s'est jetée à corps perdu dans cette vie pour tirer le meilleur de cette ville insulaire aux idées réactionnaires. Elle aimait l'eau, ce qui était une chance (sauf pour sa peau blanche d'Irlandaise). Elle étendait les serviettes de plage sur le petit banc de sable humide, au pied de notre sentier, et conduisait les petits jusqu'au lagon avec masques et épuisettes. Elle inscrivit ma petite sœur Colleen à la préparation à sa première communion dans une église de Waikiki. Elle a même, en compagnie de mon père, quand ça lui était possible, fait des sauts de puce en avion jusqu'aux îles voisines, le plus souvent avec mon frère Michael sur les genoux, qui avait alors trois ans, après avoir précipitamment trouvé quelqu'un pour nous garder. Elle trouvait sur ces îles, me semble-t-il, un Hawaï plus proche des choses qu'elle aimait – loin de ces arrivistes à la Babbitt et des racistes du country club d'Honolulu. Sur les photographies de vacances prises lors de ces escapades, elle a tout d'une inconnue : ce n'est plus ma mère, mais une femme, songeuse et au goût certain, vêtue d'une tunique turquoise sans manches, plongée seule dans ses pensées, distante – un personnage à la Joan Didion, dirait-on aujourd'hui, marchant pieds nus, sandales à la main, devant un mur de pins côtiers broussailleux. Didion, ai-je appris bien plus tard, était son écrivain préféré.

Je chérissais le break qui m'épargnait la corvée de jardinage. Cependant, à mon grand désespoir d'adolescent, j'allais devenir baby-sitter. Ignorant ma carrière naissante de petit voyou de Kaimuki, mes parents ne voyaient plus en moi que l'homme, "le garçon responsable". C'était devenu mon rôle à la maison depuis la naissance de mes autres frères. Il y avait une grosse différence d'âge entre nous – Kevin était plus jeune de quatre ans et Michael de dix –, et on pouvait donc compter sur moi pour les empêcher de se noyer, de s'électrocuter, pour les nourrir, les abreuver et les changer. Les tours de garde officiels, le soir ou les week-ends, étaient nouveaux et terriblement contraignants, surtout quand il y avait des vagues à surfer, des bus municipaux qui suppliaient d'être bombardés de mangues pas encore mûres et des boums à Kaimuki sans aucun chaperon adulte. Je me suis vengé sur les pauvres Kevin et Michael en ressassant amèrement la belle époque d'avant leur naissance. Un Âge d'Or, en vérité. Rien que maman, papa et moi, on faisait tout ce qui nous chantait. Tous les soirs, nous allions au Jolly Roger, se régaler de cheeseburgers et de chocolats maltés. Pas de bébés pleurnichards. Le bon temps.

J'ai tenté de me défausser de mon emploi, avec Colleen, par un samedi de canicule. Elle devait faire sa première communion le lendemain. Le samedi était consacré aux essayages de la robe, en prévision de la grande cérémonie. Maman et papa s'étaient absentés, probablement pour donner un coup de main à Chester Lau. Colleen était en grand apparat de dentelle, de la tête aux pieds. Elle devait se confesser ce jour-là pour la première fois – encore qu'on ait du mal à imaginer ce qu'une fillette de sept ans, en règle générale, pourrait bien confesser en matière de péchés mortels. Quoi qu'il en fût, la répétition du samedi était obligatoire. Les catholiques romains ne plaisantaient pas avec ça à l'époque. Sécher, c'était à coup sûr être privé de première communion. "Reviens l'année prochaine, pécheresse, et puisse Dieu sauver ton âme d'ici là. " J'avais été élevé dans le giron glacé de l'Église et je savais donc à quel point les bonnes sœurs pouvaient se montrer coriaces. Malgré tout, quand nous avons réussi, Colleen et moi, à rater le bus municipal pour Waikiki qui ne passait qu'une fois par heure, je savais exactement ce qui allait arriver. Mais, parce que, tout au fond de moi, je restais ce fameux "petit homme responsable", j'ai paniqué. J'ai posé ma petite sœur au beau milieu de Diamond Head Road, dans son costume éblouissant, et j'ai hélé le premier véhicule qui se dirigeait vers Waikiki. Et elle arriva à l'église à temps.

Je commençais à mieux me repérer dans Honolulu. Depuis le lineup des Cliffs, on voyait toute la côte d'Oahu, de la chaîne des Waianae à l'ouest, par-delà Honolulu et Pearl Harbor, jusqu'au Koko Head, une sorte de Diamond Head de seconde zone – un autre cratère parcheminé en bord de mer –, à l'est. La ville occupait toute la plaine entre le littoral et la chaîne de Ko'olau, dont les pics verts escarpés étaient d'ordinaire voilés de nuages et de brume, surplombés par d'éblouissants et bouillonnants cumulonimbus. Des montagnes descendaient des nuages d'orage qui lavaient la ville, encore que la plupart s'évaporaient souvent avant d'atteindre la côte. Des arcs-en-ciel tapissaient le ciel. Le Windward Side (le versant d'où soufflait le vent) se trouvait au-delà des montagnes, et le célèbre North Shore quelque part là-bas.

Mais, à Honolulu, les directions vous sont toujours données, non pas par la boussole, mais par les points de repère locaux, de sorte qu'on va soit *mauka* (vers les montagnes), soit *makaï* (vers la mer) soit *ewa* (vers Ewa Beach, par-delà l'aéroport et Pearl Harbour, soit *diamondhead*. (Pour ceux d'entre nous qui vivions sur le versant opposé du Diamond Head, on disait simplement *kokohead* – même motif, même punition.) Ces indications pittoresques ne sont ni de l'argot ni du snobisme – on les retrouve sur les cartes officielles et les panneaux de signalisation routiers. Elles constituaient aussi pour moi – et la conscience que j'en avais était encore imprécise mais avait modifié ma façon de voir le monde – un élément important d'un monde plus unitaire, et, en dépit de toutes ses fractures, plus cohérent, dans son isolement au beau milieu du Pacifique, que tout ce que j'avais connu jusque-là. Mes amis de L.A. me manquaient, mais la Californie du Sud, sa taille, la monotonie de ses paysages sans relief, perdait de son prestige dans mon esprit. Ce n'était plus la contrée à l'aune de laquelle je jugeais toutes les autres. Il y avait un gamin de l'In Crowd, Steve, qui glosait interminablement sur le "Rocher". Il parlait d'Oahu, mais on avait l'impression qu'il faisait allusion à Alcatraz. Son ambition était de fuir le Rocher pour, dans l'idéal, gagner l'Angleterre où jouait son groupe favori, les Kinks. Mais n'importe où sur le continent, n'importe où sauf à Hawaï, aurait suffi. Pour ma part, je n'aurais pas répugné à rester à jamais à Da Islands (dans les Îles, en pidgin).

Dans l'ancienne Hawaï, avant l'arrivée des Européens, le surf avait un caractère religieux. Après les prières et les offrandes, les maîtres artisans confectionnaient des planches dans le bois d'arbres sacrés, koas ou wiliwilis. Les prêtres bénissaient la houle, cinglaient l'eau de lianes pour la faire lever, et sur la plage de certains breaks se dressait un *heiau* (un temple) où les dévots pouvaient aller prier pour appeler quelques belles vagues. Cette conscience spirituelle n'excluait pas, apparemment, une rude compétition, ni même tout un système de paris. Selon les historiens Peter Westwick et Peter Neushul, "un concours entre des champions de Maui et d'Oahu comportait un prix de quatre cents cochons et de seize canoës de guerre". Hommes et femmes, jeunes et vieux, rois et roturiers, tous surfaient. Quand les vagues étaient bonnes, "toute idée de travail s'évanouissait, ne restait que celle du sport", écrivait Kepelino Keauokalani, un universitaire du XIXᵉ siècle. La journée entière était consacrée au surf. Nombreux étaient ceux qui sortaient en mer dès quatre heures du matin." En d'autres termes, les anciens Hawaïens souffraient d'une fièvre du surf carabinée. Ils avaient aussi beaucoup de loisirs. Les îles bénéficiaient d'un gros surplus de vivres ; leurs habitants n'étaient pas seulement d'habiles pêcheurs, chasseurs et cultivateurs de terrasses, mais ils construisaient aussi et géraient des systèmes sophistiqués de bassins de poissons. Leur festival hivernal des moissons durait trois mois, durant lesquels la pratique du surf triomphait fréquemment et où le travail était officiellement interdit.

Ce n'était sans doute pas le mode de vie que les missionnaires calvinistes avaient en tête pour les insulaires. Ils commencèrent d'arriver en 1820. Hiram Bingham[01], qui menait leur première mission et se retrouva au beau milieu d'une foule de surfeurs avant même de débarquer, écrivait que "la dissolution, l'avilissement et la barbarie manifestes qui régnaient au sein de ces sauvages bavards et presque nus, dont ni les pieds ni les mains, ni la majeure partie de la peau basanée et brûlée par le soleil n'étaient couverts, étaient effroyables. Certains d'entre nous se sont détournés de ce spectacle en pleurant à chaudes larmes." Vingt ans plus tard, Bingham ajoutait : "Le déclin et l'arrêt définitif du surf, à mesure que la civilisation se répand, peut s'expliquer par les progrès de la pudeur, de l'industrie et de la religion." S'agissant du déclin du surf, il ne se trompait

01 — (1789-1879) Chef du premier groupe de missionnaires protestants qui christianisa les îles hawaïennes.

pas. La culture hawaïenne avait été détruite et la population décimée par les maladies infectieuses venues d'Europe : entre 1778 et 1893, la population d'Hawaï, estimée au départ à huit cent mille âmes, s'était réduite à quarante mille. Et, vers la fin du dix-neuvième siècle, le surf avait entièrement disparu. Westwick et Neuschul[01], néanmoins, regardent moins le surf comme la victime d'un zèle missionnaire couronné de succès que comme celle d'un effondrement démographique sans précédent, de la dépossession et d'une succession d'industries d'extraction − bois de santal, pêche à la baleine, sucre − qui ont contraint les insulaires à pratiquer une économie monétaire et les ont dépouillés du temps libre dont ils jouissaient auparavant.

Le surf moderne est l'héritier de ce terrible passé, grâce à quelques Hawaïens − dont Duke Kahanamoku − qui ont assuré la survie de la pratique ancestrale du *he'e nalu*. Kahanamoku, qui gagna une médaille d'or de natation aux jeux Olympiques de 1912, acquit une célébrité internationale et entreprit de donner des exhibitions de surf dans le monde entier. Le sport prit − lentement − sur diverses côtes, là où il y avait des vagues surfables et des gens disposant d'assez de temps libre pour les traquer. Le sud de la Californie après guerre devint la capitale de l'industrie émergente du surf, largement en raison d'un boom local de l'aéronautique fournissant à la fois des matériaux légers pour la fabrication des planches et une génération de gosses surdimensionnés qui, comme moi, disposaient du temps et de l'inclination nécessaires à l'apprentissage de ce sport. Point tant d'ailleurs que les autorités locales nous y encourageaient. Les surfeurs étaient catalogués parmi les vandales et les absentéistes. Quelques villes balnéaires interdisaient même le surf. Et le mythe du *surf bum* "clochard surfeur" − frère du clodo skieur, du gueux voileux ou du va-nu-pieds grimpeur −, n'a jamais été dissipé, et ce, pour une bonne raison : les avatars de Jeff Spicoli, le surfeur défoncé interprété par Sean Penn dans *Ça chauffe au lycée Ridgemont*, fichent encore aujourd'hui méthodiquement la pagaille dans toutes les villes balnéaires du monde. Cela étant, Hawaï était différent. Du moins me

01 — Peter Westwick et Peter Neuschul sont les auteurs d'une histoire du surf *The World in the Curl*, 2013, Crown.

semblait-il. Le surf n'y était pas une sous-culture, importée ou rebelle – même si sa survie représentait une opposition durable aux valeurs calvinistes mercantiles d'Hiram Bingham. Il faisait profondément partie de la culture autochtone.

Glenn et Roddy m'ont invité à une réunion de leur club de surf, la Southern Unit – l'Unité Sud. Tout ce que j'en savais, c'était que ses membres portaient des caleçons de bain vert et blanc à fleurs, imprimés d'alohas, et que tous ceux que j'avais vus dans l'eau aux Cliffs, surtout les bons jours, surfaient remarquablement bien. La réunion se tenait au Paki Park, petite place publique du côté Diamond Head de Waikiki. C'était la nuit, la place était bondée et je suis resté à l'écart dans l'ombre. Un petit bonhomme, la cinquantaine, fort en gueule, nommé Mr. Ching, tenait le crachoir, dégoisait sur les vieilles affaires, les nouvelles, les résultats des derniers concours, les prochaines compètes, tout cela en plaisantant avec la foule et en lui arrachant des rires, encore que ses reparties fussent un peu trop vives pour moi.

"Fais pas le malin !", a-t-il crié en se retournant sur un garçon qui escaladait le podium dans son dos. Le gamin en question était Bon Ching, son propre fils, m'expliqua Roddy. Il avait notre âge mais surfait aussi bien que Glenn. Il n'y avait que de rares haoles dans la foule, mais j'ai reconnu l'un d'entre eux, Lord James Blears. C'était un ancien catcheur trapu à la crinière dorée, ainsi qu'un présentateur de la télé locale, à l'accent british théâtral qui paraissait contrefait à moins qu'il ne soit parfaitement authentique. Lord Blears, entre autres choses, surfait d'ailleurs d'une façon disons "cérémonieuse". Roddy pointa du doigt sa fille, une adolescente, Laura, pour qui j'ai eu instantanément et douloureusement le béguin, et son frère Jimmy, qui devint par la suite un fameux surfeur de grosses vagues.

D'autres gamins qui avaient participé à cette réunion se firent un nom en rejoignant le gratin mondial du surf, y compris Reno Abellira (il n'était encore à l'époque qu'un gnome de Waikiki chahutant Mr. Ching dans la pénombre, mais qui devint plus tard un compétiteur international de haut niveau, célèbre pour son style ramassé sur la planche, presque accroupi, et sa vitesse fulgurante). Ce qui m'a sidéré, c'était les blousons. Plusieurs garçons portaient un coupe-vent aux couleurs vert et blanc de la Southern Unit. Vêtement encore plus convoité, si c'était possible, que le caleçon officiel du club. Quand Roddy m'a pressé de me porter volontaire pour aider à une collecte de fonds nécessaire selon Mr. Ching, j'ai ravalé ma timidité. Je me suis rapproché, afin qu'il m'indique ce que je devais faire.

Je n'étais jamais entré dans un club de surf. En Californie, j'avais entendu parler de Windansea, basé à La Lolla et dont certains membres étaient célèbres. Il y en avait aussi un autre à Santa Barbara, nommé le Hope Ranch, qui nous paraissait être alors, pour mes amis et moi-même, le paradis. Aucun de nous ne connaissait un seul de ses membres. Pas même ses couleurs. Peut-être n'existait-il pas. Néanmoins, l'idée du Hope Ranch perdurait, intangible, comme un rêve de super-coolitude dans la poêle grésillante de nos cerveaux surchauffés de dingues de surfs en herbe.

Désormais, il n'existait plus pour moi que la Southern Unit. Le processus d'admission n'était pas évident. Devais-je aller surfer et gagner un concours ? Je n'avais jamais participé à aucun – juste à quelques misérables *surf-offs*, des compétitions contre d'autres garçons de mon collège de Californie. Cependant, il fallait d'abord que je m'occupe de cette collecte de fonds. Roddy trouva une excuse pour ne pas se présenter, tandis que je me pointais à l'heure au lieu de rendez-vous par un samedi matin de cagnard. Mr. Ching conduisit notre petite troupe, dont son fils Bon, jusqu'à un lotissement à l'architecture prétentieuse, au sommet des collines qui surplombent Honolulu. Nous avons reçu chacun un lourd sac de saucisses portugaises et des instructions rudimentaires sur le porte-à-porte. Nous collections de l'argent pour notre club de surf – une cause des plus honorables, comme celle des boy-scouts. Quand Mr. Ching s'écriait "la Southern Unit", tout le monde se marrait parce qu'il la prononçait exprès à la mode haole, en anglais standard, alors qu'on disait normalement "Da Soddun Unit". On nous assigna des territoires de prospection. Nous devions nous retrouver au pied de la montagne en fin de journée.

Je me suis jeté dans cette tâche avec tout le panache d'un héros solitaire. J'ai frappé aux grilles, aux portes, échappé à des chiens furieux, parlé à très haute voix à de vieilles Japonaises qui semblaient ne pas comprendre un traître mot d'anglais. Une paire de dames haoles me prit en pitié, mais je n'ai pas vendu grand-chose. La journée est devenue de plus en plus chaude et je n'avais rien à manger ni à boire. Je me suis rafraîchi plusieurs fois avec des tuyaux d'arrosage, et, finalement, affamé, j'ai déchiré l'emballage plastique d'une de mes saucisses. Elle n'avait pas très bon goût mais c'était mieux que rien. Dix minutes plus tard, je m'agenouillais sous une pluie battante pour vomir tout mon saoul. Je ne savais pas qu'il fallait cuire les saucisses portugaises. Entre deux haut-le-cœur, je me demandais si je m'étais rapproché ou éloigné du glorieux statut de membre d'un club de surf.

Roddy avait été transféré, pour je ne sais quelle raison, dans ma classe de dactylo. En l'écoutant se présenter au prof, j'en restai bouche bée. Exactement comme Mr. Ching pour son laïus lors de la collecte de fonds, Roddy avait brièvement renoncé à son pidgin natal pour s'exprimer dans un anglais standard. Mais, là, il ne cherchait pas à produire un effet comique ; c'était uniquement parce que la situation le demandait. Glenn, ai-je appris plus tard, en était lui aussi capable. Les garçons Kaulukukui étaient tous bilingues ; ils pouvaient passer d'un code culturel à un autre. Je ne le savais pas simplement parce que, lors de nos sorties quotidiennes, l'occasion d'abandonner leur première langue, ce créole hawaïen qu'on appelle le pidgin, se présentait rarement, pour ainsi dire jamais.

Pour moi, continuer à cloisonner mes deux univers est soudain devenu plus épineux : Roddy et moi commencions à traîner ensemble au collège, loin de l'Albizia saman de l'In Crowd. Nous mangions notre *saimin* et notre *chow fun* face à face dans un coin sombre de la cafétéria. Il n'y avait nulle part où se cacher. Une scène, une confrontation, peut-être avec Mike lui-même, aurait donc dû se produire – *Hé, qui c'est ce moke ?*

Or, rien de tel. Sans doute Glenn et Ford étaient-ils aussi dans les parages. Peut-être Glenn et Mike avaient-ils réglé cette affaire sans m'en faire part, en rigolant de conserve. Tout ce que je savais, c'était que, du jour au lendemain, semblait-il, Glenn, Roddy et Ford se pointaient non seulement sous l'Albizia de l'In Crowd, dans la cour de récréation, mais aussi le vendredi soir à la maison de Mike et Eddie à Kaimuki – où l'oncle de Mike fournissait de la Primo, la bière locale, et ce *mod* de Steve les Kinks. L'In Crowd avait connu une ère d'intégration raciale, rapide et sans en faire tout un foin.

À cette époque, le Pacific Club (le club privé local en vogue où étaient conduites la plupart des grosses affaires hawaïennes à coups de cocktail et de paddle-tennis) était encore réservé aux Blancs. Cette boîte, apparemment indifférente au fait que le premier représentant d'Hawaï aux États-Unis et un de ses deux premiers sénateurs étaient des Américains d'origine asiatique (ainsi que de distingués vétérans de la Seconde Guerre mondiale, où l'un d'eux, Daniel Inouye, avait perdu un bras), continuait d'interdire formellement l'adhésion aux Sino-Américains. Cette brutale discrimination n'était pas anticonstitutionnelle – la ségrégation avait encore force de loi dans la plus grande partie du pays –, mais, à Hawaï, elle était singulièrement déplacée. En dépit de leur origine sociale, les gosses haoles de l'In Crowd étaient plus éclairés. Ils se rendaient compte que mes amis étaient cool – en particulier Glenn –, et oublièrent bientôt tout ce qui relevait de la couleur de peau, ne fût-ce que dans l'intérêt de la bande. Oui, tout ça, ça n'en valait pas la peine. Tout ça, ça n'était que de la merde radioactive, rien d'autre. Faisons plutôt la fête.

Non point, d'ailleurs, que frayer avec l'In Crowd fût la plus chère ambition de Glenn, Ford et Roddy. À ce que j'en savais, c'est-à-dire beaucoup, pour eux, c'était du pipi de chat. J'étais le seul que ça impressionnait. Quand Roddy a fait la connaissance de deux filles de la bande dont je lui avais parlé – deux filles sur lesquelles j'avais bavé et avec qui j'avais très occasionnellement flirté –, j'ai bien vu qu'il n'était guère subjugué. Si le mot "crasseuse" avait été en usage sur l'île, il s'en serait sans doute servi pour les décrire. Roddy connaissait déjà les tourments des premières amours, dont j'avais moi-même beaucoup entendu parler, et l'objet de son affection était une fille à la beauté sereine et discrète, particulièrement vieux jeu, que je n'aurais jamais remarquée s'il ne me l'avait pas montrée. Elle était trop jeune pour se mettre à la colle, disait-il. Il attendrait des années s'il le fallait, ajouta-t-il, misérable. En regardant mes premières petites amies à travers son regard d'idéaliste, je ne les aimais sans doute pas moins mais je prenais conscience qu'elles étaient toutes complètement paumées, égarées dans leur puberté prématurée et leur sex-appeal de petites délinquantes négligées. En vérité, elles étaient bien plus précoces que moi à cet égard, ce qui me rendait timide et malheureux.

Je me suis donc pris d'un béguin désastreux pour la petite amie de Glenn, Lisa. C'était une fille plus âgée – quatorze ans, en troisième –, une Chinoise posée, drôle et gentille. Elle était au collège de Kaimuki mais ne vivait pas en ville. C'est là-bas que je l'ai aperçue la première fois. Le couple qu'ils formaient avec Glenn ne tenait la route que parce qu'il avait tout du héros naturel et que Lisa faisait rêver tout autant. Mais c'était aussi un sauvage, un hors-la-loi qui séchait les cours comme qui rigole, tandis qu'elle était une fille sage et une bonne élève. De quoi pouvaient-ils bien parler ? Je n'en avais franchement pas la moindre idée. "Il y avait en lui une joie de vivre et une sorte de tendresse exempte de gentillesse idiote." Quand, plusieurs années plus tard, j'ai lu cette phrase de James Salter, j'ai immédiatement pensé à Glenn. Telle que j'imagine Lisa, elle aurait sans doute eu la même réaction. Je ne peux pas faire ça, me suis-je dit. Il me fallait attendre, impatiemment, qu'elle revînt un jour à la raison, et se tourne alors vers le garçon haole qui l'adulait et se mettait en quatre pour la faire rire. Je n'aurais su dire si Glenn avait remarqué mon état pitoyable. Il avait au moins la bonne grâce de ne rien dire de grossier sur Lisa en ma présence (pas de "*Spock dat !*" – Mate-moi ça !), comme le font toujours les garçons entre eux, les yeux exorbités, pour admirer la croupe ou les seins d'une fille bien roulée.

Lisa m'a aidée à mieux comprendre Ford. Je savais qu'il avait quelque chose d'original, pour un garçon japonais. Glenn le taquinait parfois, l'appelant "*da nip-o-nese*" – le Nippon –, en ajoutant : "Quelle déception tu dois être pour ta famille, toi qui t'intéresses qu'au surf !" Mais Glenn lui arrachait rarement une réaction. Ford intériorisait beaucoup. Je trouvais qu'il n'aurait guère pu être plus différent des autres élèves japonais avec qui je partageais certains cours au collège. Tous ne cherchaient que l'approbation des professeurs, de leurs voisins de table, une quête outrancière et fiévreuse de reconnaissance. Je m'étais lié d'amitié avec quelques-unes des filles les plus amusantes, elles pouvaient vraiment être très drôles –, mais la barrière sociale qui nous séparait restait solide, et, en classe, leurs manières de lèche-bottes restaient une insulte à ma conception personnelle du protocole présidant aux relations entre profs et élèves. Ford, en revanche, était de ma planète.

Il avait le teint pâle, un corps trapu aux muscles ciselés, et, son surf un style raide mais efficace qui le portait rapidement *down the line* – "à fond d'un bout à l'autre de la vague", c'est-à-dire en travers du déferlement horizontal. L'amitié mutuelle qu'ils se portaient avec Glenn semblait tourner uniquement autour du surf, activité dans laquelle ils étaient pratiquement égaux. Ils partageaient aussi un certain sens du ridicule, que Ford, taiseux, exprimait par de brefs sourires en réaction aux plaisanteries de Glenn. Enfin, les Kalukukuis offraient à Ford un refuge aux pressions que lui imposait sa famille. C'est ce que m'expliqua Lisa. Elle connaissait la famille de Ford, y compris ses parents, redoutables, et ses frères et sœurs, tous inscrits à l'université. Les Japonais avaient surgi sur le devant de la scène politique dans l'Hawaï après guerre, et, quelques années après qu'on les fit venir sur l'île, ils s'étaient très vite arrachés à leur travail dans les plantations de cannes à sucre – comme d'ailleurs les Chinois, les Philippins et d'autres groupes ethniques. Désormais, ils s'élevaient socialement grâce au commerce. On leur reprochait généralement leur insularité – disons qu'à la différence des Chinois, ils n'étaient pas pressés de se marier en dehors de leur groupe ethnique. Bref, leurs convictions, surtout pour la vieille génération, les poussaient apparemment à penser qu'ils n'avaient aucune chance, en fré-quentant des Hawaïens et en s'amusant avec eux, d'améliorer leur sort en Amérique. Et c'était contre cet état de fait que Ford se rebellait tous les jours, disait Lisa. Pas étonnant qu'il ait toujours les mâchoires si serrées, me disais-je.

Des flyers distribués annonçaient un concours de surf qui se tiendrait aux Cliffs du Diamond Head. L'organisateur semblait n'être qu'un gamin du collège de Kaimuki – Robert, un garçon de troisième pas très grand et bien bavard qui ne surfait même pas. Mais Roddy et Glenn le disaient réglo, ajoutant qu'il venait d'une famille d'agents de sportifs. Le concours n'aurait guère pu être plus insignifiant : aucun club de surf n'y participait et la seule catégorie semblait être celle des garçons de moins de 14 ans dont je faisais partie. Je me suis inscrit.

Le jour de la compétition, les vagues n'étaient encore qu'un vaste foutoir venteux et ensoleillé, mais une légère houle se levait. Aucun des gamins venus concourir n'était un habitué des Cliffs – je n'en ai pas reconnu un seul, en tout cas, à l'exception de deux garçons du collège. Tous avaient pourtant l'air de savoir mener leur barque dans ce capharnaüm de maillots et de numéros. Certains étaient venus avec leurs parents, qui avaient vaillamment dévalé la pente depuis la Diamond Head Road. Je n'en avais même pas parlé aux miens – trop embarrassant. Roddy, à mon grand dam, ne s'est pas montré. Je m'attendais à ce qu'il gagne le concours. Glenn était présent – il avait été tiré au sort comme juge –, et il m'a expliqué que Roddy était obligé de travailler ce matin-là avec son père au Fort DeRussy, à Waikiki.

Robert lut à haute voix les listes des numéros des participants. Quand nous ne surfions pas, nous nous tapissions sous les épineux du versant, blottis dans des poches d'ombre. Les juges étaient assis plus haut. Quelques-uns des surfeurs semblaient très doués, mais aucun n'aurait menacé Roddy. Un des garçons portait le caleçon de la Southern Unit, mais son choix de vagues était épouvantable et il se vautrait sans arrêt.

J'ai surfé à deux ou trois reprises. J'étais nerveux, je ramais sec et je ne prêtais attention à personne. Les vagues commençaient à légèrement monter, ce qui était bienvenu, mais le jeune Robert n'avait pas le pouvoir de dégager une zone uniquement réservée à la compétition, de sorte que nous surfions au milieu de la foule habituelle du samedi. Je commençais à bien connaître les récifs des Cliffs et je me suis donc écarté, côté *ewa*, vers un bloc de corail qui affleurait à un angle propice pour cette houle. J'y ai trouvé une série de vagues qui déferlaient correctement sur la majeure partie du break. Robert disposait d'un système de drapeaux, censé indiquer aux surfeurs quand leur prestation s'achevait, mais il avait oublié de changer de drapeau pour la finale et j'ai continué de surfer jusqu'à ce que Glenn vienne me chercher en ramant. "C'est terminé", m'a-t-il appris. J'étais second. Un jeune haole du nom de Tomi Winkler était arrivé premier. Glenn souriait : "Ce cutback* sur un genou ? Chaque fois que tu m'en fais un, *wouah !* je t'accorde des points en plus."

C'était un résultat stupéfiant pour trois raisons : tout d'abord parce que Robert nous a vraiment remis un trophée quelques semaines plus tard, ce qui a surpris pour le moins mes parents, vexés que je ne les aie pas invités. Et de deux, qui diable était Tomi Winkler ? Il s'avéra être un de ces discrets haoles du collège de Kaimuki, un gentil garçon enjoué, dont je m'aperçus qu'il était meilleur surfeur. Enfin, Glenn avait apprécié mon cutback avec tombé de genou. C'était une manœuvre réservée aux eaux froides, pratiquement inconnue à Hawaï, et, si j'avais abandonné mon style continental, sans doute cette technique aurait-elle été la première dont je me serais débarrassé. Mais je m'en servais encore, apparemment, et Glenn, mon idole, lui avait trouvé quelque élégance ou, au moins, une certaine nouveauté. Ça réglait l'affaire... j'ai conservé le tombé de genou.

Cette histoire de styles, continental contre hawaïen, restait cependant compliquée. Ça l'était pour le monde du surf en général, en tout temps, mais ça bousculait mes propres convictions. J'entendais souvent Glenn taquiner Roddy sur son surf, "trop insulaire". Il imitait son frère en s'accroupissant, le cul levé, les bras exagérément tendus en ailerons aérodynamiques, les yeux plissés comme un samouraï furieux. C'était injuste et inexact, mais drôle. Glenn s'amusait parfois à l'imiter, en surfant une vague, mais toujours en poussant le cri de guerre "Aikau !". Les Aikau étaient une famille de surfeurs locaux connus pour leur style traditionnel. Comme Ben Aipa et Reno Abellira, les Aikau deviendraient plus tard célèbres dans les milieux internationaux du surf – et devraient surtout leur renom, entre autres choses, à la pureté de leur style hawaïen sur les grosses vagues. Je n'avais encore jamais entendu parler d'eux à l'époque. Ford et Roddy trouvaient les parodies de Glenn irrésistibles. "Quand tu verras surfer les Aikau, tu comprendras ce qui nous fait rire", me dit Ford.

J'ai fait avec ma famille mon premier voyage jusqu'au North Shore. C'était au printemps, et la saison des grosses houles des Aléoutiennes, qui y dépêchent d'énormes vagues, était terminée. Nous nous sommes arrêtés à Waimea Bay, le mythique spot de grosses vagues. Ça ressemblait exactement aux photos, sauf que la mer était d'huile. Nous avons remonté le canyon derrière la plage et nous nous sommes baignés dans un bassin d'eau fraîche. Mon père, Kevin et moi avons sauté d'une falaise dans l'eau brune et froide, en nous mettant mutuellement au défi de sauter de plus haut. Pour ce qui était de ce pari ridicule, j'avais surpassé mon père qui était pourtant athlétique, n'avait pas froid aux yeux et pas encore quarante ans. "Mes parents en savent de moins en moins sur moi", me disais-je. Je menais une existence clandestine et parallèle, surtout depuis notre arrivée à Hawaï. La majeure partie de cette vie se résumait au surf. Ça avait déjà commencé en Californie.

Pourquoi avais-je commencé à surfer ? S'il fallait l'expliquer par une image comme dans un livre pour enfant, disons que j'ai chopé le virus à dix ans, à Ventura, par un bel après-midi ensoleillé. Ventura se trouve sur la côte nord de Los Angeles. Il y avait un *diner* sur la jetée et, les week-ends où nous allions à la plage, nous y déjeunions. Depuis notre box, près de la fenêtre, je voyais filer à l'horizon les surfeurs vers un spot connu sous le nom de "California Street". Ce n'étaient que des silhouettes en contre-jour, éclairées par un soleil bas, qui dansaient silencieusement dans cette lumière éblouissante, leurs planches pareilles à de grosses lames noires qui tranchaient l'océan ou glissaient sur ses vagues, rapides sous leurs pieds agiles. California Street était une longue chaussée pavée et, de mes yeux de gosse de dix ans, les vagues qui se brisaient dessus semblaient s'être échappées de quelque atelier céleste, leurs pointes scintillantes et leurs épaules effilées comme sculptées par les anges de l'océan. J'aurais aimé me trouver là-bas moi aussi, et apprendre à danser sur l'eau. Le douillet brouhaha du repas familial n'était alors plus qu'un écho lointain. Même mon chili burger, préparé tout spécialement pour moi, perdait tout de sa saveur.

En vérité, il y avait plus d'un chant des sirènes qui m'attirait vers le surf à l'époque. Et mes parents étaient disposés à m'aider, contrairement à ceux de Ford Takara. Ils m'ont dégotté pour mes onze ans une vieille planche d'occasion et ils me conduisaient souvent à la plage avec mes amis.

À présent, toutefois, enfin c'est ce que je pensais à l'époque, je ne pouvais plus compter que sur moi. Personne ne me demandait où j'allais avec ma planche, jamais je ne parlais des bons jours aux Cliffs, ni de mes petites victoires où j'avais su faire face à la terreur provoquée par les vagues de Kaikoo. Quand j'étais petit, j'aimais rapporter mes plaies et bosses à la maison, entendre ma mère hoqueter à la vue du filet de sang qui dégoulinait le long de ma jambe. "De quoi tu parles ? Oh, ça, c'est rien !" J'adorais me faire enguirlander. Blessé, certes, mais nonchalant. J'ai même pris un plaisir pervers un jour, je m'en souviens, lorsqu'une autre mère m'a brûlé accidentellement avec sa cigarette, en montant dans un bateau. Cette attention qu'on me prodiguait, ces remords... la douleur en valait la peine. D'où sortait donc ce petit rabat-joie qui aimait voir la culpabilité se dessiner sur les visages des autres ? Il est encore en moi, sans aucun doute, mais, vers ma onzième année, je m'en suis soudain éloigné, psychiquement parlant, et de mes parents. En dévalant la piste de Waimea en maillot de bain avec mon père et ma mère, mes frères et ma sœur, je savais que nous étions six âmes apparentées, liées par le sang – une couvée –, mais je me sentais comme le mouton noir de la famille. Une bonne dose de dissidence pubère semblait s'être emparée de moi prématurément. Mais bien sûr, quand j'ai plongé la tête la première sur une tête de corail – ça m'est arrivé à Waikiki l'été suivant –, c'est ma mère que je suis allé trouver, et c'est elle qui m'a emmené à l'hôpital pour me faire recoudre.

*

J'ai dit que mon père n'avait pas encore quarante ans. L'âge d'un adulte ne représente rien pour un enfant, ces chiffres sont trop élevés et le plus souvent dépourvus de signification. Pourtant celui de mon père restait bizarrement en parfaite adéquation avec l'homme qu'il était, d'une façon que moi-même je trouvais étrange. On s'en rend compte sur les albums de photos de famille. À un moment donné, c'est un garçon éveillé aux cheveux sombres, qui fait du skateboard, du traîneau, et joue de la trompette dans un orchestre de bal. Puis, à vingt ans, libéré de son service militaire dans la Navy, il donne l'impression d'être déjà un homme mûr, fume la pipe, porte un feutre, se concentre sur une machine à écrire, affiche une mine satisfaite devant un échiquier. Il s'est marié à vingt-trois ans et s'est retrouvé père de famille à vingt-quatre. Rien d'étrange dans le monde de mes parents mais il semblait jouir de cette condition d'adulte avec un plaisir inhabituel. Il *voulait* avoir quarante ans. Non pas parce qu'il était quelqu'un de particulièrement posé et mesuré – il était plutôt lunatique et téméraire –, mais il tenait seulement à laisser sa jeunesse derrière lui.

Je savais qu'il avait détesté la Navy, la claustrophobie provoquée par l'existence à bord d'un navire (la guerre était finie – il l'avait ratée de peu –, mais il avait servi sur un porte-avions dans le Pacifique). Il exécrait tout particulièrement ce sentiment d'impuissance du matelot lambda. "On ne les appelle pas des "maîtres" pour rien...", disait-il à propos des sous-officiers. Ce que j'ignorais, à l'époque, c'était que son enfance avait été un véritable cauchemar. Ses parents étaient des ivrognes nomades. Leurs deux fils avaient été confiés à la garde de tantes, plus âgées qu'eux, et il avait eu la chance d'atterrir dans une petite ville du Michigan chez Martha Finnegan, une maîtresse d'école au doux caractère, et mariée à Will, un ingénieur ferroviaire. Malgré tout, sa vie durant mon père resta hanté par les tourments et les terreurs que lui avaient infligés ses parents biologiques avant de l'abandonner.

Mon père et ma mère étaient tous les deux sobres, ce qui n'a rien de surprenant. Même à la belle époque du Martini, je ne les ai jamais vus éméchés. Une de leurs plus grandes peurs, c'était que leurs enfants devinssent alcooliques.

Ils voulaient une famille nombreuse, et c'est par moi qu'ils l'ont très vite entamée. Nous vivions au tout début dans un immeuble de quatre étages sans ascenseur sur la Deuxième Avenue, à Manhattan. Ils donnaient un dollar par mois au barbier d'en bas pour garer mon landau dans son échoppe. Ils espéraient déménager à Levittown, nouvelle ville dans une banlieue typique de Long Island – rétrospectivement une idée tragique. Par bonheur, ils emménagèrent finalement à Los Angeles. Ma mère avait déjà fait à l'époque trois fausses couches d'affilée. Il est possible que l'une d'elles ait donné le jour à un enfant mort-né. De jeunes filles-mères catholiques, envoyées par je ne sais quelle association de l'Église, s'occupaient de moi. Quand ma mère est tombée enceinte de Kevin, elle est restée couchée six mois. Tout cela pendant ce prétendu "âge d'or" des Trente Glorieuses.

Lors de cette période, mon père semble avoir exercé un millier d'emplois (électricien de plateau, charpentier de studio, chef électricien, coursier) pour des émissions en direct ou en différé, voire au théâtre. De tous ces boulots, mon préféré reste celui de pompiste. Il travaillait dans une station-service Chevron de Van Nuys – non loin de Reseda, où nous habitions –, et nous pouvions lui apporter son déjeuner. Il portait un uniforme blanc à la pompe à essence ; tous les employés le portaient. Je trouvais extrêmement élégant l'insigne aux chevrons sur sa tenue amidonnée à manches courtes. Puis il a travaillé comme régisseur dans une émission télévisée pour enfants intitulée *The Pinky Lee Show*, que nous regardions avec ma mère uniquement dans le but de l'entrevoir, en coulisses, coiffé de son casque. Malgré mon jeune âge, je comprenais plus ou moins que mon père travaillait dur pour assurer une vie décente à sa famille, raison pour laquelle il était presque toujours au travail. J'ai aussi compris, que, à sa façon, tout en restant le héros de notre famille, qui faisait face au monde en portant chevrons ou casque, il n'en dépendait pas moins que moi de ma mère.

Nous étions des catholiques consciencieux mais sans grande ferveur : messe tous les dimanches, catéchisme le samedi dans mon cas, bâtonnets de poisson le vendredi. Puis, vers mes treize ans, j'ai reçu le sacrement de la confirmation, devenant ainsi adulte aux yeux de l'Église, et j'ai été sidéré d'apprendre, de la bouche de mes parents, que je n'étais plus contraint d'aller à la messe. Cette décision m'appartenait désormais. Ne s'inquiétaient-ils donc pas du salut de mon âme ? Leurs réponses évasives, ambiguës, m'ont à nouveau choqué. Ils avaient été de grands supporters du pape Jean XXIII. Par contre, me suis-je rendu compte, ils ne croyaient pas vraiment à la doctrine ni aux prières – à tous ces Oratio, oblations, terrifiants Confiteor et autres actes de contrition bafouillés, que j'avais appris par cœur, et que je m'échinais à comprendre depuis que j'étais tout petit. Peut-être ne croyaient-ils même pas en Dieu. J'ai immédiatement cessé d'aller à la messe. Dieu ne parut pas s'en offusquer. Mes parents continuaient d'y traîner les petits. Que d'hypocrisie ! Ce joyeux renoncement à mes devoirs religieux intervint peu de temps avant notre départ pour Hawaï.

Et, donc, par un dimanche matin printanier, je me suis retrouvé à m'éloigner lentement des Cliffs en ramant tandis que mes parents transpiraient dans l'église de The Star of the Sea – l'Étoile de la Mer –, à Waialae. La marée était basse. Mon skeg butait doucement sur les plus grosses roches. Sur les rochers moussus découverts, coiffées de chapeaux de paille coniques, se penchaient des dames chinoises, ou peut-être philippines, pour ramasser des anguilles et des pieuvres qu'elles plaçaient ensuite dans des seaux. Des vagues se cassaient çà et là sur la face extérieure des écueils, trop petites pour qu'on puisse les surfer.

Je me suis surpris à flotter entre deux mondes. Entre celui de l'océan, effectivement infini et disparaissant à jamais derrière l'horizon. Il était calme ce matin-là, et son emprise lâche et langoureuse. J'étais désormais tiraillé par chacune de ses humeurs. Son attraction me semblait illimitée, irrésistible. Je ne voyais plus les vagues comme ciselées dans des ateliers célestes. J'avais un peu plus de plomb dans la tête. Je savais désormais qu'elles étaient créées par de lointains orages qui se déplaçaient à la surface des abysses. Malgré tout, ma totale immersion dans le surf n'avait rien de rationnel. J'y étais tout bonnement contraint ; toute cette histoire cachait un filon secret menant à la beauté et l'émerveillement. Je n'aurais su m'en expliquer davantage. J'étais vaguement conscient que toutes ces sorties en mer comblaient une sorte de vide psychique – ce creux était lié, peut-être, à mon renoncement à l'Église, ou, plus vraisemblablement, à la lente dérive qui m'éloignait de ma famille. Bref, j'étais devenu un païen à la peau brûlée par le soleil. Et je me sentais comme initié aux mystères de l'existence.

L'autre monde était celui de la terre ; tout ce qui n'était pas le surf. Les filles, les livres, l'école, ma famille, mes amis qui ne surfaient pas. La "société", comme je commençais à nommer tout ce beau monde, et les exactions du "jeune garçon responsable". Je dérivais, les mains croisées sous le menton. Un nuage de la couleur d'un hématome coiffait le Koko Head. Un transistor grésillait sur une digue de sable où pique-niquait une famille hawaïenne. La mer, peu profonde et chauffée par le soleil, avait un étrange goût de légume bouilli. Ce moment était néanmoins intense, scintillant, trivial. J'ai cherché à graver chacun de ces instants dans ma mémoire. Je n'ai même pas envisagé, serait-ce fugacement, que je pouvais avoir le choix entre surfer et m'en abstenir. L'enchantement me porterait là où il voudrait.

Voici comment se forment les vagues qu'on peut surfer. Une tempête bat la surface au large, hachurant la mer et créant des vaguelettes désorganisées qui grossissent peu à peu et finissent, pour peu qu'il y ait assez de vent, par s'amalgamer et former une mer démontée. Ce que nous guettons sur les lointains littoraux, c'est que l'énergie que libèrent ces orages se répande dans les eaux plus calmes sous la forme de trains de vagues – des séries de plus en plus organisées qui se déplacent ensemble. Chaque vague est une colonne d'énergie mise en orbite, dont la plus grande partie reste sous-marine. Tous les trains de vagues causées par une tempête constituent ce que les surfeurs appellent une "houle". Celle-ci peut traverser des milliers de kilomètres. Plus un orage est puissant, plus elle ira loin. En voyageant, elle s'organise davantage – la distance entre deux trains de vagues (l'intervalle) augmente. Un train de vagues à long intervalle signifie que l'énergie de chaque vague peut s'étendre à plus de trois cents mètres sous la surface de l'océan. Un tel train triomphera aisément de la résistance de la surface, comme, par exemple, des vaguelettes ou d'autres houles moins fortes et moins profondes qu'il croisera ou rattrapera.

Quand les vagues d'une houle approchent du rivage, leur extrémité inférieure commence à labourer le fond. Les trains de vagues deviennent alors des séries — des groupes de vagues plus grandes que leurs cousines, générées localement, et aux intervalles plus larges. Ces séries reflètent la forme du fond de l'océan et se déforment en fonction de son irrégularité. Leur partie visible grandit, tandis que l'énergie qu'elles contiennent est repoussée au-dessus de la surface. La résistance offerte par le fond croît à mesure que la vague devient moins profonde et ralentit la progression de sa partie immergée. La partie émergée de la vague devient à ce point plus escarpée. Elle finit par être instable et se prépare à basculer en avant — à "casser". La règle empirique est celle-ci : elle se cassera quand sa hauteur aura atteint 80 % de la profondeur de l'eau — une vague de deux mètres cinquante se cassera dans trois mètres d'eau. Mais de nombreux facteurs, parfois d'une subtilité infinie — vent, contours du fond, houle, courants —, vont déterminer très exactement l'endroit où chaque vague se cassera et de quelle façon. Nous autres surfeurs espérons seulement que le moment (le point de "take-off") se présentera à nous lorsqu'on pourra la prendre, que sa face sera surfable et qu'elle ne se cassera pas d'un seul coup ("close out"), mais graduellement, progressivement, dans une direction ou dans l'autre ("gauche" ou "droite"), nous permettant ainsi de nous déplacer, grosso modo, parallèlement au rivage en surfant sa face visible l'espace d'un instant, sur ce spot, juste avant qu'elle ne se casse.

Les vagues changeaient à mesure qu'avançait le printemps. Des houles plus nombreuses arrivaient du sud, ce qui augurait de bons jours aux Cliffs. Patterson, la vague clémente qui se formait devant notre maison entre les bancs de récifs, commença à se casser de manière plus conséquente et un nouveau groupe de surfeurs se rassembla pour la surfer — des vétérans, des filles, des débutants. Le benjamin de Roddy, John, était aussi de la partie. Il avait neuf ou dix ans et était d'une agilité fantastique. Sans doute influencé par John, qui avait à peu près le même âge et plantait sa planche dans notre jardin. Mon propre frère, Kevin, commença à s'intéresser au surf. Kevin était un nageur fabuleux. À dix-huit mois déjà il plongeait dans le grand bassin de la piscine. Les pieds tournés en dedans, il était aussi à l'aise dans la mer que dans une piscine, et à l'âge de neuf ans il était déjà un bodysurfeur expert. Pourtant il avait toujours professé la plus grande indifférence à l'endroit de mon obsession : c'était mon truc et jamais ça ne serait le sien. Pour autant, à Patterson, il se mit à ramer vers le large sur une planche qu'il avait empruntée et, au bout de quelques jours, commença à prendre des vagues, à se lever sur la planche, à virer. Un surfeur né. Il se trouva pour dix dollars une planche d'occasion, une vieille Surfboard Hawaï de tanker-surfing*. J'étais tout à la fois fier et excité. L'avenir prenait soudain une couleur différente.

Avec la première grosse houle sud de la saison, la Bombe déferla. Je me tenais sur la digue de sable avec Roddy pour la regarder. Le pic principal était si éloigné que nous ne voyions que la première vague de chaque série. Ce n'était plus ensuite que murs étincelants d'eau blanche et d'écume. Les vagues étaient géantes, les plus grosses que j'eusse jamais vues, hautes d'au moins trois mètres. Roddy fixait la mer bouche bée. Il avait l'air défait. Surfer ces vagues ? C'était hors de question pour lui. Deux types étaient déjà sortis en mer au loin. Les connaissait-il ?

"Oui."

Qui étaient-ce ?

"Wayne Santos et Leslie Wong", soupira-t-il.

Les garçons n'étaient distincts que par instants, mais nous pouvions quand même les voir tous les deux plonger dans des monstres d'eau et d'écume. Ils surfaient avec intensité, mais aussi avec style, ils ne tombaient pas, et chacun sortait de la vague par la crête, à grande vitesse, par-dessus le récif au large de Patterson. Wong et Santos étaient des surfeurs éblouissants. Mais aussi des adultes. Glenn et Ford étaient de sortie aux Cliffs. Le jour n'était pas propice pour que Roddy s'essaye à ses premières grosses vagues. Il en convint avec un profond soupir. Nous avons balancé nos planches dans l'eau et ramé le long trajet jusqu'aux Cliffs, qui, par une houle comme celle-ci, nous suffiraient largement.

Kevin fut blessé à Patterson, le dos heurté par une planche. J'ai entendu qu'on m'appelait : "C'est ton frère !" Je suis rentré en moulinant, hystérique et l'ai trouvé allongé sur la plage, des gens debout tout autour de lui. Il avait l'air mal en point – pâle, en état de choc. Visiblement, ses poumons s'étaient complètement vidés de leur air. John Kaulukukui l'avait sauvé de la noyade. Kevin respirait encore difficilement, toussait et pleurait. Nous l'avons porté jusqu'à la maison. Tout lui faisait mal, disait-il, tout mouvement lui était douloureux. Maman l'a lavé, calmé et mis au lit. Je suis ressorti surfer. J'étais persuadé qu'il serait de retour dans l'eau quelques jours plus tard. Mais il n'a plus jamais surfé. Il s'est remis au bodysurf, et, encore adolescent, est devenu un des cracks de Makapu'u et de Sandy Beach, deux sérieux spots de ce sport à la pointe orientale d'Oahu. Adulte, il a souffert de problèmes de dos. Récemment, un orthopédiste qui étudiait une radio de sa colonne vertébrale lui a demandé ce qui lui était arrivé exactement dans son enfance. Il avait, semblait-il, souffert d'une fracture assez vilaine.

Toute école a sa terreur des cours de récrés (en américain *bull*, taureau) – un gars plus mauvais que les autres. Les enfants d'écoles différentes se posent mutuellement la question : *Qui c'est, le caïd, chez vous ?* Au collège de Kaimuki, à mon arrivée, c'était un type qu'on avait sans surprise surnommé l'Ours. C'était comme une mauvaise plaisanterie de Wall Street – *Da Bear* (l'Ours) était *Da Bull* (le taureau) –, sauf que personne n'avait entendu parler de Wall Street. L'Ours était énorme, naturellement. Il avait l'air d'avoir trente-cinq ans. Il semblait inoffensif, voire un peu à côté de la plaque. Il était Samoan, je crois. Il était toujours entouré d'une cour prête à le servir, tel un parrain de la Mafia. Si ce n'est que les gars de sa bande s'habillaient toujours comme des clodos – sans doute avaient-ils contribué à ma première impression des "Natifs" de Kaimuki : de pauvres types en haillons. Franchement, ils ressemblaient à des éboueurs en fin de service aspirant à leur première bière de la journée. Ils avaient tous atteint la date de péremption du collège. Effrayants, ils se tenaient pourtant à distance, ils semblaient intemporels.

Puis quelque chose se passa. Ça n'avait rien à voir avec l'Ours, mais ça provoqua sa chute. Et, pour moi, ça changea tout. Je n'ai pas vu comment tout a commencé, même si j'étais sur place.

Il était environ midi. L'In Crowd était rassemblée à son spot habituel. J'étais en train de parler à Lisa, sans doute avec des étoiles dans les yeux. Lurch, le géant haole qui n'appartenait à aucune des bandes, est passé par là. Un type a dit quelques mots et il a répliqué. Il parlait d'une voix à la fois profonde et timorée, et il ressemblait effectivement à Lurch, le personnage de la série télévisée dont il tirait son cruel surnom – Max dans la version française, le lugubre majordome de *La Famille Addams*. Il avait aussi le regard triste, le front large, un début de moustache, et la démarche voûtée, comme pour dissimuler sa grande taille. D'ordinaire, il fuyait les insultes, mais, cette fois, quelque chose avait dû le prendre à rebrousse-poil. Il s'est arrêté. Glenn se tenait à côté de lui. Il a conseillé à Lurch de passer son chemin. Lurch n'a pas bougé. Glenn s'est alors rapproché de lui. Ils ont commencé à se bousculer, puis à se filer des coups de poing.

C'était un spectacle étrange, inégal et comique. Glenn n'était pas petit, mais il rendait trente bons centimètres à son adversaire. Il était incapable de le frapper au menton, sauf à s'en approcher tout près. Lurch était maladroit – pas moyen pour lui de placer un coup de poing –, mais il a vu une ouverture, a saisi l'occasion, étreint Glenn comme un ours et l'a soulevé de terre. La foule qui s'était rassemblée voyait à présent le visage de Glenn. Lurch était en train de l'étouffer, de l'asphyxier. Les yeux de Glenn lui sortaient de la tête. On voyait bien qu'il n'arrivait plus du tout à respirer. Il ruait des quatre fers, mais ne parvenait pas à rompre l'étreinte de Lurch. Un bon moment s'est écoulé : Lisa hurlait, Glenn se débattait et personne ne bronchait.

Ford Takara est apparu. Il s'est dirigé vers Lurch, a vivement brandi le poing et l'a frappé violemment sous la mâchoire. Lurch a roulé des yeux et lâché Glenn. Puis il s'est affalé, a basculé en avant, et, pendant sa chute, Ford l'a cogné une seconde fois à la tempe. Et c'est là qu'un truc vraiment étrange s'est produit. Ford a conduit un peu plus loin Glenn, tuméfié et à moitié suffoqué, et toute l'In Crowd est tombée sur Lurch. Coups de pied, coups de poing, griffures. Davantage par désespoir que par pure incapacité physique, Lurch n'opposait pour se défendre qu'une faible résistance. Je me rappelle d'Edie, la sœur de Mike, en train de lui racler les bras de ses ongles, puis de lever en triomphe les mains, telle une harpie de conte de fées, pour montrer le sang qu'elle avait sous les ongles. D'autres filles lui labouraient le visage ou lui tiraient les cheveux. Cette sanglante hystérie a perduré un bon moment, jusqu'à ce que s'élève un cri : "Chock !" Nous nous sommes éparpillés. Mr. Chock était le proviseur adjoint du collège, et il avançait à grands pas vers le théâtre de la bagarre.

Quand ai-je pris conscience d'avoir participé à ce crime écœurant ? Pas bien vite. Dans l'immédiat, je n'ai éprouvé que du soulagement. Nous avions triomphé du méchant géant et autres inepties de la même eau. Rétrospectivement, j'avais peut-être exorcisé les terreurs de l'époque où je ne faisais pas encore partie d'une bande – ma revanche sur la baguette de bois qui m'avait martyrisé, en quelque sorte. Bien entendu, Ford, lui, était le héros du jour. Et sa prestation avait été si spectaculaire et décisive qu'on commençait à le désigner comme le nouveau caïd de Kaimuki. Ce qui me laissait perplexe. N'aurait-il pas dû combattre l'Ours pour mériter ce titre ? Non, visiblement. Ces choses-là relèvent de l'émotion populaire, pas d'une compétition organisée selon des règles. Ford tenait-il seulement à devenir le caïd ? J'en doutais, et je le connaissais mieux que les gamins qui venaient seulement d'apprendre son nom. Pourtant... il y avait peut-être un Ford que j'ignorais – un vrai tueur, avide de pouvoir. Ce qui est certain, c'est qu'il y avait manifestement une partie de "moi" que je ne connaissais pas – une sorte de lapin enragé.

Les retombées officielles du lynchage de Lurch furent pour le moins inégales. Ford ne fut pas puni. Lurch se fit rare au collège. La compagnie de Glenn devint recherchée. Personne ne fut sanctionné, mais Mr. Chock semblait rôder davantage dans les parages et nous jeter des regards en biais, que nous avions fini par désigner par l'expression *"da stink eye"* – l'œil qui pue. Puis Glenn fit une fugue. Mike, toujours friand d'une escapade illégale, devint son complice en l'aidant à se cacher. Tous deux se pointaient effrontément sur le campus à l'heure du déjeuner, histoire de frimer. À l'occasion, Mr. Chock dévalait la route dans sa voiture et les pourchassait dans le cimetière et jusque dans la plantation de kiawe[01] où vivaient les Kaulukukui. Des voitures de flics se joignaient parfois à la traque. Ce jeu du chat et de la souris parut s'étaler pendant des semaines alors qu'il ne dura probablement que quelques jours.

Steve, qui adorait les Kinks, passait souvent dans notre petite maison. Il surfait bien, et régulièrement nous enfilions nos caleçons de bain pour gagner Patterson.

Mis à part son mépris féroce pour Oahu, Steve était un gentil gamin. Il avait la peau brune, la poitrine bombée, le corps menu, une grosse tête carrée, des yeux énormes et une maîtrise convenable de l'anglais des classes moyennes. Son père était un riche grincheux d'haole et sa mère biologique de couleur était morte depuis longtemps. Comme Roddy, Steve haïssait sa belle-mère, une Asiatique. Ils vivaient à Kahala. Le cosmopolitisme de Steve lui permettait de passer pour un haole – ce qu'il était, au final. Mais il avait un grand talent d'imitateur et parlait une grande variété de pidgins.

"J'aime voir", disait-il d'une voix contrefaite, mi-geisha, mi-indigène naïf. Et, là-dessus, il soulevait mon tee-shirt et étudiait mes parties intimes. J'étais trop choqué pour réagir. "Joli", ajoutait-il doucement avant de laisser retomber le vêtement. Je traversais une période où ma puberté indécrottable m'inspirait une honte sans fin, et où un tel compliment m'était insupportable. La sensualité suave de Steve venait d'un monde inconnu, dépourvu de frontières. Je ne possédais même pas correctement le b.a.-ba de la reproduction, et mes parents étaient trop réservés à cet égard pour m'être d'une aide quelconque. J'ai découvert seul, par une nuit agitée, le miracle de l'éjaculation. Ce me fut d'un grand secours et c'est très vite devenu une habitude. Je n'étais sans doute guère différent de la plupart des garçons de mon âge, sauf qu'aucun de ceux que je connaissais n'en parlait. Mes constantes érections étaient une source de continuels embarras et confusion, ainsi que d'un engouement forcené pour les portes qui ferment à double tour. J'avais exploré les mauvais jours de mer un nouveau trajet en

01 — Le Kiawe ou *Prosopis pallida* est une espèce d'arbre de la famille des *Mimosaceae*, dont le bois est utilisable comme matériau. Leurs fruits sont nutritifs et sucrés.

solo, depuis les Cliffs jusqu'à notre maison proche de Black Point, en contournant les récifs par l'extérieur plutôt que par l'intérieur du lagon. Là-bas, dans les profondeurs bleues, nul ne pouvait me voir de la plage ni des maisons du bord de mer. Je me laissais rouler sur ma planche dans l'eau azurée, profitant d'un bref répit après cette longue traversée à ramer, pour m'accorder une dose délirante de ce que les locaux appellent, avec trivialité, un *hammer skin* – l'astiquage du manche.

Une pluie diluvienne – de celles qui ne tombent que sous les Tropiques – s'abattit sur nous une nuit. De mon lit, je percevais des sons creux, familiers, en plus du fracas de l'averse. Au bout de quelques minutes je me suis rendu compte qu'il s'agissait de bruit de planches de surf qui s'entrechoquaient. J'ai sauté de mon lit, couru à l'extérieur et aperçu cinq ou six boards qui flottaient dans notre jardin et filaient se jeter dans la rivière, laquelle n'était autre, un peu plus tôt, que le sentier qui nous menait à la plage. Notre rue, Kulamanu, formait avec ce sentier, semblait-il, le déversoir principal pour les débords des orages locaux. J'ai couru après les planches, dans l'obscurité, jusqu'au pied de la colline, en les arrachant aux haies, aux palissades et à tout ce à quoi elles s'accrochaient brièvement pour les traîner au sec dans le jardin de nos voisins. Il y avait là la Wardy ivoire de Roddy, ma Larry Felker bleu ardoise, la Town & Country bleu clair de Ford, ainsi que la planche de John et la vieille tanker de Kevin. Où était passée celle de Glenn ? Ah, la voilà, le nose coincé sous les marches de la propriétaire ! Aucune n'avait gagné l'océan, où se déversait encore bruyamment, alors même que la pluie avait cessé, le torrent qui dévalait le sentier. J'avais des bleus aux tibias et les orteils meurtris. Les planches étaient probablement toutes martelées, mais aucun aileron n'était brisé. J'ai pris une profonde inspiration, puis je me suis attelé à la tâche de les remonter lentement, une par une, dans notre jardin, pour les arrimer ensuite plus solidement, bien que le déluge soit passé, dans leur enclos de bambou. Des canettes vides jonchaient la rue. Une averse digne des livres de records. Pourquoi diable avais-je été la seule personne d'Hawaï à se réveiller ?

Au large du Diamond Head

On finit par attraper Glenn. On l'envoya à la Grande Île. C'était déjà mieux que la *"juvey"*, la maison de redressement où l'on avait parqué Mike, affirma Roddy. Glenn Sr. avait convaincu les autorités que son fils serait très strictement surveillé par ses tantes vieux jeu de la Grande Île, ce qui, selon Roddy, était vrai. Il ne pourrait même pas aller surfer. Ça m'a paru horriblement sévère. Et puis, sans Glenn, tout me semblait désormais un peu écœurant. Roddy et John se tenaient à carreau. Lisa avait l'air de se relever d'une grave maladie. Roddy n'était plus aussi libre d'aller surfer aux Cliffs qu'auparavant – son père donnait l'impression d'avoir toujours besoin de lui à Fort DeRussy, où il travaillait. En réalité, il voulait uniquement le tenir à l'œil. Peut-être se reprochait-il le comportement de Glenn. Toujours était-il que plus rien ne ressemblait à une gravure d'Hawaï en couleur.

Parfois Roddy m'invitait à DeRussy. C'était une ville intéressante, du moins quand nous n'étions pas coincés à balayer le sable des allées, la corvée préférée de son paternel pour nous tenir occupés. Flanqué de villas de grand luxe, DeRussy se dressait sur le front de mer, parmi les grands hôtels de Waikiki. Des milliers de Marines (nous les appelions des *"jarheads"* – des Marsouins) débarquaient chaque semaine du Vietnam, en permission. Glenn Sr. travaillait comme nageur sauveteur. Nous nous faufilions avec Roddy dans les jardins et les halls d'entrée des hôtels voisins et, pendant qu'un de nous deux montait la garde, l'autre plongeait dans les fontaines et les puits porte-bonheur en quête de pièces de monnaie. Puis nous allions acheter du chow fun, des malasadas (des beignets portugais) et quelques tranches d'ananas à un vendeur ambulant.

Mais le plus intéressant à DeRussy, restait de loin les vagues du front de mer. L'été approchait et les récifs de Waikiki commençaient à s'animer. Roddy m'a fait connaître Number Threes, Kaiser's Bowl et Ala Moana, autant de spots dont j'avais entendu parler avant de venir à Hawaï. Ils étaient surpeuplés et, dans le cas d'Ala Moana, effroyablement peu profonds, mais les vagues y étaient magnifiques, et, de leur côté, les alizés soufflaient vers le large. Surfer ces breaks, c'était *"big-time"*, comme dit le pidgin – grandiose. Du moins quand je surfais correctement.

J'ai aussi commencé à pratiquer Tonggs, à l'extrémité, côté Diamond Head, au large du long arc de cercle de littoral urbain qui inclut Waikiki. C'est là que Tomi Winkler, le vainqueur du concours de surf du Diamond Head, vivait avec sa mère. La vague de Tonggs semblait n'avoir rien de singulier – une brève gauche encombrée qui ne pouvait guère prendre de hauteur et se cassait sur une rangée de hauts brisants et une digue de sable. Mais un tas de bons surfeurs, dont Tomi et ses copains, des locaux, me pressèrent d'attendre, de pratiquer les quelques spots voisins qui révéleraient tout leur potentiel les Grands Jours, en particulier un effrayant pic droit connu sous le nom de Rice Bowl – le Bol de riz. Le Rice Bowl, affirmaient-ils, était la réplique locale de Sunset Beach – la grande vague du North Shore. Je me demandais si le Rice Bowl pouvait se comparer à la Bombe, j'ai pressenti qu'il ne fallait pas poser la question. Tous les surfeurs que je croisais à Tonggs étaient des haoles. Tous ceux que je connaissais des Cliffs ou de Kaikoo étaient ce que les types de Tonggs appelaient des mokes. Peut-être ces haoles n'avaient-ils jamais entendu parler de la Bombe. (En fait ils la connaissaient sous le nom de Brown.) Peut-être que le Rice Bowl était une vague seulement surfée par les haoles. (Ce qui n'était pas le cas.) Et peut-être aussi tout serait-il plus simple, me persuadai-je, si la Southern Unit me filait enfin un caleçon du club et que je me contente de surfer avec Roddy et Ford. Peu importe, je n'ai jamais eu ce caleçon.

Sans Glenn, Ford semblait perdu. Il continuait de venir surfer tous les jours aux Cliffs, mais ce n'était plus pareil. Il sortait sa planche de notre jardin sans même vérifier si j'étais à la maison. Au collège, il donnait l'impression de ne pas tenir à exercer les droits féodaux que lui valait sa position de caïd – titre auquel l'Ours avait renoncé à regret, dans un sourire las. Il était trop timide pour avoir une petite amie, ce qui me semblait d'autant plus insensé que l'année scolaire tirait à sa fin.

Quand la grosse houle suivante souffla – la plus grosse à ce jour –, j'étais au Rice Bowl. La vague se cassait du côté *ewa* des Tonggs, par-delà un chenal, et je l'observais depuis la digue. Elle était bel et bien telle qu'on la décrivait : c'était une Sunset, échelle réduite. Enfin je dis ça mais jamais je n'avais surfé une seule vague de la taille de ces deux breaks. Deux types étaient sortis au-devant de Rice Bowl et je me suis dit que c'était jouable. Le vent était léger, le chenal semblait sûr, les vagues étaient grosses et se cassaient violemment, mais avec une précision qui les rendait praticables. Bref, ça se présentait plus jouable qu'à la Bombe. J'ai commencé à ramer. Je ne me souviens pas d'avoir été accompagné.

Pendant un moment, tout se passa bien. Les autres surfeurs avaient noté ma présence d'un œil intrigué. Ils étaient beaucoup plus vieux que moi. J'ai pris deux belles vagues, dont la puissance et la vitesse m'ont surpris. Je n'ai rien tenté de fou. Je me contentais de rester sur ma planche, en traçant une ligne prudente sur la face de la vague et vers son épaule. Tout en ramant et en surveillant d'autres vagues − en jetant de temps en temps un regard vers la zone que les surfeurs appellent la zone d'impact ou le *pit* − la fosse −, je me suis aperçu que Rice Bowl se cassait avec une violence inouïe. Le fracas lui-même était nouveau à mes oreilles...

Puis une grosse série remplaça la première, des vagues d'une catégorie hors de ma portée, c'est peu de le dire. Nous surfions déjà très loin du rivage, mais je me suis mis à ramer vers le large depuis ce que j'avais cru être le point de take-off. J'avais mal jugé la position que j'occupais sur le récif, il était bien plus loin. Le Rice Bowl avait sa propre personnalité, il commençait seulement à me la révéler − le spot était vaste, sa puissance et ses embruns pouvaient masquer l'horizon, tant et si bien que tout l'océan semblait se rassembler pour fondre sur un récif au lointain. D'où pouvait bien provenir une telle série ? Où étaient passés les autres surfeurs ? Ils avaient disparu, comme avertis. Je ramai alors très vite − léger sur ma planche, de longs bras − et, dans ma fébrilité, je pris un départ prématuré. Je me suis mis à genoux, j'ai mouliné fort, en m'orientant désormais vers le chenal et en m'efforçant de continuer à respirer de manière égale et profonde. Quand la première vague de la série a commencé à gonfler, elle était encore très loin au large, et j'ai senti mes forces défaillir. Allais-je dans la mauvaise direction ? Aurais-je dû revenir vers le rivage dès que ces mortelles montagnes argentées étaient apparues dans le lointain ? M'étais-je dirigé tout du long vers la pire position possible – le récif extérieur sur lequel ces vagues allaient se briser ? Il était trop tard pour changer de cap. J'ai continué à ramer, paniqué, la bouche amère et nauséeuse, la gorge sèche, le souffle court.

J'ai réussi à traverser la série, qui comportait quatre ou cinq vagues. Mais ce fut d'un cheveu, à tel point que j'ai franchi au moins une d'entre elles en volant au-dessus de la crête, toutes m'ont fouetté avec leurs embruns et, j'ai été ébranlé par les explosions des vagues qui se fracassaient quelques mètres derrière moi. J'étais persuadé que j'aurais trouvé la mort si j'avais été pris dans l'une d'elles. Cette certitude c'était nouveau. C'est précisément cette barrière, cette ligne de peur – que j'avais largement sous-évaluée dans ce cas – qui rend le surf si différent. Je me sentais comme Pip, le moussaillon de *Moby Dick* qui tombe par-dessus bord, est sauvé de la noyade mais perd la boule, hanté par des visions de la malice et de l'indifférence infinies de l'océan. J'ai ramé plus loin, contourné le récif du Rice Bowl côté Tonggs et regagné le rivage, avec la tête qui tournait et le sentiment d'avoir été humilié.

Et c'est là le souvenir le plus impressionnant que j'ai gardé du surf à Hawaï, que j'ai ramené la semaine suivante sur le continent, lorsque la première saison de *Hawaii Calls* s'est achevée et que nous avons fait nos valises dans la foulée et déménagé. Je reviendrai, ai-je dit à mes amis. Écrivez. Roddy a promis, mais il ne l'a pas fait. Steve m'a écrit. Lisa aussi. Mais elle entrait au lycée. J'ai tâché de me faire une raison : jamais elle ne serait à moi. Elle serait pour moi une grande sœur, au mieux. Je suis entré en troisième dans mon ancien collège de L.A. J'ai surfé et encore surfé. À Ventura, Malibu et même à Santa Monica, partout où quelqu'un pouvait nous conduire en voiture, mes amis et moi. Je me vantais bien de temps en temps d'avoir surfé à Hawaï, mais je n'ai jamais fait allusion au Rice Bowl. De toute façon, personne ne s'intéressait à mes histoires.

Puis nous sommes revenus, un an exactement après notre départ. Papa avait trouvé un job sur le tournage d'un film intitulé *Kona Coast*, avec Richard Boone dans le rôle principal

– un vieux capitaine bourru d'un bateau de pêche haole, qui se trouvait mêlé à je ne sais quelles intrigues polynésiennes. Nous n'avons pas pu récupérer notre ancienne maison de Kulamanu et nous nous sommes retrouvés dans un nouveau cottage plus exigu, plus bas dans Kahala Avenue, loin de tout bon spot de surf.

Le jour de notre retour, j'ai pris le bus pour la maison de Roddy. Les Kaulukukui avaient déménagé. Les nouveaux locataires ne pouvaient pas m'en dire davantage.

Le lendemain, j'ai demandé à ma mère de me déposer avec ma planche sur Diamond Head Road. J'ai dévalé la piste menant aux Cliffs et, à ma grande joie, j'y ai trouvé Ford en train de surfer, toujours sur sa planche bleu clair. Il a paru sincèrement heureux de me voir et fut plus loquace que jamais. Les Cliffs avaient été fantastiques pendant tout le printemps, m'a-t-il appris. Oui, les Kaulukukui avaient déménagé. En Alaska.

En Alaska ?

Ouais. L'armée y avait muté Glenn Sr. Ça m'a paru trop dingue, trop cruel pour être vrai. Ford en a convenu. Mais voici ce qui s'était passé. De retour de la Grande Île, Glenn avait préféré fuguer de nouveau plutôt que de déménager. Tandis que Roddy et John, eux, avaient, la mort dans l'âme, suivi leur père et leur belle-mère. Ils vivaient dans une base militaire. Dans la neige. Cette image refusait de s'imprimer... Où donc était Glenn, alors ? Ford a fait une mine bizarre. À Waikiki, a-t-il répondu. Tu le croiseras dans le coin.

C'est arrivé. Mais pas tout de suite.

Waikiki devint mon spot, ma seconde maison. En partie à cause de la saison, en partie pour des raisons logistiques. Le surf était bon en été, des Tonggs à Ala Moana, et, à Canoes, un spot central, directement sur Kalakaua Avenue, il y avait des casiers à l'extérieur pour ranger sa planche au seul prix d'un cadenas à combinaison. Je l'y ai laissée, et, tous les matins à l'aube je prenais le bus, ou bien, quand j'avais épuisé mon argent de poche, je faisais du stop pour contourner le Diamond Head. À Waikiki, j'ai passé de longues journées à étudier les breaks des plages bordées d'hôtels et noires de monde.

Chaque spot a ses locaux, et je me suis fait de nouveaux amis. Waikiki était un repaire, un nid où mercantilisme, tourisme, excitation et criminalité se rencontraient. Les surfeurs eux-mêmes semblaient y vivre de quelque arnaque – certains avaient cependant des emplois tout à fait légaux de batteurs de grève, ou accompagnaient des touristes surfer des vagues en pirogue, ou leur donnaient des "cours" de surf sur de géantes planches roses ; d'autres, plus louches, vivaient aux dépens de jeunes touristes crédules, ou d'amis qui travaillaient dans les hôtels et disposaient de clefs des chambres... Les gamins que j'ai côtoyés dans l'eau vivaient presque tous dans un ghetto, nommé la "Jungle de Waikiki". Quelques-uns étaient des haoles qui, d'ordinaire, vivaient avec leur mère, serveuse ici ou là, mais la plupart étaient des autochtones issus de familles nombreuses et multiethniques. Il y avait des surfeurs géniaux à tous les breaks – des types à observer, à étudier et avec qui rivaliser. Je leur demandais à tous s'ils connaissaient Glenn Kaulukukui. Et tous me répondaient par l'affirmative. "Il est dans les parages". "On l'a aperçu la nuit dernière." "Où vit-il ?" Rien de précis.

Finalement, un après-midi à Canoes, j'ai entendu un "*Focking Bill !*" retentir. C'était Glenn, qui ramait derrière moi pour me rejoindre et qui, hilare, a agrippé mon rail. Il avait l'air plus vieux, un peu hagard, mais toujours lui-même avec son air intrépide. Il a lorgné ma planche. "C'est quoi, ça ?"

C'était une nose-rider – un nouveau modèle de longboard connu sous le nom de Harbour Cheater – le Tricheur du port –, pourvu d'une accroche sur le deck* censée le faire mieux planer quand on se tient à l'extrémité du nose. C'était mon bien le plus précieux, gagné à force d'interminables heures d'arrachage de mauvaises herbes après les cours. Elle était teintée – pas pigmentée, teintée – en jaune pâle. Les teintes transparentes étaient à la mode cette année-là. J'aimais jusqu'à son discret autocollant Harbour, noir et triangulaire. Je retenais mon souffle pendant que Glenn l'examinait. "Joli", a-t-il fini par dire. Il avait même l'air de le penser. J'ai fini par respirer à nouveau, troublé par l'amplitude de mon soulagement.

Il est resté évasif quant à ses moyens de subsistance. Il travaillait comme serveur, m'a-t-il dit, et habitait la Jungle. Il n'allait plus à l'école. Il allait me montrer le restaurant où il bossait et me filer en douce un steak teriyaki. Roddy se débrouillait bien en Alaska. Il y faisait froid. Tous reviendraient "bye'm'bye", autrement dit ce n'était qu'un au revoir – mais Glenn donnait à cette expression pidgin une tournure plus sombre que celle qu'elle présente d'ordinaire dans la chanson. Il renifla, sarcastique, sans chercher à dissimuler le ressentiment qu'il éprouvait envers l'armée.

Nous avons surfé ensemble, et j'ai constaté avec stupéfaction qu'il avait progressé d'une façon spectaculaire. Ce n'était plus seulement un jeune novice doué. Son style restait toujours aussi lisse et coulé, mais, maintenant, c'était devenu le clou du spectacle, tous les regards se tournaient vers lui quand il surfait.

Je n'ai jamais vu le restaurant où il était censé travailler. Nous avons surfé à Canoes, Queens, Populars et Number Threes. Il surfait si vite, virait si sec, et ses transitions étaient si rapides, surtout pour s'éjecter d'une crête, que je peinais parfois à comprendre ce qu'il fabriquait sur les vagues. Il grimpait et descendait dans le tube, décrochait, se carrait sur la lèvre d'une vague sur le point de se casser, en position accroupie stable, à haute vélocité. Quelque chose de neuf se produisait dans le surf, et Glenn paraissait en être l'avant-garde.

Le nose-riding, j'en avais l'impression, n'en faisait plus partie. J'étais devenu un adepte du hang five, hang ten*, ainsi que de cette manœuvre consistant à faire le va-et-vient de la pointe à l'arrière autant qu'une vague le permet. Je disposais pour cela d'une planche ultra-légère idéale. David Nuuhiwa, le meilleur dans ce sport et un de mes héros, était lui aussi grand et mince. Mais ma Harbour Cheater n'était pas, tant s'en fallait, du moins pour ceux qui la pratiquaient à l'été 1967, le modèle le plus radical dans cette spécialité. D'autres, comme la Con Ugly, avaient sacrifié toutes les autres possibilités de performance à un maximum de temps passé sur la pointe.

Quoi qu'il en soit, en raison de son aspect éthéré, de son improbabilité et de ses difficultés techniques, je commençais à perdre tout intérêt pour le nose-riding. Mélangés à la lente et suave mélasse de Waikiki, bourrée de touristes et de piro-guiers, on trouvait, tant à Kaiser qu'à Threes et à Canoes, des hauts-fonds qui engendraient, plus particulièrement à marée basse, des vagues peu profondes qui créaient d'authentiques tubes en se cassant. Et j'ai commencé, cet été-là, à reconnaître mon chemin dans le ventre bleu et tournoyant de quelques vagues, et même, parfois, à en émerger debout. Tout le monde parlait d'y rester "piégé", mais la glisse au coeur de ces tubes fut pour moi une révélation. Ces incursions étaient toujours trop brèves, certes, mais leur mystère restait intense, addictif. On avait l'impression d'avoir traversé le miroir l'espace d'un instant, et on mourait d'envie d'y retourner. Plus que le nose-riding, c'étaient les tubes qui me semblaient l'avenir du surf.

On disait de Glenn qu'il se droguait. Ça paraissait plausible. Marijuana ou LSD, on en trouvait partout, surtout à Waikiki, et plus particulièrement dans la Jungle. On était au beau milieu du "Summer of Love", dont San Francisco était l'épicentre, et un trafic régulier de livraisons de toutes sortes nous parvenait du continent, charriant de nouvelles musiques, de nouveaux mots d'argot ou de la came. Je connaissais des gamins de mon âge qui fumaient de l'herbe. J'étais trop timide pour essayer. Et, quand on se retrouvait avec mes potes – à une ou deux reprises – à des fêtes organisées dans l'une des maisons de bric et de broc de surfeurs déglingués de la Jungle, où tour-noyaient les stroboscopes et où hurlaient les Jefferson Airplane, tandis que les plus vieux sautaient des filles dans les pièces du fond, nous nous contentions de piquer des canettes de bière et de filer. Nous n'étions pas encore prêts. Je me demandais seulement où diable Glenn pouvait bien crécher.

Mes parents, comme tout ce qui s'était passé au collège de Waikiki, semblaient tout ignorer de mon existence hédoniste. Mais j'ai bien failli les y mêler quand Dougie Yamashita m'a piqué ma planche de surf. De rage, de trouille et de frustration, j'étais hors de moi. Yamashita, pilier de Canoes et petit voyou des rues à peine plus âgé que moi, me l'avait empruntée pour soi-disant quelques minutes mais ne me l'avait jamais rapportée. Des gars de Waikiki, plus avisés, m'avaient convaincu de ne pas faire intervenir des adultes. Alors j'ai préféré enrôler un gars aux larges épaules, du nom de Cippy Cipriano, et lui confier le soin de retrouver Dougie et de me rapporter ma planche. Cippy était une sorte de mercenaire... Pour cinq dollars, sans demander d'explications, il cassait la gueule à n'importe qui. On disait qu'il avait lui-même des comptes à régler avec Dou-gie. Quoi qu'il en fût, ma bien-aimée Cheater me fut bientôt restituée, seulement enlaidie de deux nouvelles égratignures. Dougie, m'a-t-on appris, était sous acide quand il l'avait prise et ne devait donc pas être tenu pour responsable. Je n'en ai rien cru. J'étais encore vert de rage. Mais, à notre rencontre suivante, je n'ai pas eu l'estomac de l'affronter. On n'était pas au collège. Je n'avais pas l'In Crowd pour me soutenir. Dougie avait probablement une famille nombreuse avec des frères plus durs les uns que les autres, toujours heureux de piétiner un petit haole. Il m'a ignoré et je lui ai rendu la pareille.

Je n'ai pratiquement revu personne de l'In Crowd. Steve, toujours coincé sur le Rocher, m'a dit que la bande s'était éparpillée. "Nul n'aurait pu chausser les pompes de Mike", a-t-il ajouté. Pour une raison énigmatique, l'image nous a fait mourir de rire. Il y avait toujours eu chez Mike quelque chose de clownesque. Je téléphonais souvent à Lisa, mais je raccrochais dès que j'entendais sa voix.

"Gloria", interprété par les Them, le groupe de rock irlandais, était numéro un du hit-parade local lorsque j'étais au collège de Kaimuki. Nous nous trimbalions partout en le chantant. *"G-L-O-R-I-A, Glo-o-o-o-ria !"* En 1967, la chanson qui passait le plus souvent à la radio d'Honolulu était *Brown-Eyed Girl* par Van Morrison, l'auteur et chanteur des Them. Ce n'était pas un très gros tube, mais il y avait dans ses paroles une touche de poésie gaélique que j'adorais à l'époque, et, dans l'air lui-même, un rythme précipité quasi irlandais. C'était une élégie à la jeunesse perdue qui, pendant des années, m'a fait penser à Glenn. Il y régnait quelque chose de sa beauté fugitive et rieuse. Je me l'imaginais en train de se rappeler Lisa. C'était elle la Brown-Eyed Girl, la fille aux yeux bruns. Je ne savais pas vraiment ce qui s'était passé entre eux, mais je les idolâtrais tous les deux, et j'aimais à croire qu'ils avaient été heureux ensemble un moment *"standing in the sunlight laughing / hiding behind a rainbow's wall"* – "debout sous le soleil à rire /cachés derrière le mur d'un arc-en-ciel". Ça me ressemble bien, de prêter ces mots à d'autres, de romancer leurs relations. Tout comme il est symptomatique que la perversité de la culture pop ait recyclé *Brown-Eyed Girl* des décennies plus tard en une musique aseptisée pour ascenseurs et supermarchés, au point que je ne puisse plus la supporter. George W. Bush l'avait dans son iPod quand il était président...

Mes parents devaient faire un choix. La série *Kona Coast* était achevée, mais l'année scolaire débutait. Ils en avaient appris assez long sur Hawaï à l'époque pour savoir que ses écoles publiques n'offraient pas des débouchés spectaculaires, surtout avec le lycée que j'allais intégrer. Les années suivantes, grâce à de nouveaux contacts de mon père, mes deux frères ainsi que ma sœur iraient dans une école privée d'Honolulu. Cette année-là, cependant, nous allions regagner le continent pour la rentrée scolaire.

Ce fut le bon moment pour qu'on me vole de nouveau ma planche. Tronçonné à la scie à métaux, mon cadenas à combinaison gisait par terre près de mon casier. Le voleur avait visiblement appris notre départ. Cette fois, j'en parlai à mes parents. Mais le temps nous manquait et personne n'en savait rien. "Dougie et Cippy sont tous les deux introuvables, désolé." Leurs parents n'étaient pas certains de leurs plans. Nous avons donc pris un vol pour le continent sans le bagage essentiel.

Mes parents m'ont avancé l'acompte pour l'achat d'une nouvelle Harbour Cheater, identique jusqu'à la teinte jaune à celle qu'on m'avait volée. Je me suis remis à arracher des mauvaises herbes pour le voisin après l'école, à un dollar de l'heure. La planche coûterait 135 dollars, taxes comprises. J'aurais la totalité de la somme dès novembre, ai-je calculé.

Ma mère et moi, Santa Monica, 1953

2

RESPIREZ L'OCÉAN

Californie, vers 1956-1965

Voilà quelques années, j'étais à Laguna Beach en Californie au volant d'une voiture de location et je roulais vers le sud sur la Pacific Coast Highway. Temps brumeux, humide, paysage déserté, l'océan sur ma droite et son odeur nocturne, les lumières troubles des commerces fermés pour la nuit qui flanquaient la route. En passant devant un vieux motel décrépi, j'ai entendu un cri horrible. Je savais ce que c'était : ni un meurtre ni une brutale crise cardiaque, mais un souvenir. La violence de ce glapissement surgi de ma mémoire m'a glacé le sang. C'était mon père, encore jeune, qui l'avait poussé. Il s'était démis l'épaule dans ce motel en jouant avec moi dans la piscine. C'était la première fois que je voyais et que j'entendais mon père hurler de douleur. Il ne jurait jamais, ne se plaignait jamais non plus de ses coupures, écorchures ou autres blessures. Au mieux, parfois, il en riait. De sorte que... ç'avait été terrible... réellement terrifiant. Il était impuissant, au désespoir. On a appelé ma mère. Une ambulance est arrivée. Que faisions-nous dans un motel de Laguna ? Je n'en sais rien. Nous avions sans doute des amis à Newport Beach, la ville voisine, un peu plus au nord, mais pas à Laguna Beach. J'avais tout au plus quatre ans à l'époque – je me trouvais donc encore dans ce soi-disant Éden qui précède l'arrivée des cadets.

L'épaule de mon père a continué à se déboîter de temps à autre. La dernière fois à la Bombe, quand il est sorti en mer. Mon père ne surfait pas, alors que fabriquait-il là-bas sur une planche ? Apparemment, il avait ramé vers le large dans le seul but d'observer les grosses vagues, de les voir de plus près. Puis une série a fermé le chenal. Il a perdu sa planche. Et son épaule est sortie de la cavité articulaire. Il a coulé une fois, puis deux, incapable de se maintenir à flot. C'est un surfeur hawaïen qui l'a secouru. Je n'étais pas présent. J'avais laissé tomber le collège et j'étais banni de la famille à l'époque. À l'hôpital, on lui a ouvert l'épaule, on lui a tranché les tendons et on les a raccordés. Il ne se luxerait plus l'épaule, mais il ne pourrait plus lever le bras plus haut que la tête. Plusieurs décennies ont passé, en traversant Laguna vers le sud, je me suis surpris à espérer que ma fille, encore âgée de quatre ans, ne m'entendrait jamais hurler de douleur de la sorte, impuissant.

Quand j'étais petit, nous habitions très loin de la côte. Je n'allais pas à la plage. Comment, dans ces conditions, le surf a-t-il bien pu devenir le principal centre d'intérêt de mes jeunes années ? Laissez-moi vous guider dans quelques-unes des allées où m'a conduit l'écho retentissant et humide de la guitare surf.

Il y a eu tout d'abord les Becket. Des gens de l'océan. Ce sont eux, cette famille qui faisait partie de nos amis, qui vivaient à Newport Beach, vieux port de pêche et de plaisance sis à quelque quatre-vingt-dix kilomètres au sud de Los Angeles. Ils avaient six gosses, dont le plus vieux, Bill, avait très exactement mon âge. Des photos de famille nous montrent tous les deux à la plage, encore bébés, couchés sur le ventre, comme fascinés par le sable. Ma mère racontait que les adultes, tous de jeunes parents, nous ordonnaient simplement : "Jouez !" Derrière nous, allongés sur le sable en maillots de bain de l'époque, nos parents, invraisemblablement jeunes, rient la tête rejetée en arrière. Il me semble entendre encore la cascade de gloussements de Coke Becket. Ma mère et elle se connaissaient déjà très bien avant leur mariage ; toutes deux avaient exercé l'emploi de serveuse au Yosemite Park et, pour des raisons dont elles ne se souvenaient plus, celui de secrétaire à Salem, dans l'Oregon.

Le grand Bill Becket était pompier. Il conservait des centaines de casiers à langoustes au fond de leur jardin et, par temps calme, il allait les poser, dans sa barque à fond plat, sur certains récifs au large de l'Orange County. Le petit Bill avait très vite eu droit à quatre sœurs puis à un frère. Les Becket étaient des catholiques bien plus fervents que nous ne l'étions. Ils avaient acheté une petite *saltbox*[01] à toit de bardeaux sur la péninsule de Balboa, une bande de sable à l'urbanisme galopant qui court entre l'océan et Newport Bay. Leur rue, la 34e, était longue de trois pâtés de maisons, de l'océan jusqu'au chenal de la baie. Nous tentions chaque été d'y louer un cottage pour une semaine, d'ordinaire du côté de la baie, où les prix étaient moins élevés.

J'avais commencé à séjourner chez eux tout jeune. Le petit Bill et moi allions pêcher l'éperlan à la ligne, remplir des seaux de crabes et de palourdes, et nous avions emprunté à son père une vieille planche pour aller explorer, en ramant en tandem, le dédale des chenaux jusqu'à par-delà l'île du Lido, dans les eaux libres de Newport Bay. Nous pilotions un minuscule bateau à voile que nous échouions sur la plage d'un îlot sablonneux désolé, proche de l'autoroute, et nous revendiquions la propriété de son territoire en combattant les autres gamins qui cherchaient aussi à l'aborder. Un après-midi, en début de soirée, piégés par une brise de mer qui soufflait sur le pont de l'autoroute, lequel était plus bas que notre mât, nous avons dû tirer frénétiquement des bords d'avant en arrière, en perdant chaque fois du terrain, pour, finalement, aller nous amarrer au dernier ponton privé accessible.

Surtout, nous allions faire du bodysurf dans les vagues, à l'écart de la 34e rue. C'était notre port d'attache, un univers à lui seul : l'océan bleu et froid, du sable blanc et chaud, et ces fracassantes houles du sud.

Little Bill avait une chambre de la taille d'un placard, tout juste assez grande pour faire entrer un lit une place, et nous dormions tête-bêche, en nous assénant mutuellement des coups de pied au visage. Nous nous douchions ensemble et nous pissions même ensemble, tels deux épéistes croisant le fer de leurs jets par-dessus la lunette des toilettes. C'était un authentique gamin des plages, avec une coupe en brosse blanchie par le

---

01 — Petite maison à deux étages sur le devant, un seul derrière coiffé d'un long toit pentu.

soleil, une plante des pieds dure comme du bois et, l'été, le dos noir comme du goudron. Où que nous fussions, il savait à tout moment comment était la marée, comme s'il la reniflait ; là où couraient les grunions – ces poissons mystérieux qui, poussés par le ressac, viennent frayer sur le rivage, la nuit seulement, une heure après la marée haute, et seulement certains mois et à certaines phases de la Lune. Armé d'une torche, on pouvait en une heure remplir de grunions un sac de jute. Une fois enfarinés et frits, ils étaient regardés comme un mets délicat. En déambulant sur la jetée de Newport, Bill fouillait sans autorisation dans les seaux des pêcheurs et ses encouragements désinvoltes de rat des quais ("Belle corvine !") les mettaient en joie

Comme son père, Bill se flattait d'être imperturbable. Il était sarcastique, d'une nonchalance presque agressive – l'oxymore du Californien de base. Depuis tout petit, il avait une expression imagée pour chaque occasion de la vie. Becket n'était pas seulement occupé – mais toujours "plus débordé qu'un tapissier manchot" ou "plus affairé qu'un méchant raton laveur". Il pouvait se montrer très autoritaire. Il s'efforçait, avec des résultats mitigés, de discipliner ses petites sœurs. Celles-ci répondaient par le sarcasme à ses exigences, elles étaient quatre et toutes s'enorgueillissant de leur esprit acerbe. La maison des Becket ne désemplissait pas de résidents installés là-bas quasiment à plein temps et elle servait plus ou moins de centre communautaire. On voyait des voisins y entrer ou en sortir sans interruption, des plateaux de tacos débarquer de la cuisine, quelqu'un en train de préparer au barbecue dans le jardin du fond un poisson pêché de frais, des langoustes jetées vivantes dans la marmite. Pour les adultes, vin et bière y coulaient à flots.

Coke Becket jouait de l'accordéon, et le répertoire de la famille était prodigieux. Même les gosses pouvaient chantonner *Remember Me, She's More to Be Pitied, Sentimental Journey* et *Please Don't Sell My Daddy No More Wine*. Le clan Becket avait un don pour le spectacle. Ardie, la mère de Coke, qui vivait quelque part dans les collines, s'est montrée un jour sur la 34e, mais pas en automobile comme l'aurait fait ma grand-mère par exemple. Ardie avait garé son van au coin de la rue et était arrivée à dos de cheval, vêtue d'un costume en daim moulant brodé de perles et coiffée d'un chapeau à plumes. Elle l'avait remontée en paradant et en agitant la main pour saluer les gens qui faisaient irruption sur leur perron. Les petits Becket étaient tout excités de la voir, mais guère surpris par cette entrée en scène digne d'un cirque. Ils en avaient souvent été témoins.

Big Bill venait du centre-ville de Los Angeles. Il faisait partie de tout un groupe de jeunes gens qui s'étaient frayé un chemin après la guerre jusqu'à la côte sud de la ville. Il était à la fois passionné et désabusé, s'exprimait avec lenteur et avait belle apparence, avec des yeux de cocker et un bronzage intense. Adroit de ses mains, il pouvait construire un bateau insubmersible à partir d'une pile de bois. Il surfait et jouait aussi de l'ukulélé. Ils s'étaient mariés avec nous à Hawaï. Big Bill avait ciselé la table basse de leur petit salon du premier étage dans sa vieille planche en séquoia. Lourde comme du plomb, elle avait la forme d'une larme. Little Bill et moi aimions lui rendre visite dans sa caserne de pompiers, où il était capitaine. Il donnait toujours l'impression de se trouver derrière la caserne à travailler à un bateau ou à poser une couche de vernis au soleil.

Little Bill n'avait pas seulement des corvées à remplir, mais aussi de véritables boulots. Au point du jour, sur la jetée, il appâtait les hameçons des pêcheurs de barques à fond plat. C'était un sale boulot que d'accrocher, à raison de deux dollars cinquante les six cents hameçons, des anchois malodorants à des ardillons rouillés, installés tous les soixante centimètres sur une ligne longue de cinq cent cinquante mètres, mais, avec un peu d'aide, il pouvait l'avoir expédié en milieu de matinée, de sorte que je l'accompagnais et que nos mains à tous les deux puaient jusqu'au soir. Un été, il se dégota un job dans une boutique, Henry's, proche de la jetée, où il louait des hard rafts aux touristes. C'étaient de merveilleux radeaux et les amis de Becket et moi-même nous nous servions dans le stock au risque de lui faire perdre sa place. Ils étaient fabriqués dans une toile épaisse, avec de lourdes extrémités en caoutchouc jaune, et étaient si stables qu'on pouvait presque s'y tenir debout. Les planches de bellyboard en polystyrène étaient à la mode à l'époque, mais les hard rafts d'Henry's étaient plus rapides et maniables.

On trouvait aussi des planches de surf à Newport, leur utilisation était limitée à quelques zones bien délimitées et aux premières heures de la matinée, du moins en été. Le surf restait intimidant. C'était pour les grands, pas pour nous, pensions-nous. Nous croisions des surfeurs en ville. Ils avaient les cheveux blondis par le soleil, conduisaient de vieux breaks, portaient des tee-shirts Pendleton, des jeans blancs, des *huaraches* – ces sandales mexicaines aux semelles taillées dans de vieux pneus –, et ils se bagarraient les soirs de week-end, avions-nous entendu dire, au Rendezvous Ballroom, tout au bout de la péninsule, où Dick Dale et les Del-Tones jouaient leur séduisante et subversive musique.

Becket perdit son job chez Henry's, non pas en raison des locations illicites mais parce qu'il s'était lassé, un après-midi, d'attendre le retour d'un jeune touriste qui se contentait de rester allongé sur la plage avec son radeau. C'était le seul qui n'était pas encore rentré et Becket avait envie de fermer le stand. Nous patientions tous avec lui. Le gamin, qui était pâlot et potelé, avait l'air assoupi. Finalement, un des copains de Becket a sorti un lance-pierre, et Becket l'a chargé d'un petit caillou, puis l'a décoché, touchant le client endormi au flanc droit. Le garçon a hurlé beaucoup plus fort qu'il n'aurait dû. Nous avons déguerpi. À notre surprise, sa mère a appelé les flics. De notre planque, nous avons vu s'éloigner la tête de Becket, grosse comme une balle de tennis, à l'arrière d'une voiture de police. Henry l'a viré et les copains ont commencé à le surnommer J.B., pour "Jailbird" – Récidiviste. Sachant qu'il n'a en fait jamais, d'ailleurs, passé une seule minute en cellule – impossible pour le fils d'un populaire capitaine des pompiers.

Les amis de Becket étaient tous catholiques. Ils fréquentaient des écoles catholiques. Les plus âgés étaient sur le point de passer enfants de chœur. Ils se rendaient à vélo à la messe et tournoyaient autour de l'église comme si le parvis leur appartenait. En pensant à mes visites du dimanche à notre église de

St. Mel, timide et toujours accompagné de mes parents, j'étais à la fois honteux et impressionné par ces garçons. Les gosses de Newport m'ont montré comment me faufiler sur le balcon, à l'arrière de l'église où le chœur chantait pour la Grand-Messe, et nous y assistions depuis là-haut. Ce qui exigeait de se cacher derrière les prie-Dieu, afin que le prêtre ne nous aperçoive pas depuis l'autel lorsqu'il se tournait vers ses ouailles. Entreprise épineuse dans la mesure où mes comparses tenaient absolument à accrocher le regard des copains pour les faire rigoler. D'abord tout excité par ces bêtises, je me suis vite retrouvé mortifié quand un petit rouquin du nom de Mackie m'a soufflé de la fermer — j'avais, de toute évidence, quand le curé avait entonné "*Dominus vobiscum*", marmotté par habitude "*Et cum spiritu tuo.*" Par ennui, deux garçons ont commencé à cracher sans faire de bruit sur les paroissiens que nous surplombions, et, après la chute de chaque épais "glaviot", comme nous les appelions, ils reculaient d'un bond pour ne pas se faire voir. Là, j'étais scandalisé. Ils ne croyaient donc pas à l'enfer ? Eh bien, non, en effet, comme cela m'apparut de manière flagrante lors d'une discussion salée, après la messe, sur le front de mer. J'y croyais toujours, moi, et ce à quoi j'avais assisté ce matin-là m'avait horrifié — rempli d'une authentique crainte religieuse. De toute évidence, il n'y avait rien de tel qu'une école confessionnelle pour transformer de jeunes garçons en apostats endurcis et sans peur. J'étais une mauviette de l'école publique, encore intimidé par les bonnes sœurs.

J'aimais beaucoup Newport, mais je lui préférais San Onofre, une petite bande de littoral encore inexploitée, cernée par une grande base des Marines, à une soixantaine de kilomètres plus au sud. Les Becket bourraient leur bus Volkswagen de gamins et de matériel et y descendaient le week-end. San Onofre avait été un des premiers avant-postes du surf californien, et les *beach bums* — les clodos des plages — qui vouaient leur vie à ce sport et campaient sur place pour surfer, pêcher poissons et ormeaux, avaient réussi à persuader les militaires de les laisser entrer après la construction de la base. La route de terre qui menait à la côte était surveillée par un poste de garde, mais les membres du Club de surf de San Onofre étaient autorisés à passer. Big Bill en était un des membres fondateurs. La plage n'avait rien de bien particulier − étroite et peu ombragée, rocailleuse au-delà du bord de la mer −, pourtant les familles qui venaient y camper se la partageaient avec un plaisir tangible mais discret. Nombre des participants donnaient l'impression d'avoir obtenu un doctorat en hédonisme. Planches de surf, cannes à pêche, vieux kayaks, masques et tubas, matelas pneumatiques, etc. − tout était lié à l'eau. Camionnettes aux auvents délavés et huttes tiki confectionnées à l'aide de bois flotté fournissaient un peu d'ombre. À la tombée de la nuit, les tournois de bridge et de volley-ball cédaient la place à des feux de joie et à des bœufs de folk music, où le Martini était de rigueur.

Et puis il y avait les vagues. Celles de San Onofre étaient passées de mode dans les années 1960, à mon arrivée − trop lentes, trop molles. Au début de l'époque du surf moderne, cependant, quand les planches étaient énormes, très lourdes et généralement dépourvues d'aileron, on préférait filer tout droit vers le rivage en effectuant le moins de virages possible (c'était d'ailleurs la seule technique praticable), et, pour ce style de surf, San Onofre offrait peut-être la meilleure vague de Californie. Les rides étaient longs et lisses, avec assez de diversité dans les récifs pour les rendre intéressants. Après la Seconde Guerre mondiale, nombre de surfeurs qui avaient adopté des planches au design plus moderne, se sont cassé les dents à San Onofre − c'était le Waikiki de la West Coast, moins les hôtels et le hula hoop. Malgré tout, c'était un bon spot pour apprendre à surfer.

J'y ai pris mes premières vagues debout sur une planche verte que j'avais empruntée, un jour d'été, lorsque j'avais dix ans. Je ne me rappelle pas qu'on m'ait donné d'instructions. D'autres personnes étaient sorties en mer, mais San Onofre était un spot spacieux. J'ai ramé tout seul, la tête baissée, en me maintenant sur la planche pour traverser de paisibles bandes d'eau blanche argentée. J'observais les autres surfeurs, façon "singe voit faire, singe imite", comme dit le dicton pidgin. J'ai retourné ma planche vers le rivage. Les vagues ne ressemblaient en rien aux déferlantes tonitruantes sur lesquelles, pendant des années, j'avais pratiqué le bodysurf. Mais la marée était basse et le vent léger, de sorte que les houles à l'approche étaient aisément déchiffrables. J'ai trouvé, en train de déferler, un large mur à la crête égale et j'ai ramé comme un malade dans le creux de la vague. Quand, soulevée, ma planche a pris la vague, l'accélération a été moins violente que lorsqu'on la prend en radeau ou en bodysurf près du rivage. Mais la sensation de vitesse, en particulier l'impression de glisser à la surface de l'eau devant la déferlante, n'en finissait pas de durer. C'était nouveau, ce puissant élan. Je me suis relevé en chancelant. Je me rappelle avoir tourné la tête de côté, constaté que la vague ne faiblissait pas, puis avoir regardé devant moi, vu que le chemin était dégagé sur une très longue distance, et, enfin, avoir baissé les yeux vers le fond rocailleux qui défilait sous mes pieds, tétanisé par ce spectacle. L'eau était limpide, peu profonde, d'un pâle turquoise. Mais j'avais largement la place de passer en toute sécurité. J'y suis parvenu et j'ai recommencé encore et encore ce premier jour.

À ma grande honte qui n'en finissait pas, j'étais cependant devenu un campagnard. Woodland Hills, où nous vivions, se trouve aux confins nord-ouest du Los Angeles County. C'était un paysage de collines stériles – les contreforts des montagnes de Santa Monica –, à l'extrémité occidentale de la San Fernando Valley, laquelle n'était qu'une étendue beige de lotissements brumeux. Mes amis de Woodland ne savaient rien de l'océan. Leurs familles avaient émigré dans l'Ouest depuis des régions enclavées – Pennsylvanie, Oklahoma, Utah. Leurs pères travaillaient tous dans un bureau. Sauf Chuck, celui de Ricky Townsend. Il possédait un derrick dans les collines, aux alentours de Santa Paula. Nous l'accompagnions parfois avec Ricky. Il portait un casque, des chemises de travail cradingues et d'épais gants de sécurité. Son derrick s'activait nuit et jour à pomper dans un grand fracas, et lui-même était toujours en train de réparer quelque chose. J'imaginais que l'objectif ultime était le jaillissement d'un geyser, une brutale explosion d'or noir. D'ici là, Ricky et moi n'aurions pas grand-chose à faire. Le derrick était pourvu d'une tour, avec, tout en haut, dans les poutrelles, une petite cabine au sol de contreplaqué, et Mr. Townsend nous permettait d'y grimper. C'était là que

Ricky et moi nous nous vautrions à même le sol, autour d'un transistor pour écouter Vin Scully commenter les matches des Dodgers, jusque tard dans la soirée. Koufax et Drysdale étaient dans leur prime jeunesse, le monde entier était abasourdi par leurs performances, mais, nous, on trouvait leurs stats tout à fait normales.

Nous habitions dans une cuvette cernée de collines et notre quartier, jusqu'à mon école élémentaire, présentait une sorte d'atavisme insulaire encore renforcé par cette topographie particulière. L'état d'esprit était celui d'une petite bourgade – d'un trou perdu – gérée par des xénophobes au crâne épais. La John Birch Society[01] y était très puissante. Mes parents et leurs amis libéraux et cosmopolites formaient une minorité – des admirateurs d'Adlai Stevenson dans une ville à la Sam Yorty... (Yorty, alors maire de L.A., était un rustre ignorant du Nebraska, un type coriace et toujours souriant partisan de la chasse aux sorcières.) Mes parents étaient abonnés à l'*I.F. Stone's Weekly* et soutenaient fougueusement le mouvement des droits civiques. Ils combattaient une mesure électorale locale qui permettrait aux propriétaires immobiliers de pratiquer la discrimination raciale. "NON À LA 22", pouvait-on lire sur le panneau planté sur notre pelouse. Ils perdirent. L'école élémentaire de Woodland Hills resta blanche à cent pour cent.

Le meilleur visage des collines, c'était les collines elles-mêmes. Elles étaient bourrées de serpents à sonnette, de hobos et de coyotes. C'était là qu'enfants nous entreprenions de longues randonnées par-delà Mulholland Drive, qui n'était encore qu'une route de terre, jusqu'à d'anciens champs de tirs et autres haras. Nous avions trois forts rocheux, dispersés dans les collines et les canyons dont nous revendiquions la propriété, et nous combattions les bandes de gamins, venus d'autres trous perdus, que nous rencontrions sur les territoires non revendiqués. De manière plus immédiate, ces collines étaient pour nous des toboggans, des glissières. Nous dévalions à vélo, sur nos Flexible Flyers aux pneus de caoutchouc, des morceaux de carton coincés dans les rayons ("de liane en liane, les garçons progressaient à une vitesse fulgurante") et, plus tard,

01 — Une association conservatrice américaine fondée en 1958, anticommuniste et qui s'opposa aux mouvements des droits civiques.

en skateboard, dès qu'ils devinrent accessibles. Mais les rues pavées elles-mêmes étaient absurdement escarpées. Ybarra Road était un tel précipice que les conducteurs qui l'empruntaient à leur insu stoppaient en le voyant, rebroussaient chemin et cherchaient un autre itinéraire.

Dans ce petit monde étriqué, néanmoins, tranchait un jeune gars fringant du nom de Steve Painter. Je l'ai remarqué pour la première fois en train de m'observer alors que je flanquais une correction à l'un de mes condisciples. J'avais pris le pli d'inviter chez moi des élèves de ma classe, de leur faire enfiler des gants de boxe et d'y aller de quelques rounds. Ce qui peut paraître étrange aujourd'hui, c'est que nous boxions d'ordinaire sur un carré de pelouse, au bord du trottoir et de la chaussée. C'était mon ring. Je crois que rien de tout ça ne serait encore acceptable aujourd'hui. Qu'importe, personne n'intervenait jamais. Les garçons boxent, voilà tout. Steve Painter, après m'avoir vu malmener mon adversaire, a tranquillement proposé d'enfiler les gants à son tour. Il m'a mis à genoux. J'appris par la suite qu'il avait trois ans de plus que moi.

Steve était de Virginie, appelait ma mère "m'dame" et donnait du *môssieu* aux hommes. Il avait des cheveux noirs épais, ondulés, la peau olivâtre et, sous l'œil, une balafre violet foncé qu'il attribuait à un palet de hockey. Il se trouva qu'il jouait réellement au hockey sur glace, mais ça ne m'empêcha nullement d'imaginer que cette cicatrice à la pommette datait en réalité de la guerre de Sécession. Bien qu'il fût en cinquième – au collège ! – il émanait de Painter un petit air d'autorité naturelle. Il avait en outre quelques poils pubiens, deux orteils palmés qui, pour je ne sais quelle raison, m'impressionnaient. Il était bourré d'idées et usait de jurons que nous n'avions jamais entendus. Il bénéficiait également d'une enviable insensibilité à la douleur qui, jointe à sa vigueur, lui permettait de nous dominer dans tous les jeux, et plus particulièrement lors de plaquages au football. Painter devint très vite le mâle alpha de la petite meute du quartier, évinçant ce faisant un gamin maussade de Pittsburgh, au teint cireux, prénommé Greg.

Il aimait me harceler, voire me torturer physiquement – j'étais le plus jeune membre de la meute –, mais il me prit aussi sous son aile. Il avait rallié une équipe de hockey qui jouait à la patinoire de Tarzana. Tarzana, la plus proche banlieue à l'est de la ville, portait ce nom parce que y avait résidé un des acteurs qui avaient interprété Tarzan dans les vieux films. Une fois membre lui-même de cette équipe de hockey, Painter m'avait persuadé de tenter le coup à mon tour. Ce n'était pas un sport très en vogue à Los Angeles à l'époque, et les membres des équipes reculées de notre ligue tendaient tous à être des gamins en provenance du Canada ou du Wisconsin récemment arrivés dans la région, ou des Scandinaves capables de dessiner, avec leurs patins, des cercles parfaits autour de nous autres, les locaux. Painter fit de son mieux pour améliorer mon jeu en me décochant palet sur palet dans son garage, mais j'étais conscient de n'avoir aucun avenir dans ce sport – je me voyais plutôt finir dans la peau d'un receveur des Rams, même si je n'étais pas disposé à exclure une possible carrière de lanceur pour les Dodgers. Je n'ai duré qu'une saison sur la glace.

Cela dit, cette saison me donna l'occasion de regarder mon père patiner. Quand ça lui était possible, il venait à la patinoire pour assister à nos entraînements du samedi matin, et il est même resté une ou deux fois pour la première session ouverte au public de la journée. J'avais vu de tout temps ses patins dans notre garage, rouillés et oubliés. De vieux patins de vitesse démodés, aux lames extraordinairement longues, un équipement digne de Hans Brinker, le garçon aux patins d'argent du best-seller de Mary Mapes Dodge. On ne trouvait assurément rien de tel à la patinoire de Tarzana. Mais il les avait sortis et cirés et, après mon entraînement, nous sommes allés patiner ensemble sur la glace fraîche. Il se pliait en deux à la taille, les mains nouées derrière le dos, et glissait sans effort apparent en souriant dans sa barbe. Il a lentement accéléré l'allure, et la patinoire n'a pas tardé à nous sembler toute petite tant il tirait de longues lignes droites en quelques coups de patin fulgurants. Lors de ces séances ouvertes au public, l'habitude était d'alterner style de patinage et règles du jeu en fonction de la chanson que diffusaient les haut-parleurs : ainsi, pour "Couples seulement", on tournait sur de la guimauve doo-wop, tandis que, pour "Filles seulement", c'était sur *Big Girls Don't*

Cry – Les grandes filles ne pleurent pas –, et ainsi de suite. Pour "Hommes et Garçons, pointes de vitesse", c'était, je ne sais trop pourquoi, sur le *Runaround Sue* de Dion, chanson que j'adorais, et, pendant ces trois minutes, je pressais mon père d'allumer ses rétrofusées. Il n'avait pas l'air trop convaincu, mais il a commencé à balancer les bras et à croiser les patins dans les virages, et, de mon côté, j'étais sûr de n'avoir jamais vu quelqu'un patiner aussi vite. En rentrant à la maison, je lui ai demandé de me raconter toutes les courses qu'il avait gagnées enfant dans le Michigan. Je me suis persuadé que, sans la Seconde Guerre mondiale qui avait annulé les Jeux Olympiques, il y aurait probablement participé – sinon en patineur, du moins en coureur de demi-fond ou en skieur.

Steve Painter m'a aussi aidé à m'orienter vers le surf. L'intérêt qu'il lui portait n'avait rien à voir avec le lien à l'ancienne qu'entretenaient avec l'océan des gens comme les Becket – ou, dans la même mesure, les Kaulukukui. Il découlait plutôt de la vague d'engouement qui avait balayé l'Amérique quelques années plus tôt – pour *Gidget*, les films et leurs dérivés, la musique et la mode surf. De nombreux gamins des deux côtes avaient acheté une planche et s'y étaient mis. Certaines revues, en particulier *Surfer*, avaient relayé l'autocélébration de la sous-culture surf, et Painter et ses amis du collège dévoraient ces magazines et s'exprimaient avec une autorité grandissante dans le nouveau langage qu'ils y avaient découvert. Tout était *bitchen* (fabuleux) ou *boss* (géant), et tous ceux qui ne méritaient pas leur estime étaient des *kooks* (insulte, d'ordinaire, réservée aux surfeurs incompétents, qui dérive du mot *kuk*, un des termes hawaïens pour excrément).

Ça ne m'avait pas frappé sur le moment, mais que je n'aie jamais vu un exemplaire de *Surfer* chez les Becket était édifiant. Ils s'y seraient sûrement intéressés (Bon sang, c'était un de leurs amis de San Onofre qui avait lancé la revue !) mais ils avaient sans doute mieux à faire de soixante-quinze cents.

Pour la plupart des gens de l'intérieur des terres, la route du surf passait par le skateboard. C'était assurément vrai à Woodland Hills. Nous avions tous un skateboard et nous transformions certaines rues à forte pente en skateparks. L'accent était mis sur la vitesse, le *carving* – les sinuosités du parcours −, les virages brusques, les *tail spins* − vrilles et dérapages − plutôt que sur les sauts. Faire le poirier était regardé comme un truc *bitchen*, encore que sacrément rude pour les phalanges. Il se trouvait que la cour des grands de mon école possédait un long monticule de terre asphaltée et incurvée, fournissant un superbe avatar d'une vague océanique. Depuis son sommet derrière le terrain de handball, elle formait une grosse droite rapide, relativement courte, ou, dans l'autre sens, une longue gauche escarpée parfaitement effilée. Y faire du skate le week-end était si excitant que ça semblait illégal. Ça l'était, en fait − il fallait escalader la palissade pour y accéder. Le plaisir qu'elle nous procurait, surtout quand on prenait la gauche que nous appelions d'ailleurs "Ala Moana", n'était que de quelques crans inférieur à l'excitation de prendre une vague debout à San Onofre.

Gagner la côte depuis Woodland Hills était peu commode. Elle se trouvait à près de quarante kilomètres derrière les montagnes. Painter et ses amis étaient assez grands pour faire du stop, pas moi. Ma mère, compte tenu de sa passion pour la plage, avait commencé à nous emmener au Will Rogers Beach State Park dès qu'elle eut sa propre voiture. Je devais avoir sept ou huit ans. C'était une vieille Chevy bleu ciel et nous traversions d'ordinaire le Topanga Cayon. Juste avant d'en sortir, nous tombions souvent sur un banc de brume marine. Nous empruntions la Pacific Coast Highway vers le sud et ma mère disait alors : "Respirez l'océan. N'est-ce pas que ça sent bon ?" Je marmonnais quelques mots ou je me taisais. Je n'avais jamais aimé l'odeur de l'océan. Quelque chose devait visiblement clocher chez moi. Une puanteur de poisson baignait toute la côte, semblant émaner des piliers mêmes des maisons à terrasse serrées l'une contre l'autre sur le bas-côté de la route qui donnait sur la mer. Mes narines se fronçaient.

Quant à l'océan, c'était encore une autre histoire. Je pataugeais dans ses vagues à Will Rogers, je plongeais sous des lignes d'écume qui me pilonnaient et allaient se fracasser sur le principal banc de sable où les murailles brunes des vagues se dressaient puis se cassaient. Je ne me lassais pas de leur violence au rythme endiablé. Elles vous attiraient à elles comme des géants affamés, aspiraient l'eau en se retirant du banc de sable pour atteindre leur pleine et terrifiante hauteur, puis basculaient en avant et explosaient. Elles étaient meilleures que tout ce qu'on trouvait dans les livres ou dans les films, meilleures mêmes qu'une descente de grand huit à Disneyland, parce que, avec elles, le danger en puissance n'était pas factice. Il était réel. Et on pouvait apprendre à manœuvrer pour le contourner, découvrir combien de temps on pouvait rester au fond en attendant que ça passe ou, éventuellement, apprendre le bodysurf. Si j'ai appris à faire du bodysurf à Newport en observant et en imitant Becket et ses amis, c'est à la plage de Will Rogers que je me suis familiarisé avec les vagues.

Cependant ce n'était pas un spot de surf convenable et il y avait peu de chances que les balades avec ma mère nous conduisent un jour à l'un d'eux. À cette époque, mon père commençait à s'intéresser à Ventura, une ancienne ville de forage pétrolier, à quelque soixante kilomètres au nord de Woodland Hills. Il s'était aperçu qu'on pouvait y acheter pour onze mille dollars, à quelques pâtés de maisons de la plage, un vieil appartement en duplex, et il n'a pas hésité. Par la suite, j'ai passé la majorité de mes week-ends à jardiner et à arracher les mauvaises herbes autour de ce duplex d'Ayala Street sous une froide brise marine estivale. D'autres modestes investissements ont suivi, avant un bond qualitatif dans le neuf : autant de duplex de location identiques, tous pourvus d'un abri pour voiture et d'une façade en bois brut ultra-moderne. Le Ventura de l'époque n'avait guère d'attrait pour une ville balnéaire – trop froid et venteux, loin de tout –, mais mon père avait prédit son avenir – autoroutes, marina, surpeuplement –, et il persuada certains amis de s'engager avec lui dans des affaires qui lui permettaient de continuer à construire. Entre-temps, je me rendais compte que Ventura était bénie par des vagues. J'avais eu cette vision en mangeant un chili burger sur sa jetée.

Pour mon onzième anniversaire, mon père m'a amené à la boutique Dave Sweet Surfboards d'Olympic Boulevard, à Santa Monica. J'ai choisi dans le râtelier des planches d'occasion une solide 9'0" cuivrée, avec des liserés bleu-vert aux rails et un aileron fabriqué avec au moins huit différentes essences de bois. Elle coûtait soixante-dix dollars. Je faisais un mètre cinquante, je pesais quarante kilos et je ne pouvais même pas l'entourer de mon bras. Je l'ai portée sur la tête jusqu'à la rue, un tantinet mal à l'aise, terrorisé à l'idée de la laisser tomber, mais heureux comme jamais.

L'hiver où je tentai d'apprendre à surfer ne fut pas une partie de plaisir. Même si le *Surfin' USA* des Beach Boys tournait en boucle à la radio (*"Let's go surfin' now, everybody's learning how"* – Allons surfer maintenant, tout le monde apprend comment), j'étais le seul élève de mon école paumée à posséder une planche. Nous passions à Ventura la plupart de nos week-ends, de sorte que j'allais régulièrement à la mer, mais California Street était rocailleuse et l'eau douloureusement froide. J'avais une combinaison, mais à manches courtes et à mi-cuisses, et la technologie du néoprène était encore balbutiante. Au mieux, elle absorbait le froid le plus pénétrant du vent d'après-midi. Mon père aimait à raconter l'histoire du jour où je m'étais découragé. Assis au chaud dans sa voiture – je l'imagine fumant sa pipe dans son pull épais de pêcheur –, il m'avait regardé patauger. J'étais revenu, les pieds et les genoux en sang, en titubant sur les rochers et en lâchant ma planche, humilié et épuisé. Il m'a exhorté à ressortir et à prendre trois autres vagues. J'ai refusé. Il a insisté. "Tu peux les prendre en restant sur tes genoux si tu veux." J'étais furieux. Mais j'y suis retourné. J'ai pris ces vagues et, dans sa version de l'histoire, c'était là que je suis devenu un surfer. S'il ne m'avait pas obligé ce jour-là à retourner dans l'eau, j'aurais sûrement renoncé à tout jamais. Il en était convaincu.

En cinquième, j'ai enfin quitté la sécurité douillette de mon école élémentaire cernée de collines au profit d'un énorme collège anonyme, au fond de la vallée proprement dite. J'ai commencé à m'y faire des amis en fonction d'une affinité partagée pour le surf. Rich Wood fut le premier d'entre eux. C'était un petit gars réservé et sarcastique, un peu bouboule, plus vieux que moi d'un an. Mais il surfait avec un style soigné et gracieux qui s'accordait parfaitement aux longues vagues soyeuses, au doux ressac, de California Street, et il réussit à se faufiler et trouver sa place dans la mêlée d'une famille de substitution – la mienne – avec une aisance surprenante dès le début, compte tenu de sa retenue et du peu qu'il avait à dire sur lui-même. Tout s'expliqua quand j'ai rencontré sa famille. Ses parents formaient une paire bien assortie de golfeurs à la peau brunie par le soleil, courts en jambes, qui n'étaient que très rarement à la maison. Rich avait un frère aîné bien plus vieux, et leurs père et mère donnaient l'impression d'avoir déjà renoncé à élever leurs enfants pour s'installer dans une sorte de Floride intérieure. Le grand frère de Rich, Craig, aurait assurément pu les y pousser. C'était une sorte de char d'assaut musculeux, impétueux, bruyant et effronté. Il prétendait surfer, mais je ne l'ai jamais vu dans l'eau. Craig surnommait son pénis "Paco" et il avait toujours des histoires à raconter sur les aventures de Paco. "Paco a encore fait des dégâts, *cabrón* !" Quand Rich a commencé à sortir avec une fille et qu'il rentrait chez lui d'un rendez-vous avec elle, Craig demandait à renifler ses doigts – pour vérifier si son cadet avait fait des progrès dans sa vie sexuelle. Craig et Rich n'auraient guère pu être plus différents l'un de l'autre.

Rich et moi allions ensemble à California Street. Il se montrait étrangement silencieux quant à l'endroit où il avait découvert le surf. Il avait visiblement appris les ficelles quelque part, mais il restait dans le flou. "Secos, County Line, Malibu. Tu sais bien…" Je n'en savais rien, en réalité, à part ce que m'en avait dit Steve Painter ou ce que j'avais lu dans les revues spécialisées. En tout cas, nous nous appliquions assidûment à apprendre tout de California Street – lineups, locaux, marées, arêtes invisibles des rochers sous les eaux noires et hantées, toutes les idiosyncrasies d'une longue vague parfois traîtresse. Nul ne nous adressait la parole et nous trouvions des points de take-off, intermittents ou négligés, qui correspondaient à nos aptitudes, afin de pouvoir surfer sans que des tiers intervinssent. Mais nous étudiions aussi les mouvements des meilleurs surfeurs locaux avec une attention fanatique, et nous en discutions jusque tard dans la nuit allongés dans les couchettes du duplex, dont mes parents avaient commencé à se servir comme d'une maison de plage. Nous avions réussi à connaître quelques noms : Mike Arrambide, Bobby Carlson, Terry Jones. Comment Arrambide parvenait-il à placer ses glissades sur l'aile de la vague dans les sections médianes ?

Qu'était donc ce premier rapide virage de dingue qu'exécutait Carlson à chaque drop* ? Changeait-il réellement de position, passant de goofy à natural foot (de gaucher, pied gauche derrière à droitier, pied droit derrière) ? Rich et moi en étions seulement à maîtriser les rudiments – take-offs nets, virages brusques, maintien en selle, progression jusqu'au nose – mais nous devions apprendre des grands, parce qu'il n'y avait que très peu de gamins de notre âge à Californie Street, et aucun, nous sommes-nous aperçus, ne surfait mieux que nous.

Je prenais un aussi grand plaisir à regarder Rich surfer. Son équilibre était ferme, parfois impeccable, ses mains expressives, son jeu de pieds raffiné. Il surfait une grande planche pigmentée en blanc franc. Il devenait moins assuré et agressif quand la vague dépassait un mètre vingt, mais il avait tout ce qu'il fallait pour maîtriser des petites vagues. J'étais fier de surfer à ses côtés. Nous serions toujours des marginaux dans la petite bourgade de Ventura, si, avec le temps, certains des habitués n'avaient pas fini par nous adresser de brefs signes de tête pour nous saluer.

Mes parents prirent l'habitude de nous y déposer à l'aube, quand – souvent – il y avait du brouillard et que la mer était d'huile. Ils ne venaient nous récupérer qu'en fin d'après-midi. Il n'y avait pas de plage à C Street, comme nous avions appris à l'appeler. Rien que des rochers, une falaise basse en passe de s'effriter, d'énormes réservoirs de pétrole, des terrains vagues et, un peu plus haut sur la pointe, quelques champs de foire abandonnés. Encore plus haut, dans un bouquet d'arbres, on tombait sur une jungle de sans-abri ; autant dire qu'il fallait garder l'œil ouvert et surveiller les individus dépenaillés qui se dirigeaient vers le rivage en venant de cette direction, car nos serviettes et nos casse-croûte restaient sur les rochers pendant que nous surfions. La brise qui soufflait de la mer se levait aux alentours de midi et sabotait toutes les vagues, de sorte que nous passions de longs après-midi à nous serrer au plus près des feux de bois flotté, au pied de la falaise, en attendant de pouvoir surfer. Un jour, alors que le vent était particulièrement humide et mordant, nous avons traîné et empilé de vieux pneus et nous y avons mis le feu. La chaleur était magnifique mais les épaisses colonnes de fumée noire et

nauséabonde qui dérivaient jusqu'en ville ont alerté une voiture de police et nous avons décampé au pas de course, nos
planches sous le bras – entreprise malaisée – pour aller nous
cacher dans un champ de foire. De retour au duplex, à la fin
de ces journées, Rich et moi partagions tour à tour une douche
brûlante à l'extérieur, à raison de trente secondes par personne,
toujours revêtus de notre combinaison ; celui qui restait dans
le froid comptait à haute voix puis, à trente, poussait l'autre
hors du jet, et ce, jusqu'à ce que l'eau devînt froide.

L'étude laborieuse et minutieuse d'une minuscule bande
de littoral, de chacun de ses aspects et de ses remous, de
chaque rocher pris individuellement et chaque combinaison
différente des marées, du vent et de la houle – un suivi
longitudinal, donc, de saison en saison –, est l'occupation
de base de tout surfeur à son break local. Se connecter à un
spot – le comprendre vraiment –, peut prendre des années.
Pour les breaks très complexes, c'est le travail, jamais achevé,
de toute une vie. Ce n'est sans doute pas ce qu'imaginent la
plupart des gens quand ils regardent la mer et remarquent des
surfeurs dans l'eau, mais c'est pourtant le problème que nous
efforçons au premier chef de résoudre en sortant au large :
comment se comportent exactement ces vagues et comment
se comporteront-elles probablement par la suite ? Avant de
pouvoir les surfer, il nous faut les déchiffrer ou, tout du moins,
commencer à progresser de façon fiable et bien documentée
dans leur lecture.

Presque tout ce qui se passe dans l'eau est indicible – tout
langage est inadapté. Jauger les vagues reste fondamental,
mais comment le traduire dans les faits ? Vous voilà assis dans
un creux entre les vagues et vous ne voyez pas au-delà de la
houle qui s'approche, laquelle ne deviendra pas une vague
que vous pourrez prendre. Vous vous mettez à ramer vers le
large le long de la côte. Pourquoi ? Si le temps était figé, vous
pourriez expliquer que, d'après votre expérience, la prochaine
aura cinquante chances sur cent de présenter un bon point de
take-off dix mètres plus loin de l'endroit où vous vous teniez
auparavant. Le calcul se fonde sur : 1) les deux ou trois derniers
aperçus que vous avez eus, chaque fois depuis la crête d'une

houle précédente, des houles encore au large ; 2) les cent vagues et plus que vous avez vues se casser au cours de la dernière heure et demie ; 3) votre expérience accumulée lors de vos trois ou quatre cents sessions précédentes à ce même spot, y compris les quinze ou vingt jours qui, en termes de force et de direction de la houle, de vitesse, de marée, de saison et de configuration du banc de sable, ressemblaient beaucoup au jour où vous surfez ; 4) la manière dont l'eau semble bouger sur le fond ; 5) la couleur de l'eau et la texture de sa surface ; et, sous-jacentes à tous ces éléments, les innombrables perceptions sous-corticales trop subtiles et fugaces pour qu'on puisse les exprimer oralement. Ces derniers facteurs sont semblables à ceux auxquels se fiaient les antiques navigateurs polynésiens quand, en haute mer, ils se plongeaient dans l'eau à mi-corps entre les balanciers de leur canoë, et laissaient à leurs testicules le soin de leur apprendre où ils se trouvaient au cœur du vaste océan.

Mais, bien entendu, le temps ne se fige pas. Et il faut prendre la décision en un éclair : suivant son intuition, soit on rame à toute allure à contre-courant, soit on s'arrête et on se laisse dériver, en gageant que la prochaine vague défiera les probabilités et viendra tout bonnement jusqu'à vous. Et les facteurs décisifs risquent de ne rien devoir à l'océan : votre humeur du moment, l'état de vos biceps, le déploiement des autres surfeurs. Le rôle de la foule est bien souvent critique. D'autres surfeurs vous signalent l'arrivée d'une vague. Vous en voyez un ramer par-dessus la crête d'une houle et vous cherchez à deviner ce qu'il voit de l'autre côté, au dernier moment, juste avant de disparaître. Savoir qui est le surfeur peut être utile : Connaît-il bien le spot ? Est-il susceptible de s'affoler à la vue d'une grosse vague ? Ou vous pouvez encore suivre la ligne du regard, le long de la côte, chercher des yeux quelqu'un qui aura un meilleur point de vue que vous sur ce qui vous attend, et tenter de déchiffrer sa réaction. Peut-être même tentera-t-il de vous expliquer par signes la direction que vous devez prendre, de vous prévenir contre ce qui va vous tomber dessus. La plupart du temps, néanmoins, la foule est surtout une nuisance, une distraction qui trouble votre jugement au moment précis où vous vous débattez pour vous approprier une vague.

À California Street, Rich et moi étions encore de jeunes novices. Mais nous nous appliquions avec le plus grand sérieux, ce qui n'est pas passé inaperçu des surfeurs les plus expérimentés, lesquels ont commencé à nous céder certaines vagues. Notre manière de réunir nos notes, de nous étudier l'un l'autre, de rivaliser avec sérénité – cela aussi était pour moi capital. Le surf est un jardin secret, on n'y pénètre pas aisément. Mes souvenirs de l'apprentissage d'un spot – de l'instant où l'on commence à connaître et comprendre une vague –, restent pour moi inséparables de l'ami avec lequel j'ai cherché à escalader ses murs.

Je prenais soin de ma vieille Dave Sweet de manière quasi obsessionnelle, en réparant chaque "pet", chaque éclat qui en fissurait ou en brisait la surface lisse avant qu'il ne s'imprègne d'eau de mer. California Street menait la vie dure aux planches, surtout à marée haute. Les ingrédients de base d'une trousse de réparation étaient une résine de polyester, des catalyseurs, un chiffon de fibre de verre et un bloc de mousse de polyuréthane, mais j'avais lentement accumulé dans un établi un tas d'outils et de fournitures : scies, limes, brosses, ponceuses électriques, acétone, et toute une gamme de papiers de verre secs ou humides, et de rubans adhésifs décoratifs. Je pouvais réaliser des *hot coats* (glaçages epoxy avec ponçage), des *gloss coats* (glaçages sans ponçage), des petits travaux bâclés à la va-vite du jour au lendemain, et ainsi que toute sorte de petites réparations si laborieusement exécutées qu'elles restaient invisibles. L'aileron superbement marqueté de ma bien-aimée Sweet était sans cesse cabossé ou éraflé par des rochers, tant et si bien que je lui ai fabriqué, à raison de plusieurs nuits passées dans un garage glacial, une "protection" large de deux centimètres, à base de bandes de fibre de verre, qui enveloppait sa tranche extérieure. C'est, je crois, le souvenir de telles besognes et le désir de ne plus les répéter qui ont incité les surfeurs à cavaler, sans se soucier des dommages infligés à leurs pieds nus, sur des rochers pointus pour récupérer leur planche perdue, et qui ont aussi, ce faisant, contribué à répandre davantage leur réputation de cinglés auprès des autres baigneurs.

Mais l'heure arriva fatalement de me procurer une planche plus performante que ma poussive Sweet. Steve Painter intervint alors. "Elle doit être neuve, déclara-t-il, et ce sera une Larry Felker". Painter et moi n'avions jamais surfé ensemble. Je prêtais toujours l'oreille à ses histoires selon lesquelles il aurait "déchiré" une vague de plus de trois mètres à Topanga, un break rocheux au sud de Malibu où je n'avais jamais surfé, principalement parce que le littoral y était fermé au public. Steve et ses amis étaient apparemment devenus, du moins dans ses récits, des piliers de l'équipe d'élite de Topanga, et, selon lui, les vagues y étaient souvent énormes et toujours superbes. Quant à moi, notre amitié de voisinage avec ses hauts et ses bas prit fin une nuit d'été, quand avec une bande de copains nous dormions à la belle étoile sur la pelouse de l'arrière-cour d'une maison du quartier, et où, sous les yeux horrifiés bien que ravis de toute l'équipée, Painter m'urina dans la bouche. C'était pousser un peu loin la brimade. J'ai cessé de le fréquenter.

Mais je continuais de faire confiance à son avis sur ce qui était cool dans la sous-culture surf, et je me suis donc rendu chez Felker, qui possédait la seule boutique de surf de Woodland Hills. Ce n'était pas un shaper* renommé, mais il fabriquait de très belles planches. Mes parents convinrent d'en payer la moitié – ce serait mon cadeau d'anniversaire pour mes treize ans –, et j'ai donc commandé une 9'3" bleu ardoise, avec un aileron en verre blanc et un tailblock en bois marqueté. On ne me la livrerait pas avant des mois. Je me suis remis à tondre des pelouses et à arracher des mauvaises herbes pour gagner des sous.

Mais qu'était devenu Rich Wood ? Une porte s'était ouverte, une porte s'était fermée – mon indifférence à cet égard ne me paraît étrange que maintenant. On avait construit une nouvelle école et j'y avais été inscrit en fonction de la carte scolaire ; pas lui, et je ne l'ai jamais revu. Ma famille continuait de se rendre à Ventura. Les Becket nous y rendirent visite à l'occasion d'une de leurs rares incursions dans le Nord : quatorze personnes, entassées dans deux chambres à coucher.

Mon nouveau partenaire de surf, Domenic Mastrippolito, était aussi formidable que son nom. C'était, dans cette nouvelle école, le roi sans couronne de notre classe. Il avait un frère aîné, Pete, un bagarreur aux cheveux bruns ; Domenic, lui, était blond et calme – et ce furent Pete et ses petits durs de copains qui attirèrent pour la première fois sur moi l'attention de Domenic. Comme les aficionados des combats de coqs, Pete et sa bande adoraient envoyer les plus jeunes au casse-pipe. Ils pariaient même, disait-on, sur l'issue du combat. J'avais douze ans quand ils me poussèrent à me battre avec un maigrichon teigneux, aux dents de travers, du nom d'Eddie Turner. L'affrontement prit place à l'école, sur un terrain de hand-ball fermé par trois murs, tandis qu'une troupe assoiffée de sang formait le quatrième. Il n'y avait pas d'échappatoire et le combat me parut durer une éternité sans pour autant étancher leur soif. J'étais le perdant désigné, mais j'ai réussi à avoir le dessus malgré tout. De sorte que, dans certains cercles et pendant des années, mon nom resta attaché à celui d'Eddie Turner, lequel commit pourtant des méfaits bien plus mémorables (aller en prison, par exemple) tandis que moi-même resterais dans l'ombre. Quand nous sommes devenus amis, un peu plus tard, Domenic me taquina sans cesse à propos d'Eddie – de tout le fric que Pete avait perdu dans ce combat, et du pauvre Turner, qui n'avait plus jamais été le même.

Ça me faisait tout drôle de devenir l'ami de Domenic. C'était le meilleur athlète de la classe – rapide, vigoureux, large du coffre. Les filles le trouvaient si beau que ça en était cruel. Par la suite, en cours de dessin, j'ai entendu qu'on le comparait au David de Michel-Ange. Il avait effectivement cette sorte de beauté virile, sinon une partie de la présence de ce héros antique. Je ne me sentais moi-même pas à la hauteur, niveau popularité. Toutefois Domenic surfait, lui aussi. Par l'intermédiaire de Pete, il avait copiné avec quelques grands qui, eux, avaient le permis de conduire, de sorte qu'il pouvait aller à la plage. Pourtant, ça crevait les yeux que les gars de la bande de Pete n'étaient pas des surfeurs sérieux, et que Domenic n'était accepté dans leurs virées que pour tenir le rôle de mascotte. Aussi, quand il a commencé à m'accompagner avec mes parents à Ventura, et qu'il a cherché à trouver sa place dans le lineup de C Street, ce fut comme si sa véritable carrière de surfeur débutait. Il était passionné. Il n'avait sans doute pas le talent de danseur d'un Rich Wood, ni non plus mon agilité de gamin maigrichon sur la planche. Il surfait plutôt comme un brutal linebacker[01] de football américain. Mais il a pris sa place autour des flambées de bois flotté et sous les douches d'eau brûlante de trente secondes. De mon côté, j'ai trouvé mon équilibre par rapport à son charisme dans un comique d'impro, spécialisé dans l'autodérision. Je me moquais de moi-même et j'en étais remercié par ses crises d'hilarité aiguë. Nous sommes restés inséparables pendant des années. Et c'est à Domenic que j'écrivais ces lettres lors de notre premier séjour à Hawaï.

À me remémorer ces souvenirs, je suis frappé par la violence qui a entouré mon enfance. Rien de mortel ni d'horrifique, mais quelque chose d'essentiel à la vie quotidienne, qui peut paraître archaïque aujourd'hui. Les grands bousculaient, voire torturaient les plus petits. Nous boxions dans la rue, les adultes ne cillaient même pas. Je n'aimais pas me battre – et encore moins perdre, assurément –, et je ne crois pas avoir participé à une bagarre sérieuse au-delà de mes quatorze ans. Mais ça correspondait tellement aux normes de l'Américain moyen (sans parler de l'Hawaïen) que je n'ai jamais, petit garçon, accordé une seule pensée remettant en cause cet état de fait. Il n'y avait pas, à l'époque, d'épouvantables scènes de violence à la télé – ni non plus de jeux vidéo –, mais les dessins animés que nous regardions le samedi matin étaient bourrés de cassages de gueule old school, et nous avons, allègrement, transmis au monde le virus de cette antique agressivité. Encore petit, j'avais un ami du nom de Glenn que je pouvais "prendre" à la lutte. Il resta si dépité d'avoir perdu contre moi qu'il demanda à sa mère de lui acheter une boîte d'épinards qu'il engloutit directement, sous mes yeux, exactement comme Popeye quand il veut reprendre des forces. Nous nous sommes tout de suite bagarrés. J'ai encore gagné, mais j'ai dit à Glenn qu'il m'avait paru beaucoup plus fort que d'habitude – un mensonge.

Tout n'était pas toujours aussi noble, bien entendu. J'ai assisté à un ou deux combats sanglants entre des gars plus âgés

---

01 — Un linebacker dans le football américain est un joueur évoluant dans la formation défensive de l'équipe.

– des mêlées bien pires que ma rixe avec Eddie Turner. Elles exerçaient une fascination quasi pornographique. Ces empoignades étaient des scènes dignes d'un théâtre de la cruauté, où les spectateurs sont dénués de toute empathie – une version distillée et hyperdramatisée de l'impitoyable ostracisme dont sont victimes certains gamins. La foule en pleine action. De la pure sauvagerie populiste. Le souvenir de Lurch. Ma propre conception de la chose, en l'occurrence – fondamentalement, celle de mon père : avec cette haine que les petites brutes inspirent –, prend ses racines dans les horreurs de mon adolescence et dans ce que j'y ai aperçu ou entrevu – et qui parfois m'a dégoûté –, de ma propre personnalité.

La fascination qu'exerçait le pur carnage était différente, moins sociale. Les parents de Ricky Townsend possédaient un livre – un livre d'art, je crois –, contenant le tableau d'un soldat de la Seconde Guerre mondiale le représentant au moment où il est déchiqueté par un obus. Il court encore, les yeux écarquillés de souffrance, alors que ses membres et son torse ruissellent de sang. Nous nous faufilions en petit groupe dans la pièce où il était rangé et nous postions une sentinelle devant la porte le temps d'étudier l'image interdite. C'était une expérience d'une intensité déchirante, pesante et pleine de honte. C'était donc à cela que ressemblait la mort. Nous jouions à l'époque aux petits soldats avec des G.I. en plastique. Mais la réalité de la guerre, que certains de nos pères avaient pourtant vue de très près, n'était jamais abordée en notre présence. C'était un secret que les adultes gardaient jalousement, et pour de bonnes raisons.

Certains pères étaient des brutes, prêtes à malmener leurs gosses de toutes leurs forces. Pas le mien, par bonheur. Mais les châtiments corporels étaient encore la règle, tant à l'école qu'à la maison, même aux cours de catéchisme du samedi que j'étais obligé de suivre et où les bonnes sœurs assénaient de rudes coups de règle en bois sur nos phalanges tremblantes, tendues devant nous. En classe, c'était le pion des garçons qui nous portait des coups de badine. "Agrippe tes chevilles, tâche de ne pas te souiller et de ne pas pleurer." Une de mes maîtresses, qui avait été dans l'armée, comme elle se plaisait à nous le rappeler, nous tirait si fort les oreilles quand elle était agacée que je craignais qu'elle ne me les déformât. Là encore, il ne m'est jamais venu à l'idée de me plaindre. Autant que je sache, personne ne trouvait aucun de ses gestes condamnable.

Chez nous, dans la mesure où mon père travaillait tard, les corrections incombaient à ma mère. Elle menaçait parfois de nous tuer. Quand elle conduisait – ça suffisait à nous la boucler. Mais les corrections qu'elle nous administrait n'étaient pas particulièrement féroces ni brutales. À mesure que je grandissais, ses fessées me faisaient de moins en moins mal. Si bien qu'elle a commencé à se servir d'une ceinture, mince d'abord, puis plus épaisse, et, enfin, d'un cintre en fil de fer – tous nettement plus douloureux. Je ne me débattais pas, mais il s'agissait là de luttes primitives pour le pouvoir, émotionnellement très pénibles pour moi, et sans doute pour elle aussi. Toutefois, je les trouvais normales. Pour des catholiques irlandais, en tout cas. Cela étant, vint le jour – je devais avoir douze ans –, où elle ne parvint plus à me faire pleurer. Elle avait beau s'éreinter, je ne gémissais même pas ni ne me recroquevillais. Si je me souviens bien, c'est elle qui a pleuré. Et ça s'arrêta là. Plus personne ne me frappa.

Peu après, ce qu'on regardait jusque-là comme normal changea brusquement. Kevin eut droit à son lot de raclées, me semble-t-il, mais Colleen beaucoup moins et Michael pas du tout. Concernant les punitions corporelles, le consensus sur leur nécessité s'était effondré en Amérique, et ce, pour un bon moment. Publié en 1946, le livre révolutionnaire *Baby and Child Care* du Dr Benjamin Spock était devenu le manuel de référence de ma mère – et le Dr Spock lui-même un de ses héros ; sa popularité avait lentement modifié l'opinion publique en défaveur de la fessée. Quand s'échauffèrent les batailles culturelles des années 1960, Spock était à l'avant-garde de la gauche pacifiste opposée à la guerre du Vietnam et, à un moment donné, aux yeux de nombreuses personnes, dont mes parents, battre les enfants avait pris un tour moyenâgeux. J'aimais à me dire que les corrections à l'ancienne que j'avais reçues m'avaient fait du bien et endurci, et j'y croyais plus ou moins. Le "jeune garçon responsable" devait toujours avoir une posture constructive. Je n'ai jamais rien reproché à mes parents. Je m'en rends compte aujourd'hui, leur attitude participait de la violence diffuse, ambiante, qui régnait au milieu du siècle dernier, quand j'étais encore enfant.

Dans les veines du surf coulait, et coule encore, une dose de violence. Je ne parle pas des durs à cuire qu'on peut rencontrer dans l'eau – ou même, à l'occasion, sur la terre ferme –, et qui vous dénient le droit de surfer sur leur précieux spot. Les démonstrations de force physique, d'adresse, d'agressivité, de connaissance des lieux et de déférence qui servent à établir une hiérarchie fonctionnelle dans le lineup – préoccupation permanente à tout break populaire –, sorte de danse simiesque de domination/soumission, qui s'exécute habituellement sans aucune violence physique. Non, je parle de la magnifique violence des déferlantes. C'est une constante. S'agissant des petites et plus faibles vagues, cette violence reste bénigne, modérée, peu menaçante, sous contrôle. Ce n'est que le grand moteur de l'océan, qui nous propulse et nous autorise à jouer avec lui. Mais cette humeur change dès que les vagues se font plus puissantes. Les surfeurs appellent cette puissance le "juice" – le jus – et, quand les vagues deviennent sérieuses, le juice devient l'élément critique, l'essence même de ce que nous sommes venus chercher pour nous mettre à l'épreuve – tantôt en l'affrontant avec témérité, tantôt en l'évitant avec lâcheté. Ma propre relation avec cette quintessence, cette dose de violence pure, s'est faite plus vivace avec le temps.

La deuxième fois que nous sommes partis vivre à Honolulu, à l'été 1967, *Come on, baby, light my fire* retentissait dans les postes de radio. Domenic a pris l'avion pour nous rendre visite et séjourner chez nous quelque temps. Nous avons surfé ensemble à Waikiki. Je m'efforçais de lui montrer les spots. Je l'ai même emmené voir Rice Bowl. Il avait écouté mes histoires sur Sunset Beach du South Shore. Nous étions assis sur nos planches à Tonggs, par une matinée étincelante, et nous observions l'océan par-delà le chenal. Une série correcte s'est soudain levée pour aller se casser à Rice Bowl. Elle n'avait pas l'air spécialement grosse – la houle n'était pas très forte ce jour-là. Domenic a proposé de ramer jusque là-bas. J'ai refusé. J'avais trop peur de ce spot. Il y est allé sans moi. Puis il y eut quelques autres séries. Domenic en a bien pris une première correctement dans la mesure où il était seul et n'avait encore jamais vu le break. Il a surfé plusieurs vagues sans chuter. Elles faisaient toutes un peu plus d'un mètre quatre-vingt. J'en avais surfé de plus grosses aux Cliffs, parfois même à California Street. Nous en surferions de bien plus impressionnantes avec Domenic dans les années qui suivraient, dont plus d'une à l'authentique Sunset Beach. Je n'en suis pas moins resté assis sur ma planche dans le chenal des Tonggs, pétrifié de terreur. J'étais conscient d'échouer à une épreuve fondamentale de courage. Défaites, humiliations – lâches esquives – restent brûlantes dans ma mémoire, bien plus profondément gravées que leurs contraires.

3

LE CHOC
DE LA NOUVEAUTÉ

Californie, 1968

La nouveauté dans le surf – celle dont Glenn Kaulukukui, à Waikiki, m'avait paru être l'avant-garde –, c'était la révolution du shortboard*. Par chance, j'ai vu son tout premier pionnier en action l'été suivant, juste avant que le mouvement souterrain ne fasse surface. C'était un Australien du nom de Bob McTavish. Ça se passait à Rincon, un break rocheux de Ventura que, dès que nous pouvions nous offrir un aussi long trajet, j'avais commencé à y surfer avec Domenic. Rincon, rebaptisée aujourd'hui du nom kitsch de Queen of the Coast – la Reine de la côte –, était tout bonnement connue pour être la meilleure vague de Californie, une longue droite creuse hivernale d'une qualité stupéfiante. C'était en fin d'après-midi par un très bon jour, à marée basse, et nous nous reposions sur les rochers de la crique quand quelqu'un a hurlé et montré du doigt une série costaude qui se profilait à Second Point sur un fond de ciel bleu. Peu de gens surfaient Second Point, connue aussi sous le nom d'Indicator quand elle atteignait cette taille. La grande vague de Rincon, elle, était First Point. On ramait jusqu'à Second Point quand les jours étaient moins bons pour échapper à la foule et se rabattre sur ces vagues moins bonnes. Des histoires couraient sur certaines journées formidables, d'une absolue perfection, où il était possible de surfer tout du long sur quelque huit cents mètres, de Second Point à First Point et jusqu'à la crique, le tout à grande vitesse. Mais je ne l'avais jamais vu.

Et voilà que quelqu'un s'y livrait justement, qui plus est sur une planche dont les rails semblaient équipés de propulseurs.

Mes yeux avaient le plus grand mal à suivre les pointes de vitesse générées par chaque virage dans les creux. Le surfeur se trouvait subitement dix mètres plus loin que là où, selon les lois physiques du surf telles que je les comprenais à l'époque, il aurait dû être. Il obtenait des accélérations comparables à ses virages sur les crêtes. Il enchaînait ainsi des sections longues et techniques qui, normalement, auraient dû mettre fin à sa course. C'était comme si, chaque fois que je clignais des yeux, des images d'un film étaient diffusées dans ma tête et que ce surfeur réapparaissait plus avant qu'il ne l'aurait dû sur la ligne qu'il traçait. Si vous lisiez certaines des premières descriptions du surf publiées – celles de Jack London et de Mark Twain, toutes à la suite de séjours à Hawaï –, vous les trouveriez sans doute truffées d'efforts maladroits pour rendre compte d'une action trop rapide, trop complexe et trop étrangère à l'observateur pour qu'il pût en restituer le sens visuellement. C'était très exactement l'impression que me laissait le spectacle de McTavish en train d'enfiler cette vague de presque deux mètres cinquante à Rincon. Il a traversé la zone de take-off de First Point comme s'il ne s'agissait que d'une autre section à déjouer, dépassé la foule et poursuivi son chemin, un virage fulgurant après l'autre, jusqu'à la crique.

Il n'y a dans le surf que de rares moments de ferveur populaire dignes du Colisée – ce n'est pas ce genre de sport –, mais je me souviens de gens, dont moi-même, qui couraient sur la plage à la rencontre de McTavish pour l'accueillir à son arrivée sur le sable. Nous voulions surtout voir sa planche. Elle ne ressemblait à aucune de celles que je connaissais. Elle était extraordinairement courte par rapport aux critères de l'époque, avec un bottom en V et deux bouchains plus proéminents s'enfonçant tout en régularité à l'endroit du tail. Je n'avais pas les mots – pas même "bottom en V" – pour décrire ce que je voyais, et aucune idée non plus de qui était ce McTavish. Il était petit, puissamment bâti et tout sourire. Il est passé devant nous au pas de course et a entamé la longue trotte pour regagner Second Point, sa monstruosité de fabrication artisanale sous le bras. Tout ce qu'il nous a dit, c'est *"G'day"* – B'jour.

Plus rien n'a été pareil ensuite. Pendant des mois, les revues de surf ont été remplies de bottoms en V, et d'autres nouvelles planches à la conception radicalement différente, toutes spectaculairement plus courtes et légères que celles dont on s'était servi durant des décennies. La révolution arrivait tout droit d'Australie et d'Hawaï, et McTavish et deux Américains, George Greenough et Dick Brewer, étaient ses gourous. Les galops d'essai étaient pratiqués par quelques-uns des meilleurs surfeurs internationaux, dont Nat Young, un champion du monde australien. La Californie, qui restait la capitale impériale du sport, se convertit en masse à ce nouveau culte. Le surf lui-même changea en fonction de la vitesse et de la maniabilité inouïe de ces nouvelles planches. Du jour au lendemain, le nose-riding devint lettre morte (de même que les cutbacks sur un genou). Prendre tubes et virages secs à rayon court, sauter verticalement de la lèvre de la vague pour surfer le plus près possible de l'endroit où elle se casse : aucune de ces idées n'était nouvelle, mais toutes se retrouvaient désormais promues au rang d'objectifs du surf moderne, réalisés à des niveaux encore jamais vus.

On était en 1968. Dans tout l'Occident, avec une jeunesse en effervescence, on repensait ou remettait en cause de nombreux tabous − sexe, société, autorité − et, à sa manière, le petit monde du surf se joignit à ce mouvement insurrectionnel. La révolution du shortboard était inséparable du *zeitgeist* − de l'esprit du temps : culture hippie, acid rock, hallucinogènes, néo-mysticisme oriental, esthétique psychédélique. Le mouvement pacifiste, en plein boom national depuis peu, ne parvint jamais à engendrer une aile cohérente parmi les surfeurs (le mouvement écologiste connut une tout autre histoire), néanmoins le petit monde du surf se mobilisa contre la guerre au Vietnam, et ce en dépit de Francis Ford Coppola et d'*Apocalypse Now*. De nombreux surfeurs échappèrent à la conscription. Quelques célébrités − des types qui ne pouvaient pas ramer vers le large sans être aussitôt photographiés, mais étaient désormais recherchés par les autorités, tentèrent même de passer dans la clandestinité.

J'ai eu mon premier shortboard au printemps. Il venait de chez un grand shaper de Venice Beach, Dewey Weber, qui avait le plus grand mal, comme tous ses confrères, à répondre à la demande. Le modèle était une Mini-Feather. Sans doute encore un tantinet bulbeuse et primitive, mais le dernier cri de l'époque. Elle faisait 7'0". Je pouvais la porter d'une main en la tenant par le rail. J'ai accroché ma seconde Harbour Cheater durement gagnée, qui n'avait pas pris un seul pet, au râtelier du garage, et je ne m'en suis plus jamais servi. À quinze ans, j'avais déjà une solide maîtrise des rudiments, et j'étais à l'âge idéal pour une transition vers le shortboard. J'étais encore très léger, mais assez fort pour dresser ma Mini-Feather sur son rail, toucher la lèvre de la vague sans en perdre le contrôle et effectuer les ultimes drops qu'exige une petite planche à la flottaison médiocre et sur laquelle on ne rame que très lentement. (Les longboards, comme on les appela soudain, flottent plus haut sur l'eau en raison de leur volume plus important de mousse, si bien qu'ils permettent de ramer plus vite.) Je connaissais à présent d'autres surfeurs assez âgés pour conduire et j'ai commencé à sécher nos week-ends en famille à Ventura − California Street était un peu trop lent et bourbeux pour les shortboards − et à surfer des spots plus proches de Los Angeles, où la houle arrivait du sud : Secos, County Line, First Point Malibu.

First Point Malibu était l'arène principale du grand cirque du surf, et ce, depuis l'époque de *Gidget,* à la fin des années 1950. Il était ridiculement bondé même lors des mauvais jours. Les bons, c'était une vague magnifique, une longue droite qui se cassait mécaniquement sur un fond rocheux et déroulait jusqu'au sable le long de ce banc fuselé. On y trouvait toujours quelques surfeurs de haut vol qui, en dépit de la cohue, surfaient encore à Malibu, mais la plupart avaient fui. Le roi indiscuté de ce spot, quand j'y ai surfé la première fois, était Miki Dora, un sombre, élégant et sourcilleux misanthrope, au style subtil parfaitement adapté à cette vague. Il passait sur les gens qui se mettaient en travers de son chemin et, dans les revues, vilipendait les masses de surfeurs décérébrés en quelques phrases bien tournées, tout en faisant la promotion de son nouveau prototype de planche − Da Cat − dans les encarts publicitaires adjacents. Mais Da Cat était un longboard. Avec l'arrivée du shortboard sur le marché, de nombreuses légendes du surf ont été rudement touchées par ce nouveau marché. First Point Malibu est devenu plus que jamais un asile de fous. Avec les longboards, il était possible, du moins en théorie, de partager la même vague pourvu qu'on fût en petit nombre. Le style frénétique exigé par les shortboards, leurs virages foudroyants, leur besoin de toujours se trouver dans la partie de la vague qui se casse ou au plus près, ne laissait plus dorénavant de place qu'à un seul surfeur dans la vague. Le résultat était un désastre.

Curieusement, ça ne me dérangeait pas. J'avais atteint un niveau tel que je me sentais plus rapide, plus compétent et mieux équilibré que la plupart des gens qui m'entouraient, et j'adorais me faufiler entre eux, louvoyer, les détrôner des vagues, leur piquer, les effrayer par mes virages brusques et piloter ma Mini-Feather, au travers des douces courbes de Malibu. J'étais une voiture de course dans un rallye.

C'était ailleurs loin de la foule qu'il fallait trouver les plus intenses satisfactions que pouvaient offrir les shortboards. D'abord, et surtout, dans les tubes. Un shortboard peut aller plus en profondeur et mieux progresser à l'intérieur de la vague. Les vrais tubes – la traversée réussie de la chambre intérieure d'une vague creuse – devenaient soudain plus accessibles qu'ils ne l'avaient jamais été. À Zuma Beach, Oil Piers, Hollywood-by-the Sea dans Oxnard, partout où des vagues creuses se cassaient brutalement, un nouveau code du danger et de la gratification s'octroyait désormais, pour tout esprit un peu dérangé (au meilleur sens de cette redoutable expression) une très réelle et heureuse possibilité. Le "Pulling-in*" – tenter de s'engouffrer dans le tube en trouvant le bon angle de pénétration tout en se tenant près de la face de la vague au moment où elle se casse plutôt qu'en se campant face au rivage, vers la terre ferme et les eaux calmes – n'était certes pas sans danger quand on n'en émergeait pas correctement, ce qui n'arrivait presque jamais. Les vagues creuses se cassent normalement sur des rochers, des récifs ou des bancs de sable affleurant à la surface. Tomber de la planche au cœur d'une vague creuse peut conduire – conduit le plus souvent – à une collision avec le fond. Et votre planche se transforme alors en une sorte de missile sans pilote.

Ce premier été du shortboard, le tube catastrophique dont je me souviens le plus était d'une autre nature. C'est arrivé au Mexique, sur un reefbreak* de Baja éloigné connu sous le nom de K-181. Je campais là avec les Becket, qui venaient d'acheter un vieux bus scolaire et l'avaient converti à un usage familial en y ajoutant des couchettes et une cuisine. Les vagues étaient de bonne taille, lisses et désertes. Nous explorions avec Bill les limites des performances de nos nouvelles petites planches. Je suis entré dans un tube bleu-vert, profond et vitreux, et je visais la lumière du soleil, l'épaule retombante de la vague, droit devant moi, tous les muscles bandés. Alors même que je croyais en émerger sain et sauf, j'ai entendu un horrible *clong* ! Ma planche a pilé tout net et j'ai volé par-dessus le nose. J'étais même passé, semble-t-il, par-dessus Becket. Depuis l'intérieur du tube, piégé dans son antre et tentant désespérément de m'en arracher, je ne l'avais pas vu ramer vers ma vague. Mais lui m'avait vu disparaître, il avait compris que je devais être quelque part à l'intérieur, de sorte qu'il avait tranquillement abandonné le navire. Je n'avais donc heurté que sa planche. Ma dérive avait pourtant tranché son rail, presque jusqu'à la late*. Nos planches étaient encastrées l'une dans l'autre en un enchevêtrement hideux de mousse et de fibre de verre broyées, et nous avons dû nous acharner pour les séparer. Tous les dommages étaient pour sa pomme. Il en avait gros sur le cœur mais fut OK avec ça. Après tout, je regardais Dieu dans les yeux avant qu'il ne se mette en travers de mon chemin.

Les shapers se retrouvaient coincés avec des stocks de long-boards invendables sur les bras. Certains surfeurs, eux, avaient malencontreusement acheté un longboard à la veille de la révolution et ne savaient plus quoi en faire. Une épreuve que traversaient deux de mes amis. Appelons-les Curly et Moe. Toutes leurs économies avaient été investies dans l'acquisition d'une planche devenue du jour au lendemain obsolète – magnifique, certes, mais encombrante, dorénavant imprésentable sur tout spot qui se respectait. Puis quelqu'un nous a parlé du contrat d'assurance des propriétaires d'un logement : si vos parents étaient propriétaires de leur domicile et avaient signé une police tous risques/habitation, on pouvait se faire rembourser une planche volée au prix du neuf. Curly et Moe étaient persuadés que leurs parents l'avaient fait. Mais personne n'allait voler leurs planches – ils n'auraient même pas pu les refiler à des connaissances –, mais peut-être, nous sommes-nous dit, pourrions-nous les faire disparaître et déclarer leur vol, de sorte qu'ils toucheraient de quoi s'acheter un short-board. Ça valait la peine d'essayer. Nous avons donc roulé jusqu'aux montagnes de Santa Monica, nous sommes montés tout au bout d'une petite route puis nous avons transporté les planches le long d'une piste qui s'enfonçait profondément dans les broussailles, jusqu'à nous retrouver au sommet d'une falaise. Sans doute y a-t-il eu quelques rituels marmonnés. Et, à coup sûr, de fortes émotions. La planche de Moe, en particulier, était immaculée – un prototype signé Steve Bigler, au deck teinté d'un bleu très pâle et aux rails cuivrés –, et je savais qu'en posséder une et la surfer avait été son rêve le plus cher pendant des années. Et pourtant, lui et Curly ont avancé tous les deux jusqu'au bord de la falaise et balancé dans le vide leur planche démodée. Elles ont heurté les rochers à son pied, carambolé, puis se sont brisées dans les buissons grillés de manzanita.

Je ne me rappelle pas si l'arnaque à l'assurance a marché. Ce que je sais, c'est qu'une Bigler neuf, conservée tout bêtement dans un garage, vaudrait de nos jours des milliers de dollars. Mais ce qui surtout m'intéresse, c'est ce que j'avais à l'esprit sur le moment : je ne trouvais rien de mal à cette escroquerie à l'assurance, pas plus d'ailleurs qu'à la contrebande de drogue, tous crimes qui, d'après moi, ne faisaient aucune victime. Avec véhémence, je me faisais l'avocat de l'insoumission, qui, sans doute, modèlerait un peu mon futur, et commençait déjà à bouleverser l'existence des frères aînés de certains de mes amis. La guerre du Vietnam était mauvaise, pourrie jusqu'à l'os. Dans ma tête, l'armée, le gouvernement, la police et les grandes entreprises se confondaient. Comme soudés les uns aux autres, en une unique masse oppressive... le Système, le Pouvoir. C'était à l'époque, bien entendu, l'idéologie politique courante chez les jeunes, et je n'ai pas tardé à ajouter les autorités scolaires à l'ennemi. Mon attitude désinvolte, voire méprisante, à l'égard de la loi, n'était surtout qu'une rémanence de l'enfance, où le défi et les ennuis auxquels on peut se soustraire forment une bonne partie de la gloriole.

Mais une désaffection plus consciente, analytique et vaguement marxiste, commençait à planter ses racines dans les idées politiques de mon adolescence... et à désagréger, mentalement et moralement, le monobloc du pouvoir institué : faire la part des choses, le tri dans le véritable fonctionnement du système par-delà la seule impression que laissaient les apparences, se révélerait un labeur de nombreuses années. Entre-temps, le surf devint pour moi un excellent refuge, un rempart contre tout conflit − une raison de vivre, dévorante, physiquement épuisante et riche de joies. Il traduisait aussi très clairement − par sa futilité vaguement hors-la-loi, son renoncement à tout travail productif −, le désamour que je ressentais vis-à-vis du système.

Où donc était passé mon sens des responsabilités ? Pas franchement au premier plan. J'ai participé à des marches pour la paix. J'étais un bon élève, ce qui, en soi, ne prouvait pas grand-chose, sauf que j'aimais lire et que je savais qu'il ne fallait pas trop pousser pour être tranquille. J'ai donné pendant un moment des cours particuliers à deux jeunes Afro-Américaines binoclardes de Pacoima, petite bourgade pauvre à l'extrémité orientale de la Valley. Je ne crois pas qu'elles aient beaucoup tiré profit de nos séances. J'avais l'impression d'être un imposteur − un jeune garçon de mon âge jouant au professeur. Ma mère, qui réussissait à rester engagée politiquement tout en élevant quatre enfants, m'a coincé un jour en m'organisant un démarchage électoral au porte-à-porte pour Tom Bradley, le concurrent de Sam Yorty dans notre circonscription de Woodland Hills, au poste de maire. S'il gagnait, Bradley deviendrait le premier maire noir de L.A., de sorte que cette élection prenait une tournure historique. Les sondages lui étaient favorables dans notre circonscription et nous étions optimistes. Puis Yorty l'a emporté, et la répartition des votes, chez nous, a montré que nos voisins, de toute évidence, avaient menti en affirmant, à nous autres démarcheurs, qu'ils allaient voter pour Bradley. C'est un phénomène notoirement connu que ce retournement des suffrages parmi les électeurs blancs.

Je n'en étais pas moins offusqué et furieux, et le cynisme que m'inspiraient la politique officielle et la vaste masse de ceux que je commençais à appeler "la bourgeoisie" a continué de grandir en moi.

Comme chacun sait, Robert Kennedy a été assassiné en 1968, le soir des primaires de Californie. J'étais en train de regarder les informations sur un petit écran noir et blanc, assis, les jambes croisées, au pied du lit de ma petite amie. Elle s'appelait Charlene. Nous avions quinze ans. Elle s'était endormie, persuadée que j'étais partie après notre habituel câlin torride (et sans véritable conclusion) de la soirée. J'y avais mis un terme pour regarder la télé, après avoir vu que Kennedy avait été abattu. Il était minuit passé et les parents de Charlene étaient sortis assister au dépouillement avec des amis. C'étaient des militants actifs du parti républicain. Je les ai entendus se garer dans le jardin puis entrer dans la maison. Je savais que son père, homme d'un certain âge, venait chaque soir l'embrasser pour lui souhaiter bonne nuit, et je connaissais aussi le moyen de sortir par la fenêtre de sa chambre à coucher pour gagner la rue à pas de loup. Je suis pourtant resté assis, sans réfléchir davantage, mais déterminé, jusqu'à ce que la porte s'ouvre. Son père n'a pas fait une crise cardiaque en me trouvant là en sous-vêtements, en train de tranquillement regarder la télé, mais il aurait pu. J'ai agrippé mes fringues et plongé par la fenêtre avant qu'il ait pu dire un mot. La mère de Charlene a appelé la mienne, et ma mère m'a gratifié d'un grave sermon sur les différentes catégories de filles, en mettant l'accent sur la pureté de "gentilles filles" comme Charlene, qui faisait partie d'un club de débutantes. J'étais mal à l'aise mais n'avais aucun regret. Charlene et moi n'avions jamais eu grand-chose à nous dire.

À dire vrai, j'ai passé durant ces années plus de nuits au domicile de Domenic que chez mes parents. Comme dans le cas des Becket, leur maison était un séjour bien plus décontracté que le foyer bien tenu que géraient mes parents, où l'on entendait sans cesse : "Fais tes devoirs !" Celle des Mastrippolito était un grand bâtiment de deux étages, sombre et biscornu, datant des premiers jours de la San Fernando Valley, bien avant que des lotissements comme le nôtre ne surgissent du sol.

Il y avait encore des plantations d'orangers de l'autre côté de la rue. Clara, la mère de Domenic, était depuis longtemps une auditrice fidèle des débats radiophoniques de droite, et nous avions ensemble de vives discussions sur les droits civiques, la guerre, Goldwater et le communisme. Elle adorait *Firing Line*, l'émission télévisée de William F. Buckley. Je ne la regardais que quand l'acteur Robert Vaughn, mon héros, qui n'était pas seulement un "Agent très spécial" mais aussi une espèce d'érudit en sciences politiques avec un doctorat de philosophie de l'université de Los Angeles, y faisait une apparition. Vaughn était un libéral qui s'exprimait clairement – il devait d'ailleurs publier ultérieurement sa thèse, une histoire critique de l'anti-communisme hollywoodien – et, selon moi, il démolissait sans peine ce poseur de Buckley et ses laïus.

Big Dom, le père de Domenic, se fichait de tout sauf du sport. Officiellement, il était je crois grossiste en spiritueux, mais, surtout, c'était un bookmaker. Il travaillait chez lui entouré d'une demi-douzaine de postes de télé et de radio allumés dans son bureau, diffusant matchs et courses auxquels il s'intéressait spécialement. Il portait rarement autre chose qu'un peignoir de bain, était constamment occupé à parler au téléphone et à griffonner des chiffres, les yeux plissés pour les protéger de la fumée de sa cigarette. Il sortait de temps à autre de son bureau pour participer, avec toute la famille, à des parties rocambolesques de gin rami autour de la table de la cuisine. Certains jours, les Mastrippolito se retrouvaient brusquement riches et devaient claquer très vite leur cash, en achetant une voiture ou n'importe quoi d'autre. D'autres fois, les temps étaient durs et les cordons de la bourse serrés, surtout quand Big Dom s'est fait arrêter et est resté un bon moment derrière les barreaux. Mais l'ambiance était généralement, eh bien, comme j'ai dit... décontractée. De nombreux chiens errants affluaient dans la maison des Mastrippolito... des amis alcoolos de Clara, qui n'avaient nulle part où aller, ou des copains malfrats de Pete qui, eux non plus, n'avaient personne vers qui se tourner. Moi aussi je faisais partie de cette clique. Le sympathisant communiste bercé d'illusions que j'étais s'y sentait toujours le bienvenu. La maison de Domenic était à mille lieues de la mienne, où le *Time* et le

New Yorker étaient toujours soigneusement empilés sur la table et où une troisième tranche de bacon au petit déjeuner était *verboten*.

Mon père voulait que j'écrive un article pour un magazine. Il s'était mis à la photo et, de façon surprenante, y excellait. Peut-être n'aurait-ce pas dû être si surprenant, puisqu'il travaillait dans le cinéma et savait tout des objectifs et des caméras. Son sujet favori était ses enfants, et il remplissait des albums de photos de nous. Il prenait aussi des clichés de moi, de Domenic et de Becket en train de surfer à Rincon, Secos et Zuma. C'est là que lui est venue l'idée de l'article. Il me voyait sans cesse scotché à des revues de surf. Il savait que j'aimais écrire. Si seulement je consentais à pondre un article pour un magazine de surf, lui fournirait les photos. J'ai cherché à lui expliquer que ces revues se souciaient peu des textes, qu'elles ne s'intéressaient qu'aux clichés et que, de toute son existence, il ne prendrait jamais une photo qu'elles accepteraient de publier – à moins de s'installer sur le North Shore, de suivre pendant au moins deux hivers les plus grands surfeurs partout où ils iraient, et d'avoir beaucoup, beaucoup de chance. Absurde, m'a-t-il répondu. C'était l'article qui comptait. Si je l'écrivais, il fournirait les photos qui iraient avec.

Cette dispute m'a rendu dingue. D'abord à cause de l'esprit obtus de mon père et de son refus de m'écouter quand j'étais sûr d'avoir raison. Ensuite parce qu'à mes yeux ça mettait encore plus en relief la distance entre notre pratique quotidienne du surf et notre niveau tout à fait acceptable, et les prouesses extraordinaires, héroïques, des garçons dont on voyait les photos dans ces magazines ; autant d'exploits qui, eux, méritaient d'apparaître dans les médias. Mais, surtout, notre querelle était le prolongement d'un autre différend, d'ordre plus général, qui nous opposait. Mon père me voyait sans cesse en train de gribouiller dans un carnet de notes, d'écrire des lettres, de rédiger des dissertations. Il savait qu'en troisième j'avais été le rédacteur en chef du magazine littéraire de mon collège (à l'époque glorieuse des écoles publiques californiennes, chaque collège avait son magazine littéraire), où paraissaient des poèmes et des nouvelles de mon cru. Ce que maintenant je devais faire, affirmait-il, c'était écrire pour de vrais journaux. Peu importait la teneur de mes textes − commentaires sportifs, pubs, voire des nécros. L'important, c'était la discipline, le respect des délais. Il avait en tête un journal local, ai-je présumé, encore que j'ignorais que Woodland Hills eut un quotidien. Ce qu'il avait en réalité à l'esprit, c'était Escanaba, sa ville natale, où il avait fait ses débuts de jeune reporter inexpérimenté. Sa carrière de journaliste avait bifurqué vers la production télévisuelle et cinématographique, mais il savait encore comment ça marchait, du moins le croyait-il. Et c'était probablement le cas ; je refusais tout bonnement de l'écouter. Mes auteurs favoris, à l'époque, n'étaient pas des journalistes mais des romanciers (John Steinbeck, Sinclair Lewis, Norman Mailer) et des poètes (William Carlos Williams, Allen Ginsberg). Je ne m'intéressais pas aux salles de rédaction. En plus, j'étais pétrifié à l'idée qu'on pût me dire que ce que j'avais écrit était nul. De sorte que je ne destinais rien de ce que j'écrivais à la publication, fût-ce dans le canard du collège.

Mon père, en dépit de son côté bourreau du travail compulsif d'enfant de la Dépression, avait un côté rêveur, à la façon rôdeur de grèves. Il prenait plaisir à traîner dans les ports ; mes premiers souvenirs de lui sont liés à des bateaux, des jetées et des mouettes. Lézarder sur un navire était sa conception personnelle de la béatitude. Avant son mariage, il vivait sur un voilier ancré à Newport Bay. C'était un petit sloop en bois lisse, et j'adorais étudier les clichés en noir et blanc de lui à la barre − à vingt-deux, vingt-trois ans, concentré mais excité, la pipe au coin de la bouche, en train de surveiller la manche à air ou le guindant du foc. L'histoire veut que la première exigence de ma mère à leur mariage eût été l'abandon de ce voilier. Il disparut avant ma naissance.

Je ne partageais pas la passion de mon père pour la voile, mais j'aimais l'eau et je voyais même en l'océan, depuis mon plus jeune âge, un moyen personnel d'échapper au dur labeur, aux corvées domestiques. Je me souviens d'un jour d'été, en Californie, où nous avions navigué sur quelque vingt-six milles marins à bord de notre Cal-20, un sloop en fibre de verre bas de gamme mais de premier choix en Californie à l'époque. Nous avons mouillé dans le port d'Avalon. L'eau y était merveilleusement limpide. Quand un paquebot connu sous le nom de *Grand White Steamer* arrivait du continent, les gamins du coin se jetaient à l'eau, nageaient jusqu'au bateau et hélaient les touristes amassés sur le pont pour qu'ils leur jettent des pièces de monnaie. J'avais à peu près huit ou neuf ans et je me suis joint à eux pour récupérer, en me tortillant et en filant dans les profondeurs turquoise, les pièces de cinq ou dix cents qui pleuvaient autour de moi. Nous emmagasinions dans nos joues celles que nous attrapions et nous leur hurlions d'en envoyer d'autres, et nous nous battions de nouveau pour quelques cents. Je me rappelle avoir regagné à la nage le bateau de mes parents, où j'ai recraché le butin dans mes mains dès mon entrée dans la cale. J'avais de quoi me payer un *corn dog* (une saucisse panée) sur le rivage, et peut-être même un deuxième pour Kevin. C'était sans doute absurde, mais je caressais vaguement l'idée que je n'atteindrais au bonheur total qu'à proximité de l'eau, en devenant un vagabond, un mendiant. Je me demande si mon père s'en rendait compte et s'il s'en inquiétait, dans la mesure où il connaissait ce sentiment.

En réalité, il avait réussi à établir une sorte d'équilibre entre un travail toujours plus exigeant et un passe-temps notoirement ruineux, la voile, tout cela avec un budget très serré et sans sacrifier beaucoup de son temps à sa famille. Quand les affaires allaient mal, ce qui arrivait régulièrement, il devenait, il est vrai, une sorte de tyran domestique, un tantinet Bligh[01] du week-end. Avec Kevin, nous avons coulé un Lehman 10 après avoir, dans un petit port de plaisance paisible du nom de Carpinteria Beach, franchi des chutes d'eau en marche arrière, portés par une vague d'une taille effroyable. Le grand mât s'est planté dans le fond, a craqué et perforé la coque. Nous avons été projetés tous les trois dans la voilure comme des cow-boys de rodéo désarçonnés par leur taureau. Quand l'eau s'est retirée de la carcasse, Kevin, qui avait alors quatre ou cinq ans, a aussitôt plongé vers le fond, toujours chaussé de ses baskets, pour récupérer tous les objets brillants, tel

---

01 — William Bligh (1754-1817) est un administrateur colonial britannique et un officier de la Royal Navy. Il est surtout connu pour la mutinerie qu'il subit alors qu'il commandait le Bounty, en avril 1789.

que le briquet plaqué en argent de mon père. Je revois encore l'expression de triomphe ravi qu'il affichait chaque fois qu'il remontait un trésor perdu à la surface.

Ce qui aurait légitimement dû inquiéter mon père, à propos de mon rapport au surf, c'était la forme particulière de monomanie, asociale et disproportionnée, qui était presque toujours liée à la pratique sérieuse de ce sport. On surfait toujours avec des amis − ce que moi aussi je faisais − mais les clubs, tout le côté "sport organisé", commençaient à rapidement s'estomper. Je ne rêvais plus de gagner des concours, comme j'avais rêvé de lancer pour les Dodgers. Le nouvel idéal émergent était la solitude, la pureté, la perfection des vagues, loin de la civilisation. Robinson Crusoé, *The Endless Summer*[01]. C'était une piste qui nous éloignait de la citoyenneté, au sens archaïque du terme, pour nous conduire vers une frontière à demi effacée où nous pourrions vivre comme des barbares de la fin des temps. Pas vraiment le rêve éveillé d'un bienheureux oisif. C'était plus profond que ça. Traquer les vagues avec un tel zèle était la fois profondément nombriliste et égoïste, dynamique et ascétique, et radical par son rejet de valeurs comme le devoir et la réussite en société.

J'ai échappé très jeune à ma famille, et le surf a été pour moi une route de l'évasion. Une excuse à mes absences. Je ne pouvais pas me rendre à Ventura avec mes parents parce que je devais aller surfer à Malibu, où les vagues seraient meilleures. Et je dormirais chez Domenic. Je ne pouvais pas non plus faire de la voile puisque je devais aller surfer à Rincon, Newport ou Secos, où la houle se levait. Mes parents se laissaient partir sans trop protester, ce qui me paraît bizarre à présent. Les enfants commençaient à devenir plus révoltés, du moins dans les banlieues où nous vivions, et nous entrions dans une époque permissive. Je savais que je pouvais prendre soin de moi jusqu'à un certain point ; mes parents, eux, devaient encore se soucier de trois gamins plus jeunes. Ce fut ma sœur Colleen qui devint le marin de notre fratrie.

01 — Documentaire américain de Bruce Brown de 1966, qui suit deux surfeurs lors d'un voyage autour du monde, en quête de ses meilleures vagues et d'un été sans fin.

Le choc de la nouveauté

Ce rêve d'une vie seul face aux éléments provoqua chez moi une humeur prévisible : une amère nostalgie. Un certain nombre des histoires que j'ai écrites dans des journaux impliquait le voyage dans le temps, et, en l'occurrence, le plus souvent, un retour en arrière dans la Californie d'antan. Imaginez que vous retourniez dans le passé, au temps des Indiens Chumash ou des missions espagnoles, armé d'une planche de surf moderne. Malibu se cassait exactement de la même façon, et les vagues étaient vierges de tout surfeur, pendant des siècles, des millénaires. Vous auriez été adoré comme un dieu par les autochtones dès qu'ils vous auraient vu surfer ; ils vous auraient nourri, et vous auriez pu glisser sur des grosses vagues avec la plus parfaite des concentrations – en propriétaire incontesté, perfectionnant sans cesse sa maîtrise – pendant le reste de vos jours. Il y avait, dans le *Surfing Guide to Southern California*, deux photos qui, dans mon esprit, illustraient à la perfection l'étroitesse du créneau temporel qui nous a tous fait rater de peu le paradis terrestre. La première a été prise à Rincon en 1947, depuis la montagne qui se dresse derrière la pointe et par une journée de vagues de plus de trois mètres, lisses comme du verre. La légende, superflue, invite le lecteur à constater la "terriblement séduisante absence de monde". L'autre représente Malibu, en 1950. Elle illustre un surfeur solitaire en train de fendre un mur d'eau de presque deux mètres cinquante, tandis que, à l'arrière-plan, une bonne partie du public joue sur le sable sans s'en préoccuper. Le surfeur est Bobby Simmons, un brillant reclus qui surtout a inventé la planche moderne équipée d'une dérive. Il s'est noyé en 1954 en surfant en solo.

Le *Surfing Guide to Southern California* ne faisait pourtant pas commerce de nostalgie. Trop optimiste et prosaïque. Le bouquin était une recension méticuleuse, consciencieuse et pratique de près de trois cents spots de surf entre Point Conception et la frontière mexicaine. Il était abondamment illustré de photos de surf, de vues aériennes de la côte et de cartes, et bourré d'informations détaillées sur la direction des houles, les effets des marées, les dangers sous-marins et les réglementations en matière de parking. Mais le plus grand plaisir qu'on prenait à sa lecture résidait dans sa prose claire et sèche, la pertinence

de ses jugements sur la qualité des divers breaks, ses jeux
de mots, blagues et autres private jokes. D'obscurs héros
locaux, tel que Dempsey Holder, qui, lui aussi, a surfé en solo
pendant des décennies à Tijuana Sloughs, un spot effroyable
de grosses vagues en eaux profondes, proche de la frontière
mexicaine, reconnaissaient avec sérénité devoir beaucoup à
Bill Cleary et David Stern, les auteurs du guide. Et Cleary et
Stern observaient un certain recul désabusé devant le chaos
contemporain. Témoin la légende d'une photo où un vaste
essaim de novices se bagarre pour surfer la même vaguelette
haute d'un mètre quatre-vingts : "Le surf, ce sport individuel
où l'homme solitaire puise dans toute son adresse, apprise à
la dure, pour affronter les forces sauvages du puissant océan...
Malibu, houle ouest."

Les grands-parents de Domenic avaient rempli une grange
entière de vin provenant d'une vigne disparue depuis et il
commençait à tourner au vinaigre dans ses jarres Purex en
plastique bleu, derrière la maison. Nous avions pris l'habitude d'en siffler une les soirs de week-end, en la buvant à
la régalade, hoquetants, dans la pénombre que nous offrait
l'embouchure d'un ponceau, juste derrière la grange. La chaude
nuit de la vallée s'achevait dans des fous rires avinés. J'adorais
les imitations de Domenic de son ivrogne d'aïeul au grand
cœur, dont l'interjection favorite était, allez savoir pourquoi,
"Murphy ! Murphy ! Murphy !" J'ai tenté une fois d'apporter à
notre planque ma propre contribution, en faisant une descente
sur le bar à liqueurs de mes parents et en versant dans une
brique de lait l'équivalent de deux centimètres de chacune des
bouteilles que j'y ai trouvées. Peu importait si je mélangeais
crème de menthe, bourbon et gin – ces menus larcins ne
seraient jamais remarqués. Et ils ne le furent pas, d'ailleurs.
Par contre la concoction nous a rendus malades comme des
chiens. Seule la surveillance pour le moins laxiste qui régnait
dans cette maison nous a permis de cuver sans dommages nos
nausées et notre gueule de bois.

Non pas, d'ailleurs, que boire de l'alcool fût mal considéré.
Le vin coulait à flots aux repas, à l'européenne. Le contraste
avec ce qui se passait chez moi était, comme d'habitude, frap-

pant. Mes parents étaient tous deux, pour des raisons citées plus haut, des buveurs occasionnels et toujours prudents. Ils ne consommaient d'alcool qu'en société. Ils avaient de nombreux amis capables de les aider à se débarrasser de quelques bouteilles, leur bar à liqueurs était toujours plein, et leurs enfants ne buvaient jamais de vin, fût-ce une lampée. Tout en constatant plus ou moins cette abstinence durant mon adolescence, je l'avais mise sur le compte de leur "rigidité".

C'est la marijuana qui devait finalement tracer une frontière entre eux et nous, une ligne scintillante séparant notre génération de la leur, délimitant ce qui était *cool* de ce qui ne l'était pas. La crainte que j'avais ressentie envers la consommation d'herbe à Hawaï s'évanouit quelques mois plus tard, durant ma première année de lycée, quand le phénomène atteignit Woodland Hills. Nous achetions nos premiers joints à un ami de Pete. La beuh était d'une qualité épouvantable – on l'appelait "l'herbe à poux (l'ambroisie) mexicaine" –, mais, en revanche, la défonce qu'elle procurait était merveilleuse : tellement plus cérébrale que l'ivresse du vin, plus propice à l'ouverture des synapses, que nous n'avons plus jamais ouvert une jarre Purex par la suite. Et la musique, la bande sonore rock and roll de nos vies, qui auparavant, ne nous semblait que bonne, tournait à présent au pur enchantement et à la prophétie. Jimi Hendrix, Dylan, les Doors, Cream, les derniers morceaux des Beatles, de Janis Joplin, des Stones, de Paul Butterfield – la musique qu'ils jouaient et dont la dope multipliait par cent la beauté et l'impact, devint pour nous un saint sacrement, inexplicable aux néophytes.

Quant aux rituels, au cérémonial de la fumette – acheter de l'herbe à un réseau fort d'un million de petits dealers, trier une once de marie-jeanne, rouler des joints, aller se planquer en catimini dans des recoins (plage, champ désert, sommet d'une colline) où l'on pourrait fumer sans risque, par petits groupes de deux ou trois hors-la-loi, puis glousser et planer ensemble –, tout cela avait une forte coloration tribale. La "contre-culture", avec toutes ses affinités et sources d'inspiration, existait sans doute au-delà de notre petit cercle, mais, pour nous, de façon plus immédiate, il s'agissait surtout de la nouvelle direction que prenait notre vie. Les autres jeunes, y compris les filles, que nous trouvions trop coincés, nous devenaient étrangers. "Bon sang, qu'est-ce que c'est qu'une 'débutante', de toute façon ?" Quant aux adultes... il devenait quasi impossible de ne pas se fier à ce stupide slogan hippie selon lequel il ne faut jamais se fier aux gens de plus de trente ans. Comment les parents, les profs, les moniteurs auraient-ils pu appréhender l'inéluctable *étrangeté* de chaque moment pleinement perçu ? Aucun d'eux n'avait jamais roulé sur la Highway 61.

Vivant au cœur de l'Orange County ultra-réactionnaire, Becket ne reçut la bonne parole qu'avec un léger retard sur nous autres de la banlieue de L.A. Il avait pris près de seize centimètres en un an et, brusquement, à un mètre quatre-vingt-dix, il était devenu joueur de basket universitaire. Ses coéquipiers étaient des garçons à la coupe en brosse qui vivaient dans la crainte de Dieu, et, lors d'une de mes visites à Newport, ils n'ont pas voulu me croire quand je leur ai affirmé qu'on trouvait l'herbe du diable, qui faisait alors la une des journaux, jusque dans leur petite ville balnéaire chicos. S'ils me filaient dix dollars et me conduisaient en voiture jusqu'à la jetée, avais-je ajouté, je leur trouverais une once en moins d'une heure. Ils m'ont traité de frimeur et je leur en ai déniché une en une demi-heure. Nous l'avons fumée dans la maison des parents du meneur de l'équipe, sur l'île du Lido, et je suis rentré chez moi le lendemain matin.

Deux mois plus tard, assoupi dans la petite chambre que je partageais avec Kevin et Michael, j'ai entendu toquer à la fenêtre. J'ai jeté un coup d'œil dehors et aperçu Becket. C'était un vendredi soir, ses amis et lui disposaient d'une maison pour le week-end, m'a-t-il chuchoté. Il n'y avait pas d'adultes avec eux, et, si je voulais, je pouvais rentrer avec lui à Newport. Ses copains attendaient dans la voiture en bas de l'allée. Cette visite nocturne, cette proposition... la situation était sans précédent. Mais c'est surtout la chemise de Becket qui m'a brutalement tiré de ma léthargie. Elle était diaphane, très fine et brillait au clair de lune. Elle lui ressemblait si peu qu'elle m'a immédiatement appris tout ce qu'il me fallait savoir : apparemment, les deux derniers mois avaient été très longs pour les joueurs de l'équipe de basket du lycée de Newport Harbor. Leur conversion massive à la défonce m'a tout d'abord paru très drôle. Mais, plus tard, quand certains d'entre eux ont été éjectés de leur équipe, voire virés du lycée, j'ai été beaucoup moins fier du rôle (si mineur soit-il) que j'avais joué dans cette collision frontale entre quelques adolescents de Newport avec leur famille et l'onde de choc de 1968.

Ce n'était guère différent à William Howard Taft, mon propre lycée. Le campus était déjà en proie au Kulturkampf, en réaction à la guerre du Vietnam. Appartenir à une équipe sportive était parfaitement hors de question pour un étudiant opposé à la guerre – les coachs étaient les membres les plus inébranlablement réacs d'un corps professoral et d'une administration généralement conservateurs, et ils ne répugnaient pas à harceler les élèves qu'ils soupçonnaient d'être des Rouges. Cependant, j'ai eu deux professeurs d'anglais, Mr. Jay et Mrs. Ball, qui ont changé le cours de ma vie en m'initiant aux difficiles délices de Melville, Shakespeare, Eliot, Hemingway, Saul Bellow, Dylan Thomas et, plus dévastateur encore, James Joyce. Je voyais à présent à Ventura "... la mer vert-morve, la mer serre-burettes..." d'*Ulysse* (*"the snotgreen sea, the scrotumtightening sea"*). Les clodos du vieux champ de foire de C Street me semblaient sortis tout droit des *Gens de Dublin*. Je devins moi-même, dans mon esprit, un Stephen Dedalus banni et matois, ayant intimement fait vœu de silence. (De manière fort regrettable, mon héros craignait l'océan.) Los Angeles n'était plus qu'un pâle substitut à l'Irlande. Mais avec ses propres tares et traîtrises.

Étrangement, je rejoignis en seconde l'équipe des gymnastes, en tant que perchiste. Les perchistes formaient une petite clique à l'intérieur de l'équipe. Les entraîneurs ne savaient pas grand-chose de la discipline et n'allaient certainement pas prendre le risque de se rompre le cou pour nous enseigner les techniques. De sorte que nous nous les apprenions plus ou moins entre nous et par nous-mêmes. Nous étions exemptés des entraînements et autres échauffements éreintants auxquels se livraient les autres membres de l'équipe, et nos propres exercices, nous disait-on souvent, n'étaient pas sans tristement évoquer des *bull sessions*. Ç'avait sans doute un rapport avec les longs moments passés vautrés sur les matelas bleu turquoise remplis de mousse qui nous réceptionnaient après qu'on eut passé la barre. Le saut à la perche était un sport glorieux à l'époque et les perchistes étaient regardés comme des prima donna. En réalité, les entraîneurs et leurs plus fidèles athlètes voyaient surtout, et non sans raison, en ces sportifs tape-à-l'œil et refusant toute autorité, des lecteurs de Thoreau, fumeurs de hasch et adorateurs de John Carlos. J'aimais beaucoup ce sport – la montée sans à-coup, la brusque torsion du corps quand la perche était bien positionnée (ce qui n'était pas toujours la règle avec moi), le moment toujours trop bref où, au point culminant du saut, on rejette en arrière les bras et la perche. Mais je n'ai pas remis les pieds sur la piste l'année suivante.

Plus capital, même, à mes yeux, Domenic avait arrêté de jouer au football. En seconde, on nous avait séparés et envoyés dans des lycées différents en fonction de la carte scolaire. Il était inscrit à Canoga Park, où Pete – qui, lui, jouait au football américain –, avait annoncé à grand tapage l'arrivée de son rapide et musculeux cadet, et Domenic y avait joué au poste d'halfback. Il aimait le jeu, mais les entraînements étaient longuets et la saison commençait en été. Le football lui prenait tout le temps où il aurait pu surfer. Enfin, je lui manquais et il me manquait. J'ai donc été ravi lorsqu'il m'a appris avoir été transféré à Taft. Et, en même temps, un tantinet atterré quand il a ajouté que j'en étais la principale raison. J'aurais fait la même chose pour lui, je crois. Je craignais pourtant de le décevoir. Ce qui était sûr, m'avoua-t-il, c'est qu'il en avait marre du football. La vie était trop brève pour qu'on passât un seul jour de plus à s'échiner pour le Système.

Avec Caryn Davidson
devant la pension de Kobatake,
Lahaina, 1971

4

EXCUSEZ-MOI,
J'EMBRASSE LE CIEL

Maui, 1971

"Tu sais quel est ton problème ? Tu n'aimes pas ta famille."
Cette remarque brutale me fut assénée par Domenic en 1971.
Nos idées politiques divergeaient, semble-t-il. Nous avions
dix-huit ans. C'était au printemps. Nous campions sur un cap
à l'est de Maui et nous dormions dans une cuvette herbeuse
au pied d'un affleurement de roches volcaniques. Un petit
bouquet de pandanus contribuait encore à dissimuler notre
bivouac à la vue de la terrasse plantée de champs d'ananas
qui le surplombait. C'était une propriété privée et nous ne
tenions pas à être repérés par les cultivateurs. Nous faisions
des razzias dans les champs la nuit, en essayant de trouver des
fruits mûrs qui auraient échappé à leur attention. À ce qu'il
paraissait, nous campions toujours sur la propriété de quelqu'un
d'autre à l'époque. Cette fois-là, nous attendions une vague.
　La saison était avancée, mais il n'était pas encore trop tard
pour la vague d'Honolua Bay. C'était du moins ce que nous
espérions. Tous les matins, à l'aube, nous fixions le large
par-delà le chenal de Pailolo, dans la direction de Molokai,
en cherchant à invoquer les houles du nord, à les forcer à
apparaître pour lacérer de leurs lignes noires les eaux grises
et chaudes de la mer. Nous avions parfois l'impression que
quelque chose commençait à se lever, mais ce n'était peut-être
parfois qu'un vœu pieux. Après le coucher du soleil, nous cra-
pahutions autour de la pointe pour gagner la baie et étudier
le ressac des vagues contre les collines rouges. Avait-il forci
depuis la veille ?

Les deux dernières années, mon amitié avec Domenic s'effilochait. La cause principale de cette désaffection était une fille : Caryn, ma première petite amie vraiment sérieuse. Mon projet après le lycée (vagabonder en Europe avec Domenic) avait cédé la place à un autre, tout nouveau : faire le tour du continent en compagnie de Caryn. Nous avons tous fini par y aller, mais, là-bas, nous ne nous sommes pas vus autant que nous l'aurions souhaité. Puis je suis rentré pour ma première année de fac à l'université de Californie, à Santa Cruz. Caryn m'avait suivi, mais Domenic, lui, était resté en Italie chez des parents, dans le village natal de son père à l'est des Apennins, pour travailler dans un vignoble et apprendre la langue. (Domenic aimait sa famille, lui. Je l'enviais.)

Pour des raisons qui faisaient très clairement sens à l'époque, il vivait désormais dans un camion de lait aménagé et garé sur le parking d'une plage d'Oahu, il survivait de petits boulots dans ce paradis. J'étais là aux premières vacances de printemps en bon bizut rentré à l'université, ma famille habitait de nouveau Honolulu, et nous avions donc avec Domenic recommencé à nous voir. Comme tous ceux qui ont grandi en dévorant des magazines de surf, nous rêvions depuis notre enfance de Honolulu. Mais, dans la mesure où nous avions tous deux renoncé au surf depuis quelques années, ça faisait tout drôle de se retrouver là, à attendre les vagues.

C'était arrivé après mon seizième anniversaire. Ce n'était pas une rupture franche, ni même une décision consciente. J'avais tout bonnement permis à d'autres considérations de se mettre en travers de mon chemin : trouver une voiture, l'argent pour l'entretenir, un boulot susceptible de me rapporter le fric nécessaire à son entretien. J'avais été engagé comme pompiste dans une station-service Gulf, sur Ventura Boulevard à Woodland Hills, tenue par un Iranien irascible du nom de Nasir. C'étaient les tout premiers salaires que je ne consacrais pas exclusivement à l'acquisition d'une planche de surf. Domenic travaillait aussi chez Nasir. Nous avions tous deux un vieux fourgon Ford Econoline, le véhicule du surfeur par excellence, mais rarement le temps d'aller surfer. Puis nous sommes tombés l'un et l'autre sous le charme de Jack Kerouac et nous avons décidé de traverser les États-Unis d'une côte à l'autre. J'ai alors trouvé un emploi dans l'équipe de nuit – davantage d'heures de travail, davantage d'argent –, d'une petite station-service crasseuse ouverte vingt-quatre heures sur vingt-quatre dans un coin mal famé du fond de la San Fernando Valley. Le type même d'établissement où des bikers chicanos chercheraient à piquer de l'essence à cinq heures du matin – *Hé, dépouillons le petit gringo !* Je me suis aussi trouvé un deuxième job de voiturier dans un restaurant, en prenant des *"whites"* (une espèce de speed – un dollar les dix pilules). Les clients du restaurant étaient des mafieux de banlieue qui laissaient de bons pourboires, mais mon patron, un Chinois, croyait qu'on devait se tenir comme dans un cinq-étoiles devant les habitués. Il rouspétait sans arrêt et il a fini par me virer pour avoir lu et lézardé durant le service. Domenic aussi économisait. À la fin de l'année scolaire, nous avons fait cagnotte commune, rendu notre tablier à la station-service, dit au revoir (j'imagine) à nos parents et décollé en zigzaguant vers l'est dans le fourgon de Domenic. Nous avions seize ans. Nous n'avions même pas emporté nos planches.

Nous sommes allés jusqu'à Mazatlán au sud et jusqu'à cap Code au nord. Nous avons pris de l'acide à New York. Nous vivions de crème de blé cuite sur un réchaud de camping Coleman. C'était en 1969, l'été de Woodstock, mais les flyers qui annonçaient le festival qui étaient placardés dans tout Greenwich Village, parlaient d'un prix d'entrée. Ça nous a paru ringard – une sorte de week-end artistico-culturel pour les vieux –, et nous avons donc passé notre tour. (Mon flair de journaliste, jamais très affûté, était encore embryonnaire.) Je tenais un journal dépourvu de tout intérêt. Domenic, photographe en herbe, était dans sa période Walker Evans, il prenait des photos de gamins blancs des rues à South Philly et de jeunes fugueuses endormies sur les rives du Mississippi. Des années plus tard, sa première épouse, une Française qui avait roulé sa bosse, a refusé de croire que nous dormions chastement côte à côte dans le fourgon. C'était pourtant le cas, et notre amitié s'est épanouie à la faveur des quotidiennes agressions de l'inconnu. Je me sentais moins enclin à l'autodérision. Domenic, lui, semblait soulagé d'être débarrassé de la popularité encombrante qui l'entourait au lycée. Nous dépendions entièrement l'un de l'autre ; nous partagions les périls et les rires. Nous avons rencontré à Chicago un type effrayant, dont nous avons décidé plus tard qu'il devait être Charles Manson. On m'a servi mon premier cocktail, un Tom Collins, dans un bar de la Nouvelle-Orléans. J'ai lu dans le Dakota du Nord la traduction de l'*Odyssée* par Edith Hamilton ; le livre était posé sur le volant pendant que je conduisais. Nous nous sommes un peu trop approchés de grizzlys dans les Rocheuses canadiennes. Nous n'avons surfé que deux fois cet été-là – la première au Mexique, après avoir emprunté des planches, et la deuxième sur la Côte Est à Jacksonville Beach, en Floride.

C'est ce que j'entends par "renoncer au surf". Quand on pratique ce sport on ne vit et on ne respire que pour les vagues, en tout cas c'est ainsi que je le vois. On sait toujours ce qu'elles font. Si elles en valent le coup, on sèche les cours, on perd son emploi, sa petite amie. Nous n'avions pas oublié comment surfer – c'est comme le vélo, du moins quand on est jeune. On avait seulement fait d'autres choses, et, pour ma part, j'avais atteint un palier. Je m'étais amélioré avec régularité depuis mes débuts et même si, à quinze ans, j'étais encore loin de prétendre à un titre, j'étais déjà une petite pointure. Mes rapides progrès prirent fin quand je commençai à m'intéresser au reste du monde. Nous n'avions pas surfé en Europe. Les vagues de Santa Cruz, ville balnéaire du nord de la Californie, étaient bonnes. Si bien que j'étais sorti dans l'eau. Mais parce que mon emploi du temps me le permettait, pas au gré de l'océan. Cette vieille obsession du "rien d'autre ne compte vraiment" était comme en sommeil.

Honolua Beach allait tout changer. Nous n'entendions pas la houle se lever la nuit parce que les alizés soufflaient vers le large, assourdissant le fracas des vagues qui se dressaient sur les brisants de la pointe. Mais Domenic, sorti pisser aux premières lueurs de l'aube, a vu le ressac. "William ! On a des vagues !" Il ne m'appelait William que dans les grandes occasions ou quand il se moquait de moi. C'était une grande occasion. Nous avions épuisé nos vivres la veille au soir et je comptais aller faire un tour à Lahaina, à quelque vingt-cinq kilomètres, pour ramener des provisions ; le projet fut remis à bien plus tard. Nous avons grappillé des nutriments, rongé de vieux noyaux de mangue, gratté le fond de boîtes de soupe, failli nous étouffer en ingurgitant du pain moisi préalablement jeté, puis agrippé nos planches et fait le tour de la pointe au pas de course en poussant des "Merde !" et toutes sortes de ululements à chaque série de vagues grises qui dépassaient le cap pour s'assombrir à leur dernier virage en pénétrant dans la baie.

Nous n'aurions su dire leur taille, même à notre arrivée. La baie elle-même était méconnaissable, du moins pour nous qui ne l'avions jamais vu que lisse. Des vagues se cassaient par centaines depuis la pointe jusqu'à la crique, si belles que, lorsqu'elles se précipitaient depuis le large, elles me donnaient légèrement le tournis. Mais ce n'était pas un pointbreak* classique à la manière du Rincon. De larges sections, surtout au large, me semblaient imprenables, et une falaise rocheuse, haute peut-être d'une quinzaine de mètres, saillait de la ligne du ressac, tandis qu'une plage étroite s'était formée juste devant. Il n'y avait visiblement pas la place de ramer. Trop impatients pour crapahuter jusqu'à la palmeraie du bas de la baie afin de commencer à ramer de là-bas, nous avons dévalé une piste escarpée menant à cette étroite bande de sable entre la pointe et la falaise. Les vagues semblaient solides mais pas énormes. Le soleil ne s'était pas encore levé. Nous avons attendu une accalmie en piétinant les débris de corail que déposaient les vagues. Puis nous avons franchi les lignes d'eau blanche en ramant à toute allure et nous nous sommes écartés à l'oblique de la pointe tout en continuant de surveiller la falaise d'un œil méfiant.

Nous avons réussi à gagner les eaux transparentes. Pleinement réveillés par les quelques claques que nous avaient administrées au passage les eaux écumantes, nous avons entrepris de ramer en rond, en nous efforçant de distinguer les récifs dans cette lumière encore faiblarde. Où donc était le point de take-off ? Il nous semblait bien nous être écartés de la grande falaise mais juger de la profondeur de l'eau restait malaisé. De légers bouillonnements naissaient tout autour de nous, à la faveur de petites séries de vagues qui roulaient vers le rivage pour aller ensuite exploser contre les falaises. Puis la première vraie série déboula. Elle arrivait droit sur nous. Autrement dit, des vagues visibles depuis près de huit cents mètres se levaient puis se cassaient près de la pointe, moutonneuses mais inégales, avant de former un long mur infranchissable, à l'extrémité la plus proche de la côte où l'on distinguait une énorme, effroyable protubérance – une grande section en forme de coupole qui écumait un bon moment avant de se briser. Et c'était là que nous nous tenions, à l'écart de la falaise, au beau milieu de cet énorme bol renversé. Au principal point de take-off.

Nous avons pris tous les deux une vague de la première série, en franchissant chacun, les yeux écarquillés, une sorte de corniche qui tanguait à vous soulever le cœur. Le drop était une authentique prise de risque, l'accélération prodigieuse – il y avait même un moment d'apesanteur qu'on ne pouvait maîtriser –, mais les faces étaient lisses et on avait même le temps, pendant qu'on se retirait et qu'on négociait en tressautant le premier virage dans son creux, de bien voir la ligne qu'on allait tracer. Et la vague s'effilochait proprement loin du point de take-off, aussi impeccable que la coquille d'un nautile. Exactement ce à quoi on peut espérer assister après un tel drop. Nous nous sommes retrouvés très éloignés l'un de l'autre dans la baie. La vague, en se dressant le long des récifs, s'incurvait vers la falaise à angle aigu, mais ne semblait jamais passer trop près : elle prenait de la vitesse sur les bancs de sable, ralentissait dans les eaux plus profondes puis accélérait de nouveau, perdait de la hauteur au fur et à mesure, en même temps qu'elle se faisait plus translucide, tout en conservant une légère crête d'écume tournée vers le large. Domenic avait dû prendre la seconde, parce que, en regagnant le rivage, je me souviens de l'avoir aperçu à demi accroupi dans un tube gris-bleu qui s'effritait, tandis que lui-même laissait traîner sa main dans la face des eaux.

Honolua Bay était bien entendu un spot célèbre, c'était la principale raison de notre présence. Mais personne ne s'est pointé et, ce matin-là, le soleil se levant, nous avons continué d'y surfer seuls. Les vagues n'étaient pas grandes – un mètre quatre-vingts dans les séries –, et sans doute la houle ne débarquait-elle pas habituellement dans ces zones très peuplées du littoral de Maui où vivaient les surfeurs. Les prévisions

météo en matière de surf n'étaient pas la science informati-
sée et populaire qu'elles sont devenues – la plupart des gens
débarquaient et observaient les vagues, comme nous l'avions
fait. Toutefois, surfer une grande vague comme Honolua par
une journée superbe, quand deux personnes seulement sont
de sortie, restait très inhabituel, de sorte que nous avions le
plus grand mal à nous relaxer. De peur de rater une série,
nous avons ramé pendant des heures à tour de bras, de la
crique jusqu'au point de take-off, trop épuisés pour parler,
en nous contentant de pousser des jurons bizarres : "Jésus
putain de sa mère !" ou "Murphy ! Murphy !" Une fois dans
le lineup, si nous avions un moment, nous comparions nos
rides et échangions nos impressions sur les récifs, dont certaines zones étaient parfois effrayantes, surtout quand la mer
commençait à refluer.

Domenic surfait une petite planche bleue à deux dérives,
twin*, qui semblait adorer les vagues. Mais il ne la connaissait
pas encore très bien et il se trouva qu'une des dérives se mit
à bourdonner à grande vitesse. C'était une planche artisanale
et les dérives jumelles une nouveauté : il y avait, semblait-il,
un problème d'alignement passé inaperçu dans les eaux plus
lentes. Ce bourdonnement le distrayait et il finit par devenir si
sonore que je le percevais moi-même quand il me dépassait. Il
ne la trouvait pas aussi drôle que moi, cette mouche qui venait
troubler la perfection de sa glisse, et il me supplia d'échanger
nos planches. Je pris deux ou trois vagues sur son horrible
crécelle et la lui rendis. Au bout d'un moment, Domenic lui-
même prit la chose à la rigolade et se mit à accompagner de
la voix le chant de cette cithare qu'il avait sous les pieds. Il
avait toujours eu un sens très aigu de l'absurde – s'était même
fait, si je puis dire, une sorte de philosophie qui plongeait
profondément ses racines dans sa conscience de l'imperfection
de l'existence, au sens classique du terme, et du fait que les
dieux se jouent de nous. Je n'ai jamais su d'où il tenait cela.

Pourquoi avait-il dit ce truc comme quoi je n'aimais pas
"ma famille" alors que nous campions à Honolua ? À l'époque,
il me balançait toutes sortes de critiques à la figure. J'étais
probablement devenu, c'est certain, un étudiant odieusement
prétentieux, qui, même pour une virée en camping, embarquait

un plein sac à dos de bouquins de R. D. Laing, de Norman O. Brown et d'autres auteurs dans le vent (j'étudiais la littérature avec Brown à Santa Cruz). Je l'avais certainement barbé en lui faisant un laïus tiré tout droit de Frantz Fanon (au moins ne m'avait-il pas traité de petit Blanc honteux). J'avais assurément un faible pour l'anticapitalisme, voire le tiers-mondisme. Tout cela faisait de moi, du moins à ses yeux, un insupportable intello, un crâne d'œuf, et il ne se lassait jamais de souligner ma (réelle mais en aucun cas exceptionnelle) parfaite incompétence pour tout ce qui touchait à la mécanique. Le contraste avec sa propre ingéniosité dans ce domaine et tout ce qui tournait autour le faisait jubiler. À mesure que nos chemins se séparaient, que nous empruntions des voies de plus en plus différentes, il devait, j'imagine, être animé par une sorte d'esprit de compétition, voire se sentir menacé par ce que je vivais. Et peut-être, aussi, était-il blessé. Je trouvais qu'il s'était montré extraordinairement compréhensif et magnanime quand nous nous sommes mis ensemble avec Caryn. Il avait su abandonner tant de nos vieilles habitudes ; mettre tant de nos projets communs au placard... La séparation est une plaie. Pourtant Caryn et Domenic étaient même devenus amis.

En réalité, Domenic − qui allait avoir bientôt dix-neuf ans et n'était plus inscrit au lycée −, avait des ennuis avec le conseil de discipline et, pour éviter la conscription, s'était lancé dans une magouille impliquant un bref voyage au Canada ; Caryn, qui n'était pas scolarisée non plus, s'était portée volontaire pour l'y accompagner en auto-stop depuis la Californie. Dans ma candeur, j'avais trouvé ça sacrément gentil de sa part.

Finalement, aux alentours de midi, d'autres gens se sont pointés à Honolua. Des voitures s'étaient garées au sommet de la falaise, et des types avaient dévalé le sentier. Mais la cohue n'était jamais devenue insupportable et les vagues s'étaient encore améliorées. Je surfais une planche à l'aspect étrange, ultra-légère, de fabrication artisanale. Elle devait cet aspect bizarre aux nombreux et profonds enfoncements de son deck. Dans une tentative mal avisée pour réduire son poids, un shaper de second ordre de Santa Cruz l'avait glacé si superficiellement que ma poitrine et mes genoux quand je ramais, et même mes pieds quand je me levais, y laissaient des marques indélébiles. Mais son bottom, la surface qui glissait sur l'eau, était dure et lisse ; sa balance subtile et sûre et sa forme nette, avec des rails intacts, légèrement tournés vers le bas, et un tail gentiment arrondi ; elle virait rapidement dans les tubes en suivant la ligne au gré de la dérive, et c'était cela qui comptait. En vérité, elle était un peu trop légère pour Honolua, surtout quand le vent s'est levé dans l'après-midi et que les vagues sont devenues plus grosses. En me battant avec ma planche jusqu'au dernier moment, avant de prendre la vague, en l'abordant ensuite à travers les clapotis puis en l'installant sur la face de la haute lame, éclairée en contre-jour et formidablement rapide, j'étais d'ordinaire inconscient des défis techniques impliqués par chacune de ces manœuvres. Je savais n'avoir encore jamais surfé des vagues d'une telle puissance avec un équipement aussi fragile. Sans doute aurais-je préféré disposer d'une planche différente, mais j'avais le plus grand mal à m'imaginer vague plus excitante. J'en voulais davantage. Je prendrais tout ce qui me serait donné. Platon pouvait attendre.

Trois mois plus tôt, j'avais laissé tomber la fac et emménagé à Lahaina. L'université de Santa Cruz était sans doute un établissement fascinant mais on le quittait sans peine. C'était un tout nouveau campus et on y testait différentes voies d'apprentissage. Il n'y avait ni notes ni sports organisés. Les professeurs étaient davantage des co-conspirateurs que des figures d'autorité. On y encourageait au maximum l'autonomie. Tout cela me convenait très bien, mais au final il ne s'en dégageait aucun poids institutionnel.

Caryn me suivit, encore que dubitative. Elle n'avait aucun intérêt pour le surf, mais elle était aventureuse. Et, sans elle, j'avais l'impression de ne plus pouvoir vivre ni respirer. Par chance, elle n'avait pas d'autres projets dans la vie pour le moment. Le vol d'Honolulu à Maui coûtait dix-neuf dollars, si je me souviens bien, et, la triste réalité, c'était qu'à notre arrivée nous n'avions pas de quoi, à nous deux, nous offrir un seul siège d'avion pour rentrer à Honolulu. Nous avons dormi sur la plage cette nuit-là, emmitouflés dans des serviettes de bain, avec des crabes qui grouillaient tout autour de nous, inoffensifs et pourtant étrangement terrifiants. Puis il s'est mis à pleuvoir et nous avons grelotté jusqu'au lever du jour. Mes parents, quand nous étions passés les voir à Honolulu, m'avaient clairement fait part du mécontentement que leur inspirait ma décision d'arrêter mes études. Et, maintenant, à l'aube et à Lahaina, Caryn me faisait tout autant part du sien. Au cours des dix-huit mois que nous venions de passer ensemble, je l'avais entraînée plus souvent qu'à son tour dans des entreprises ne répondant qu'à mes caprices ou mes idées de fondu. Était-elle désormais censée devenir aussi une groupie du surf, une SDF, une *"beach bum"* affamée ?

"Je connais un type", lui ai-je lancé pour la rassurer. C'était vrai, je le connaissais un peu. Je l'avais rencontré trois mois plus tôt, dans la rue, lors d'un bref passage en ville, où nous venions nous réapprovisionner avec Domenic. Il m'avait indiqué la direction approximative de son domicile. Et, à force de tâtonnements et d'erreurs, j'ai réussi à retrouver le chemin dans le dédale embourbé des pâtés de maisons des faubourgs de Lahaina. Je suis entré. Caryn m'attendait dans l'allée. Elle a sans doute été surprise, j'image, de me voir ressortir avec un trousseau de clefs de voiture à la main. Je l'étais moi-même. Mais le propriétaire de la bagnole en question, Bryan Di Salvatore – un surfeur, un étudiant et un gentleman d'une stupéfiante bonté, plus vieux que nous puisqu'il avait vingt-deux ans – m'avait accueilli comme un vieil ami et, quand il avait appris notre délicate situation, nous avait aussitôt prêté sa Ford de 1951. Toutes les vagues se trouvaient en ville à cette saison, m'avait-il dit, il y travaillait et n'avait donc pas besoin de sa caisse. Nous pourrions y dormir tandis que nous chercherions du travail. La voiture se prénommait *Rhino Chaser*[01], nous dit-il. C'était le monstre turquoise garé derrière le bananier.

Si Caryn avait été de meilleure humeur, sans doute aurait-elle répondu : "Dieu pourvoit", avec un petit sourire suffisant. Mais elle se sentait toujours flouée et restait sceptique. Je lui ai fait faire le tour de cet ancien port baleinier recyclé en ville touristique, en incluant la visite du service des tickets d'ali-

01— "Chasse-Rhino."

mentation, où nous avons réussi à dégoter un rationnement mensuel d'urgence pour deux – trente et un dollars, si je me souviens bien – et une liste des hôtels et restaurants qui recrutaient du personnel. Caryn trouva très vite un emploi de serveuse. Je visais pour ma part une librairie de Front Street. Nous n'avions pas de quoi acheter assez d'essence pour rouler jusqu'à Honolua Bay mais je lui ai promis qu'elle adorerait.

"Pourquoi ? C'est joli ?"

"Entre autres", ai-je répondu.

Entre-temps, nous devions nous garer de nuit en pleine campagne, non loin de la ville. Caryn dormait à l'avant, moi à l'arrière et ma planche sous la voiture. (Je laissais une portière ouverte et je gardais la main posée sur la dérive de la planche retournée pour dissuader les voleurs.) Nous utilisions les toilettes des jardins publics. Caryn lavait son uniforme de serveuse dans les lavabos. J'ai surfé deux des breaks de la ville ; elle lisait et semblait un peu se détendre. J'étais toujours en disgrâce, je m'en rendais bien compte, vu l'absence de toute relation sexuelle. Heureusement, j'ai obtenu le poste à la librairie.

C'était une boutique bizarre, à l'enseigne d'*Either/or* (*Ou bien... ou bien*), d'après le titre de Kierkegaard, ou, de manière plus immédiate, d'après le nom d'un plus grand magasin de Los Angeles dont cette librairie était une succursale. Les propriétaires, un couple nerveux, étaient en cavale, tout comme leur unique employé, un insoumis à la barbe rousse qui répondait à plusieurs noms. Ils avaient besoin d'aide, mais me témoignèrent une certaine méfiance. Avais-je la tête d'un agent du FBI ? Mince comme un fil, avec des cheveux en bataille qui me tombaient sur les épaules, j'avais dix-huit ans, une petite amie sarcastique, des tongs usées, un maillot de bain blanchi par le soleil et un tee-shirt en voie de désintégration. Ils décidèrent de prendre le risque. Ils disposaient d'un test exhaustif, portant sur la connaissance des bouquins, tout droit importé du siège de L.A. Tous les candidats au recrutement devaient le passer. (Le commerce du livre au détail a bien changé depuis.) L'épreuve était écrite et il était interdit de la rapporter chez soi. Caryn a passé une soirée à me faire répéter titres et auteurs. J'ai constaté qu'elle avait bien plus de chances d'être engagée que moi. (Elle a d'ailleurs travaillé plus tard dans une librairie française proche de l'UCLA.) De tous les adolescents que je connaissais, c'était en fait elle qui avait le plus lu. Quand je surfais Lahaina Harbor, sous le soleil éblouissant de l'après-midi, elle s'asseyait sur la digue, devant la plage, avec un livre de Proust en français. J'ai passé le test d'*Either/Or* et j'ai décroché le job.

Dès mon premier jour derrière le comptoir, Bryan Di Salvatore est entré en trombe. Il quittait la ville, m'a-t-il annoncé. Quelque chose, dans une lettre qu'un vieil ami lui avait envoyée d'un ranch de l'Idaho Panhandle, lui avait fait comprendre que son temps à Maui était révolu. Il a griffonné une adresse sur la chemise de son billet d'avion Aloha Airlines. Je lui rembourserais la voiture dès que j'aurais l'argent, en l'envoyant aux bons soins de ses parents à L.A. Il l'avait achetée cent vingt-cinq dollars l'année précédente. Sur ce, il est parti.

Avec nos payes, Caryn et moi pouvions désormais acheter de l'essence mais toujours pas verser un loyer. Nous avons entrepris de camper sur la côte au nord-est de Lahaina. C'était un littoral tortueux, une succession de baies et de caps. Des rangées de vieilles cases de coupeurs de canne (peintes d'un rouge écaillé) s'alignaient le long des champs de canne à sucre qui formaient une longue terrasse jusqu'aux montagnes noires de pluie. Le Puu Kukui, le sommet le plus élevé de la chaine de West Maui, était soi-disant le deuxième site le plus humide du monde. Nous y avons découvert des criques perdues où nous pouvions faire du feu, et des plages où l'eau était claire comme le gin. J'ai montré à Caryn comment trouver des mangues, goyaves et papayes mûres, ainsi que des avocats sauvages. Nous empruntions masques et tubas, et nous explorions les récifs. Je me rappelle encore les noms de quelques poissons hawaïens. Caryn appréciait particulièrement le *humuhumunukunukuapua'a* – pas le poisson en lui-même, qui ne vaut pas grand-chose (une sorte de baliste au nez camus), mais son nom. Elle remontait à la surface, enlevait son tuba et me demandait : *"Humuhumu ?"* Le mot a fini par prendre de nombreux sens entre nous. Je pouvais vérifier la position du soleil dans le ciel et répondre : *"Hana hana"* ("travail" en hawaïen). On devait aller bosser. Caryn aimait Honolua Bay et ce fut un soulagement. La baie était trop éloignée de la ville pour que nous allions y camper tous les soirs mais y plonger était extraordinaire, avec ses myriades de poissons aux couleurs vives. Il n'y allait pas y avoir de vagues avant l'automne, mais nous n'avions nul autre endroit où aller.

Caryn aurait eu de bonnes raisons de devenir une fanatique de la stabilité – une fourmi plutôt qu'une cigale ou une sauterelle (*grasshopper* ou *gracehoper*, selon le mot de Joyce dans *Finnegans Wake*). Sa mère et ses grands-parents maternels étaient des Juifs allemands et des survivants de l'Holocauste. Sa propre vie avait explosé en plein vol à l'âge de treize ans, quand ses parents s'étaient mis au LSD puis séparés. Nous étions encore copains d'école à l'époque et je me dépeignais la vie de ses parents en imaginant des soirées échangistes, entre couples banlieusards, orchestrées par Timothy Leary. Caryn avait ensuite disparu dans l'École libre de Topanga, la première des écoles "alternatives" de cette région du monde. Quand je l'ai revue, elle avait seize ans. Elle semblait triste et plus mûre que son âge. Toute la vertigineuse expérimentation ayant trait à la sexualité, aux drogues ludiques et à la révolution, qui n'avait pas encore atteint son zénith dans la contre-culture des États-Unis, était pour elle de l'histoire ancienne, malheureuse, qui plus est. En fait, sa mère était encore complètement dedans – son principal petit ami de l'époque était un Black Panther recherché par la police –, mais Caryn, à seize ans, en avait fini avec tout ça. Elle vivait à Los Angeles Ouest avec sa mère et sa petite sœur dans des conditions assez modestes. Et elle allait au lycée, collectionnait des cochons en porcelaine et adorait Laura Nyro – l'enthousiasmante auteur-compositeur et interprète. Elle s'intéressait énormément à l'art et à la littérature mais ne voulait pas entendre parler de ces conneries que sont, par exemple, les examens. Au contraire de moi, elle ne protégeait pas ses arrières, ne cherchait pas à améliorer ses notes pour faciliter son entrée à la fac. C'est la personne la plus chouette que j'aie connue – rompue aux usages du monde, drôle, invraisemblablement belle. Elle semblait n'avoir aucun projet. Aussi l'ai-je choisie et embarquée avec moi, non sans témoigner une certaine obstination.

J'avais surpris un peu plus tôt une conversation d'un de ses amis de l'École libre. Ils se regardaient encore comme les gamins les plus branchés et malins de L.A., et ils se demandaient ce qu'il était advenu de Caryn Davidson, cette nana sexy qui avait une si grande gueule. Elle avait fugué, disait-on, avec un "surfeur". C'était à leurs yeux un sort si invraisemblable et inepte qu'il n'y avait rien d'autre à ajouter.

Caryn avait une raison bien personnelle de consentir à m'accompagner à Maui. Son père s'y trouvait, prétendument. Avant que le LSD n'entrât dans sa vie, Sam était ingénieur dans l'aéronautique. Il avait quitté son emploi et sa famille, et, sans fournir d'autre explication que sa propre quête spirituelle, il avait complètement cessé d'appeler ou d'écrire. Mais, selon le télégraphe des cocotiers, version locale du "téléphone arabe", il partageait son temps entre un monastère bouddhiste zen de la côte nord de Maui et un hôpital psychiatrique voisin. Je n'avais rien contre l'idée de faire miroiter à Caryn − si d'aventure nous nous installions dans l'île −, la perspective de le retrouver.

Nous avons loué une chambre en ville chez un vieux fêlé du nom d'Harry Kobatake. Cent dollars par mois pour une étuve infestée de cafards avec les toilettes au fond d'un couloir. Nous faisions cuire nos repas sur une plaque électrique individuelle posée par terre. Le loyer était élevé, mais Lahaina était en pleine crise du logement. En outre, la pension de Kobatake se trouvait directement de l'autre côté de Front Street par rapport au port, où se cassaient les deux meilleures vagues locales. Bryan avait eu raison : les plus belles vagues de l'été se brisaient toutes au large de la ville ou non loin. Un des deux spots, Breakwell, exigeait néanmoins une vraie houle pour devenir surfable. Au-dessus d'un mètre vingt, il pouvait s'y créer de douces droites et gauches sur un récif en dents de scie placé juste devant une digue rocailleuse courant parallèlement au rivage. L'autre, Harbor Mouth, était un pic impeccable et très substantiel, sur le côté ouest de l'embouchure du chenal portuaire, surfable même à trente centimètres. Très fréquenté, il captait la moindre trace de houle du sud. La foule était largement composée de haoles, très peu de locaux. C'est devenu mon pain quotidien.

Je me levais dans le noir, je descendais l'escalier à pas de loup, les pieds nus, et je traversais une petite cour au pas de course jusqu'au quai en priant pour être le premier de sortie. C'était souvent le cas. De nombreux surfeurs du continent étaient descendus à Lahaina cette année-là, mais c'étaient de sérieux fêtards, ce qui réduisait d'autant le nombre des gars prêts à surfer aux aurores. Caryn et moi, en revanche, formions un couple relativement sobre, et nous ne connaissions pas grand monde. Je fermais l'Either/Or à neuf heures du soir. Elle me rapportait de son travail, emballés dans du papier d'alu, de petits paquets d'aku et de mahimahi laissés intacts par les clients. Et ainsi se passaient nos soirées : à manger, lire et tuer les cafards qui s'enhardissaient un peu trop. Nous donnions des noms aux geckos qui patrouillaient au plafond. Les bars me laissaient à ce point indifférent que, quand un touriste m'a demandé l'âge légal pour consommer de l'alcool à Hawaï, j'ai dû reconnaître que je l'ignorais.

Harbor Mouth offrait une courte droite creuse qui s'allongeait et se faisait plus complexe à mesure que les vagues grossissaient et que le point de take-off s'éloignait du récif, mais sans jamais, pour autant, devenir trop complexe. C'était une vague à laquelle on pouvait se "connecter" – qu'on pouvait réussir à pleinement comprendre – en un seul été, à condition de s'atteler à la tâche. J'aimais la prendre à partir d'un mètre cinquante et au-dessus, quand, dans les bonnes conditions, le mur présentait une face parfaitement lisse vers le large et que les gens, incertains sur le point de take-off, s'y trompaient, s'y enfonçaient ou l'abordaient trop loin sur l'épaule. Il y avait un creux profond d'où une vague d'un peu plus d'un mètre quatre-vingts – pourvu qu'on la prît assez tôt et qu'on la surfât correctement –, était presque toujours jouable, et j'ai appris à le retrouver, bien qu'aucun indice visible ne le signalât. Le trait saillant d'Harbor Mouth, toutefois, sa prétention à la gloire, si gloire il y avait, était surtout la toute dernière section de cette droite (il s'y trouvait aussi des gauches plus longues et moins bien galbées qui s'éloignaient du chenal). C'était un tronçon de vague très court, épais et superficiel, auquel on pouvait toujours se fier et qui restait presque constamment ouvert. Si l'on calculait bien son coup, cette section était plus proche de vous garantir un tube que toute autre vague de ma connaissance. Pour la première fois dans ma carrière de surfeur, je me suis accoutumé à voir le monde de l'intérieur, en observant le soleil matinal à travers un long rideau argenté. Certaines de mes sessions se composaient pour la moitié de tubes. Je regagnais ensuite au petit trot la pension de Kobatake (où Caryn dormait encore sur notre paillasse posée à même le plancher), l'esprit enflammé par huit ou dix fugaces aperçus de l'éternité.

J'ai pris le pli d'aller surfer Harbor Mouth au cœur de la nuit, après le travail. La marée devait être haute, la houle de bonne force, et le clair de lune avait son avantage. Mais, même dans ces conditions, c'était une dinguerie. Grosso modo, on surfait à l'aveugle. Et, d'ordinaire, je n'étais pas le seul à m'y risquer. Mais, au bout d'un moment, je croyais si bien connaître le break qu'il me semblait sentir – aux ombres, à la force du courant – où je devais me trouver, dans quel sens je devais me diriger, ce qu'il me fallait faire. Je me trompais fréquemment et j'ai passé pas mal de temps à chasser ma planche, perdue dans les hauts-fonds. Raison pour laquelle la marée devait être haute : le lagon de Harbor Mouth était large et peu profond, couvert d'un corail tranchant tapissé d'oursins aux piquants cruels. De jour, même à marée basse, je connaissais les petits ruisseaux du récif sur lesquels on pouvait se laisser flotter sur le ventre, les yeux ouverts, les poumons gonflés d'air afin de bénéficier d'une flottaison optimale, pour traquer sa planche égarée par-dessus les oursins violets. De nuit, on ne voyait strictement rien sous l'eau. Et la quête du faible éclat elliptique d'une planche dodelinant à la surface du lagon, au milieu de toutes les vaguelettes qui dansent dans le miroitement des lumières du rivage, peut revêtir une forme d'éternité très différente de celle qu'on entrevoit à l'intérieur d'un rouleau. Mais pas question de renoncer : je n'avais qu'une seule planche. Je l'ai toujours retrouvée.

La librairie était une baraque de trois pièces qui se dressait sur une vieille jetée branlante à l'extrémité ouest de la digue. Il y avait un bar juste à côté. L'océan clapotait sous les planches de bois. Le couple propriétaire du magasin m'a formé puis, ayant reçu divers signaux menaçants en provenance des autorités locales, a quitté Hawaï pour les Caraïbes, m'en laissant la garde et la gestion en compagnie de l'insoumis, dont un des nombreux surnoms était Dan. C'était une boutique fabuleuse pour sa taille. Ses rayons de fiction, de poésie, d'histoire, de philosophie, de politique, de théâtre et de sciences étaient régulièrement mis à jour et tenus très consciencieusement, bien qu'il n'y eût de place que pour un seul exemplaire de chaque titre. Tous les bouquins publiés par New Directions et Grove – mes éditeurs préférés à l'époque – semblaient y figurer. Et nous pouvions pratiquement obtenir, en quelques jours, par commande spéciale, n'importe quel titre qui n'était pas en rayon. Nous devions tout cela – stock et réapprovisionnement – au siège de L.A.

Pourtant, personne n'avait l'intention d'acheter tous les bouquins merveilleux que nous avions. Nous vendions principalement des livres d'art pour table basse aux touristes : des monstres de l'édition de luxe, à cinquante dollars le volume. Puis, environ tous les quinze jours, de hautes piles de *Rolling Stone*, et tous les mois, des piles encore plus hautes de *Surfer*. C'était notre cœur de cible. Nos traités d'occultisme, d'astrologie, de développement personnel (ou de "réalisation de soi", comme nous les appelions peut-être) marchaient bien eux aussi, de même que ceux sur le mysticisme oriental. Certains des auteurs qu'il nous fallait commander en grosse quantité étaient des charlatans à l'ancienne, tel Edgar Cayce ; d'autres étaient de nouveaux gourous comme Alan Watts. On y trouvait également des best-sellers de la contre-culture, que nous commandions au fil de l'eau, et que nous vendions très vite, dont le *Be Here Now* de Baba Ram Dass (anciennement Dr Richard Alpert) qui venait de chez Crown et coûtait (si je me souviens bien) la somme ésotérique de 3,33 $. Le livre prônait l'élévation de la conscience, avec de nombreux diagrammes à l'appui. *Living on the Earth*, d'Alicia Bay Laurel, un grand format illustré à la main qui donnait des conseils pratiques aux gens sans le sou cherchant à vivre paisiblement à la campagne, sans électricité ni toilettes avec chasse d'eau, se vendait aussi très bien.

Il y avait beaucoup de gens comme ça à Maui à l'époque. Presque tous étaient de nouveaux arrivants débarqués du continent. Ils vivaient dans des vallées encaissées, près d'une route de terre ou d'une piste de randonnée dans la jungle. Voire sur les vastes versants de l'Haleakala, l'énorme et très ancien volcan qui forme la moitié orientale de l'île, ou bien encore sur des plages éloignées de l'aride côte sud-est. Certains s'engageaient sérieusement dans la vie communautaire et l'agriculture écologique tropicale. D'autres surfaient. On trouvait aussi pas mal de nouveaux venus qui grattaient les fonds de tiroir en ville ou à la campagne, comme nous-mêmes à Lahaina. Ou comme Sam dans son monastère, censé se trouver sur le versant nord de l'Haleakala.

Qu'en était-il des autochtones ? Eh bien, aucun n'entrait à l'*Either/Or*, ça, c'est sûr ; quand j'ai appris à Harry Kobatake que j'y travaillais, il m'a dit n'en avoir jamais entendu parler, et il avait pourtant vécu à Lahaina, une toute petite bourgade, pendant soixante ans. Tous nos clients étaient des touristes, des hippies, des surfeurs ou des hippies surfeurs. Sans même y avoir réfléchi, je me suis pris de haine pour ces quatre groupes et je me suis surpris à faire du prosélytisme derrière mon comptoir, à chercher à intéresser les gens à la lecture, à l'histoire, à tout ce qui pouvait les décrocher de leurs souvenirs, de leurs chakras et de leurs latrines. Ça ne m'a mené nulle part, et mon arrogance d'étudiant a commencé à rancir pour rapidement virer à l'écœurement. Je me sentais soudain très vieux, comme une sorte d'anti-hippie avant l'heure. Caryn, qui, idéologiquement, avait atteint ce stade depuis des années, trouvait ça drôle.

Les "beautiful people" commençaient aussi de faire çà et là des apparitions, le plus souvent en yacht. Vint d'abord le ketch de Peter Fonda puis la goélette de Neil Young, ses haut-parleurs braillant à tout-va "Cowgirl in the Sand" au moment d'appareiller de Lanai au coucher du soleil. Caryn se sentait intimidée par les groupies aux jambes interminables qui débarquaient de ces luxueux vaisseaux, du moins jusqu'à ce qu'elle eût vécu une expérience rassurante dans les toilettes publiques du port, juste en face de la pension de Kobatake. Quelqu'un se livrait à la plus bruyante et fétide des prestations dans un des habitacles réservés aux femmes. Caryn s'efforça de précipiter ses propres ablutions afin de s'éviter l'embarras de croiser son regard, mais elle ne fut pas assez rapide et, bien entendu, la starlette rougissante qui en émergea sortait tout droit du yacht d'un dieu du rock.

La rock star qui m'a remonté le moral, socialement parlant, c'est Jimi Hendrix lors d'une apparition dans un film étrange, intitulé *Rainbow Bridge*, portant sur un concert qu'il avait donné à Maui l'année précédente. Le film était brut et le son médiocre, car Hendrix et son groupe jouaient dans un champ broussailleux sous un alizé hurlant. Il y avait une espèce d'idylle, très cinéma vérité, entre Hendrix et une longue et souple fille noire de New York. Elle faisait tout ce qu'elle pouvait pour représenter la communauté hippie de Maui, et Hendrix en faisait encore plus. Ses remarques susurrées avec désinvolture me faisaient rire. Le chef d'une communauté hippie, un personnage passif-agressif nommé Baron, se montrait si exaspérant qu'Hendrix était obligé de l'abattre avec un fusil. Le film s'achevait sur une séquence faite de trois bouts de ficelle, à propos de "frères de l'espace" débarquant de Vénus dans le cratère de l'Haleakala. J'ai regardé ce final comme n'étant qu'une parodie. Mais plus j'entendais parler des "Vénusiens", à la librairie ou ailleurs, et plus je me rendais compte que mon interprétation n'était pas la plus répandue.

Nous n'étions pas entièrement en désaccord Caryn et moi, dans notre petite communauté improvisée. Il y eut un autre film, cette fois sur le surf pur et dur, et je réussis à la traîner à une projection. Pour ceux qui ne surfent pas ces films n'ont strictement aucun intérêt. Le Queen Theater, une vieille salle de cinéma délabrée de Lahaina, en passait un de temps en temps, toujours pour un public défoncé et entièrement acquis à la cause. Je me rappelle quelques séquences mais pas le titre du film. Dans l'une d'elles, on voyait le gigantesque Banzai Pipeline, et, en l'absence sans doute d'une bande-son pour un tel monument, les réalisateurs l'avaient illustré par "The Time Has Come Today", l'hymne des Chambers Brothers qui monte lentement *crescendo*, joué à plein volume. Tout le public de la salle donna l'impression de se dresser sur la pointe des pieds pour hurler son incrédulité. Pour des gens comme nous, voir des types prendre des vagues aussi apocalyptiques était électrique. Mais je me souviens également d'avoir vu, sidéré, Caryn se lever aussi, les yeux exorbités.

Puis il y a eu la séquence où l'on voit Nat Young et David Nuuhiwa surfer Breakwall, un de nos spots locaux, à un rythme beaucoup plus doux. Quelques années plus tôt, Nuuhiwa avait été sacré le meilleur nose-rider du monde et Young avait été le premier grand shortboarder ; les voir surfer ensemble, l'un et l'autre à présent sur une planche courte, était émouvant à pleurer. Ils restaient des maestros absolus − le dernier dauphin de l'ancien ordre mondial et le grand "Aussie" qui avait révolutionné le surf, lancés dans une sorte de duo baigné de soleil au cœur de vagues que nous connaissions tous. Je doute que Caryn ait saisi toutes les implications du spectacle qu'ils nous offraient, mais elle a assurément pigé ce qui suivait. Mal avisés, les réalisateurs avaient cherché à inclure des séquences comiques qui se déroulaient sur la terre ferme − ce qui est toujours une mauvaise idée dans un film sur le surf pur et dur −, dont les images d'un malfrat courant dans tous les sens, le visage masqué et déformé par un bas nylon. Le public a grondé et quelqu'un a beuglé "Va te faire foutre, Hop Wo !". Hop Wo était un boutiquier de Lahaina connu pour son aigreur et son avarice. Le sale type au bas nylon lui ressemblait un peu. Caryn a ri avec la bande de surfeurs et "Va te faire foutre, Hop Wo !" est resté un doux et complexe refrain entre nous.

J'ai envoyé ses cent vingt-cinq dollars à Bryan Di Salvatore dès que je les ai eus. Il ne m'a pas donné directement de ses nouvelles, mais une femme élégante, prénommée Max, qui venait souvent à la librairie, en recevait parfois de lui. Il avait vécu dans l'Idaho, puis en Angleterre et enfin au Maroc. Je n'arrivais pas à bien cerner Max. C'était une garçonne, à la manière de certains top-modèles, avec une voix rauque et amusée, un regard franc et direct. Elle ne semblait pas à sa place à Lahaina − comme si c'était plutôt à Monte-Carlo qu'elle aurait dû se trouver. Avec Bryan, ils n'avaient visiblement fait qu'un à un moment donné, mais elle semblait prendre son absence avec une certaine légèreté. Je me suis demandé ce qu'elle avait pensé en voyant sa vieille bagnole. À ma demande, Caryn avait peint une énorme fleur sur le coffre. Cette peinture était joliment exécutée, oui, mais, il n'empêche... on ne pouvait plus surnommer cette caisse *Rhino Chaser*... J'ai dit plus haut que je commençais à devenir anti-hippie, mais j'en avais conservé certaines inclinations.

Je n'avais que très peu de nouvelles de mes parents. Leurs objections à l'arrêt de mes études résonnaient encore dans ma tête. Mon père avait répété avec insistance que quatre-vingt-dix pour cent des étudiants qui les abandonnent ne les reprennent jamais – "Les statistiques le prouvent !". Ils devaient aussi s'inquiéter pour ma conscription, ce qui était compréhensible. Ce qu'ils ignoraient encore, c'est que je ne m'étais pas fait recenser. Jamais bien marqué, mon sens du devoir civique devenait quasiment inexistant pour la chose militaire. Si d'aventure les feds se mettaient à ma recherche, je finirais peut-être aux Caraïbes avec les propriétaires d'*Either/Or*. En attendant, je n'y accordais aucune pensée. Il faut aussi souligner que mes parents avaient insisté pour que, si nous séjournions chez eux à Honolulu, nous fassions avec Caryn chambre à part. La goutte d'eau qui avait fait déborder le vase.

Nos voisins chez Kobatake étaient un couple agité qui fumait de la dope, avait tendance à faire du skateboard dans le couloir, mettait la musique à plein volume et faisait l'amour encore plus bruyamment. Ils donnaient l'impression d'écouter sans interruption Sly and the Family Stone ; plus jamais je ne prendrais plaisir aux albums de ce groupe. J'embarrassais souvent Caryn en faisant irruption hors de la chambre, un livre à la main, pour jeter un regard noir à ces débauchés bruyants. En vérité, sur le moment, j'ignorais que ça la mettait mal à l'aise. Elle ne m'en a fait part que des années plus tard. Elle m'a même montré son journal, où elle disait de moi : "Notre étudiant zélé" passait "sa tête de cinglé dans le couloir" et me causait "une peine sans fin". Je me fichais d'être détesté. Mais pour Caryn c'était différent – un autre sujet de friction entre nous que je ne m'étais pas donné la peine de remarquer.

Tout le monde chez Kobatake touchait des tickets d'alimentation, et ce, semblait-il, depuis toujours. "Les roses apparaissaient à point nommé dans le mois", avait écrit Caryn dans son journal, plus incisive que jamais. Elle faisait allusion aux dizaines de chèques gouvernementaux de couleur rose qui arrivaient pour les résidents, tant présents sur place que repartis au pays. Cette dépendance massive, dans notre petit groupe de paumés de Maui, ne soulevait aucun scrupule particulier vis-à-vis de l'État-providence, me semblait-il. On voyait tout bonnement en ces tickets d'alimentation une arnaque de plus – curieusement légale et aisée, mais vénielle. J'ai vécu par la suite parmi d'autres jeunes et adroits parasites, en Angleterre et en Australie (dont certains, parmi les derniers, étaient des surfeurs), qui regardaient eux aussi les chèques gouvernementaux comme leur moyen principal de subsistance et une sorte de droit acquis.

Un jour que nous étions tous deux de congé, nous nous sommes rendus à un spot du nom d'Olowalu par un doux ressac. Il s'agit d'un petit récif informe, au sud-est de Lahaina, près d'une section plane de la côte où la route court tout le long du rivage. Caryn ne voyait aucun intérêt à apprendre à surfer, ce qui me semblait raisonnable. Mon expérience m'avait appris que les gens qui commencent tard, c'est-à-dire au-delà de quatorze ans, n'ont pratiquement aucune chance de devenir bons, et ils souffrent d'ordinaire mille morts avant de renoncer. On peut toutefois y prendre plaisir dans de bonnes conditions et si l'on est bien encadré ; or, ce jour-là, je l'avais persuadée d'essayer au moins les petites vagues lentes, sur ma planche. Je nageais à ses côtés, je la propulsais, je la mettais en position et je la poussais dans les vagues. Et elle s'amusait, effectivement, s'offrait de longs rides sur le ventre en poussant des cris de joie et des glapissements ravis. Je m'efforçais de ne pas me faire taillader par les rochers – l'eau était peu profonde et n'avait pas l'air particulièrement propre, ni à l'œil ni au nez. Il n'y avait personne dans les parages, rien que des voitures qui vrombissaient sur la route en direction de Kihei. Puis, alors que s'achevait un des rides de Caryn et qu'elle dévalait le dos de la vague au moment où celle-ci entrait dans le lagon intérieur, j'ai repéré derrière elle quatre ou cinq ailerons dorsaux : des requins nageant parallèles au rivage.

Ils ressemblaient à des pointes noires – sans doute pas la plus agressive des espèces locales mais un spectacle tout de même extrêmement déplaisant. Ils n'avaient pas l'air très gros, encore que ce fût difficile d'en avoir le cœur net de là où je me tenais. Ils étaient tout proches du rivage, à une trentaine de brasses de moi. Caryn qui, elle, ne se trouvait qu'à quelques mètres de la plage, ne les avait pas vus. Elle barbotait dans l'eau, s'efforçait d'orienter de nouveau la planche vers la mer. J'ai plongé la tête sous l'eau et commencé à nager aussi vite que possible, mais sans faire de remous, dans sa direction. Caryn essayait de me dire quelque chose, mais le sang qui bourdonnait dans mes oreilles noyait ses paroles. En l'atteignant, je me suis aperçu que les squales avaient fait demi-tour. Ils nageaient toujours près du rivage et arrivaient maintenant droit sur nous. Je me suis levé dans l'eau qui me montait à la taille pour essayer de distinguer leurs corps, mais l'eau était trouble et vaseuse. J'ai tourné la tête quand ils nous ont dépassés. Je ne tenais pas à ce que Caryn voie mon expression, quelle qu'elle pût être. Quand je l'ai poussée vers le rivage avant d'entreprendre un rapide retour à pied vers la plage, en ignorant les rochers que j'avais si soigneusement évité d'effleurer à l'aller, elle a dû s'étonner. Malgré tout, je ne me souviens pas d'avoir entendu un seul mot. J'avais orienté la planche de manière à lui boucher la vue des requins avec mon corps, et aussi pour que nous regagnions la plage longtemps après eux, si toutefois ils ne se retournaient pas. Ils ne l'ont pas fait, du moins pendant que nous traversions le lagon et que nous remontions sur le sable. Je n'ai plus regardé derrière moi ensuite.

Caryn et moi vivions sur un terrain instable. J'étais toujours profondément épris de ma vieille maîtresse, le surf. J'attendais avec ferveur qu'Honolua Bay commençât à se casser en automne – en surfant tous les jours, pour garder la forme. Caryn, qui ne m'avait encore jamais vu dans cet état, n'avait pas l'air jalouse. En vérité, elle a même commencé à procéder auprès de moi à de discrètes enquêtes sur les caractéristiques techniques d'une planche idéale pour Honolua. C'étaient là, de sa part, des questions si peu plausibles qu'elle s'est vue contrainte de m'avouer son projet : elle comptait m'offrir une nouvelle planche pour mon anniversaire. Compte tenu de nos rentrées d'argent sous forme de tickets d'alimentation, ce n'était pas un mince cadeau. J'attendais donc Honolua, et elle l'acceptait.

Mais, encore une fois, qu'était-elle exactement venue faire à Maui ? Elle avait démissionné de son job de serveuse et vendait à présent des cornets de glace à Kanaapali, une atroce nouvelle station balnéaire proche de Lahaina. Nous avions fait quelques tentatives pour retrouver son père, roulé jusqu'à Kahului et Paia, posé des questions dans un monastère et une clinique pour patients ambulatoires, mais nous n'avions pas donné suite aux maigres indices que nous avions recueillis. J'ai commencé à me demander si elle tenait réellement à lui tendre un traquenard. Ça ne pouvait que mener à une situation pénible à vivre. Lahaina avait ses charmes. Sans doute étaient-ils plus subtils que ceux de la côte ouest et de la campagne de Maui – de vieux temples chinois, quelques curiosités amusantes, une prison construite en blocs de coraux cuits par le soleil –, pourtant Caryn y était sensible. Elle s'était même fait quelques amies parmi les autres surfeuses expatriées ici – elle en parlait dans son journal comme "des nuées blondes de créatures du soleil". Mais le malaise ne s'est vraiment déclaré qu'avec notre échec – le mien, en réalité – à établir une distinction sérieuse entre ses désirs et les miens.

Dans ma tête, nous n'étions qu'un. Toutes les barrières de nos cœurs s'étaient dissoutes dès l'instant où nous avions commencé à sortir ensemble au lycée. Physiquement, nous formions un couple improbable. Elle me rendait près de trente centimètres. Inge, sa mère, se plaisait à nous appeler Mutt et Jeff. Mais nous ne faisions qu'un seul corps. Notre séparation fut pour moi un crève-cœur. Quand nous étions encore au lycée et que les nuits d'Inge nous faisaient l'effet d'une interminable orgie de la quarantaine, Caryn et moi étions les jeunes Puritains à demeure, de pittoresques monogames qui se consacraient entièrement l'un à l'autre. Leur appartement était déjà une maisonnée plutôt inhabituelle : où les enfants étaient libres de faire l'amour, mais où l'on prenait en pitié leur manque d'initiative... Après toute une adolescence amoureuse consacrée à me soustraire (sans succès) à la vigilance de parents sourcilleux, parfois irascibles, il m'a fallu un moment pour m'habituer à cette liberté. Mes parents, eux, ne s'y étaient jamais faits. Ils piquaient des crises quand, après ma rencontre avec Caryn, il m'arrivait de découcher, ce qui se produisait fréquemment.

Leurs gueulantes me laissaient sans voix. Pendant des années, je m'étais senti dans la peau de ce que Caryn appelait, avec une feinte solennité, un "libre agent de Dieu". Et soudain, à dix-sept ans, je devais respecter un couvre-feu. Mon lugubre diagnostic sur ces interdits était clair : mes parents étaient paniqués à l'idée que je puisse avoir une sexualité.

Puis nous avons eu un accident de voiture. Nous étions en balade le long de la côte quand un chauffard ivre a télescopé à pleine vitesse l'arrière de mon fourgon. Nous nous en étions tirés sans une égratignure, mais nous avions touché une petite indemnisation de la compagnie d'assurances et consacré cet argent à l'achat de deux billets de charter, avant de nous envoler pour l'Europe en faisant l'impasse sur nos examens de fin d'études. Cette sortie brutale avait dû renforcer davantage la mauvaise humeur de mes parents, m'étais-je dit. Sa cruauté potentielle ne m'avait même pas effleuré l'esprit. Mes parents attendaient-ils avec impatience que leur aîné décrochât son bac ? Si tel était le cas, ils n'en avaient jamais fait part. Inge, de son côté, n'a paru se réveiller et paniquer que le jour de notre départ quand elle m'a fait jurer de prendre soin de sa petite fille.

Mais je n'en ai rien fait, en réalité. Nous avons commencé à nous disputer avec Caryn et pas très joliment. Sur la route, je m'étais plus ou moins transformé en tyran : nous avons bourlingué à travers l'Europe de l'Ouest à une allure effrénée, dont je réglais le rythme. Nous vivions de biscuits et d'eau fraîche et nous dormions à la belle étoile. Il y avait toujours un nouveau site à visiter, une ville plus belle où il fallait être. Je l'ai entraînée dans d'exténuants pèlerinages vers des festivals de rock (Bath), des villes de surf (Biarritz) et les anciens repaires (et tombes) de mes écrivains favoris. Moins novice que je ne l'étais, Caryn ne voyait pas la nécessité de toute cette précipitation. Elle faisait sécher des fleurs dans son journal intime, visitait des musées et, alors qu'elle parlait déjà couramment le français et l'allemand, a entrepris d'apprendre toutes les langues que nous croisions sur notre chemin. Elle a finalement explosé sur l'île de Corfou, à l'ouest de la Grèce, quand je lui ai fait part de mon brûlant désir d'en savoir plus long sur "l'influence ottomane". Je pouvais bien aller traquer les minarets turcs en solo, m'a-t-elle déclaré. Je me suis levé et je l'ai abandonnée sur cette plage reculée, bordée d'une montagne, où nous avions installé notre campement. Aucun de nous deux ne croyait que j'allais réellement le faire, j'imagine, mais, j'étais au moins devenu expert en déplacements rapides à travers des contrées inconnues et, en l'espace d'une semaine, j'étais en Turquie et disposé, depuis peu, à traverser le continent jusqu'en Inde. Être toujours en mouvement, avoir de nouveaux compagnons de route, voir des territoires inconnus, tout cela était devenu une drogue – je trouvais qu'elle faisait merveille sur les nerfs des adolescents. L'influence ottomane m'a fasciné presque une demi-heure. Après, seule l'influence tamoule pourrait faire l'affaire.

Cette folie m'a conduit jusqu'à une escale sordide sur une plage déserte de la côte sud de la Mer Noire. Des vagues médiocres, brunes, brumeuses et lissées par le vent venaient s'y casser, en provenance plus ou moins d'Odessa. Je traversais en trébuchant des dunes hérissées de buissons. Qu'est-ce que je fichais là, exactement ? J'avais abandonné mon seul amour dans un trou perdu de Grèce, je l'avais quasiment plantée au bord de la route. Elle n'avait que dix-sept ans, bon Dieu ! Tout comme moi. Ma soif de nouveaux paysages, de nouvelles aventures, a crevé comme une bulle amère alors que, sans même me donner la peine de planter ma tente, j'étais encore assis dans la broussaille turque. Des chiens aboyaient, l'obscurité était tombée et, brusquement, je ne me suis plus vu comme l'indomptable vedette de mon étincelant road movie personnel mais comme un malheureux connard : petit ami raté, fugueur passé d'âge et gamin effrayé, à qui une bonne douche aurait fait le plus grand bien.

Le lendemain matin, j'ai rebroussé chemin, direction l'Europe. Il s'avéra qu'il était plus facile de la quitter que d'y rentrer. Il y avait une alerte au choléra et les frontières avec la Grèce et la Bulgarie étaient fermées. J'ai bourlingué autour d'Istanbul, j'ai longé le Bosphore en dormant sur des terrasses (moins chères que les chambres d'hôtel). J'ai tenté de passer en Roumanie mais les sentinelles de Ceauşescu ont reconnu en moi le parasite dégénéré que j'étais et ils m'ont refusé le visa.

Puis la police a fait une descente dans un asile de nuit où je créchais. Trois British ont été arrêtés, accusés de détention de haschich et condamnés chacun à plusieurs années de prison. J'ai changé de terrasse. J'écrivais de vaillantes et pétulantes cartes postales : *Hello, aucun photographe ne saurait rendre justice à la beauté de la Mosquée bleue !*

Mais je paniquais à propos de Caryn. Certes, elle avait dit qu'elle saurait retrouver son chemin jusqu'en Allemagne, où nous avions des amis. Mais j'imaginais constamment le pire. Je lui ai acheté un petit sac bon marché au Grand Bazar. Je me liais avec d'autres étrangers échoués sur ces rives. J'ai fini par craquer et téléphoner chez moi. J'ai rôdé toute une journée autour de la vieille et vaste poste avant d'y entrer. La connexion était épouvantable. La voix de ma mère m'a paru d'une atroce fragilité, comme si elle avait pris cinquante ans depuis mon départ. Je n'arrêtais pas de lui demander ce qui n'allait pas. Je lui ai appris que je me trouvais à Istanbul. Je ne lui avais pas encore demandé des nouvelles de Caryn – ni même annoncé que je ne l'avais pas vue depuis des semaines – quand la ligne fut coupée. La poste fermait. J'ai écrit bon nombre de lettres et de cartes postales cet été-là mais c'est le seul coup de fil que j'aie passé à la maison.

Finalement, je me suis joint à d'autres Occidentaux aux abois, j'ai soudoyé quelques gardes-frontières bulgares, et je me suis frayé un chemin à travers les Balkans, pour ensuite franchir les Alpes. Enfin, avec l'aide du panneau des messages du bureau de l'American Express de Munich, j'ai retrouvé Caryn dans un campement du sud de la ville. Elle avait l'air d'aller bien. Un tantinet sur ses gardes. J'avais peur de lui poser trop de questions sur ce qui lui était arrivé. Oui, lui avais-je répondu, j'ai eu mon content de l'influence ottomane. Elle a accepté le petit sac. Nous avons repris nos errances : Suisse, Forêt-Noire, une très surprenante visite de la ville natale de sa mère sur les rives du Rhin. Les vieilles gens ne cessaient de la prendre pour Inge, puis de dénoncer, en chuchotant, leurs voisins comme d'anciens SS. À Paris, nous avons passé notre première nuit à dormir à même le sol du bois de Boulogne. À Amsterdam, nous avons appris que Jimi Hendrix allait jouer à Rotterdam. Nous comptions nous y rendre, mais le concert a été annulé et Jimi Hendrix est mort cinq jours plus tard. (Le film tourné sur lui à Maui l'avait été quelques semaines plus tôt.) Janis Joplin et Jim Morrison, deux autres de mes héros, étaient déjà décédés.

Nous sommes rentrés en avion en Californie et nous avons continué de camper ensemble ; illicitement dans le cas de Caryn, puisqu'elle dormait dans ma minuscule chambre du dortoir de l'université de Santa Cruz ; c'était un compromis assez minable, puisque je devais voler de quoi la nourrir à la cafétéria. Cependant nous n'étions pas le seul couple de première année hippie à nous accommoder de cette vie. Pour moi, en tout cas, c'était idéal, du moins pendant un temps. J'étais noyé sous les bouquins et les profs géniaux, je faisais les cent pas sous les séquoias, pieds nus, à discuter avec Aristote, et mon seul amour n'était jamais bien loin. Caryn assistait aux cours en auditrice libre, partait çà et là en stop (L.A., Canada de la fornication), et commençait à réfléchir à sa propre carrière universitaire. Puis j'ai eu l'idée lumineuse – numineuse – de partir à Maui. Et je l'y ai entraînée.

Nous étions très proches l'un de l'autre, les premiers mois. Quand Kobatake cherchait à augmenter notre loyer, à nous faire payer un vol imaginaire de poulets ou à vouloir nous jeter à la rue parce qu'il croyait avoir trouvé d'autres poires susceptibles de payer davantage que nous pour notre appartement – nous lui faisions face ensemble. Quand des gens de notre connaissance venaient nous parler des Vénusiens sans sourciller, nous pouvions compter l'un sur l'autre. Nous étions liés par le même scepticisme : nous étions deux rationalistes, deux lecteurs dans un monde délirant de mysticisme. Pourtant, nous recommencions à nous disputer. Difficile, le plus souvent, de dire à quel sujet. Mais ces disputes finissaient par s'envenimer, dégénérer. Et l'un de nous claquait la porte et disparaissait dans la nuit. Nos réconciliations sur l'oreiller pouvaient être sublimes, mais nos étreintes prenaient le chemin de se résumer à ces va-et-vient.

Le malaise s'est encore accentué quand Caryn est tombée enceinte. Nous n'avons jamais envisagé de garder l'enfant, ni même abordé le sujet. Nous étions encore des enfants nous-mêmes. En plus, je me croyais secrètement immortel. Nous aurions tout le temps pour ça – de nombreuses vies à venir. Caryn se fit avorter. À l'époque, l'intervention exigeait un séjour d'un ou deux jours à l'hôpital de Wailuku. À son retour du bloc, elle avait une mine affreuse : roulée en boule sur le lit d'hôpital, les traits tirés, les yeux battus. Nous sommes rentrés à Lahaina sans échanger un seul mot. C'était – je m'en rends compte maintenant, mais ça m'échappait entièrement sur le coup – le début de la fin de notre couple.

Même durant cet accès d'utopie désespérée, j'avais gardé de la génération du Flower Power un certain penchant caché pour la vie en communauté. Je voulais, de manière assez floue, réunir un groupe d'amis dans un endroit passionnant où nous pourrions vivre heureux jusqu'à la fin des temps. Maui, qui chaque jour semblait devenir un peu plus inepte et touristique, n'avait pas franchement le profil voulu, mais j'ai malgré tout invité quelques amis, dont Domenic et Becket, à s'installer chez nous, à Lahaina. Ils sont venus et sont même restés plusieurs semaines à la pension de Kobatake, entassés avec nous sur le parquet de la chambre. Il m'est apparu de manière flagrante, par la suite, que je cherchais inconsciemment à reconstituer une sorte de cercle familial. J'avais effectivement quitté la maison très jeune et, des années durant, j'avais été la proie d'une envie compulsive, mal comprise, de bâtir autour de moi un refuge qui m'abriterait du monde – même si, dans le même temps, je refusais de fonder une famille avec Caryn et donnais l'impression de bourlinguer partout dans le monde, mû par une impulsion toute contraire. Malgré cela, je n'ai fait aucun véritable effort pour dénicher un endroit plus adapté à notre groupe. Sans doute parce que je savais qu'une maison communautaire ne fonctionnerait pas. Mon couple était trop incertain. Et Caryn était la seule fille.

Domenic, lui, était tout à fait certain que ça ne marcherait jamais. Lorsqu'il séjourna chez nous à Lahaina, il devint évident qu'il s'était passé quelque chose entre Caryn et lui durant ce voyage qu'ils avaient fait au Canada, au printemps, pour lui permettre d'échapper à l'armée. Du moins à *mes* yeux. Eux savaient déjà à quoi s'en tenir. Je n'ai jamais demandé de détails. J'étais horrifié et furieux, mais je m'efforçais de faire bonne figure. Peut-être pourrions-nous envisager un ménage à trois. N'avions-nous pas tous vu *Jules et Jim* ? Chanté avec les Grateful Dead : *"We can share the women, we can share the wine[01]"* ? Domenic, avec sa prise sénéquienne sur ce qui est possible et ce qui ne l'est pas, finit par plier et rentrer à Oahu, où il travailla pour mon père, qui produisait la série télévisée *Hawaï Police d'État*.

Domenic était jardinier sur le plateau de l'émission, sur la Diamond Head Road – besogne sous de grosses chaleurs et salissante –, mais avec mon père ils semblaient se comprendre l'un l'autre. J'étais violemment opposé à l'industrie du cinéma. Domenic ne partageait pas mon animosité. Mon père, qui admirait son assiduité au travail, voulait lui mettre le pied à l'étrier dans une des corporations très fermées d'Holly-wood. Domenic acceptait sans sourciller son aide. Il finit par retourner à Los Angeles, devenir monteur puis cameraman et, finalement, réalisateur. Bien des années plus tard, à son mariage, Big Dom, son père, remercia le mien les larmes aux yeux, dans un moment qui semblait une séquence du *Parrain*. Il se félicitait, je crois, que son fils n'eût pas à marcher sur ses traces. Le jeune Domenic avait-il entrevu cette opportunité de carrière quand il avait choisi de rentrer à Oahu ? J'en doute. Je sais que je l'observais à l'époque avec des sentiments mitigés, avec cette stupeur que m'inspirait sa décision de quitter Maui avant même qu'Honolua Bay n'eût commencé à se casser.

Ici, je devrais dire quelques mots de Los Angeles – sur le fait d'y revenir. C'était, dans notre cercle de jeunes ex-résidents de cette ville, une sorte de profession de foi : retourner vivre à Los Angeles, c'était mourir debout. Si l'Irlande est une truie qui dévore ses petits, alors L.A. est la John Wayne Gacy[02] des métropoles, qui étouffe ses enfants sous la serviette de plage d'une atmosphère toxique, d'une croissance insensée et des horribles valeurs qu'elle prône. Ce que nous recherchions – beauté, sagesse, surf loin des foules – ne pouvait se trouver là. C'était du moins ce que nous croyions. (Quand j'ai appris ultérieurement que Thomas Pynchon, un de mes héros littéraires de terminale, avait apparemment vécu à Manhattan Beach, dans

01 — "Nous pouvons partager les femmes, nous pouvons partager le vin."
02 — John Wayne Gacy Jr. (1942-1994) est un tueur en série américain.

la redoutée South Bay, à la fin des années 1960, et qu'il avait trouvé l'inspiration dans son abjecte vitalité passée à la Javel, j'ai soudain vu l'affaire sous un autre jour. Cela dit, je déteste le roman qu'a finalement engendré sa quête de South Bay.) La constante nostalgie qui infeste les surfeurs, même les plus jeunes – l'idée selon laquelle c'était mieux hier qu'aujourd'hui, et encore mieux avant-hier –, relève d'une vision dystopique de la Californie du Sud et de cette mégalopole banlieusarde qui, après tout, a été la capitale du surf moderne, le siège et le berceau de la jeune industrie du surf. Nous emportions cette nostalgie partout où nous allions. À Lahaina, l'annonce que cette ville avait été traversée autrefois par un grand fleuve, assez large pour que les baleiniers le remontent et embarquent de l'eau fraîche, avait captivé mon imagination. C'était logique. Si le Puu Kukui était le deuxième site le plus humide du monde, où donc l'eau se déversait-elle ? Elle était détournée à des fins d'irrigation par les sociétés qui cultivaient les champs de canne à sucre dans tout l'ouest de Maui, bien sûr. Ce qui signifiait que la Lahaina contemporaine était sèche, poussiéreuse et anormalement torride.

Quand Becket est venu nous rejoindre, Caryn et moi, épuisés par nos disputes, étions pratiquement au bord du gouffre. Elle avait pris une chambre dans un quartier ouvrier qui allait bientôt être ravagé par le chômage, près d'une vieille raffinerie de sucre de canne, dans le quartier nord de la ville. Lahaina souffrait d'un déséquilibre en matière de parité sexuelle, du moins parmi ses jeunes migrants – il y avait plus de garçons que de filles –, et j'étais persuadé qu'un tas de types, en ville, avaient remarqué que la mignonne brunette haole qui travaillait chez le glacier vivait désormais toute seule. Même Dan, l'insoumis mielleux d'*Either/Or*, commençait à lui faire des avances. J'étais en train d'écrire un poème épique truffé d'images tropicales tempétueuses intitulé "Vivre dans une voiture". J'ai alors changé mon fusil d'épaule pour pondre une nouvelle dans laquelle un coupeur de canne philippin d'Hawaï passe ses meilleures années dans un baraquement non mixte puis tombe amoureux d'une poupée gonflable. Ma propre situation n'était sans doute pas aussi sombre. Mais je n'étais pas heureux.

Caryn, l'évaporée, tenait toujours à m'offrir une planche neuve. J'ai donc jeté mon dévolu sur un shaper du nom de Leslie Potts. C'était le monarque en titre d'Honolua Bay : une espèce de sorcier au cuir tanné et à la voix douce, guitariste de blues-rock à ses heures. J'ai essayé de lui expliquer ce que je voulais – quelque chose de léger, de vif et de rapide – mais ma langue s'est nouée devant lui. De toute façon, ça ne l'intéressait pas. Il m'avait vu surfer Harbor Mouth. Et, il connaissait Honolua sous tous ses angles, humeurs, exigences et suprêmes possibilités. Il allait me confectionner une large planche démodée de 6'10", qui supporterait bien les drops, prendrait des virages secs et filerait comme le vent. Ce n'était ni la forme ni la longueur que j'aurais choisies, mais je me fiais à Potts. C'était le meilleur surfeur de Maui, selon l'avis unanime de la communauté, et on disait que, quand il voulait s'en donner la peine, il pouvait profiler une planche aussi bien qu'il surfait. De manière pour le moins surprenante, il me l'a livrée en temps et en heure. Et elle avait l'air dotée de capacités magiques. Quelque chose, dans la cambrure de son rocker*, semblait rendre tout le reste vivant.

J'ai mieux contrôlé son glaçage*. Mike, le glaceur de Potts, était un binoclard taiseux. Je voulais une seule couche de 170 grammes sur le fond et de 170 plus 110 sur le deck, avec recouvrement du rail. C'était regardé à Maui comme témérairement léger pour une planche destinée à Honolua, ne fût-ce que pour la terrible punition qu'infligeait la falaise aux planches perdues, mais je tenais à compenser son massif volume de mousse. Mike a suivi mes instructions à la lettre. J'avais commandé, pour le deck et les rails, un pigment dense de couleur miel, avec un fond plus clair. Il n'y aurait pas d'autocollants. Potts était strictement *underground*.

Nous allions avec Becket surveiller tous les jours le littoral nord-ouest. L'automne approchait ; le Pacifique nord commençait à se réveiller. D'aucuns affirmaient qu'il n'y avait jamais de houle à Honolua avant l'arrivée des baleines à bosse en novembre. Nous priions pour qu'ils se trompent. Becket s'était pointé à Maui le visage blême – plus pâle que je ne l'avais jamais vu. Il venait de traverser deux années difficiles. Une virée au Mexique avait mal tourné et il avait chopé la dysenterie, ce qui avait mis fin tant à sa carrière de lycéen qu'à celle de basketteur. Plus récemment, une opération des reins l'avait maintenu au lit pendant des mois. Il était maintenant prêt à reprendre du service, m'avait-il promis, mais, de toute évidence, il était encore faiblard. Nous avons surfé dans les environs de Lahaina et il a repris peu à peu des forces. Il montait une petite pintail*, à peine plus longue que lui de quelques centimètres. Il avait adopté un nouveau style, penché en avant et les bras ballants, qui semblait pourtant fonctionner. Était-il en vacances ou comptait-il rester à Hawaï ? Ce n'était pas clair. Il avait mis "quelques shekels à gauche", selon sa propre formulation, et il n'en était pas encore à chercher du boulot. Manifestement, toutefois, les îles lui faisaient un grand bien au moral. Il se baladait sur le front de mer de Lahaina et regardait dans les seaux des pêcheurs, exactement comme à Newport Pier quand il était petit. La ville offrait des yachts et des groupies, deux de ses objets de prédilection – qu'il appréciait en quantité. De manière plus générale, faire rôtir des cochons, jouer de l'ukulélé sur le rythme des chansons de l'Hawaï rural, dont le thème central était la mer, ne pouvaient que séduire un gamin natif de San Onofre qui courait désormais après son diplôme de docteur en déconne. Comme nous tous, Becket fuyait, spirituellement, la Californie du Sud – l'Orange County se développait encore plus vite et de façon encore plus ordurière que L.A. Domenic avait pris l'habitude d'affirmer que Becket finirait par devenir pompier comme son père. De fait, il avait bel et bien hérité des dons d'ébéniste de son paternel, et il en ferait son métier.

Honolua commença à se casser, par petites touches d'abord. Becket et moi surfions trop près de la falaise, écervelés, en nous cramponnant à nos planches d'une poigne de fer. Je commençais à m'habituer à ma nouvelle planche, qui prenait les plus rudes virages sans à-coup. En vérité, elle virait même si sèchement du bottom que, bien souvent, je n'avais pas le temps de changer de rail – de déplacer mon poids du rail intérieur, celui des orteils, pour le porter sur mes talons – et qu'il m'arrivait de passer involontairement par-dessus bord. Ce n'était pas une planche pour les grosses vagues – trop arrondie, trop ovoïde – mais elle était parfaite pour prendre des vagues rapides, spacieuses et puissantes.

Un jour, je suis tombé dans une revue de surf sur un cliché qui m'a retourné. C'était une photo de Glenn Kaulukukui au Pipeline. Je n'avais pas de nouvelles de lui depuis des années et il était là, sous mes yeux, immédiatement reconnaissable à sa silhouette se profilant sur fond de vague scintillante et, manifestement, de gros calibre. On ne voyait pas son expression, mais j'étais certain qu'elle ne trahissait rien de son ironie ni de sa malicieuse ambiguïté. Cette vague était son grand jour. Peu de surfeurs surferaient pareille vague. Personne ne pouvait la prendre à la légère. Cette photo signifiait que Glenn avait grandi, survécu et mûri, et qu'il surfait à présent à très haut niveau. Sa posture, entre les deux mâchoires du Pipeline qui se refermaient, était fière et stylée – digne d'un Aikau. Des années plus tard, j'ai vu un autre cliché de lui dans un autre magazine. Il surfait cette fois Jeffreys Bay, un pointbreak d'Afrique du Sud, et, là encore, on ne distinguait que sa silhouette. C'était une photo superbe, à la composition classique et à la lumière expressive, où de forts vents de l'intérieur creusaient un mur interminable ; en outre, elle revêtait, en filigrane, une épatante signification métaphorique, puisque, pris de profil sur fond de vague en contre-jour, Glenn avait l'air d'un Africain, et qu'on était encore à cette sale époque de l'apartheid. Selon la légende, une équipe hawaïenne comprenant Eddie Aikau était venue à Durban pour un concours de surf et avait été refoulée d'un hôtel réservé aux Blancs. J'ai montré la photo du Pipeline à Caryn, qui l'a longuement étudiée. "Il est beau", a-t-elle fini par dire. Merci.

À un moment donné, en octobre, Honolua a commencé à se casser plus sérieusement. La disposition des vagues était la même qu'au printemps : un long mur extérieur présentant des remous et des sections, puis, tout au bout, le grand bol renversé du principal point de take-off, suivi, tout le long du récif, d'un rugissant train bleu s'enfonçant profondément dans la baie. C'était, encore une fois, une vague sublime, avec dans ses profondeurs de si intenses nuances qu'elles faisaient l'effet d'éditions originales – de couleurs encore jamais vues à l'océan, créées exclusivement pour cette vague et cet instant, et qu'on ne lui reverrait peut-être plus jamais. Surfer avec intelligence Honolua exigerait visiblement de longues études, un apprentissage de plusieurs années. Mais la guilde locale n'acceptait plus de candidatures : le spot disposait déjà d'une coterie de dévots fanatiques hors catégorie. Par les fortes houles, ils venaient de tout Maui et jusque d'Oahu. Les visages sombres étaient plus nombreux dans cette foule qu'aux lineups de Lahaina. Les habitués des spots de la ville n'étaient guère nombreux à s'y montrer l'hiver venu. Le surf y était d'un bien plus haut niveau. Parfois, surtout quand une houle se levait, l'activité dans l'eau prenait une allure aussi frénétique que fervente : d'excellents surfeurs cherchaient, une vague après l'autre, à repousser leurs limites et ils se bousculaient les uns les autres. Une foule coriace. Personne n'y cédait une vague au nouveau venu. J'ai découvert que réussir à prendre les moins violentes tenait plus de l'aptitude à suivre et garder le rythme des sessions et à trouver des failles dans la cohue que de lutter sans fin pour s'y faire une place. Il émanait de toute la scène l'atmosphère d'un sanctuaire sacré envahi par des pèlerins exaltés. Je m'attendais plus ou moins à ce que les gens se mettent à parler des langues inconnues, à ruer des quatre fers et à écumer, ou à voir des singes nous bombarder de goyaves du haut des murs d'un monastère.

Les meilleurs de ces surfeurs étaient stupéfiants. Certains faisaient les gros titres des magazines de surf, d'autres étaient des pointures locales. Je n'ai vu Les Potts dans l'eau qu'une seule fois cet automne. Il surfait une large planche blanche de la même forme que la mienne. Les vagues étaient correctes, le vent léger, la foule très nombreuse, et Potts se tenait à l'écart de la meute près du principal take-off. Il restait à distance, plutôt vers l'intérieur, et se servait d'une sorte de radar marin personnel ultra-sophistiqué pour esquiver les séries, traverser le récif en glissant aux moments les plus improbables et prendre de nombreuses vagues rapides que nul autre ne voyait venir. Son surf était subtil et assuré, et il ne devenait extrême que lorsqu'il voyait arriver le bon moment – ce qui est assez rare –, en exécutant des manœuvres sauvages. Sa connaissance du récif semblait encyclopédique, et il s'efforçait de s'engager dans les rouleaux tournoyants qui déferlaient par-dessus les bancs rocheux les moins profonds. Je l'ai suivi très loin à l'intérieur de la baie pour l'observer. Perchée sur la falaise, la foule habituelle venue assister au spectacle ne pouvait même plus le voir, me suis-je rendu compte. Il avait dépassé la pointe et surfait pratiquement seul.

Ma nouvelle planche fonctionnait bien. À observer Potts, je comprenais mieux ce qu'il avait en tête en la profilant ainsi. Jamais je ne surferais avec une telle précision, mais je me suis aperçu que je pouvais décrire des lignes plus courbes, prendre des virages plus secs, grimper plus haut sous la lèvre de la vague que je ne l'aurais cru possible avec une coureuse de fond comme Honolua. Surfer rudement, tirer le maximum de ma planche et faire en même temps comprendre aux gars du lineup que je n'étais pas venu les regarder surfer. L'évolution sociale jusqu'au sommet de cette caste serait longue. Je savais que je n'arriverais sans doute jamais au premier rang mais je commençais à trouver ma place au sein des seconds couteaux. Certains jours, je réussissais à prendre autant de vagues que les plus grands, et des inconnus m'encourageaient même de la voix à me lancer, à y aller plus fort. Si mon surf avait marqué un palier à mes quinze ans, il empruntait de nouveau une voie ascendante. Sans doute ne surferais-je pas mieux la petite Malibu que quand j'étais encore un grommet*, mais les dimensions d'Honolua Bay, sa vitesse et les satisfactions spirituelles qu'elle m'apportait étaient d'une amplitude bien supérieure à celle de tout autre spot californien que j'avais connu, même Rincon. Les vagues y étaient sans doute bien plus intimidantes, mais aussi plus gratifiantes. Et la fascination obsessionnelle qu'elles exerçaient sur moi était bienvenue, compte tenu de la médiocrité de mon existence lorsque j'étais "à terre".

Caryn avait une aventure avec Mike, le glaceur. Je n'arrivais pas à y croire. Elle m'a prié de l'appeler désormais Michael. Il était plus gentil et intelligent que je ne l'imaginais, m'a-t-elle assuré. Ils se sont même pointés ensemble à Honolua, dans son fourgon marron couleur d'étron. Elle s'est assise en haut de la falaise pendant qu'il ramait vers le large. C'était un jour de grand vent et les vagues étaient grosses – une de ces journées rugissantes et survoltées. J'étais jusque-là d'une humeur égale, l'esprit absent, uniquement disposé à prendre des vagues. Et voilà que je me retrouvais, un peu amer, en train de regarder "Michael" ramer prudemment dans la baie. Une série s'y est engouffrée et il a piqué vers l'horizon. C'était un kook*, me suis-je rendu compte. Un blaireau. Je me suis détendu. J'y suis retourné en me jetant dans la mêlée du grand bol, bien décidé à occuper le devant de la scène. Si Caryn me voyait déchirer sur la planche qu'elle m'avait offerte − ou, tout du moins, surfer de manière compétente −, peut-être reprendrait-elle ses esprits. Peut-être me reviendrait-elle. Après avoir tracé un parcours parfait, que nul dans tout l'ouest de Maui n'aurait pu ignorer, je l'ai cherchée du regard en haut de la falaise. Mais le fourgon couleur merde n'était plus là. D'une manière ou d'une autre, Michael s'était débrouillé pour regagner le rivage en vie. Ça m'a paru à la fois injuste et improbable.

En ville, la mer était d'huile depuis une semaine. Elle était lisse partout. C'était mon jour de congé. Becket avait touché de l'acide. On l'a droppé (c'était le mot étrange dont se servaient les gens pour dire qu'ils prenaient du LSD) avant le lever du jour, puis on a attendu l'aube, autour d'un feu, dans la cour du fond de la pension de Kobatake. Le vieux bonhomme semblait ne jamais dormir. Il tisonnait les flammes avec un pied-de-biche, l'ovale mordoré de son visage se détachant sur la pénombre veloutée de la cour. Il gloussait quand Becket plaisantait sur les coqs qui devaient réveiller sa femme. Peut-être que ce salopard moustachu de proprio n'était-il pas un si mauvais bougre, après tout. Nous avons pris ma bagnole toute fleurie, l'ex-Chasse-Rhino, et mis le cap vers le nord.

Nous projetions de nous balader à la campagne, loin de l'affolement de la ville, jusqu'à ce que le trip prît fin. Passé Kaanapali, nous avons vu les premiers rayons du soleil frapper avec une extrême délicatesse les fortifications crénelées des hautes terres de Molokai, de l'autre côté du bras de mer. Il y avait dans l'air comme un faible halo rougeâtre − dû probablement à des champs de canne en feu, ou bien à des fumerolles volcaniques dérivant depuis la Grande Île. Les gens de Maui appelaient ça la *vog* − entre fog et volcan − néologisme qui nous paraissait si incongru que nous avons ri à gorge déployée. Puis Becket a remarqué à la surface de l'océan, par-delà Napili, un motif bizarre, pareil à du velours côtelé. Cette bizarrerie était en partie de sa faute, a-t-il ajouté, comme tout ce qu'on voyait d'ailleurs ce matin-là ; mais c'était aussi bizarre parce que ce qu'on voyait était parfaitement inattendu : il s'agissait d'une énorme houle venue du nord, qui franchissait l'extrémité occidentale de Maui en faisant bouillonner la mer. On n'en voyait pas trace depuis Lahaina. Je me suis surpris à retenir ma respiration. Impossible de dire si j'étais excité ou effrayé. Je suis passé en mode pilote automatique, conduisant la voiture comme je le faisais chaque fois que j'allais surfer. Elle a rapidement dévalé les petites routes de terre rouge à travers les champs d'ananas, jusqu'aux falaises qui surplombent Honolua.

La houle aurait peut-être dépassé la baie si elle avait été orientée un poil plus à l'est. Mais elle dansait massivement tout autour de la pointe, avec des séries qui allaient se casser là où je n'avais encore jamais vu déferler des vagues ; elle remplissait entièrement d'eaux blanches le côté nord de la baie – l'arène où nous surfions normalement. Il n'y avait personne dans les parages. Je n'ai pas souvenir de longs débats pour savoir si l'on était en état ou non. Nos planches étaient sur le toit de la voiture. Nous étions tous les deux équipés à mort pour surfer de grosses vagues. Nous les avons waxées puis nous avons cherché à repérer le lineup. Pas moyen. Un chaos indiscernable était en train de se former et nous étions désormais en plein trip. Ça montait, comme on disait. À un moment donné, nous avons renoncé et descendu la piste du mieux qu'on le pouvait. Sur la plage étroite, le rugissement était à présent constant et menaçant, à la manière d'un roulement de tambour d'opéra. J'étais persuadé de n'avoir jamais rien entendu de tel. Ce qui me restait de raison me soufflait que cette mauvaise nouvelle en était plutôt une bonne : nous n'y parviendrions jamais. Nous serions repoussés sur le sable, défaits en un clin d'œil par les innombrables murs d'eau blanche qui se liguaient contre nous.

Nous sommes partis de la partie supérieure de la plage, abritée du vent par de gros rochers. Ce n'était sans doute pas l'emplacement le plus raisonnable pour entrer dans l'eau, mais nous tenions à rester aussi éloignés que possible de la falaise qui se dressait à l'autre bout, et dont le flanc orienté vers le rivage s'ornait d'une caverne qui engloutissait corps et planches, même les bons jours et qui, pour l'heure, était pilonnée sans interruption. Nous avons entrepris de péniblement ramer dans un remous qui se formait le long des rochers, et nous nous sommes bientôt retrouvés en train de tournoyer dans le sens contraire des aiguilles d'une montre, telles des fourmis aspirées par une buse de drainage. Jusqu'à ce que nous arrivions dans un vaste champ d'énormes murs d'eau blanche. Luttant pour m'accrocher à ma planche, j'ai perdu Becket de vue. Je ne pensais plus qu'à survivre. J'allais m'efforcer de choper en tourbillonnant le prochain mur d'eau blanche, puis d'atteindre la plage derrière la falaise. Les impératifs devenaient soudain très simples : reste le plus loin possible de la caverne ; ne te noie pas. Mais aucun mur d'eau blanche ne s'est présenté. J'étais emporté de biais à travers la baie, loin de la falaise, et je ramais sur l'épaule de grosses vagues écumantes. Il s'agissait apparemment d'un intervalle entre deux séries. J'ai continué à ramer vers la haute mer. La mauvaise nouvelle avait bien tourné, ce qui en soi était réellement mauvais pour moi. J'allais réussir à être en position pour pouvoir me lancer. Becket allait payer pour ses péchés, il était là lui aussi. Nous avons avancé très loin au large, en plein soleil, en nous heurtant à de fortes houles qui continuaient de se rassembler pour cette fête apocalyptique qui allait se dérouler dans la baie.

Notre conversation, assis tous les deux sur nos planches en plein océan, aurait sans doute paru incohérente à un observateur, si observateur il y avait eu. Pour nous, si détraquée qu'elle fût, elle faisait parfaitement sens. Je me souviens d'avoir brandi vers le ciel deux poignées d'eau de mer et de les avoir laissées ruisseler à la lumière du matin en marmonnant : "Eau ? *Eau* ?" Becket : "Je vois ce que tu veux dire." J'avais probablement pris l'acide six ou huit heures plus tôt, et j'avais d'ordinaire des descentes épouvantables. Au bout d'un moment, le LSD tendait à éveiller en moi une sorte d'intérêt fasciné pour l'infiniment petit, tout ce qui est de l'ordre de la molécule. Ce n'était pas grave tant que cette fascination ne s'écartait pas trop de la perception normale du monde et qu'elle révélait son arbitraire, son hilarante grandiloquence − après tout, c'était bien ce que promettaient les substances psychédéliques, non ? −, mais c'était beaucoup moins drôle quand elle t'enfermait dans ton propre psychodrame, tes angoisses du moment, qui s'en trouvaient encore plus mensongères. Domenic, une fois, avait dû me conduire chez une infirmière amie afin qu'elle me fasse le plein de Thorazine, un antipsychotique, parce que j'avais sombré dans un abîme de culpabilité − une sorte de terrier de lapin à la manière d'*Alice au pays des Merveilles* −, pour avoir déçu mes parents en fumant de l'herbe au lycée. Caryn, citant Walpole, avait l'habitude de dire que la vie est une comédie pour ceux qui réfléchissent et une tragédie pour ceux qui ressentent. Ce qui met très précisément le doigt sur mes problèmes avec le LSD : côté cérébral, c'était géant ; côté affectif, pas terrible.

À l'occasion de cette houle dantesque, le télégraphe des cocotiers a fonctionné plus vite que lors de mes débuts à Honolua, quand avec Domenic nous en avions pris une autre, plus modeste, alors que nous campions sur place et que personne ne s'était pointé de toute la matinée. Cette fois, quand des voitures commencèrent d'apparaître au sommet de la falaise, Becket et moi n'étions sortis de l'eau que depuis peu. Mais personne n'est venu nous rejoindre. Nous devions avoir l'air de ce que nous étions : deux cinglés qui, trop effrayés pour rentrer après avoir commis une erreur magistrale, étaient restés à flotter très loin derrière les grosses vagues. Celles-ci étaient par trop chaotiques pour qu'on tentât le coup. Peut-être s'organiseraient-elles plus tard. Ma frayeur, néanmoins, n'avait pas été de l'espèce ordinaire, de celles où l'on cogite avec frénésie. Elle allait et venait, et mes pensées rebondissaient de l'ionosphère à la troposphère avec d'occasionnels détours, comme poussées par la force de Coriolis, à la surface de la mer qui se gonflait sous nos planches. Je savais que je voulais regagner le rivage, mais je ne parvenais pas à retenir cette pensée très longtemps. J'avais entrepris de me rapprocher de la pointe, avec vaguement en tête l'idée de prendre en marche un train express vert piquant vers la terre ferme. Becket me regardait m'éloigner avec inquiétude, l'air intrigué.

Excusez-moi, j'embrasse le ciel

Ma Potts n'était pas faite pour de telles vagues mais elle me permettait de ramer très vite. Je m'étais bientôt retrouvé face à un large mur vert, qui balayait toute la pointe en déferlant, et quadrillé par les ressacs renvoyés par les falaises, un peu plus haut qu'Honolua. J'étais alors très éloigné de la zone où l'on surfait les bons jours, je le savais même si je n'avais jamais pratiqué moi-même ce spot – j'étais à l'extérieur, par où passaient d'abord les houles qui entraient dans la baie. Une de ces petites vagues du reflux, qui parasitait cette grande et lisse face verte, m'a interpellé. C'était ma porte de sortie. Une sorte de petit tipi d'eau plus sombre se déplaçant latéralement au travers d'un énorme mur de flotte fonçant vers la rive. Il formerait bientôt une poche raide, de l'intérieur de laquelle une petite planche pourrait très vite prendre une grosse vague. Je me suis retourné pour la traquer. Nous nous sommes rencontrés là où je l'avais prévu. Alors que la grosse vague me soulevait de tout son poids, j'ai pris la plus petite, sauté sur mes pieds et dévalé la grande face juste à temps, net et sans bavure. Le paradoxe ne s'arrêtait pas là. Bien que cette vague fût probablement la plus grosse que j'eusse jamais surfé – difficile à évaluer quand on est sous LSD –, je la négociais comme si c'était une petite, en prenant de brusques virages à court rayon, sans beaucoup me préoccuper de ce qui se passait au-delà du nose de ma planche. Je m'investissais entièrement – "en transe" ne serait pas un mot trop fort – dans les sensations que me procuraient ces virages. J'aurais aussi bien pu faire du skateboard à une vitesse sans doute peu commune, alors qu'en réalité je cherchais à rejoindre l'extérieur et le bol du take-off traditionnel en surfant ma vague jusqu'au bout, prouesse dont j'avais entendu parler mais que je n'avais jamais vu exécuter, et je disposais probablement de la bonne vague pour la réaliser. De fait, je suis bel et bien arrivé dans un bol, ou, tout du moins dans un très gros bol non loin du point habituel de take-off, et j'étais toujours debout. En négligeant de faire porter tout le poids de mon corps sur le fond de ma planche, manœuvre qui m'aurait sans doute permis de tracer une belle ligne droite, je n'ai pas pu rejoindre le rivage en filant droit vers lui. À la place, j'ai tranché dans la face de la vague, sous sa lèvre, toujours sans vraiment regarder par-delà mon nose. J'ai été propulsé et ma planche a malencontreusement dérapé sous mes pieds. Alors nous avons valdingué ensemble dans les airs.

Je dois avoir du souffle parce que la vague m'a longuement et méchamment tabassé, mais sans parvenir à me faire paniquer et boire la tasse. J'ai pris sur la tête plusieurs autres vagues qui m'ont enfoncé plus loin sous l'eau, et je me suis senti entraîné vers des eaux moins profondes. Je n'ai pas tardé à être projeté contre les rochers de la falaise qui faisaient face à la côte. J'ai trouvé une prise et je me suis hissé avec difficulté hors de l'eau. Je n'ai poursuivi mon escalade que sur quelques centimètres avant de m'asseoir pour inspecter mes pieds et mes tibias, endoloris et ensanglantés. Une vague m'a balayé de mon perchoir. Incroyable, mais j'ai réitéré la manœuvre sur ce rocher plusieurs vagues plus tard. Je ne parvenais pas, semblait-il, à trouver les prises qui m'auraient permis de grimper plus haut sur la falaise. À ma troisième tentative d'escalade, un gentil monsieur qui était descendu m'aider m'a agrippé par le bras et escorté jusqu'à une position plus élevée. J'étais trop fatigué et désorienté pour parler. Je lui ai fait comprendre par signes que je le remerciais. Poursuivant ma pantomime, je me suis inquiété de ma planche. "Elle est passée dans la caverne", m'a-t-on répondu.

J'ai décidé de faire une sieste. J'ai gravi la falaise, ignoré les regards insistants et retrouvé ma voiture ; je suis monté sur la banquette arrière et me suis allongé. Le sommeil ne voulait pas venir. J'ai sauté de la caisse, de plus en plus déboussolé. J'ai cherché Becket du regard. Il était toujours en mer, tout seul, à mi-chemin de Molokai. J'ai opté pour gagner la zone de la baie la plus profondément enfoncée dans les terres, là où l'océan est toujours calme, pour l'y attendre. Caryn et moi allions souvent y pique-niquer. Depuis la route, il fallait traverser à pied la jungle qui se hérissait au fond de la crique. Mais j'ai quand même préféré conduire. J'ai réussi, je ne sais comment, à faire avancer la vieille bagnole jusqu'à la plage. Elle ne m'a pas paru très sûre. Une rangée de très hauts cocotiers y poussait, et les chutes de noix de coco sont dangereuses. J'ai pataugé dans l'eau jusqu'à la poitrine, mais je sentais encore leur menace peser sur moi. J'ai alors décidé d'aller trouver Caryn chez son glacier, à Kaanapali.

Elle a eu l'air surprise de me voir. Je parlais toujours par signes. Elle a demandé à prendre une pause, m'a entraîné en dehors de la boutique et conduit jusqu'à une petite table ronde. Le soleil du matin semblait concentrer toute sa luminosité dans l'eau de mon verre de sundae. En plongeant le regard dedans, je voyais le Puu Kukui en train de flotter dans le ciel, renversé. Dans ma tête, j'ai dit à Caryn que l'eau d'Honolua Bay n'était plus aussi claire que quand nous nous y plongions en été avec masque et tuba, qu'elle était à présent tout agitée et boueuse. Elle m'a pris la main pour me montrer qu'elle comprenait. Je lui ai certifié, toujours dans ma tête, que nous allions retrouver son père. Elle m'a broyé la main. Puis je me suis rappelé que j'avais laissé Becket en danger et que je n'avais pas retrouvé ma planche. J'ai recouvré ma voix et je lui ai annoncé que je devais y aller. Elle aussi, m'a-t-elle répondu en désignant son lieu de travail d'un coup de menton. "*Hana hana.*

— *Humuhumu.*"

J'ai repris le chemin d'Honolua. Sur le bord de la route, près de l'entrée de Kaanapali, Leslie Potts était en train de faire du stop. Je me suis arrêté. Il portait une planche et une guitare. Je n'aurais jamais cru ça possible. Il a glissé la planche dans la voiture, sur le siège du passager, et s'est assis juste derrière moi. J'ai redémarré. Il a plaqué quelques petits riffs de blues sur sa guitare. Nous avons commencé à voir des lignes se dessiner sur la mer et se diriger vers le sud, poussées par la houle. Potts sifflait tout doucement. Il a fredonné quelques mesures, chantonné quelques paroles. Il avait pour chanter une voix lugubre et voilée, bien adaptée au country blues. "Comment va la planche ?

— Elle est passée dans la caverne.

— Aïe. Elle en est ressortie ?

— J'en sais rien."

Nous en sommes restés là.

De retour à Honolua, j'ai aperçu une dizaine de types dans l'eau et une autre dizaine en train de waxer leur planche. Les vagues semblaient bien mieux organisées que tout à l'heure. Et toujours aussi énormes. Je me suis garé et j'ai dévalé la piste vers la plage. Becket était assis tout en bas sur des rochers, sa planche posée à côté de lui. Il a paru soulagé de me voir – pas furieux d'avoir été abandonné, comme je m'y attendais. Il semblait plutôt décontenancé. Préoccupé. Puis j'ai suivi son regard jusqu'à une planche méconnaissable adossée à des rochers derrière lui. La mienne. Je suis allé la trouver. Le tail était écrasé, la dérive brisée net. Il y avait trop de pets pour qu'on pût les compter. Un pan de fibre de verre pendillait sous le nose. On pourrait tout réparer, a murmuré Becket. Qu'elle ne se fût pas cassée en deux était proprement stupéfiant. Je n'étais pas stupéfié. J'en étais malade. Rien qu'à faire l'inventaire des dégâts, j'avais le tournis. Elle ne serait plus jamais la même. Becket a attiré mon attention sur la lineup, où quelques-uns des héros du coin commençaient le show. La houle tombait et les vagues devenaient encore plus belles. Becket, dont la planche était intacte, est retourné ramer.

J'assistais au spectacle depuis la plage. C'était sans doute la pire des tribunes mais ça me paraissait bienvenu de me retrouver au niveau de l'eau, où le rugissement des vagues me remplissait la tête. D'autres types ramaient vers le large. Les vagues étaient de plus en plus belles. Becket est revenu, pantelant et divaguant. Ces vagues étaient *dingues*. Je l'ai prié de me prêter sa planche. Il m'a laissé la prendre à contre-cœur. Je me suis frayé un chemin à travers les lignes d'eau blanche, content de pouvoir faire autre chose que de regarder. L'eau me semblait beaucoup moins intéressante qu'auparavant, au niveau moléculaire. À présent, je voulais seulement prendre une vague. J'ai rejoint la pointe, où il y avait moins de monde. Il y avait une légère brume – tout ce fracas et ce battage avaient oxygéné l'eau de mer – mais pas de vent, de sorte que la surface de l'océan était lisse, miroitante et d'un gris-blanc éteint, du moins jusqu'à ce qu'une vague ne vînt la briser ; alors des projecteurs turquoise semblaient s'allumer à l'intérieur de la vague et illuminer ses entrailles. J'ai longé le lineup de la pointe sans cesser de ramer, incapable de rester en place. Quand une vague est enfin venue à moi, je l'ai prise. Les projecteurs se sont allumés au milieu de mon premier virage. Je me suis efforcé de regarder droit devant moi, de voir ce que la vague me réservait en bout de course et de planifier mes manœuvres en conséquence, mais je baignais dans une lumière turquoise. J'étais comme pris de l'ivresse des profondeurs. J'ai regardé vers le ciel : un étincelant plafond argenté. J'avais l'impression de surfer un coussin d'air. Puis les lumières se sont éteintes.

Becket a sauvé sa planche avant qu'elle ne heurte la falaise. "Ça suffit", m'a-t-il dit quand je suis remonté poussivement sur le rivage. "Terminé !" Il avait vu ma vague. J'avais disparu à l'intérieur du tube, les bras écartés façon crucifixion, le visage tourné vers le ciel. Je n'avais aucune chance de m'en tirer. Mais j'ai réapparu l'espace d'un instant, a-t-il ajouté, projeté hors du rideau d'eau dans une sorte de saut périlleux désespéré. "Une poupée de chiffon !" C'est l'expression qu'il a utilisée. Je ne me souvenais pas d'avoir été éjecté. Seulement de l'ivresse. Il y avait du speed dans l'acide, m'a-t-il appris. D'où ma témérité. Il est encore ressorti en mer et y est resté des heures durant. Je me suis lentement roulé en boule, les bras autour des genoux. Un poids semblait contraindre mon échine à se courber, mon menton à s'enfoncer dans ma poitrine. Nombre de choses prenaient fin en même temps, m'étais-je dit et, pour une fois, j'avais raison.

Caryn a retrouvé son père. L'année suivante et à San Francisco. Nous avions tous les deux fui Maui pour regagner l'enceinte plus civilisée de la fac. J'étais retourné à Santa Cruz, elle habitait non loin et nous n'étions plus un couple. L'amertume de notre rupture me semblait être un puits sans fond. Je n'étais pas toujours aimable. Elle m'a pourtant appelé quand elle a retrouvé Sam et nous sommes retournés le voir ensemble. Il vivait dans un hôtel de la Sixième Rue — Skid Row. Nous avons dû baratiner pour monter à l'étage. Les couloirs puaient la pisse, la sueur rance, le moisi et le curry. Caryn a frappé à une porte. Pas de réponse. Elle l'a appelé. "Papa ? C'est moi. C'est Caryn." Au bout de plusieurs minutes de silence, Sam est venu ouvrir. Il avait l'air à la fois estomaqué et souffreteux. C'était un petit bonhomme aux cheveux drus et aux yeux tristes. Il n'a ni souri ni tendu les bras à sa fille. Un échiquier de bric et de broc, dessiné sur le flanc d'un sac en papier brun, était posé sur le lit, garni de pièces confectionnées avec des mégots et des capsules de bouteille. Il jouait visiblement contre lui-même. Je les ai laissés. J'ai arpenté les rues sordides bordées d'entrepôts, je suis passé devant des alcoolos qui cuvaient dans des rues étroites. Le Jones Hotel, le Oak Tree Hotel, le Rose. Après le monastère de Maui, tel ne pouvait pas être l'univers de Sam. Plus tard dans la journée, nous sommes tous allés dans une cafétéria froide et humide. Sam et moi avons joué aux échecs. Caryn nous regardait, le visage empreint de tristesse. J'essayais de me souvenir du mouvement des différentes pièces. Sam jouait avec application. Ses rares commentaires étaient bien pesés, cohérents. Personne ne pleurait. Personne ne lançait de piques acerbes. Il y aurait tout le temps pour ça, me suis-je dit. Je ne serais pas là pour le voir. Pourtant, je me demandais ce que Sam, avec sa maladie mentale et tout le reste pouvait bien nous apprendre sur l'âge adulte. Pourquoi, par exemple, cette notion d'âge donnait-elle toujours l'impression de nous échapper, alors même que nous vieillissions ?

À cette question, mes professeurs n'étaient pas toujours d'un grand secours. J'étais un admirateur de Norman O. Brown, affable professeur de lettres classiques à la formidable érudition reconverti dans la philosophie sociale qui prenait à bras-le-corps le travail de nains comme Freud, Marx, Jésus, Nietzsche, Blake et Joyce puis déclarait la victoire de la "folie sacrée", de la "perversité polymorphe" et d'Éros sur Thanatos, tout en menant une tranquille vie de famille dans une maison de style ranch proche du campus. Tout le monde, à l'université de Santa Cruz, l'appelait Nobby ; ce diminutif me restait en travers de la gorge. Brown ne me souhaita pas la bienvenue à mon retour à la fac. Poli comme à son habitude, il se dit déçu de me revoir. À ses yeux, le fait d'avoir quitté la fac pour aller surfer à Hawaï représentait de toute évidence un triomphe sur le refoulement, un suffrage en faveur de Dionysos et de l'érotisme, et un veto contre la civilisation qui, après tout, n'est jamais qu'une névrose de masse. J'ai risqué une petite plaisanterie sur le retour du refoulé et nous nous sommes remis au travail.

Mais, sans Caryn, tout prenait une tournure différente : plus âpre, plus anguleuse. Elle se sentait, à juste titre, abandonnée par son père. Moi, pour des raisons moins aisément identifiables, je me sentais abandonné de tous. Le psychiatre existentialiste R. D. Laing – critique radical, à l'instar de Brown, des idées reçues et enclin, lui aussi, à voir dans la maladie mentale une réponse salutaire à la folie du monde, voire un voyage "chamanique", dépeint dans un de ses premiers livres ce qu'il appelait une personne "ontologiquement sûre". Certainement pas mon cas, ai-je pensé. Je lisais et j'écrivais fiévreusement. Mes journaux intimes étaient bourrés d'angoisse, d'autoflagellations, d'ambition, de laïus rabâchés qui me flattaient l'oreille et de longs extraits, recopiés à la main, des œuvres de mes écrivains préférés. Le surf était l'une des rares choses qui m'apaisaient à coup sûr.

Bryan Di Salvatore, Viti Savaiinaea et moi,
Sla'ilua, Savai'i, Samoa occidentales, 1978

❺

LA QUÊTE

Pacifique Sud, 1978

Appelons ça l'hiver sans fin. L'été fait partie de l'imaginaire populaire du surf. Comme une bonne part de cette imagerie, c'est faux. La majorité des surfeurs, partout dans le monde, au nord et au sud de l'équateur, ne vit que pour l'hiver. C'est à cette saison que se déchaînent les plus grosses tempêtes, d'ordinaire aux latitudes les plus élevées. Il y a bien sûr des exceptions, comme Waikiki et Malibu, elles aussi iconiques, mais, pour les surfeurs, l'été est le plus souvent la saison du marasme. Les cyclones estivaux du nord-est de l'Australie étaient une autre exception, qui m'intéressait depuis longtemps. Mais quand j'ai quitté Los Angeles au début du printemps 1978, avec ma planche, une tente et une pile de cartes nautiques, mille fois étudiées, des atolls polynésiens, c'était l'hiver que je traquais.

Partir ne fut pas facile. J'avais un job que j'aimais, une petite amie. Je travaillais dans les chemins de fer. J'étais serre-frein à la Southern Pacific depuis 1974, sur les trains de marchandises locaux, de Watsonville à Salinas, et les grandes lignes entre San Francisco et Los Angeles. Tout dans ce boulot – les paysages que nous traversions, les gens avec qui je travaillais, le jargon archaïque et ésotérique que nous parlions, les épreuves physiques et mentales qu'il imposait – me plaisait plus que tout. J'avais l'impression d'avoir trouvé chaussure à mon pied, d'avoir enfin chaussé la botte ferrée, solide comme le roc, de l'âge adulte. Pour me faire embaucher, j'avais omis de mentionner mon diplôme de littérature anglaise. Dans la mesure où la majeure partie du trafic de marchandises que nous gérions sur la Coast Road de Californie était d'origine agricole – des produits en provenance de la Salinas Valley –, le travail était saisonnier, surtout pour les cheminots qui, comme moi, n'avaient que peu d'ancienneté. Mes hivers désœuvrés étaient alors consacrés à l'obtention d'autres diplômes, dont la S.P. n'était pas tenue non plus de connaître l'existence. Lors du recrutement de ses cheminots, la compagnie ferroviaire ne se fiait guère aux étudiants diplômés. Elle préférait investir son temps et ses efforts dans le recrutement et l'entraînement de jeunes novices, et les anciens se plaisaient à dire qu'il fallait au moins dix ans d'expérience pour vraiment faire sa part de travail dans une équipe. Elle recherchait donc plutôt des hommes d'une quarantaine d'années. Le boulot de serre-frein pouvait être salissant et dangereux, et, tous droits sortis de la fac, des étudiants risquaient d'opter plus tard pour un métier plus sûr et moins crasseux. Je répugnais à leur donner raison en quittant ce job. J'étais persuadé que je ne retrouverais jamais, par la suite, un travail aussi gratifiant et bien rémunéré.

Mais j'avais cinq mille dollars sur mon compte en banque, de loin la plus grosse somme que j'avais réussi à économiser. J'avais vingt-cinq ans et je n'avais jamais vu les mers du Sud. Il était temps pour moi d'entreprendre un sérieux voyage de surf, une chasse ouverte à la vague. Un tel périple me semblait étrangement nécessaire. J'irais toujours plus à l'ouest, tels Magellan et Francis Drake – c'était ainsi que je voyais la chose. En vérité, si délicat que ce soit, il m'était beaucoup plus facile de tout quitter que de rester. De multiples façons, mon départ me fournissait une excellente excuse pour reporter des décisions tout aussi triviales que terrifiantes ; tel le choix de ce que j'allais faire de ma vie et de l'endroit où j'allais la passer. J'allais m'éclipser du monde ultra-réglementé et étouffant de cette Amérique ravagée par le disco et la crise de l'énergie. Peut-être même deviendrais-je quelqu'un d'autre – quelqu'un de plus à mon goût – aux antipodes.

J'ai prévenu mes parents que j'allais être longtemps absent. Personne n'a rien dit. J'avais pris un aller sans retour pour Guam, avec des escales à Hawaï et aux Îles Carolines. Ma mère, qui m'avait accompagné à l'aéroport, m'a donné sa bénédiction avec une ferveur inhabituelle. "Sois une pierre qui roule", m'a-t-elle conjuré en prenant mon visage dans ses mains et en plongeant fiévreusement son regard dans le mien. Qu'y a-t-elle lu ? Pas une carrière de cheminot – à son plus grand soulagement, j'en suis sûr. Ce job m'avait permis de me stabiliser, il m'avait régulièrement ramené sur la West Coast, mais je restais un incurable romantique, assoiffé d'aventures. J'étais devenu un écrivain prolifique, auteur de romans, de poésies et de critiques, pour la plupart jamais publiés. J'avais bourlingué et habité au gré de ma fantaisie – dans le Montana, en Norvège, à Londres – pendant de brèves périodes. Je n'avais donc pas vraiment, pour filer la métaphore de ma mère, amassé beaucoup de mousse. J'avais aussi vécu avec deux autres femmes. Mais, depuis Caryn, je ne m'étais jamais senti engagé corps et âme.

J'ai pressenti plus tard – beaucoup plus tard – que j'en avais peut-être un peu trop fait dans le registre "pierre qui roule", que j'avais un peu trop suivi ce précepte. Au bout de trois ans d'absence, elle et mon père prirent un avion pour Le Cap, où l'océan Indien engendrait en abondance des houles hivernales et où j'avais trouvé un poste de professeur dans un lycée. Ils sont restés une semaine. Pas une fois ils n'ont suggéré que je devrais envisager de lever le camp pour rentrer aux États-Unis, mais, l'année suivante, ils ont m'envoyé mon frère Kevin, à charge pour lui de me rapatrier. C'est du moins ainsi que j'ai interprété sa visite. Nous avons ensuite remonté ensemble le continent africain vers le nord. Mais je vais un peu vite en besogne.

Il me fallait un partenaire pour explorer les mers du Sud en quête des vagues. Bryan Di Salvatore s'est déclaré client. Un heureux hasard nous avait remis en contact après mon départ de Maui. L'enveloppe du billet de l'Aloha Airlines qui portait au dos l'adresse gribouillée de ses parents avait refait surface à l'occasion d'un de mes déménagements, d'une maison d'étudiants de Santa Cruz à une autre. Je lui avais écrit pour lui demander s'il avait bien reçu l'argent pour l'achat de sa voiture. Il m'avait répondu depuis une adresse au nord de l'Idaho. Oui, le fric était bien arrivé. Nous avons correspondu. Il était routier – conduisait des semi-remorques sur de

longues distances – et il écrivait un roman. Lors d'un voyage
en Californie, où il rendait visite à ses parents, il avait fait
escale à Santa Cruz. Max l'accompagnait. Elle vivait apparemment dans le voisinage, sur la colline de San Jose. Selon
Bryan, son actuel concubin était un réalisateur de films pornos
couronné de succès. C'était exact, a-t-elle confirmé. Elle était
encore plus sardonique et séduisante qu'à Maui, du moins si
une telle chose était possible.

Je les ai amenés à l'embouchure de la San Lorenzo, où le banc
de sable vierge qui s'était formé après les pluies diluviennes de
l'hiver précédent créait une vague merveilleuse, que je fréquentais chaque jour depuis qu'elle existait. Mais, quand j'ai tenté
de décrire à Bryan la disposition des lieux, Max s'est mis à me
couper grossièrement la parole. Elle finissait mes phrases en
imitant, avec une habileté consommée, l'accent nasillard d'un
surfeur excité, et cela en se servant des clichés mêmes qui me
seraient venus à la bouche. "Les faces étaient aussi hautes que
des portes de garage !" "T'aurais pu loger cette camionnette
dans le tube !" Apparemment, elle avait passé sa vie avec des
surfeurs à Maui – ils baisent comme des lapins, disait-elle
avec dédain –, et elle s'attendait à ce que nous, nous ayons
des conversations un peu plus passionnantes. Bryan et moi
avons convenu de parler de surf une autre fois.

Nous l'avons fait, mais nous avons aussi parlé de livres et
d'écriture. Je travaillais moi aussi à un roman. Nous avons
commencé à échanger nos manuscrits. Celui de Bryan parlait
d'un cercle d'amis, lycéens et surfeurs de Montrose, une banlieue de L.A. à l'intérieur des terres. Un passage long d'une
trentaine de pages ne contenait que des paroles échangées en
voiture pendant le trajet entre Montrose et une plage au nord de
Ventura. Ni narration, ni indications scéniques, ni attributions.
Je l'ai trouvé étincelant – le discours profane haché était d'une
choquante exactitude, d'une grande drôlerie et d'une poésie
insidieuse, la direction du récit invisible mais irrésistible. C'était
cela, m'étais-je dit, la nouvelle littérature américaine. Bryan
était de Montrose. Son père était un machiniste qui, soldat
durant la Seconde Guerre mondiale, avait rencontré sa mère
en Europe. Elle était britannique. Bryan avait fait ses études
à Yale grâce à une bourse, y avait décroché un diplôme de

littérature tout en écrivant pour des journaux du campus. Jack Kerouac lui avait dédicacé un livre et, en 1969, il était allé à ses funérailles. Toute cette expérience faisait mon admiration, mais Bryan lui-même, peu impressionnable, l'assumait avec légèreté. Après son diplôme, il avait filé à Maui, où il vivait et surfait avec de vieux copains de Montrose et travaillait comme cuisinier dans un restaurant d'hôtel. Peu de gens à Lahaina, faut-il dire, partageaient ses goûts. Alors qu'ils décoraient leurs planches d'illustrations de Vishnou et de dauphins médiocrement dessinées, lui collait le Marlboro Man sur le deck de la sienne. Il aimait la musique country et le western, le patois américain et il possédait les œuvres complètes de Melville. Enfant de la classe ouvrière, il méprisait l'État-providence. Il ne s'inscrivait même pas au chômage entre deux emplois. Les femmes, en revanche, semblaient toutes attirées. Il avait le cheveu noir frisé, une épaisse moustache, et il émanait de lui une sorte de nonchalante virilité à l'ancienne. Max admettait qu'il était le type même du beau ténébreux. Il était aussi – rajoutons-en – drôle, généreux et volontiers solitaire.

Nous avons surfé pour la première fois ensemble à Santa Cruz quand il a décidé de revenir s'installer sur la côte. C'était un goofy foot*, soit, pour le surf, l'équivalent d'un gaucher. Quand il va vers la droite, le goofy foot montre son revers – tourne le dos à la vague. Quand il va vers la gauche, il est de front – c'est son coup droit. Pour les regular foots* comme nous, qui surfons le pied gauche en avant, c'est l'inverse. Surfer est nettement plus facile de front. J'ai appris de sa bouche, avec surprise, qu'il n'avait jamais surfé Honolua Bay. Non pas parce que la vague est une droite – un bon nombre de goofy foots surfent Honolua –, mais plutôt parce que la foule l'avait dégoûté. Ses amis et lui étaient devenus les piliers d'un spot appelé Rainbows, à quelques kilomètres au nord de Lahaina, que des gens allaient inspecter en cas de houle. Je n'avais jamais surfé Rainbows. Et là, à reparler de Maui, je me suis senti comme un mouton qui, quand il y avait vécu, s'était focalisé sur la plus évidente des vagues possibles – la fameuse Honolua – tout prêt à jouer des coudes dans la grouillante cohue du principal take-off pour s'attribuer une vague, inconscient de la funeste insignifiance d'une telle bataille. Les Potts lui-même, le vieux cador local, avait paru renoncer à cette bagarre, la jugeant manifestement dégradante. À Santa Cruz, ville du surf bondée, nous remontions la côte vers le nord en quête des quelques vagues désertes qu'on pouvait encore trouver.

Nous faisions de longues balades en voiture dès qu'on le pouvait. Lors d'une fête d'étudiants à Santa Cruz, Bryan m'a subitement annoncé qu'il était temps que je fasse la connaissance de Rathdrum, la petite ville de l'Idaho Panhandle où il avait vécu. Et, à la fin de la soirée, nous sommes partis immédiatement pour une virée de dix jours, en faisant des crochets par le Montana et le Colorado afin de rendre visite à quelques-uns de ses anciens camarades de fac. Fidèle à son miteux Idaho, Bryan marmonnait dédaigneusement : "Le Montana bande pour lui-même." C'était vrai. Pourtant nous avons fini tous les deux par nous y installer plus tard – fréquenter la fac de Missoula, y apprendre à skier et, dans mon cas, à boire. Bryan, après avoir décroché sa maîtrise, est allé enseigner l'anglais à l'université de Guam. Mieux connu pour son statut d'avant-poste militaire américain du Pacifique, Guam avait aussi la réputation d'être rasée chaque année par des typhons. Cette affectation convenait donc parfaitement à Bryan, je trouvais – tant par sa ruralité rêche, j'imagine, que par sa pure et simple invraisemblance. On disait également que les vagues y étaient bonnes. Lettres et photos en apportèrent bientôt la confirmation. Bryan surfait à s'en faire exploser la cervelle. Pendant sa deuxième année à Guam, alors que moi-même j'arrivais en fin d'études à Missoula, je lui ai proposé de participer à cette quête de l'Hiver sans fin.

Bryan avait lui aussi mis de l'argent de côté. Il était partant. Moi, j'allais en plus pouvoir explorer les Carolines en chemin. Puis nous mettrions le cap sur le sud.

Peut-être devrions-nous peaufiner notre espagnol, ajouta-t-il.

Je n'en voyais pas la raison. Il n'y a aucun pays hispanophone dans le Pacifique Sud.

C'était tant mieux, selon Bryan. Nous aurions besoin d'une langue que personne d'autre ne comprendrait pour communiquer secrètement dans les situations les plus délicates.

Je lui ai répondu qu'il perdait la boule.

En fait, non. Nous avons fini par parler régulièrement espagnol. C'était notre code secret. Aucun Tongan ne saurait le déchiffrer.

Ma petite amie se prénommait Sharon. Elle avait sept ans de plus que moi et enseignait à l'époque à la fac de Santa Cruz. Nous vivions ensemble depuis quatre ans, par intermittence, et sans doute étions-nous plus profondément attachés l'un à l'autre que nous ne le croyions. C'était une médiéviste, enthousiaste et aventureuse, et la fille du propriétaire d'un magasin de spiritueux de Los Angeles. Son rire, qui allait du grave au suraigu, incitait à la confiance ; elle avait aussi des yeux rieurs, ainsi qu'une sorte de charme éclectique, de vivacité intellectuelle, qui séduisait tout son monde, moi compris. Mais, derrière toutes ces manières et cette assurance de biche gracieuse se cachait une personne tendre et blessée, dont l'agitation était, comme elle-même l'aurait formulé, *brownienne*. Son curriculum vitae était en dents de scie et comportait même un ex-mari au chômage. Nous avions déjà survécu à de longues séparations et aucun de nous deux ne s'était montré particulièrement monogame – elle aimait citer le *"Honey, get it while you can*[01]*"* de Janis Joplin. Nous avions fait le projet de nous retrouver quand elle aurait décroché son doctorat, ce qui n'arriverait pas de sitôt. J'étais indécis, j'imagine, quant à l'attachement que je lui vouais. Mais, s'agissant de ma décision de partir, je ne lui ai pas même laissé l'ombre d'un droit de veto.

J'avais une planche fabriquée sur mesure spécialement pour ce voyage. Une 7'6" en single*. Elle était plus longue, plus épaisse et bien plus lourde que celles que je surfais d'habitude. Mais cette planche de voyage devait avoir une haute ligne de flottaison, me permettre de ramer très vite – nous serions dans un monde peu familier, aux courants et récifs inconnus, et elle devrait pouvoir affronter de grosses et puissantes vagues. Et, par-dessus tout, elle ne devrait pas se briser. Là où nous nous trouverions, il nous serait impossible de remplacer une planche cassée. Je lui ai mis un leash*, ce qui, pour ma part, était une vraie concession. Les leashs étaient sur le marché

01 — "Chéri, prends-le tant que ça t'est possible."

depuis quelques années et, à Santa Cruz, ils avaient tiré une frontière bien distincte entre les puristes, qui croyaient promouvoir un surf à la fois audacieux, brouillon et écervelé, et les premiers aficionados qui, eux, trouvaient que laisser une planche perdue aller se fracasser sur les falaises de spots comme Steamer Lane était une bonne définition de la stupidité. Je faisais partie des puristes et je n'avais encore jamais posé de leash à ma planche. Mais je savais que je ne pouvais pas me permettre de perdre ma planche du Pacifique Sud dans quelque Cloudbreak des Îles Fidji, au risque de ne plus jamais la revoir. J'ai surfé avec pendant quelques mois, avant notre départ, et j'ai adoré sa manière de se comporter à Lane les plus gros jours. Lors d'une session assez folle à Ocean Beach, San Francisco, à la fin de l'hiver, mon leash s'est rompu, me laissant dans d'énormes vagues avec la perspective d'un long trajet à la nage dans l'eau glacée, qui ne s'est d'ailleurs terminé qu'après la tombée de la nuit. J'ai acheté ensuite un leash plus épais, plus deux autres de rechange.

Ma première escale fut Honolulu. Dans mon esprit surexcité, Oahu n'était qu'augures et signes annonciateurs. Domenic y vivait – il réalisait maintenant à plein temps des publicités pour la télévision, en se spécialisant dans le tournage de scènes d'action océaniques subtropicales. Notre amitié n'avait survécu qu'un petit moment après ma rupture avec Caryn, quand ils s'étaient mis tous les deux ensemble. Leur couple n'avait pas duré très longtemps non plus, mais j'avais gardé un souvenir si douloureux de toute cette affaire que j'y avais consacré un roman de mille pages, un apocalyptique poème en prose que j'avais terminé à Londres durant ma vingtième année, et dont j'avais expédié la dernière mouture sur une machine à écrire d'emprunt. (Bryan est sans doute la seule personne à avoir lu ce chef-d'œuvre de jeunesse en son entier.) Depuis, avec Domenic nous avions fait deux voyages entièrement consacrés au surf, dont un dans la Baja California centrale où il m'avait donné l'impression de me filmer sans interruption, de m'encourager sans cesse à parler directement à la caméra pour dire tout ce qui me passait par la tête. Ce fut le chant du cygne de notre prétention au génie – de cette touchante foi en moi, qui selon laquelle j'aurais pu crever l'écran rien qu'en improvisant. J'en étais bien incapable. Y renonçant en faveur d'un emploi rémunéré, Domenic avait remis le projet à plus tard.

Quand nos chemins se sont de nouveau croisés à Oahu, une houle d'arrière-saison s'était levée. Obéissant aux ordres de l'inconscient collectif du surf, comme des chiens au coup de sifflet de leur maître, nous avons tout abandonné pour gagner le North Shore. Entre-temps, j'avais surfé la plupart des célèbres spots de grosses vagues de cette fameuse côte – d'abord Pipeline, à mes dix-neuf ans, peu après cette journée de confusion mentale à Honolua en compagnie de Becket. J'avais connu quelques sessions mémorables, surtout à Sunset Beach. Sunset était-elle aussi impressionnante que Rice Bowl, tel qu'on nous l'avait affirmé quand nous étions jeunes ? Pas vraiment. C'était un vaste champ de vagues, bordé à l'ouest par une déferlante rugissante, avec une époustouflante diversité de pics, oscillant tous dans un sens différent, créant des vagues magnifiques et aussi, régulièrement, quelques moments terrifiants. Pour le visiteur d'un jour, Sunset était incompréhensible.

Avec Domenic, en ce jour de printemps, Sunset était puissante et accessible. Je me sentais plus que jamais en confiance. Sans doute le leash y était-il pour beaucoup ; ma grosse planche épaisse aussi. Puis une série de vagues d'un peu plus de trois mètres venue de l'ouest m'a englouti, mettant sévèrement à l'épreuve le leash et mon assurance. Piégé dans la zone d'impact, réduit à larguer ma planche, contraint de plonger profondément, j'ai pris toutes les vagues sur la tête l'une après l'autre ; je me suis fait cruellement malmener, mais je m'efforçais de garder mon calme. Le leash tirait méchamment sur ma cheville et menaçait de claquer. Au bout d'une demi-douzaine de vagues, j'ai constaté, avec un ravissement douloureux, que ma planche refaisait toujours surface avec moi, même si je n'avais pas eu le temps de la ramener vers moi. Quand j'ai enfin été craché sur les hauts-fonds et, de nouveau sur ma planche, j'avais le tournis et le souffle court. Domenic m'a trouvé assis sur le sable, encore trop épuisé pour parler. L'ordalie fut pour moi comme un baptême. C'était la pire raclée qui m'avait été administrée en quinze ans de surf. Mais je n'avais pas paniqué.

Le second signe fut l'apparition inopinée à Honolulu d'un garçon nommé Russell. Colocataire de Domenic au début des années 1970 – l'époque d'*Hawaï 5-0*. Russell n'était alors qu'un jeune bouseux aux yeux écarquillés, natif d'une petite bourgade sucrière de la Grande Île, mais il avait passé des années en Europe, et surtout à Cambridge, et il y avait gagné un accent british ainsi qu'une grande érudition et un certain cosmopolitisme. Cette transformation ne s'accompagnait d'aucune condescendance – il restait un perpétuel étonné à la voix posée, si ce n'est qu'il avait lu énormément et beaucoup voyagé. Nous avons passé avec Russell deux nuits blanches à parler sans interruption de l'Angleterre, de poésie et de la politique européenne, au terme desquelles je me suis rendu compte que je m'étais montré parfaitement odieux avec Domenic. Je ne lui avais pas laissé placer un mot. Quand je m'en suis fiévreusement ouvert à lui, il en a brutalement convenu. "J'avais envie de rattraper le temps perdu avec Russell, de découvrir où il en était de sa vie sexuelle, m'a-t-il répondu. Peut-être la prochaine fois." Il est vrai que la vie affective de Russell avait aussi pris une nouvelle direction. Il était devenu activement bisexuel. J'avais été trop occupé à échanger avec lui des idées sur le déclin de Sartre et du situationnisme pour songer à aborder ce sujet personnel et pourtant si évident. La patience de Domenic, vis-à-vis de mon érudition et de ma façon d'en faire étalage, a atteint ses limites, me suis-je dit. Il était temps pour moi de décamper pour Samoa et de grandir un peu.

Mais il y eut encore un autre signe. Par un clair matin embaumé, je suis sorti ramer aux Cliffs. Et j'y ai trouvé Glenn Kaulukukui, comme s'il ne les avait jamais quittées. Dix ans s'étaient écoulés mais il a piqué droit sur moi, m'a appelé par mon nom en l'accompagnant d'un joyeux juron, puis m'a tendu la main. Il avait vieilli – les épaules plus lourdes, le cheveu plus court et plus sombre et une moustache – mais la même lueur rieuse brillait dans ses yeux. Roddy, John et lui vivaient maintenant à Kaui, m'a-t-il appris. "On surfe toujours à tout-va." Bien qu'il ne participât pas aux compétitions – il travaillait dans un restaurant – le surf de Roddy s'était sans cesse amélioré, a ajouté Glenn. C'était maintenant le meilleur surfeur de la famille. Glenn, comme les magazines me l'avaient déjà appris, était lui-même devenu un pro, qui participait au circuit et passait chaque hiver sur le North Shore. "Je suis un compétiteur", m'a-t-il seulement dit. Nous avons commencé à prendre les petites vagues lisses et pratiquement désertées des Cliffs et j'ai eu le plaisir de voir Glenn s'arrêter sur la lèvre d'une des miennes et mûrement méditer avant de me lancer : "Hé, tu sais encore surfer !" Son style était sublime, même dans les douces vagues des Cliffs qui nous arrivaient à la poitrine. La vitesse, la puissance et la pureté de ses virages étaient d'un niveau que je n'avais encore jamais vu, à part dans des films. Et il ne donnait absolument pas l'impression de forcer. Il avait l'air de jouer – intensément, respectueusement, allègrement. Le voir surfer ainsi fut pour moi une révélation, une épiphanie. Sur lui, l'idole de mon enfance devenue un homme, mais aussi sur le surf – sa profondeur, ou plutôt la profondeur potentielle de sa pratique constante, toute une vie durant. Je lui ai appris que je partais pour les mers du Sud. Il m'a jeté un long regard étonné et m'a souhaité bonne chance. Nous nous sommes encore serré la main. C'était la dernière fois que je le voyais.

Je n'ai trouvé aucune vague à Pohnpei, petit îlot vert des Carolines, encore sous administration des États-Unis à l'époque, et aujourd'hui partie intégrante de la Fédération indépendante des États de Micronésie. J'ai passé de longues journées de cagnard à battre la broussaille en essayant de trouver des passes rocheuses qui, de manière assez exaspérante, semblaient prometteuses sur mes cartes, mais qui, toutes, étaient trop éloignées du rivage ; le vent soufflait toujours dans la mauvaise direction, la houle était toujours merdique. Je commençais à me demander pourquoi je m'étais bercé d'illusions quant à mes chances de trouver des vagues surfables dans d'aléatoires trous perdus tropicaux. (Il se trouva qu'une droite fantastique fut découverte un peu plus tard au coin nord-ouest de Pohnpei. J'y étais passé à la mauvaise saison.) Entre deux vaines explorations, je lisais *Tristes Tropiques* de Claude Lévi-Strauss, qui a ce joli incipit : "Je hais les voyages et les explorateurs." Sur sa propre profession, le père de l'anthropologie structurale poursuit plus loin en ces termes : "On peut, certes, consacrer six mois de voyage, de privations et d'écœurante lassitude à la collecte (qui prendra quelques jours, parfois quelques heures) d'un mythe inédit, d'une règle de mariage nouvelle, d'une liste complète de noms claniques..." Ces mots, dans mon fétide petit pré carré micronésien de surfeur, me semblaient d'une familiarité de mauvais augure. Trouver une vague médiocre – l'équivalent pour le surf d'une nouvelle règle de mariage –, allait-il exiger de ma part des mois de recherches ardues ?

En parlant d'anthropologie, j'ai découvert à Pohnpei une sorte de syncrétisme de la tradition locale et de la modernité – un thème qui, partout dans le Pacifique, se révélerait incontournable –, quand il s'agissait de s'enivrer. Le soir, les hommes se servaient des coques de noix de coco comme de coupe, pour boire méthodiquement, lentement, au rythme d'un rituel collectif cérémonieux, une sorte de liqueur fermentée indigène, le *sakau* – qui porte un autre nom sur différentes îles, le plus souvent celui de *kava* –, ou alors un alcool d'importation. Qu'il s'agisse de bière ou de spiritueux, l'alcool importé est cher et associé au colonialisme, aux rixes, aux bars, à la débauche générale et à la violence domestique. Je me mêlais en principe au public des buveurs de sakau, même si je trouvais le breuvage infect – visqueux, d'un gris rosâtre, à l'odeur de médicament. Mais il vous engourdissait la bouche et, au bout de huit ou dix coupes, me faisait basculer le cerveau en un sens qui me permettait de comprendre – ou, tout du moins, de croire que je commençais à comprendre – la complexe version du jeu d'échecs local qui était le passe-temps principal de l'île. Le jeu se pratiquait avec des mégots de cigarettes et de petites pièces cylindriques de corail, à une rapidité fulgurante et assorti de moult commentaires marmonnés, parfois en anglais. *"What's this, Christmas ?" "You crazy dude !"*[01] Je n'ai jamais acquis assez d'assurance pour me lancer, mais je suis devenu un observateur passionné. Une mouche du coche.

Nous jouions dans une arrière-cour sous un carbet de chaume délabré, à la lueur d'une ampoule nue jaune fixée à un poteau.

01 — "Qu'est-ce que c'est, Noël ?" "Pauvre cinglé !"

Plongés dans leur coupe de sakau, mes compagnons commençaient à marmonner dans leur barbe, à courber la tête pour laisser choir dans la boue de longs et précautionneux jets de salive blanche. Dans ce décor tout ce qu'il y a de plus romantique, j'ai réussi à rencontrer une fille, Rosita. C'était une jolie adolescente assez coriace de l'atoll de Mokil. Elle prétendait avoir été virée de son école pour avoir poignardé une fille. Mais tout ça n'était pas que pure frime − au moins s'inquiétait-elle avec le plus grand sérieux qu'on la prît en flagrant délit de vol dans mon hôtel. Convoler avec des filles de pays exotiques était une des ambitions secrètes de mon périple qui venait tout juste de commencer, et la jeune Rosita me semblait un début prometteur. (*"What's this, Christmas ?"*[01]) Elle portait des tatouages aux motifs *tapa* traditionnels sur les cuisses, et, sur l'omoplate, un cœur et un rouleau de parchemin qui étaient sans doute une copie du tatouage d'un Marine américain de la Seconde Guerre mondiale. Nos rapports sexuels avaient un côté effroyablement cocasse : je m'efforçais de découvrir ce qui pouvait bien lui plaire, mais rien ne semblait lui procurer du plaisir, du moins tel que je le comprenais. Cela étant, elle a pleuré, dans sa petite jupe verte et son chemisier blanc d'écolière, quand j'ai quitté Pohnpei. J'étais conscient que, s'agissant des femmes, mon désir d'exotisme était d'une affligeante banalité. J'ai mis un bon moment à comprendre qu'il pouvait aussi me coûter cher.

Guam était *"milspeak"* (militarisée), m'avait-on dit − une sorte de raccourci pour : "Oublie tout et masturbe-toi." En vérité, les militaires ne marchaient pas sur vos plates-bandes, mais l'île était d'une fadeur impressionnante. L'héroïne semblait la principale forme de distraction, suivie de près par le shopping, les rixes, le vol (méthode traditionnelle pour nourrir une addiction), la télé, l'incendie volontaire et les boîtes de strip-tease. Nul ne semblait jouir des plages d'une île entourée de mers chaudes et turquoise. Il n'y avait presque pas d'arbres − spectacle désastreux à 13° de latitude nord. Ils avaient été soufflés par les typhons, me disait-on, ou détruits durant la

01 — "Qu'est-ce que c'est, Noël ?"

Seconde Guerre mondiale, suite à quoi l'armée américaine, dans l'espoir de prévenir l'érosion, avait répandu des graines de tangan-tangan par avion sur la plus grande partie des terres de l'île. Le tangan-tangan est une haute et épaisse broussaille incolore. Elle n'est pas originaire du Pacifique, mais n'en a pas moins prospéré sur Guam. Emprunter les routes de l'île revient à rouler entre deux longues murailles de tangan-tangan gris-brun. L'architecture locale était à ras du sol et principalement à base de béton afin de résister aux typhons. Son économie reposait sur un tourisme japonais bas de gamme et la présence militaire prédominante des États-Unis. Quand j'ai dit à Bryan que mon *World Almanac* incluait le copra (la noix de coco séchée) dans la liste des principales exportations de Guam, il a éclaté de rire. "La plupart des Guamaniens prennent 'copra' pour une émission télévisée : *À quelle heure c'est, Copra, déjà ? 20 h 30 ou 21 heures ?*"

Bryan semblait s'éclater. Il avait une petite amie délicieuse et très sérieuse, Diane, institutrice et mère célibataire ; une joyeuse bande de copains avec qui il allait surfer et boire des bières. La plupart semblaient être des professeurs venus de la métropole. Presque tous ses élèves étaient des insulaires – Chamorros autochtones, Philippins et autres Micronésiens –, qui devaient se demander ce qu'ils pouvaient bien faire d'un prof qui portait des bermudas et des chemises à fleurs vintage, les exhortait toute l'année durant à apprécier la magie de la langue et de la littérature, puis, lors de l'examen de fin d'année, leur soumettait un QCM sur le personnage célèbre auquel il ressemblait le plus. Toujours le même : Clint Eastwood.

Durant mon séjour à Guam, le surf ne fut pas bon – la mer était "plate comme une planche à pain", selon les propres mots de Bryan. Aucun des grands spots dont j'avais entendu parler ou dont j'avais vu des photos – Boat Basin, Meritzo – n'a montré ne fût-ce qu'une vaguelette pendant des semaines, et ce, jusqu'à la fin. Pire, Bryan semblait moins que ravi de me voir. Était-il devenu indécis quant à notre projet ? J'ai traîné un moment dans les environs, en attendant qu'il se décide à mettre un terme à sa vie sur Guam. Je bouillais et je passais pas mal de temps tout seul, entre les quatre murs de ciment de son appartement à l'ameublement réduit à l'essentiel, quand lui sortait avec Diane et son fils. J'ai décidé que Diane et moi nous nous livrions à un combat silencieux pour l'âme de Bryan. Elle rentrait avec son fils en Oregon. Quelles étaient les intentions de mon ami ? Il ne s'en est pas confié à moi. Mais il était manifestement en proie à un dilemme. Il subissait aussi une féroce pression de la part de sa mère, qui, de Los Angeles, désapprouvait sa décision de tout lâcher pour aller surfer. Avait-il été à Yale pour devenir une espèce de clochard ? Je ne la connaissais pas, mais elle m'avait toujours paru terrifiante, austère et rigide, vieille Angleterre. Le sens de l'humour pourtant très développé de son blondin de fils américain ne l'avait pas contaminée. J'ai décidé de livrer aussi contre elle un combat silencieux pour l'âme de Bryan.

Et j'ai aussi décidé que le gène de la désapprobation avait été transmis intact à Bryan, de manière subtile mais couronnée de succès, et que je commençais à en éprouver la violence. Tout ce que je faisais semblait l'agacer. J'avais cessé de me raser en quittant la Californie ; il m'a clairement fait comprendre qu'il réprouvait cette barbe broussailleuse. Puis il m'a dit que je devrais peut-être commencer à utiliser du déo. J'ai assez mal pris ce conseil d'ami. Encouragé dans ce sens par des petites amies et l'ère du Verseau dans laquelle nous avions grandi, il m'avait toujours semblé sentir bon naturellement. J'ai fait allusion à cette petite vexation personnelle lors d'une conversation au téléphone avec Sharon, et je m'attendais à un démenti rassurant, quand on ne m'a servi qu'un long silence. Eh bien, a-t-elle fini par dire, il n'a peut-être pas tort. Ainsi, me suis-je dit, j'étais confronté à un complot ? Mon partenaire de surf et ma petite amie avaient décidé, probablement de concert, qu'il était temps de me brider, de dompter l'enfant sauvage, de broyer le libre esprit à l'odeur suave qu'ils avaient naguère adoré. Ils me demanderaient bientôt de porter complet et cravate pour aller travailler dans un bureau.

J'avais manifestement chopé la "guamerde" – infection sérieuse dont débattaient souvent les amis professeurs de Bryan –, mais j'avais l'intelligence de ne pas partager mes plus grandes paranos. À la vérité, Sharon s'était montrée d'une formidable ouverture d'esprit à propos de mon départ pour cette quête interminable. Que je fus immature et têtu (et

Sharon, plus âgée, était des plus avisés sur mon nombrilisme) ne voulait pas dire pour autant que je fusse resté, physiquement, un garçonnet. Mais ils avaient raison : je puais probablement comme un garçon d'étable.

J'avais en chantier un roman qui me tenait occupé pendant ces journées à Guam bonnes pour les chiens. Mes personnages principaux travaillaient tous dans les chemins de fer de Californie, milieu que je connaissais bien, mais la trame du récit déraillait et allait se perdre quelque part sur la côte marocaine. (Après un long hiver en Angleterre, Sharon et moi avions fait un voyage au Maroc.) Bryan avait lu ce que j'avais déjà écrit et il m'avait asséné qu'il s'agissait d'un sacré méli-mélo. Il avait raison. Deux longues conversations plus tard, pointant où je m'étais perdu dans la narration, m'ont finalement convaincu de tout envoyer balader. Les chemins de fer restaient sans doute ce dont je voulais parler, mais il me fallait de nouveaux protagonistes. De tous mes lecteurs, c'était à Bryan que je me fiais le plus. Quant aux doutes que je commençais à nourrir, à propos de sa participation réelle à l'Hiver sans fin, ce n'étaient plus ou moins que les projections de mes propres craintes et appréhensions, ai-je fini par me dire.

Finalement, nous sommes partis. Enfin nous avons essayé. Nous avons acheté deux billets à bas prix pour les Samoa occidentales, sur Air Nauru, ligne aérienne qui se révéla obéir aux caprices du roitelet de Nauru, pays miniature de Micronésie. Le roi a réquisitionné notre avion avant notre départ, alors que nous attendions encore d'embarquer, et le guichetier nous a dit de revenir dans une semaine. J'ai rouspété, à la grande honte de Bryan, et le service clients d'Air Nauru a très vite offert l'hébergement à l'hôtel et des tickets-restaurant à tous les voyageurs de ce vol qui n'avaient pas encore quitté l'aéroport. Nous avons passé une semaine au Hilton de Guam. Les autres réfugiés d'Air Nauru logés gracieusement à l'hôtel n'arrêtaient pas d'essayer de me payer des coups pour me récompenser de ma gueulante. Bryan, lui, trouvait que l'incident illustrait parfaitement ce qui nous séparait, si ce n'est que la morale de l'histoire changeait chaque fois qu'il la racontait : tantôt en mettant l'accent sur sa propre passivité, tantôt sur mon sale caractère. Nous nous sommes pris en photo pour nos parents au pays : avec une lumière affreuse, dans la chambre d'hôtel, en équilibre instable sur nos planches, façon Frankie Avalon. Admirez ça, vous tous : voici la première étape de notre tour du monde du surf. Bryan et Diane ont encore passé huit jours ensemble, puis nous sommes réellement partis.

Au bout de quelques semaines, nous avions déjà l'impression d'avoir sillonné le Pacifique Sud la moitié de notre vie durant. Nous nous déplacions en bus, en camion, en ferry, en canoë, cargo, bateau à moteur, petit avion, yacht, taxi, voire à dos de cheval. Nous marchions. Nous faisions du stop. Nous ramions. Nous nagions. Nous remarchions. Nous nous penchions sur les cartes nautiques et marines en nous efforçant de repérer les récifs distants, les chenaux, les caps, les embouchures des rivières. Nous escaladions des pistes envahies par les broussailles, des promontoires rocheux et des cocotiers pour disposer de possibles postes d'observation, et nous nous retrouvions fréquemment déconfits, bloqués par la jungle, une carte fausse, une route encore plus mauvaise, le marécage d'une mangrove, un courant océanique ou le kava. Des pêcheurs nous apportaient leur aide. Des villageois nous hébergeaient. Les gens nous reluquaient, leur faux figée à mi-geste, quand nous traversions leurs champs de taro pour nous enfoncer dans les profondeurs des bois, une étrange planche sous le bras. Des enfants semblaient tout le temps nous suivre en hurlant : *"Palagi ! Palagi !"* (Des Blancs ! Des Blancs !) L'intimité ne tarda pas à devenir un souvenir estompé, un des luxes américains auxquels nous avions renoncé. Nous étions des bêtes curieuses, des émissaires, un objet d'amusement. Personne ne comprenait ce que nous cherchions.

Nous regrettions de n'avoir pas emporté au moins un magazine de surf. Les livres de poche imbibés de pluie au fond de nos sacs à dos ne nous étaient visuellement d'aucun secours. (Tolstoï ne surfait pas.)

Dans les Samoa occidentales, près de la côte sud d'Upolu, la plus grande île, nous avons découvert et surfé une droite puissante mais versatile. Je lui trouvais moi-même un grand potentiel, sauf qu'elle était vulnérable aux alizés du sud-est, qui soufflaient presque tous les jours et la sabotaient. Bryan a baptisé le spot Mach Two, d'après la vitesse de son drop. Elle présentait d'effroyables, imprévisibles séries bouillonnantes, un récif à fleur d'eau, et elle se cassait à quelque huit cents mètres du rivage ; je n'en étais que davantage ravi d'avoir emporté une planche qui me permettait de ramer très vite. Nous avons préféré ne pas pousser plus loin l'exploration de cette vague et décidé d'aller jusqu'à Savai'i, l'île suivante, en direction de l'ouest. Nous y avons trouvé une côte où les vents étaient moins forts, et une gauche qui se cassait devant un village du nom de Sala'ilua.

Durant l'hiver austral, le défi était relativement simple. De grosses houles arrivaient du sud, en provenance des tempêtes des Quarantièmes rugissants ou de latitudes encore plus hautes, sous la Nouvelle-Zélande, et les alizés dominants soufflaient dans la même direction. Pour le surf, rien de fantastique. Les vents de terre perturbaient les vagues – les déchiraient, les faisaient s'effondrer et saturaient le lineup de clapotis. Nous cherchions donc des sites où les houles du sud s'incurvaient ou s'enroulaient autour d'un récif ou d'un rivage pour virer ensuite vers l'est ou l'ouest – plus vraisemblablement vers l'est, puisque les alizés soufflaient du sud-est –, jusqu'à se heurter au vent dominant. Les vents de terre, au contraire – j'espère m'être bien fait comprendre –, forgent des vagues en majesté. Ils les caressent, les flattent, les maintiennent debout, les empêchent de se casser le temps d'un crucial battement d'œil, les creusent davantage quand elles s'y résolvent et ne créent que peu ou pas de vaguelettes. Mais les houles perdent en puissance et se réduisent en bifurquant. Un littoral escarpé où souffle un vent excentrique peut sans doute modifier le schéma général, mais, fondamentalement, nous cherchions des récifs parfaitement orientés pour détourner les houles du sud vers les alizés sans pour autant les moucher. Si de tels récifs existaient ailleurs que dans nos rêves ou dans la théorie, ils devaient en outre, pour satisfaire à nos besoins, s'assortir de chenaux en eaux profondes, eux aussi orientés exactement dans le bon sens, afin que les vagues, en se drossant sur les récifs, présentent au moins une épaule surfable et nous laissent ensuite la place de regagner le lineup en ramant. C'était placer la barre très haut.

La gauche de Savai'i concordait mais restait quelconque. Nous l'avons baptisée Uo, "amie" en samoan. Les alizés lui fichaient la paix la plupart du temps, même l'après-midi. Malheureusement, le plus gros des houles du sud passait aussi devant la petite baie où nous pratiquions et nous larguait quotidiennement des vagues, mais aucune n'avait beaucoup de jus. Les meilleurs jours, elles nous arrivaient à la tête. Uo bénéficiait d'une configuration prometteuse, avec un point de take-off fiable et un long mur d'eau. Mais presque chaque vague était gâchée par une section latérale contraire très rapide, qui venait se casser juste devant son *hook* (la partie la plus raide), de sorte que la plupart de nos essais se soldaient par des échecs. Elle se faisait encore plus rapide à marée basse, à tel point qu'entrer dans l'eau ou en ressortir prenait une assez vilaine tournure. Un banc de lave couvert de rochers ronds et glissants, gros comme des jambons, était à découvert, offrant, depuis le rivage, des scènes hilarantes de glissades et autres dérapages, accompagnés de jurons et de chevilles tordues – autant de contorsions destinées à nous éviter d'esquinter nos planches en nous ramassant. Celles-ci produisaient un bruyant son creux quand elles heurtaient les rochers. Pire, un appentis perché sur des pilotis branlants se dressait au-dessus du lagon à l'ouest du break et, à marée basse, sa puanteur se faisait encore plus marquante. Bryan trouvait que ces latrines feraient un excellent logo pour une campagne de prévention de la typhoïde. Des infections fleurissaient dans les écorchures et les estafilades qu'accumulaient nos tendres pieds blancs.

Étions-nous les premiers à surfer ce spot ? Peut-être. Sur cette grande île, d'environ cinquante kilomètres sur quarante ? Sans doute pas. Nous n'avions aucun moyen de le savoir. C'était probablement en raison de la difficulté – de l'improbabilité – qu'il y avait à trouver de bonnes vagues sur les côtes négligées par les surfeurs que Glenn Kaulukukui m'avait adressé ce regard inquisiteur quand je lui avais exposé notre projet. Mais Bryan et moi étions désormais trop occupés à tenter d'élucider les énigmes et les idiosyncrasies d'Uo. Surfer un spot connu, balisé, avec des locaux qui vous montrent – ne serait-ce que par leur exemple – d'où l'on doit partir et à quoi il faut s'attendre, est une entreprise totalement différente. Là, nous devions tout inventer nous-mêmes ; tenter tout d'abord d'identifier puis de comprendre, en tâtonnant, les nouveaux breaks. Quand on relevait des yeux des nombreuses bizarreries du récif et qu'on y réfléchissait, surfer dans un si splendide isolement était exaltant.

Et il y eut, Dieu merci, deux sessions à marée haute où la section terminale scélérate s'apaisa et où Uo fut à son plein potentiel. L'une d'elles intervint à la fin d'une journée pluvieuse, quand le vent, à la faveur de quelque mansuétude météorologique locale, revint en contournant les montagnes et se mit à souffler de la terre. Les nuages étaient bas et sombres, l'eau d'un gris terne. Bryan a déclaré que, sans les palmiers qui faseyaient dans la pénombre et la température ambiante, on se serait cru au nord-ouest de l'Irlande. Il était de face – un goofy foot allant vers la droite –, et il venait d'enchaîner une série de longs rides rapides en filant une ligne directe et nette à travers la section où se fermait la vague. Les vagues nous arrivaient à l'épaule et continuaient de forcir. Le vent conférait aux séries en approche un aspect encore plus dramatique et coloriait les faces des vagues, au moment où elles se cassaient, d'une faible lumière bleu clair. Nous avons surfé jusqu'à ce qu'il fasse nuit puis nous avons regagné l'intérieur de Sala'ilua sous une douce et tiède pluie battante.

Il n'y avait pas d'hôtel au village (ni d'ailleurs dans toute l'île, autant que nous le sachions). Nous logions chez les Savaiinaea, une famille qui disposait de plusieurs *fales* – ces maisons traditionnelles au toit de chaume et aux murs ouverts mitoyens. Séjourner chez l'habitant restait une entreprise délicate. Nous étions apparus un après-midi à Sala'ilua, après un long trajet à l'arrière d'un camion à benne. Tapissé d'un lit de vieilles sandales en caoutchouc recyclées en rembourrage, il se doublait d'un bus à ciel ouvert. Nos planches étaient coincées entre des paniers de taro et de poisson. Il nous a jeté près d'un terrain de cricket jonché de noix de coco encore vertes, exposées là pour sécher au soleil. Le village était propre, avec tous ses toits de chaume et ses arbres à pain bien espacés, et très tranquille. Intimidant. Nous ne pouvions pas encore voir les vagues. Nous avions une lettre d'introduction auprès des Savaiinaea, écrite par un cousin à eux que nous avions rencontré à Apia, la capitale. Nous avons entendu crier des enfants puis nous les avons vus s'agglutiner à prudente distance. En fin de compte, un jeune vêtu d'un *lavalava*[01] noir s'est approché. Nous lui avons raconté notre aventure à voix basse et il nous a conduits à Sina Savaiinaea. Celle-ci était une belle femme d'une trentaine d'années. Elle a lu notre lettre sans tenir compte de la foule en haleine qui se rassemblait autour de nous, jeté un regard aux longs sacs peu ragoûtants que nous tenions sous le bras — ils contenaient nos planches —, mais n'a pas hésité une seconde : "Vous êtes les bienvenus", a-t-elle affirmé en dévoilant un sourire électrisant.

Sina, Tupuga, son mari, et leurs trois filles nous ont submergés d'une hospitalité presque gênante. Repas fastueux et tasses de thé à l'envi. Nos tee-shirts tachés de sueur disparaissaient brusquement et réapparaissaient le lendemain matin lavés et repassés. Bryan, qui était fumeur, affirmait que les cendriers étaient vidés au moins dix fois par jour. Nous cherchions à nous conformer aux quelques rudimentaires usages locales que nous avions pu observer — ne jamais s'asseoir le pied pointé vers quelqu'un, ne jamais refuser ce qu'on vous offre, accueillir chaque invité d'une poignée de main et d'un *"Talofa"*. Mais pas moyen de nous soustraire à notre rôle d'hôtes privilégiés et dorlotés, ignorants de tout. Nous dormions même derrière les moustiquaires que nous avions emportées, tels de petits cheikhs avec leurs sacs à dos. Les conversations étaient d'un cosmopolitisme surprenant. Tous les hommes adultes de Sala'ilua semblaient avoir voyagé et travaillé dans le monde entier — Nouvelle-Zélande, Europe, États-Unis. (La diaspora des Samoans est très vaste pour l'étendue de leurs îles ; on affirme qu'il y a plus de Samoans outre-mer qu'au pays.) Un *matai* (ou chef de village) était allé aux Nations Unies. Un type qui portait un blouson en jean avec un grand drapeau américain sur le dos avait même fait le pèlerinage à Lourdes.

Pourtant, Sava'i donnait l'impression d'un monde en soi, d'un univers complet, hors du temps. Il n'y avait pas la télévision.

01 — Un simple rectangle de tissu porté à la taille.

Je n'y ai jamais vu un téléphone. (Portables et Internet atten-
draient encore de nombreuses années.) On trouvait des marchandises d'importation – la plupart du temps d'origine chinoise –,
dans les petites boutiques de fortune : pelles, torches, cigarettes
Golden Deer, transistors Long March. Mais le système D organisait largement la vie quotidienne. Les gens travaillaient la
terre, pêchaient et chassaient pour se nourrir. Ils construisaient
eux-mêmes leurs maisons et leurs bateaux, fabriquaient leurs
filets, leurs nattes, leurs paniers, leurs éventails. Ils impro-
visaient sans arrêt. J'étais aux anges. J'avais quitté les États-
Unis avec l'ambition ignare de voir le monde avant qu'il ne
ressemble tout entier à Los Angeles. Ça ne risquait pas de se
produire, bien sûr, mais, à côtoyer la Polynésie rurale, le vague
mécontentement que m'inspirait déjà la civilisation industrielle
prenait brusquement une allure plus aiguë.

Vu sous un certain jour, tout, aux Samoa – l'océan, la forêt,
les gens –, semblait se parer d'une noble aura. Rien à voir avec
les plages parfaites ni avec les cabanes au toit de chaume des
photos, ces représentations galvaudées du paradis, ni non plus
avec les rêves de mes vieux livres d'enfant – l'époque de *Umi
et ses frères* était loin derrière moi. Je ne nourrissais pas non
plus de fantasmes sur les vahinés aux seins nus, ni d'ailleurs
aucun autre qui méritât que j'en parle. Je doutais également,
après avoir longuement observé les ados samoans que nous
rencontrions, qu'on ne pût pas connaître ici une adolescence
névrosée – mes plus plates excuses à Margaret Mead. (Déçu
par Tahiti pour cette même raison, Gauguin admit être arrivé
un siècle trop tard.) Non, les Samoa étaient profondément
christianisées et alphabétisées. La pop culture mondiale s'y
épanouissait avec la même virulence. Chaque marmot semblait
se prendre pour Bruce Lee. Le tube incontournable de l'année
était l'interprétation par Boney M de "Rivers of Babylon". Ce
qui me ravissait, c'était surtout que les gens puissent être encore
si proches de la terre et de la mer, et vivre d'une manière
aussi communautaire. À mes yeux d'Occidental, ils étaient
le parangon d'une gracieuse compétence et d'une intégrité
purement imaginaires.

Viti, le frère de Sina, était un petit type bien bâti approchant
de la quarantaine. Il avait les cheveux en épis, de longs favoris,

un sourire timide, et faisait preuve d'une modestie qui aurait presque dissimulé son esprit vif et son ingéniosité tranquille. Il avait vécu en Nouvelle-Zélande, où il avait travaillé, nous a-t-il appris, pour la Halby Corned Beef Factory, la Bycroft Biscuit Factory et la New Zealand Milk & Butter Factory. Il envoyait sans doute de l'argent au pays, mais il était plus heureux ici, a-t-il ajouté. "Là-bas, il faut porter un cardigan et on voit la vapeur te sortir de la bouche quand tu attends le bus pour te rendre au boulot." Chaque matin où nous étions dans le secteur, Viti passait la ligne de l'horizon dans une pirogue à balancier de sa confection, qu'il avait, selon Sina, creusée à la main en moins d'une semaine dans un *fetau* qu'il avait également abattu tout seul. L'après-midi, Viti rapportait au village de pleines barques de bonites. La nuit, à marée basse, il sortait sur le récif avec un lamparo et éperonnait le poisson *au couteau* ! Quand il avait besoin de liquide, il escaladait la montagne derrière Sala'ilua jusqu'à la plantation de copra familiale et en redescendait une benne au marché. (Les Samoa, contrairement à Guam, exportaient réellement le copra.) Quand il trouvait un cochon sauvage dans son taro, il le chassait.

J'ai essayé une fois, auprès de Viti, la chasse au cochon. Bryan, lui et moi étions assis dans une petite *fale*[01] de la jungle proche du village, à boire de la bière de confection locale dans une vieille bouteille de gin.

"Je prends une torche et un fusil, j'emmène quelques chiens pour flairer sa piste puis je l'attends sous le vent", a-t-il répondu.

C'était au crépuscule. La bière était sucrée, un peu comme du cidre, mais aussi forte que du scotch.

"Je dois parfois le traquer à travers les broussailles. Il n'arrête pas de grimper et de redescendre la montagne." Viti s'est esclaffé puis s'est imité lui-même en train de se frayer un chemin dans la jungle.

"La nuit tombe. Alors, une fois que je l'ai tué, je dois attendre à côté de lui jusqu'à l'aube. Je ne porte que mon lavalava. Je m'en couvre la tête mais les moustiques sont mauvais. Féroces. Il pleut. Je prends froid. Les autres cochons déboulent et tous attendent autour de moi parce que j'ai tué leur frère.

01 — Mot polynésien pour tous types de construction, petite ou grande maison.

Les chiens n'arrêtent pas d'aboyer. Le cochon doit bien peser son quintal. Je le tranche en deux. Le matin venu, je trouve un long bâton pour le transporter, une moitié à chaque bout. Mais il peut être loin de la route. Très loin. Tu aimerais aller chasser le cochon ?"

Je m'étais dit que ça plairait sûrement aussi à Bryan. Nous avons bu une autre tournée de la bière de Viti.

Maintenant, Viti souhaitait entendre de la musique. "Chantez-nous une chanson de votre pays."

Bryan lui a obligeamment servi un couplet d'Hank Williams *a cappella* :

I got a hot rod Ford and a two-dollars bill
And I know a spot just over the hill[01]

Le public − une bande de gosses en train de moudre des fèves de cacao près de la *fale* − est devenu dingue. Ils se sont mis à ululer, à claquer des mains et à se tordre de rire. La voix de Bryan vibrait joyeusement dans la jungle. Viti souriait jusqu'aux oreilles. Puis ç'a été mon tour.

Mais, à point nommé, deux longs et lugubres appels de conque sont venus à ma rescousse. "Couvre-feu, ai-je déclaré. Ni surf, ni chant."

Ces couvre-feux intervenaient deux fois par jour. Ils duraient moins d'une heure et les gens les prenaient très au sérieux. Nul ne marchait ni ne travaillait tant qu'une autre conque ou la cloche de l'église n'avaient pas sonné. Nous avions entendu différentes explications − l'activité cessait par déférence pour les chefs ou pour un moment de prière −, mais le message qu'elle colportait, touchant à la vitalité de la *Fa'a Samoa* (la voie de la tradition samoane), était limpide. Le dimanche, le couvre-feu était en vigueur toute la journée. À quelque deux reprises, quand le surf paraissait prometteur, j'avais eu le plus grand mal à accepter ce tabou. Nous pouvions assurément nous faufiler en catimini pour quelques rides sans offenser personne.

Bryan prenait un plaisir étrange à me sermonner pour ces propositions impies : "Tu te prends pour un *iconoclaste* ?"

01 — "J'ai une vieille Ford et un billet de deux dollars/ Et je connais un coin juste derrière la colline."

Non. Absolument pas. J'aspirais seulement à d'autres vagues. Deux autres appels de conque sont parvenus à travers bois. À mon tour de chanter. J'ai fermé les yeux et, sans préméditation, j'ai tiré du plus profond de ma mémoire les cinq couplets de la chanson du bouffon dans *La Nuit des Rois*. C'était un choix curieux et je chantais certainement faux, mais je me suis lancé dans de plaintives répétitions philosophiques (*"Car il pleut de la pluie tous les jours"*), des commentaires cinglants sur le mariage (*"Jamais dissipation ne put me réuuuussir"*), et les bruyants applaudissements qui ont suivi m'ont paru sincères.

Sala'ilua avait une autre vague. Elle se cassait à l'est d'un réservoir à demi effondré sur le front de mer. Nous avons consacré beaucoup de temps à l'étudier. C'était une gauche rapide comme une balle de revolver, à la fois longue et creuse, et le vent dominant qui la soulevait, de façon assez remarquable, soufflait presque directement de la terre. La chaîne de montagnes escarpées qui se dressait derrière le village détournait apparemment les alizés vers l'ouest, tandis qu'un canyon orienté vers la mer se liguait avec un banc de récifs brisés pour pousser les houles vers le vent. Le résultat était une vague sublime mais dangereuse, probablement trop rapide et superficielle pour qu'on pût la surfer. Elle se cassait au-dessous du niveau de la mer, dans un bref mais profond réservoir qu'elle avait elle-même creusé. Néanmoins, elle s'améliorait quand le ressac forcissait – du moins suffisamment pour laisser croire qu'on pouvait la prendre sans s'appuyer d'invraisemblables accélérations dans des sections ridiculement rapides. Je m'étais avancé sur le banc de récifs, à marée basse, pour l'étudier de plus près. Le lagon était infesté d'oursins et de dangers artificiels – pièges à crabes ou à poissons, lignes transparentes tendues entre des poteaux. Les séries turquoise rugissantes s'enchaînaient, rebroussées par le vent. Les plus grosses vagues se cassaient peut-être à cinq pas des rochers. Non. Hon-hon. Nous avons baptisé le spot Almost – Presque.

Par comparaison, Uo était faible et bâclée – une nouvelle règle de mariage de plus.

Le dernier soir de notre séjour à Sala'ilua, Sina a donné une fête en notre honneur. Nous avions très bien mangé toute la semaine – poisson frais, poulet, noix de coco, palourdes, soupe de papaye, ignames, ainsi qu'une bonne douzaine de variations sur le taro (aux épinards, à la banane, au lait de coco). Venaient à présent saucisses de porc et pain de banane avec glaçage, préparés sur un foyer à ciel ouvert. Puis une sorte de délikatessen noir et vert, au goût prononcé, venue du fond de la mer – le nom m'a échappé – qui a titillé d'assez embarrassante façon mon réflexe pharyngé. Bryan et moi avons fait un discours de remerciement qui venait du fond du cœur, puis nous avons remis nos cadeaux – un plat en verre pour Sina, des ballons pour les enfants, des chopes à bière pour Viti, des cigarettes pour le père de Sina, un peigne en écaille de tortue pour sa mère.

Le bus traversait le village à quatre heures du matin. Sina est venue nous réveiller, elle nous a servi café et biscuits, et, tout comme Viti, sa femme et un de leurs enfants, elle est allée l'attendre avec nous au bord de la route. Le ciel était nuageux, avec quelques rares étoiles. Une chauve-souris fructivore a volé très bas au-dessus de nos têtes, précédée par le *flap-flap* reconnaissable de ses ailes de cuir. La Croix du sud scintillait. Le bus est arrivé ; une petite musique argentine se déversait par la portière ouverte. Un garçon qui voyageait sur le toit y a hissé nos planches sans nous adresser la parole.

Nous avons rencontré notre lot de types étranges aux Samoa. Un jeune homme du nom de Tia nous a conduits à une plage perdue où il n'y avait aucune vague. En guise de prix de consolation, il nous a narré tout un tas de récits très élaborés sur chaque crique, promontoire rocheux ou récif que nous croisions sur notre route. Là, il y a eu des fratricides, des parricides, ou là une caste de démons christianisés vit encore. Ici s'est produit un suicide collectif – un village entier qui s'est auto-sacrifié. J'étais impressionné. Chaque rocher du littoral semblait s'être fait une place dans une forme de littérature sacrée. Puis Tia a ajouté : "Revenez dans trois ans et cette plage sera très chouette, parce que j'ai des sous à la banque de Nouvelle-Zélande et que je vais acheter de la dynamite pour l'embellir."

La quête

Nous sommes tombés sur un pasteur presbytérien et son épouse : Lee et Margaret. Ils arrivaient de Nouvelle-Zélande, venaient de passer neuf ans au Nigeria et vivaient à présent derrière une église d'Apia avec leurs trois enfants en bas âge. Lee tenait absolument à tout nous faire visiter. Il arborait un short rouge moulant, un grand dentier grisâtre, une profonde fossette au menton, des lunettes aux verres épais et une stupéfiante profusion de poils. Il ne connaissait pas grand-chose à la culture Samoa, en réalité, et l'intérêt qu'il nous portait n'a pas tardé à s'estomper. Margaret, en revanche, avait pris le relais et elle n'arrêtait pas de nous inviter chez eux ou à des sorties. Lee avait un ami du nom de Valo. Jeune et d'allure virile, Valo s'était fait tatouer LOVE ME TENDER sur un biceps. Lee regardait constamment Valo, comme en extase, et, quand il n'était pas là, n'arrêtait pas de parler de lui. Avec nostalgie, à la plage : "Valo et moi, on pourrait venir ici et trouver un recoin où personne ne pourrait nous voir." Je me sentais triste pour Margaret, qui était gentille mais pas très gâtée par la nature. Quand Lee lui parlait sèchement ou se moquait d'elle, elle se contentait d'écarquiller les yeux derrière ses lunettes, comme une petite fille, avant de nous sourire. Valo avait expliqué à Bryan que la marque de cigarettes Rothman's était sa préférée parce qu'un message caché se dissimulait dans ce nom : "*Right On, Tom, Hold My Ass, Now Shoot*" – vas-y, Tom, tiens-moi bien le cul et balance la purée ! Quand le pique-nique suivant menaça, Bryan et moi dûmes nous concerter en espagnol pour trouver une excuse.

Nous logions à la lisière d'Apia dans un établissement à l'enseigne du "Paradis de l'Amusement". C'était en partie un motel, pourvu de quelques modestes bungalows, mais surtout la boîte de nuit du coin, au nom très approprié, tenue par Sala Suivai, un parlementaire obèse. Il y avait une sorte d'amphithéâtre à l'extérieur, avec des rangées de tribunes incurvées devant la scène. On y diffusait un film certains soirs. Des orchestres de bal y jouaient le week-end. On y a même dressé une fois un ring de boxe, et un public frivole a regardé des scientifiques locaux y débattre. Personne ne nous prêtait beaucoup d'attention – ces *palagis* aux pieds bandés et aux cartes nautiques étalées sur les tables près du comptoir étaient ignorés. Et, par sa seule politesse, cette indifférence nous changeait agréablement de ce que nous avions vécu ces derniers temps.

Trouver des vagues surfables à l'aide de cartes nautiques est au mieux un coup de chance. Nous cherchions des littoraux insulaires orientés plein sud qui n'étaient pas "parasités" par une barrière de corail ou une terre un peu plus australes ; des pointes, des baies ou des passes entre les récifs où le sondage d'une eau peu profonde signalerait un dénivellement brutal au bout d'une ou deux brasses, où les houles des eaux profondes passeraient brusquement dans la zone où viendraient se casser les vagues, gagnant ainsi en puissance tout en se creusant davantage. L'orientation d'une plage ou d'un banc de récif prometteurs était critique. La ligne approximative le long de laquelle on pouvait s'attendre à voir se casser les vagues devait s'écarter de la haute mer en oblique, voire en courbe, en direction du sud, de façon à leur laisser une chance de se recourber, de se dérouler et de se tourner au vent. Nous cherchions des canyons côtiers qui capteraient les houles à long intervalle et dont les parois forceraient les vagues à refluer dans une eau moins profonde. Il nous fallait éliminer de nombreux tronçons de côte – la plupart – pour telle ou telle raison. Mais il restait un nombre énorme de sites offrant virtuellement quelque potentiel et, à la vérité, jeter son dévolu sur un spot qui aurait valu le détour n'était, tout bien pesé, qu'une pure question de pifomètre. Nous n'avions aucune connaissance du coin ; nos cartes n'étaient pas parfaites, et toujours à trop grande échelle pour rendre compte des gros rochers isolés et des îlots de récif qui, au bout du compte, changeraient tout. Nous cherchions à nous représenter ce que signifiaient vraiment tous ces nombres grouillants, qui s'affichaient en simples chiffres dans les rubans bleu clair des eaux entourant les taches jaunes de terrain immergé. À étudier la carte d'un spot connu de nous, et particulièrement d'un spot dont on savait qu'il présentait des vagues, la tâche prenait soudain une tournure plus aisée. C'est pour *ces* raisons que c'est un bon spot dans des conditions normales. Des vagues surfables en 3D remplaçaient illico dans notre esprit la carte bidimensionnelle. On pouvait isoler une douzaine de facteurs rien qu'à la lire. Mais tirer des conclusions des cartes de sites où l'on n'avait jamais mis les pieds ? C'était voler à l'aveuglette. Nous étions encore à des décennies de Google Earth. Nous ne pouvions que nous fier à Williard Bascom, le grand océanographe, qui écrit dans *Waves and Beaches*[01] : "Cette zone où les vagues perdent leur énergie et où les mouvements systématiques de l'eau cèdent la place à de violentes turbulences, c'est celle des déferlantes, c'est le *surf*[02]. La part la plus passionnante de l'océan."

Nous avions envisagé de nous rendre ensuite à Tahiti ou dans une des Samoa américaines. On y trouvait des surfeurs et des spots connus. Nous sommes plutôt allés à Tonga, dont nous ignorions tout.

Ce fut une décision brutale, arrêtée à l'occasion d'une rencontre de hasard, dans un bar du front de mer, avec le commissaire de bord australien d'un ferry à destination de Nuku'alofa, la capitale des Tonga. Nous sommes montés à bord à minuit, pas franchement sobres. Il appareillait d'Apia à l'aube.

Le commandant n'a appris notre présence que tard dans la matinée du lendemain. Il s'est montré parfaitement affable avec nous. Il s'appelait Brett Hilder, M. B. E. Il arborait une petite barbichette blanche bien taillée et portait beau l'uniforme. Il nous a fait visiter sa passerelle. Ce dessin du roi de Tonga, sur le mur de sa cabine ? Le capitaine Hilder en était l'auteur. Le monarque l'avait tellement apprécié qu'il l'avait signé. Avions-nous lu *Tales of the South Pacific* de Michener ? Eh bien, les histoires originales venaient toutes du capitaine Hilder. C'était d'ailleurs pour cette raison que le livre lui avait été dédicacé. (Et c'était vrai.) Mais savions-nous comment et pourquoi certains oiseaux des îles du Pacifique avaient frayé leur chemin jusqu'à Hérodote et même jusque dans certains livres prophétiques de la Bible ? Nous n'allions pas tarder à l'apprendre. Incidemment, le capitaine Cook n'avait baptisé les Tonga îles de l'Amitié que parce qu'il avait raté de deux

---

01 — "Vagues et plages."
02 — En anglais, le mot *surf* ne désigne pas, comme en français, l'activité elle-même, mais le milieu naturel où elle se pratique : les déferlantes. Le sport se dit *surfing*.

jours la fête à laquelle son équipage et lui-même auraient été conviés pour en constituer le plat principal.

Nous avons trouvé les Tonga plutôt amicales. Mais l'envie de surfer nous démangeait. Sur Eua, solide petite île déclive, située à quelque trente kilomètres au sud-est de Nuku'alofa, je nous ai bien crus à la veille d'une vraie découverte. Sa côte est n'est que falaises et vents du large, mais la houle qui balaie le littoral sud-ouest était hautement prometteuse. Elle avait l'air énorme. Rien qu'à voir les lignes se dessiner dans la mer depuis le ferry qui nous amenait de Tongatapu, la principale île de Tonga, j'en avais le cœur battant. Eua est très accidentée et n'offre que quelques routes. Nous avons loué des chevaux, parcouru des pistes grossières en montagnes russes et traversé d'épaisses broussailles pour aller observer les sections de littoral les plus vraisemblables. Chaque site qu'il nous était donné de voir était un sacré foutoir – rocailleux, avec des vagues soufflées par le vent ou qui se cassaient d'un seul tenant, donc impraticables. Nous avons continué de longer la côte vers le nord. Une route de terre la bordait en partie au nord-ouest, ce qui nous facilitait la vie, mais la houle mollissait régulièrement. Au bout de la route, nous avons fini par trouver une vague surfable dans une petite crique bordée de palmiers : Ufilei.

C'était un spot sauvage. Nous avons ramé vers le large dans une fissure du récif, large peut-être d'un mètre vingt. Une courte gauche creusée par le vent explosait spectaculairement à l'extrémité sud de la crique, juste à côté d'un banc de lave immergé. Les vagues sortaient si vite de l'eau que, quand elles se cassaient, leur face gardait encore la teinte bleu marine de la haute mer. Nous nous sommes faufilés dans le lineup. La vague était si rapide et massive qu'elle évoquait davantage une brusque baisse du niveau de la mer qu'une houle classique. J'ai fini par en prendre quatre ou cinq. Chaque drop était critique et menaçait de m'envoyer valdinguer, de sorte qu'il me fallait lever les bras au-dessus de la tête pour réussir à rester sur ma planche. Je ne suis pas tombé. Ensuite, après le drop et un bottom turn* aigu, la vague allait mourir en eaux profondes. La montée d'adrénaline au démarrage était féroce – les plus grosses vagues étaient bien plus hautes que moi – mais le rapport risque/gratification (surfer si près d'un banc de lave) absurde. Plusieurs mois plus tard, sur une plage australienne, nous avons rencontré un type qui disait avoir surfé Ufilei. C'était un shaper connu, un marin et un réalisateur de Californie nommé George Greenough – ainsi qu'un des inventeurs du shortboard. Selon ses calculs, disait-il, une vague d'Ufilei haute d'un mètre cinquante était épaisse de vingt et un mètres. C'étaient certes des dimensions extravagantes – je n'ai aucune idée de la méthode à employer pour déterminer l'épaisseur d'une vague en train de se casser – mais une assez bonne description de la singulière férocité du spot. Au bout d'une heure, nous avons décidé de lever le camp.

Mais nous avons eu le plus grand mal à rentrer par notre trou de serrure. Une telle quantité d'eau se déversait du lagon dans cette minuscule faille du récif qu'il nous semblait remonter des rapides en ramant. J'ai fini par renoncer, faire une embardée de quelques mètres vers le nord, emprunter une ligne d'eau blanche et me frayer un chemin à pied, en me cognant et en m'égratignant, sur un récif recouvert de deux centimètres d'eau. Bryan, lui, a préféré rentrer la tête et lutter contre le courant jusqu'à l'épuisement, sans que ça le mène nulle part. Hurlé depuis le lagon au calme digne d'une piscine, mon avis ne semblait pas désiré. Il continuait de se débattre en fulminant. Je le regardais faire. Le soleil se couchait. Je ne me souviens plus du chemin qu'il a finalement emprunté, mais je me rappelle qu'il était hagard lorsqu'il a réussi à traverser le récif. Il ne m'a pas dit le premier mot. Je m'étais attendu à ce qu'il remonte la plage en rampant, tel un rescapé d'un naufrage, et à ce qu'il se repose un moment, mais, au lieu de cela, il a jailli hors de l'eau et décampé d'un pas furieux, sa planche sous le bras. Nous logions dans une pension, à près de sept kilomètres. Je l'y ai retrouvé, toujours d'aussi méchante humeur.

Les filles qui travaillaient à la pension se faisaient tirer les cartes. Tupo, une ado brèche-dent à l'œil endormi vêtue d'une chemise à rayures, distribuait. Elle posait les valets sur le dessus de la table et expliquait qu'ils représentaient les quatre origines ethniques possibles des futurs époux : *palagie*, tonguienne, japonaise ou samoanne. Chaque fois qu'elle tirait une carte, elle l'associait au valet de la même couleur et disait : "Vous voyez !" Entassées autour d'une lampe au kérosène, les autres filles l'écoutaient en écarquillant les yeux, en haleine. Toutes exhalaient une faible odeur de beurre rance.

"Les grosses filles paresseuses auront des maris tonguiens qui ne leur permettront que de cuisiner et faire la lessive, déclara Tupo. Celles qui sont minces et jolies et qui travaillent dur épouseront des *palagis* qui porteront des montres, les conduiront au cinéma en voiture, et elles verront tout, tout, tout. Les filles qui se marieront avec des Japonais partiront au Japon et auront la belle vie, fumeront des cigarettes et passeront rarement la serpillière, mais leurs maris se fâcheront de leur fainéantise et, un jour, ils rentreront à la maison et les tailladeront avec un couteau. Les filles qui épouseront des Samoans iront aux Samoa et vivront comme nous, les tonguiens, sauf qu'elles regarderont peut-être la télévision."

Une fille soupira. "À Pago Pago, je vois télévision. Très beau."

Tupo me prédit que je recevrais dans le mois une lettre de mes parents avec de l'argent. J'épouserais une fille *palagie*, mais je laisserais quelqu'un en pleurs aux Tonga.

À traîner avec les filles de la pension, à plaisanter et passer mes soirées avec elles à la lueur de la lampe au kérosène, je n'ai pu m'empêcher de constater que j'avais renoncé, du moins provisoirement, à mon ambitieux projet de coucher avec de nombreuses femmes de pays exotiques. La Polynésie rurale n'était sans doute pas l'endroit idéal pour nouer une liaison sans lendemain, n'en déplaise aux vieux marins et à leurs récits sur "Tahiti la licencieuse", ou, dans une version filmée gravée dans ma mémoire, à la princesse insulaire qui met le feu à l'écran avec Fletcher Christian, incarné par Brando. Les matelots du capitaine Cook avaient réellement trouvé des Tonga libertines. Je l'ai appris ultérieurement (dans le *Blue Latitudes* de Tony Horowitz). Un des hommes d'équipage de Cook décrit en ces termes les femmes autochtones : "obligeantes au dernier degré" – toutes disposées à coucher avec un visiteur en échange d'un simple clou en fer. Et, retour d'un voyage aux Tonga, un chirurgien hollandais du XVIIe siècle rapporte que les femmes y "palpaient sans vergogne le devant de la culotte des marins en laissant clairement entendre qu'elles voulaient forniquer". Hélas, tel n'était pas, loin s'en fallait, le cas des femmes excessivement christianisées que nous rencontrions. La plupart portaient autour des hanches, fermement nouée par-dessus leurs autres vêtements déjà passablement encombrants, une sorte de natte empesée appelée *ta'ovala*. Les petites communautés que nous traversions dans notre quête incongrue étaient très conservatrices. Nombre de filles dont nous faisions connaissance pouvaient se montrer délicieusement coquettes, mais une frontière qu'il semblait crucial de respecter était nettement tracée. Je ne tenais pas à laisser à Tonga une fille en pleurs. Ni non plus à me faire botter le cul par son oncle.

"C'est super, m'a balancé Bryan. T'as l'air d'un vrai prêtre-ouvrier."

Il parlait de ma barbe, de plus en plus broussailleuse. Mais pas uniquement d'elle, me disais-je. Nous commencions à nous taper mutuellement sur les nerfs. À traverser ensemble des mondes inconnus, nous en emportions un avec nous, riche de connivences où nous pouvions nous réfugier. Mais le vase devint bientôt trop plein, avec ces deux ego qui prenaient de la place, en perpétuelle chamaillerie. Nous dépendions tellement l'un de l'autre, nous étions si souvent ensemble que la moindre friction mettait le feu aux poudres. Je me suis surpris à recopier dans mon journal un passage d'*Anna Karénine*, à propos d'Oblonsky, de Levin et de leur amitié tendue. Bryan n'était-il pas en train de me sourire sarcastiquement ? C'était l'effet qu'il me faisait, et je prenais beaucoup trop à cœur chacune des petites piques qu'il me lançait, comme cette dernière sur le prêtre-ouvrier.

Parce que je sentais qu'il mijotait quelque chose. Bryan était du genre revêche, version sophistiquée ; toute nouveauté le laissait sceptique. Au plus fort du mouvement étudiant pacifiste, à la fac, il avait dû retenir à bout de bras la colère de ses condisciples pour avoir, lors d'une marche contestataire, porté un écriteau dont le message bien peu engagé disait : WAR IS SPACE – GO METS (La guerre c'est l'espace – Allez les Mets !) Il trouvait encore l'expression "paix dans le monde" risible à se tordre. J'étais plus sérieux. J'avais participé avec ferveur, à la même époque, à une marche pacifiste, fermement convaincu qu'il fallait mettre un terme à la guerre au Vietnam. J'avais grandi en écoutant de la musique de coffeehouse contestataire – John Baez, Phil Ochs – et elle occupait encore un recoin secret dans mon cœur. Bryan méprisait tout cela. Et plus encore l'autosatisfaction des classes moyennes et le sentimentalisme que ça impliquait. Je ne l'ai jamais entendu citer Tom Lehrer, que j'avais un peu connu à Santa Cruz, mais je suis bien certain qu'il aurait apprécié ces vers espiègles de Lehrer :

We are the folk song army
Everyone of us cares
We all hate poverty, war and injustice
Unlike the rest of you squares[01]

J'admirais la dissidence têtue de Bryan vis-à-vis de cette orthodoxie radicale. J'avais également acquis, au cours de ma vie de cheminot, un peu de la perspicacité critique des travailleurs à l'endroit des tartuffes en tout genre.

Mais ces errances dans le Pacifique Sud m'avaient aussi apporté, du moins du point de vue de Bryan, quelque chose de plus perturbant que ma seule barbe de plusieurs semaines. Je commençais à m'intéresser de très près à ma propre transformation. Je cherchais à appréhender la conception du monde des insulaires parmi lesquels nous vivions – et cela depuis Guam et le jour où, autour d'une coupe de sakau, je m'étais laissé sombrer profondément dans l'infratexte des fulgurantes parties d'échecs de Pohnpei, et de leurs échiquiers aux pièces de corail. J'étais venu pour apprendre, avais-je soudain conscience, et pas seulement quelques trucs sur des pays perdus et des gens loin de tout. Mais d'autres manières d'être. Je voulais changer, me sentir moins existentiellement aliéné – mieux dans ma peau, comme on dit –, et mieux dans le monde. C'était un vœu pieux, désespérément New Age, et jamais, au grand jamais, je ne m'en serais ouvert à Bryan. Pourtant cela se voyait à la

01 — "Nous sommes l'armée du folk song/Chacun de nous se sent concerné/ Nous haïssons la pauvreté, la guerre et l'injustice/ Pas comme vous, tas de de philistins !"

rapidité avec laquelle, où que nous fussions, je saisissais les expressions et les coutumes locales ; à mon admiration sans réserve pour les agriculteurs ou les pêcheurs de subsistance ; à l'aisance que je mettais à nouer des relations intimes avec les gens que nous croisions. J'avais toujours eu le contact facile, mais désormais chaque rencontre devenait plus intense. Et je me demandais si Bryan ne se sentait pas parfois délaissé, voire écœuré.

Et intervenait aussi le dégoût de soi, que Bryan et moi combattions différemment. De riches Américains blancs dans des endroits sordides et misérables, où les gens, et plus particulièrement les jeunes, enviaient ouvertement l'existence, le confort et les opportunités auxquels nous avions tourné le dos – du moins pour une période a priori sans fin –, eh bien, ça ne pourrait tout bonnement jamais passer. Inévitablement, ça craignait. Nous en étions tous les deux conscients et l'humilité était de mise. Mais nous n'avions pas la même façon d'interpréter cette retenue qui s'imposait à nous. Le pesant système de la chefferie patriarcale samoane titillait les tendances réactionnaires de Bryan, trouvais-je. Mon propre romantisme, en revanche, prêtait à la vie sociale du village une politesse idyllique et une grande santé mentale.

Surfer, dans ces conditions, était un cadeau de Dieu. C'était notre projet commun, la raison pour laquelle nous nous levions le matin. Après avoir croisé un groupe de randonneurs occidentaux à Apia, j'aurais, selon Bryan, grommelé "qu'ils n'étaient que de foutus touristes". Je ne me souviens pas de l'avoir dit, mais c'était bel et bien mon état d'esprit. Nous-mêmes n'étions que des observateurs curieux, des *palagis* ; et il y avait quelque chose d'obscène dans ce voyeurisme. Mais nous, au moins, avions-nous un but, un objectif – aussi incertain, vain, inepte et oisif qu'il fût.

Nous avons rencontré à Tongatapu un surfeur américain prénommé Brad. En réalité, il avait appris que nous étions sur l'île et que nous logions dans un hôtel sur la plage, au nord-ouest de Nuku'alofa, et il s'est pointé un jour à dos de cheval. Il avait la dégaine d'une espèce de missionnaire. Il nous a déclaré qu'il vivait dans un village voisin, où il participait à l'édification d'une église pentecôtiste et s'était fiancé à une fille du coin. Il venait de Santa Barbara (Californie), via les Tonga, où il avait passé huit mois. Il avait un comportement étrangement sûr de lui qui me paraissait très familier. Sans doute avait-il suivi le même chemin que de nombreux surfeurs qui, venus d'une petite ville balnéaire californienne, étaient passés par une des îles d'Hawaï et avaient ingéré en route des doses massives d'hallucinogènes pour arriver, quelque peu carbonisés par les drogues, aux pieds de leur Seigneur et Maître. On les appelait les "fous de Jésus".

Mais Brad ne prêchait pas. Il ne voulait parler que de surf. Nous étions les premiers surfeurs qu'il rencontrait aux Tonga.

Nous n'avions qu'une seule question à lui poser : y a-t-il des vagues ?

Oh, oui, a-t-il répondu. Oh oui.

Mais pas en cette saison.

Il connaissait un spot de forte houle, Ha'atafu, à l'extrémité nord de la péninsule d'Hihifo. Les vagues s'y cassaient de novembre à mars/avril, durant la longue période des houles venues du Pacifique Nord. Il y avait là plusieurs droites, toutes dans des passes entre les récifs, que Brad a comparées favorablement aux meilleurs spots de Kauai. C'était en vérité mettre la barre très haute. Il les avait surfées complètement seul. En ce moment, a-t-il encore ajouté – on était en juin –, il reste encore quelques gauches qui déferlent du sud, mais petites et dangereusement superficielles.

J'ai insisté pour que nous nous rendions sur-le-champ à Ha'atafu. C'était une longue trotte. Brad nous a conduits jusqu'au début d'une piste au fond des bois puis nous a indiqué comment gagner le spot. Mais, le temps d'atteindre la côte, on était déjà en fin d'après-midi. Le récif était loin du rivage, de l'autre côté d'un large lagon, et le soleil brillait, aveuglant, derrière des vagues qui nous paraissaient passablement hachées. Cela étant, son éclat était si éblouissant que nous ne distinguions pas grand-chose. J'avais envie de ramer jusque là-bas pour mieux me rendre compte. Brad a préféré en rester là. Le vent soufflait de la mer. Le soleil se couchait. Pas le temps de discuter. J'ai planqué mes tongs sous un buisson et je me suis mis à mouliner sec.

Bryan avait raison. Ça n'en valait pas la peine. Les vagues étaient horribles. Et, effectivement, follement superficielles. La péninsule d'Hihifo est longue d'une quinzaine de kilomètres et je me trouvais tout au bout, emporté latéralement vers le large comme une épave à la dérive. J'ai dû lutter contre le courant qui m'entraînait au large pour retourner dans le lagon, en m'accrochant – tailladé et, même si je n'avais pas le temps d'y penser, terrifié –, aux massifs de corail pour ne pas perdre du terrain. Une fois hors de la zone de surf, je n'aurais plus aucune chance d'aborder le rivage à proximité de mon point de départ. De méchantes petites falaises coralliennes bordaient le plus clair de la côte. J'ai fini par toucher terre au crépuscule, dans une crique très à l'est. Puis il m'a fallu crapahuter à travers bois, pieds nus dans le noir : une marche pénible et épuisante. Bryan était hystérique. On pouvait le comprendre. C'était entre nous un constant sujet de friction. Je trouvais pour ma part qu'il s'inquiétait exagérément, lui que je prenais des risques stupides. Aucun de nous deux n'avait tort.

Quelqu'un avait persuadé le roi des Tonga qu'il était assis sur un pactole de plusieurs milliards de dollars en pétrole et en gaz offshore. Une compagnie américaine, la Parker Oil & Drilling, avait généreusement consenti à l'aider à prospecter, et quelques-uns de ses employés et de leurs familles habitaient le même hôtel que nous, encore à demi construit : Le Bon Samaritain. Le propriétaire était un Français prénommé André. Une demi-douzaine de ses petites *fales* pour touristes étaient achevées, d'autres étaient encore en chantier, et son petit restaurant extérieur crapoteux (André était aux fourneaux) servait un excellent menu, encore qu'assez limité (essentiellement du poisson pêché de frais). Le nombre des tables aussi était restreint. Je me souviens d'en avoir partagé une avec Teka, une fille de chez Parker Oil. Mince, les traits aigus, elle avait dix-neuf ans et venait du Texas. Son père faisait un travail important pour le roi. Teka venait d'être recalée à l'université Sam Houston de Huntsville, m'a-t-elle appris, et elle rentrait à Singapour, où vivait sa famille et où elle était mannequin.

Teka se prit d'une sorte d'intérêt anthropologique pour Bryan et moi. Nous surfions désormais Ha'atafu tous les jours ; nous nous y pointions de très bonne heure quand le vent était léger et nous regagnions d'ordinaire Le Bon Samaritain dans l'après-midi, affamés et cuits par le soleil. Les vagues étaient désespérément petites mais bien formées et vicelardes. Mes mains et mes pieds n'étaient plus qu'une *salade russe*[01] de coupures dues au corail, et Bryan avait au dos une large estafilade à vif. Je changeais son pansement deux fois par jour. J'avais même réussi, tant l'eau était peu profonde dans les passes que nous surfions, à cabosser sur le fond le nose de ma précieuse planche. Teka m'a regardé panser laborieusement ce pet sur un râtelier de fortune, à l'ombre d'un superbe arbre à pain.

Nous étions exactement comme les autres "traîne-savates des plages" de Californie, de Floride et d'Hawaï, m'a déclaré Teka. D'après elle, nous n'avions aucun but dans la vie, nous ne nous souciions pas du lendemain. C'était "surtout à Waikiki Beach" qu'on trouvait des gens comme nous. "Si d'aventure un tremblement de terre se produisait, vous ne vous inquiéteriez ni de votre maison ni de votre voiture. Vous vous contenteriez de dire : 'Oh, ça, c'est une nouvelle expérience !' Tout ce qui vous intéresse, c'est trouver la vague parfaite ou quelque chose comme ça. Parce que, si vous la trouviez, qu'est-ce que vous en feriez ? La surfer cinq ou six fois, et après, quoi ?"

C'était une très bonne question. Nous ne pouvions qu'espérer nous retrouver contraints d'y répondre à un moment donné, rien de plus. D'ici là, sans chercher à nier que nous étions de ces clochards des plages, j'ai voulu savoir qui, des gens que Teka connaissait, avait selon elle des objectifs plus valables que les nôtres. Sa mère, a-t-elle répondu. Celle-ci, Cherie, comptait "écrire un livre ; trois, en fait" cet été. Cherie était à notre hôtel. Elle se levait tard et était déjà ivre à midi. Ses principales activités semblaient le bain de soleil, le maquillage, fumer des pétards avec ses filles et changer de "tenue" plusieurs fois par jour. Mais, un soir, elle m'a déclaré : "Je vais te mettre dans mon livre aujourd'hui. Ça dit : 'Je t'aime.'" Il y avait donc bel et bien un bouquin en chantier. C'était plus

01 — En français dans le texte.

que ce dont Bryan et moi pouvions nous vanter. Teka avait un autre exemple à me fournir : son propre petit ami, qui tenait une boîte disco à Huntsville, avait aussi la ferme intention "de posséder *et* de gérer un jour un magasin de prêt-à-porter pour hommes."

Un des directeurs de Parker Oil sur le terrain était un gros Texan du nom de Gene, aux larges lunettes à verres épais. La peau de son visage évoquait une caroncule de dindon, il avait une voix de fumeur à faire peur et une petite amie indigène âgée de dix-sept ans. Gene allait sur ses soixante printemps. Sa petite amie était belle à tomber mais elle n'était pas heureuse. Je l'ai surprise en train d'expliquer à l'épouse d'un cadre de Parker Oil qu'elle était orpheline et pour moitié Fidjienne, de sorte que, aux Tonga, elle se retrouvait socialement une paria. Elle s'était prostituée avec Gene. Désormais, elle aspirait désespérément à le quitter. "Aidez-moi ! Aidez-moi !" suppliait-elle.

L'épouse du cadre semblait atterrée. Je n'ai pas réussi à entendre ce qu'elle lui répondait, mais j'étais encore planté là quand elle s'est approchée de Gene. Elle a timidement tenté d'engager la conversation : elle avait entendu dire que sa jeune amie était à moitié Fidjienne…

"Je me fiche de ce qu'elle a pu te dire, trésor, a-t-il balancé. C'est qu'une négresse."

Brad est arrivé ce soir-là à cheval. Je lui ai demandé si l'on pouvait se fier à la police pour faire appliquer la loi contre un des employés de Parker Oil. Il m'a décoché un long regard pensif puis a secoué la tête : "Ils bossent pour le roi." Si quelqu'un portait plainte, la petite amie aux abois de Gene serait la seule personne qu'on arrêterait.

Je l'ai interrogé sur sa vie aux Tonga. Il quittait rarement le secteur, m'a-t-il dit. Il en était venu à voir en Nuku'alofa, pourtant morne petite bourgade, une sorte de phare brillant dans la nuit. Il était le seul *palagi* de son village, perdu au fond des bois dans le haut de la péninsule. Le surf laissait perplexes ses voisins et ses futurs beaux-parents. "Ils me voient m'enfoncer dans la brousse en direction de la mer, avec cette frêle planche sous le bras, et je reviens bredouille des heures plus tard. Ils trouvent que je suis un médiocre pêcheur. Pour eux, je ne fais que flotter."

Que ce garçon banal et sans relief eût pu surfer seul Ha'atafu des mois durant restait assez remarquable. Par les houles cycloniques du nord-ouest, il avait même surfé des vagues deux fois plus hautes que lui. C'était une nouvelle galvanisante, certes, mais aussi une idée effrayante pour une Ha'atafu si extraordinairement peu profonde. Avait-il déjà méchamment touché le fond ? lui ai-je demandé. Il m'a jeté un petit regard en biais, comme pour dire : *À chaque session, mec. Tu l'as surfée toi-même.* Mais, s'il se blessait grièvement, la distance entre le récif et les secours était énorme. Il y aurait les vagues, le corail, le vent hurlant, le large lagon, les falaises, près de deux kilomètres de jungle avant le premier village. Puis, à bord d'un bus bien peu fréquent, au moins une heure de trajet jusqu'à la première ville, où les installations médicales étaient sans doute rudimentaires... Tout cela allait sans dire.

L'immersion de Brad dans les Tonga rurale surpassait sans doute tout ce qu'il me serait donné d'accomplir dans le Pacifique Sud, sauf à rejoindre le Peace Corps ou à épouser une villageoise du cru, voire les deux à la fois. Je ne pouvais que rire de moi-même. Se sentait-il moins existentiellement aliéné pour autant ? Je ne le connaissais pas assez bien pour lui poser la question.

Tupou IV, le roi, m'intriguait. C'était un monarque absolu qui pesait, disait-on, deux cent vingt kilos. Mais, quand je l'ai prié de m'en parler, Brad a blêmi. Lui non plus, de toute évidence, ne me connaissait pas suffisamment bien pour discuter du roi en toute sécurité. Je lui ai néanmoins demandé s'il était vrai que toutes les chauves-souris fructivores des Tonga appartenaient officiellement à Tupou IV et que lui seul avait le droit de les chasser, raison pour laquelle, la nuit, les bois grouillaient de ces bestioles. Je tenais cette information d'un pêcheur d'Eua. Brad a refusé de la confirmer ou de l'infirmer. Il m'a répondu qu'il devait se rendre à une séance de lecture de la Bible. Il est remonté sur son cheval et est reparti en longeant la plage au clair de lune.

J'ai vu à Nuku'alofa un graffiti qui disait : TOUT NOUVEAU PROGRÈS ENGENDRE DE LA CRIMINALITÉ. J'ai tenté d'envoyer de la poste un télégramme à mon père. Il fêtait son cinquantième anniversaire. Mais je ne saurais dire si le message est bien parti. Le guichetier, qui ressemblait à Stokely Carmichael, avait le visage émaillé de petits autocollants postaux aux couleurs vives. Il était amical, mais il tapotait sur son antique machine à écrire d'une main molle qui n'inspirait pas confiance. Je n'avais plus de nouvelles de ma famille, ni d'ailleurs de personne, depuis Guam – voilà plus d'un mois. Eux n'avaient aucun moyen de nous joindre. Quelqu'un, chez nous, savait-il seulement dans quel pays nous étions ? J'écrivis un tas de lettres – à mes parents, à Sharon –, mais elles n'arriveraient pas avant des semaines. L'idée de téléphoner ne m'a jamais effleuré. Entre autres, ça coûtait trop cher.

J'ai longé une route bordée de maisons en parpaings à moitié inachevées – leur construction probablement interrompue jusqu'à l'arrivée du prochain transfert de fonds en provenance d'un membre de la famille resté en Australie. J'ai dépassé un cimetière. Autour de certaines tombes, d'étroites bouteilles de bière brune – de la Steinlager de Nouvelle-Zélande – étaient plantées dans le sable par le goulot. Les bouteilles de Steinlager sont partout dans les Samoa comme aux Tonga. Avec une nouvelle étiquette, elles servent de conditionnement aux jus de fruits locaux, ou encore de bornes aux jardins et aux cours d'école. Dans les cimetières des Tonga en fin de journée, on aperçoit toujours, semble-t-il, de vieilles femmes en train de nettoyer la tombe de parents à elles – d'aplanir les petits monticules de sable de corail pour leur rendre, au-dessus d'un cercueil, leur forme de balayer les feuilles mortes, de laver à la main les couronnes de fleurs en plastique décoloré, de redisposer les obsédants motifs de grains de poivre tropical, orange et vert, sur fond de sable blanc délavé.

Un frisson m'a parcouru, comme un chagrin de seconde main. Assorti d'une autre émotion. Pas exactement le mal du pays. Plutôt comme si j'avais fait voile jusqu'aux confins du monde connu. Ça m'allait d'ailleurs parfaitement bien. Il y a tant de manières de cartographier le monde. Aux yeux de l'Américain éclairé, il est couvert par le service étranger des meilleurs quotidiens – *New York Times, Washington Post, Wall Street Journal* – et, à l'époque, par les grandes émissions hebdomadaires d'actualité. Aucun lieu sur terre qui ne soit le pré carré de quelqu'un. Pour être allé à Yale, Bryan avait compris cette carte du monde avant moi. Puis j'avais trouvé un vieux numéro de *Newsweek* sur la passerelle du capitaine Brett Hilder et, en essayant de lire une rubrique de George Will, j'avais éclaté de rire. Ses tournures petites-bourgeoises et son provincialisme m'étaient impénétrables. À la vérité, nous errions à présent dans un monde qui ne serait jamais le pré carré d'aucun correspondant de presse (et encore moins le domaine d'expertise d'un George Will). Ce monde foisonnait de nouvelles, mais toutes étaient biaisées, mystérieuses, importantes ; accessibles uniquement si l'on prêtait soigneusement l'oreille et si l'on observait méticuleusement pour en peser le poids.

En rentrant d'Eua en ferry, j'ai passé la traversée sur le pont, avec trois garçons qui comptaient voir tous les films de kung-fu, de flics et tous les westerns que donnaient les trois cinémas de Nuku'alofa, et ce, jusqu'à ce qu'ils se retrouvent fauchés. L'un d'eux, mince et rieur, âgé de quatorze ans, m'a appris qu'il avait quitté l'école parce qu'il était "fainéant". Il avait un manga japonais, qui est passé de main en main sur le pont du ferry. C'était un singulier amalgame que le contenu de ce bouquin : mignardises enfantines, récits de guerre pêchus, bluettes médecin/infirmière façon feuilletons télévisuels, pornographie explicite. Un matelot a froncé les sourcils quand il l'a eu entre les mains puis en a arraché chaque page avant de la froisser et de la balancer à la mer. Les garçons se sont esclaffés. Finalement, le matelot a jeté tout le bouquin à l'eau avec un bruyant *pouah !* de dégoût, et leur hilarité a redoublé. J'ai regardé les pages déchirées s'éloigner en flottant sur le lagon lisse comme du verre. J'ai fermé les yeux. Je sentais peser sur moi le poids de mondes non encore cartographiés, de langues encore à naître. C'était cela que je traquais : non pas l'exotisme, mais une compréhension plus vaste de son essence même.

La tristesse qui émanait de cet obscur cimetière, de ces anciens oubliés et enterrés sous le sable, m'a serré le cœur. Elle semblait se rire de toute notre vague entreprise. Néanmoins, quelque chose continuait de m'appeler au loin. Peut-être les Fidji.

Notre première expédition aux Fidji a été un fiasco à de nombreux égards. Tout d'abord, nous sommes allés à l'est de Suva, la capitale, qui se trouve sur le côté humide de l'île principale, Viti Levu ; autant dire que nous nous enfoncions davantage dans la boue. Nos cartes indiquaient l'embouchure d'une rivière importante, avec une baie joliment incurvée et une fissure bien orientée dans la barrière de récifs, laquelle, pour sa part, arrêtait la plupart des houles qui pénétraient dans le sud-est de Viti Levu. La baie existait bel et bien, et la houle s'y infiltrait, mais la vague elle-même n'était qu'un long et boueux closed-out. Nous avons mis deux bonnes journées à le comprendre, en partie parce que nous avions bu un mauvais rhum.

Nous avions appris à ne pas nous pointer les mains vides dans un village reculé. Stylos à bille et ballons pour les enfants étaient sans doute facultatifs, mais un présent pour le chef ou les propriétaires terriens de la côte presque une obligation. Le cadeau le plus apprécié, l'offrande traditionnelle, était une brassée de ces racines dont est tiré le *kava*, qui, aux Fidji, porte d'ailleurs le nom de *waka*. Au moment de quitter Suva, nous comptions en acheter un lot au marché proche de l'arrêt d'autobus, mais notre bus du petit matin a brusquement démarré et nous nous sommes précipités dans une boutique pour faire l'emplette d'un flacon de rhum de soixante-quinze centilitres, de la marque Frigate Overproof. Le rhum serait bien accueilli, pensions-nous, et nous avions raison. Le hic, c'est qu'en arrivant à Nukui, village proche de la baie que nous voulions observer – et ce, au terme d'un long trajet en canot à moteur hors-bord au travers du dédale des marais d'une mangrove extrêmement touffue – le chef, Timoci, qui nous avait reçus chaleureusement, a insisté pour ouvrir immédiatement le flacon et le passer à la ronde dans le cercle restreint des hommes qui nous entouraient. Nous avons séché le flacon en un quart d'heure. On était encore en début d'après-midi et nous étions sur les rotules. Nous n'avons jamais atteint la plage ce jour-là.

Le kava est un breuvage bien plus civilisé. Il doit être écrasé et préparé, et on ne le consomme d'habitude qu'à la nuit tombée. Un groupe (composé uniquement d'hommes d'ordinaire) s'assoit en tailleur sur des nattes autour d'un grand bol de bois que les Fidjiens appellent un *tanoa*. On passe à la ronde une coupe en noix de coco. Aux Fidji, le groupe tape trois fois sourdement dans ses mains et le buveur suivant une seule, tout en disant : *"Bula"* ("Salut", ou "à la vie") avant de s'emparer de la coupe qui, elle, porte le nom de *bilo*. Après l'avoir vidée, il frappe encore une fois dans ses mains en disant *"Maca"* (le mot se prononce *massa* et veut dire "sec" ou "vide"), et tous claquent de nouveau trois fois des mains à l'unisson. La cérémonie peut durer six ou sept heures et ne prend fin qu'au terme d'innombrables *bilos*. On joue de la guitare, on raconte des histoires, on chante des hymnes, souvent sur une étonnante partition harmonique de soprano.

Les vagues closed-out de Nukui avaient au moins le mérite de nous permettre de pousser les gamins sur nos planches dans les eaux blanches. Certains apprenaient très vite. Perdant patience, un groupe de garçons s'est avisé un jour de traîner deux palmes de cocotier jusqu'à l'eau et de prendre les vagues dessus. Des gosses plus petits descendaient et remontaient la plage, montés sur des noix de coco ficelées sous leurs pieds, en produisant un bruit exactement identique à celui d'un cheval aux sabots ferrés. Les enfants de Nukui avaient de très nombreux jouets faits à la main : noix sphériques servant à un interminable jeu de billes ; couvercles de boîtes de conserve attachés à une ficelle, qui tournoyaient en émettant un sifflement ; palmes de cocotier tressées sur un bâton pour former de gracieux moulins à vent. Dans toute cette tendre candeur, après avoir absorbé une bonne dose de kava, je me suis retrouvé en train de fixer le plafond d'une hutte et d'y distinguer soudain, accrochées à une traverse, une paire de bottes en caoutchouc pour enfant. Les bottes étaient poussiéreuses et de style vaguement western, et cette vue m'a inopinément transpercé : une sorte de talisman rappelant tant le monde industriel que le Lone Ranger de mon enfance.

Dans le canoë qui nous ramenait en louvoyant à travers la mangrove au débarcadère où nous attendait le bus du retour, j'étais assis en face d'une adolescente potelée. Son tee-shirt portait le dessin d'un chat ivre mort vautré devant un poste de télévision sous la légende : LE BONHEUR EST UN MINOU

SAOUL. Je me suis persuadé que personne, à commencer par sa mère, n'avait compris la blague. Le ciel bas et gris du delta – nous n'avions pas vu le soleil une seule fois à Nukui – s'est ouvert et nous a trempés de pluie froide. Nous avons étendu des ponchos sur nos sacs à dos. Nous étions décidément dans la mauvaise région des Fidji. L'archipel comporte trois cents îles.

Suva est une ville animée, verte et pluvieuse, la plus grande du Pacifique Sud. Elle enjambe une péninsule accidentée et surplombe un grand port bleu. Nous logions dans un aimable bouge – moitié bordel, moitié dortoir – à l'enseigne du Harbourview ("Vue sur le port"), appartenant à une famille indienne. La moitié de la population des Fidji (et la plupart des hommes d'affaires) est d'origine indienne. Des marins de toutes les nationalités connues se déversaient chaque soir dans le bar du Harbourview, s'y bagarraient à l'ancienne et montaient à l'étage avec les entraîneuses. Pour quelques dollars la nuitée, nous dormions et entreposions notre matériel dans une pièce suffocante pourvue de nombreuses couchettes. Le centre-ville était rempli de touristes, d'expatriés, de passagers des paquebots de croisière. Nous tentions tous notre chance auprès des filles australiennes de passage pour de brèves aventures.

Nous projetions de nous rendre plus à l'ouest et, peut-être, de redescendre dans le Sud, durant le créneau de la houle, vers quelques îles d'apparence prometteuse. Suva est une escale très populaire pour les yachts de plaisance, de sorte que nous épluchions le panneau d'affichage du Royal Suva Yacht Club en quête de voiliers recrutant des hommes d'équipage. Pendant que nous attendions cette embellie, j'ai commencé à fréquenter la bibliothèque municipale. C'était un très beau et spacieux bâtiment de style colonial sur le front de mer. Je me suis mis à réécrire mon roman ferroviaire, à la main cette fois, avec de nouveaux protagonistes, sur une de ses larges tables en acajou.

Deux yachts de surf mouillaient à Suva. Le premier appartenait à un Américain dont la petite amie était tahitienne. Il faisait voile vers le sud mais son bateau, le *Capella*, était trop petit. Le second était un ketch australien de seize mètres cinquante, l'*Alias*. Sa coque était striée de rouille et il avait l'air rongé par le sel et les intempéries, avec des équipements abîmés et démodés, des bicyclettes et des planches de surf attachées au bastingage de la proue. Je lui donnais au moins quatre-vingts ans. Il se trouva qu'il n'en avait que deux. Une communauté de surfeurs proche de Perth, en Australie-Occidentale, l'avait construit, à l'aide d'outils de récupe, à partir de planches de bois et de pièces détachées volées. Les filles du groupe avaient pris des emplois de serveuse pour nourrir les travailleurs. La coque était en ciment armé. Mick, un grand type aux cheveux frisés, tanné par le soleil, nous a raconté l'histoire du bateau : l'*Alias* avait tout juste survécu à son dépucelage quand ses matelots impatients l'avaient conduit trop au sud, dans les Quarantièmes rugissants, pour trouver enfin le vent, et qu'une tempête l'avait pilonné. "Des vagues aussi hautes que le mât, avait ajouté Mick. On a chaviré une fois. On était tous en dessous à prier. Persuadés qu'on allait mourir." Quand ils avaient regagné tant bien que mal l'Australie, la moitié du groupe avait débarqué en jurant qu'on ne les y reprendrait plus. Seules quatre personnes – deux couples – étaient restées à bord. La grossesse de Jane, la copine de Mick, était déjà bien avancée, si bien que l'*Alias* n'appareillerait que quand elle aurait accouché.

Un matin, alors que je rendais visite à l'équipage de l'*Alias*, la radio de bord s'est mise à crépiter pour émettre une annonce fragmentaire mais électrisante. Je ne l'ai pas saisie, mais Mick si. Il a hurlé comme si on lui avait tiré dessus. "Graham !" C'était l'autre surfeur du bord. Il s'est montré en haut de l'escalier d'accès : deux yeux brillants plissés, encadrés par une blonde crinière de lion. "Une gauche parfaite longue de trois cents mètres, a dit Mick. C'est ce que je viens d'entendre à l'instant. Je crois que c'était Gary en train d'appeler son pote d'ici." Mick m'a expliqué plus tard qu'un troisième yacht de surfeurs, commandé par un Américain du nom de Gary, mouillait lui aussi aux Fidji. Gary avait voyagé à bord du *Capella*, mais il avait pris de l'avance quelques semaines plus tôt, tout seul. Sa transmission parlait manifestement d'une découverte qu'il aurait faite quelque part à l'ouest. Mick se mit à travailler au corps celui qui avait reçu l'appel. Jim, un garçon cauteleux et rondouillard, n'a pas trop apprécié de se faire tirer les vers du nez par ce grand Aussie déterminé. Il a fini par lâcher que Gary croisait dans le groupe de Yasawa, au nord-ouest des Fidji et qu'il avait apparemment trouvé des vagues là-haut. Ça n'avait aucun sens. L'archipel des Mamanucas et les Nadi Waters, une zone très étendue et cernée de récifs à l'ouest de Viti Levu, interdisaient aux Yasawas de recevoir les houles du sud.

Une annonce fut affichée : Yacht cherche équipage. Alors que je notais les détails, un jeune Anglais qui consultait également le panneau d'affichage m'apprit qu'il venait de débarquer du yacht en question. "Fais pas ça, vieux", m'a-t-il avisé. Selon lui, le skipper était un cinglé. Tout son équipage avait déserté ici même, à Suva, après une brève traversée, et ça lui était déjà arrivé très souvent. "Une fois en haute mer, il n'arrête plus de beugler", m'a dit l'Anglais. Il s'est fendu d'un petit haussement d'épaules convaincu. "Rien qu'un New-Yorkais de plus qui se fraie un chemin vers le paradis à coups de coude."

Finalement, nous avons quitté Suva dans un bus qui partait vers l'ouest. La côte sud de Viti Levu fourmillait de petites bourgades et de villages de pêcheurs. Passé la zone humide, la forêt tropicale cédait la place à de petites plantations de canne à sucre. On croisait des panneaux signalant la présence de petites stations balnéaires pour touristes blotties dans des baies ensoleillées. Nous nous démanchions le cou pour tenter d'entrapercevoir les vagues, sans jamais rien distinguer de bien encourageant. Il y avait de la houle, certes, mais, presque partout, le récif était beaucoup trop loin au large, et les alizés soufflaient encore de la mer.

Le coin sud-est de Viti Levu aurait sans doute été le site le plus évident où chercher des vagues. Malheureusement, cette région était une lacune dans notre collection de cartes marines. Au magasin d'accastillage où je me les étais procurées, le vendeur m'avait dit que cette carte précise restait, aussi absurde que cela puisse paraître, classée top secret depuis la Seconde Guerre mondiale, quand, craignant une attaque japonaise – les Fidji auraient fait un excellent avant-poste pour des assauts contre l'Australie et la Nouvelle-Zélande –, les Alliés s'étaient refusés à laisser en circulation des cartes montrant l'accès des navires aux Nadi Waters. Si bien qu'il nous fallait suivre notre intuition encore plus que d'ordinaire. Néanmoins, à la seule étude de la carte terrestre, il crevait les yeux que nous pourrions au moins explorer l'embouchure du Sigatoka, fleuve qui arrosait la majeure partie de la Viti Levu occidentale, pour ensuite nous frayer un chemin vers l'ouest à partir de là.

L'embouchure du Sigatoka se révéla une assez sinistre étendue de littoral. Tout d'abord, on y trouvait d'énormes dunes de sable. Je n'avais jamais rien vu de tel sous les Tropiques, et les villageois que nous croisions alentour étaient unanimes : ces dunes n'étaient pas naturelles. En vérité, elles étaient même hantées. Des vagues se cassant sur des dunes ? C'était aussi, d'après mon expérience, une première tropicale. Un grand beachbreak* froid et brumeux, qui n'avait rien à faire aux Fidji et aurait eu davantage sa place en Oregon ou en Californie du Nord. L'eau y était froide parce que le puissant Sigatoka se déversait à l'extrémité orientale de la plage, et que ce grand fleuve charriait non seulement, depuis les montagnes, une eau brune et assez glaciale, mais encore un flot régulier de cadavres d'animaux, de nattes de roseau boueuses, sacs en plastique et autres détritus encroûtés de vase. Tout ce fatras venait tournoyer et flottiller dans le lineup. Mais les vagues étaient belles, surtout le matin. Changeantes, puissantes, en forme de *A*. Les meilleures que nous ayons surfées jusque-là dans le Pacifique Sud, les cadavres de porcs mis à part. Il n'y avait pas de villages à proximité – à cause des dunes hantées citées un peu plus haut –, tant et si bien que nous avons marché vers l'ouest jusqu'à trouver un petit bosquet au fond d'un ravin, au pied d'une haute dune. C'était un spot bien protégé, tant des alizés que des intrus, qui ne pouvaient arriver sur nous que d'une seule direction. Nous avons campé sur place.

La tente que nous transportions était trop petite pour nous permettre d'y dormir à deux confortablement. Mais le ravin où nous l'avions plantée présentait un grouillement inhabituel de vie nocturne au ras du sol : rats, crabes, serpents, scolopendres, et je préférais ne pas savoir quoi d'autre encore. J'ai accroché un hamac et j'y ai mieux dormi que sous la tente. Pour faire les courses, nous retournions à pied à l'intérieur des terres, jusqu'à un village du nom de Yadua. Nous préparions du thé sur un petit Butagaz alimenté par une cartouche bleue de gaz propane. Pour les préparations plus importantes, comme le corned-beef ou les flocons d'avoine, nous faisions un feu. Une nuit, une pluie diluvienne m'a contraint à chercher refuge sous la tente. Je n'aimais pas trop être tassé contre Bryan, et lui non plus, j'imagine. J'ai rampé hors de la tente aux premières lueurs de l'aube. Compte tenu du rapide ruissellement provoqué par l'averse, les détritus étaient plus nombreux que jamais dans les vagues, mais la houle était belle et avait même forci pendant la nuit.

Un peu plus bas en direction de l'embouchure du fleuve, un chenal fiable s'écoulait vers la mer. Nous y avions recours pour sortir en ramant. Mais, quand les vagues grossissaient (au-dessus de six pieds), que les bancs de sable extérieurs commençaient à se disloquer et que des écharpes de brume humide dérivaient depuis les dunes par-dessus les eaux jaunissantes, parfaits sous-produits poisseux de l'étrange micro-climat du Sigatoka, on avait l'impression que quelque chose de bien plus gros rôdait quelque part au large et qu'une série monstrueuse se préparait à nous engloutir. J'ai d'ailleurs pris quelques mémorables raclées en virant à gauche et en m'éloignant du chenal. Je n'arrêtais pas de me dire qu'il ne fallait prendre que des droites, puis une belle et chouette gauche se présentait, haute comme un mur, et je me rendais compte que je n'avais pas la force de dire non. Ai-je précisé que le spot semblait hanté par les requins ? Les pêcheurs de Yadua, quand ils apprenaient que nous entrions dans l'eau à cet endroit, nous traitaient de cinglés sur un ton oscillant entre le dégoût et l'inquiétude. Cette plage était une authentique fosse à requins. Toute cette charogne rejetée à la mer aurait dû nous mettre la puce à l'oreille. Mais une attaque de squale n'arrivait qu'en troisième position sur la liste des soucis que me posait Sigatoka, juste après la noyade sous une série félonne et les infections et autres maladies hideuses que l'on pouvait attraper au contact de l'eau croupie.

Bryan a fêté son trentième anniversaire alors que nous campions là-bas. Il ne me l'a appris qu'un peu plus tard. J'en suis resté un tantinet ahuri. C'était, me semblait-il, préserver un bien étrange secret. Mais peut-être "secret" n'était-il pas le terme approprié. "Silence" conviendrait mieux : une sorte de repli sur soi, comme s'il se refusait, ce qui lui ressemblait bien, à éprouver et partager une émotion aussi conventionnelle et galvaudée. En dépit de l'intensité de notre amitié et du commensalisme qui était la base de notre existence jour après jour, je me sentais toujours plus ou moins exclu de sa vie. Était-ce de moi en particulier ou du reste du monde qu'il se gardait ? La virilité à l'ancienne que tant de gens (dont moi-même) trouvaient si séduisante chez lui n'était pas sans comporter son lot de grande solitude. Puis Bryan m'a doublement surpris en m'annonçant qu'il ne voyait pas de meilleure façon de fêter son trentième anniversaire qu'en surfant de belles vagues dans un spot ignoré des mers du Sud, loin du monde connu.

Était-il vraiment heureux ? Je ne l'étais pas spécialement, en tout cas. J'étais focalisé sur notre quête, bien résolu à la poursuivre, et une bonne session de surf pouvait sans doute me remplir d'une profonde satisfaction. Mais je m'intéressais aussi aux Fidji, qui offraient non seulement, en abondance, une vie rurale d'avant l'ère industrielle dans laquelle j'aurais aimé me perdre, ainsi qu'une vie sociale plus complexe, une politique plus vivante, et bien plus de femmes intéressantes que les Tonga et les Samoa occidentales. (En comptant les Australiennes.) Pourtant, j'étais souvent angoissé et en proie à des doutes qui me déchiraient. Et, de toute évidence, je ne voyais pas Bryan comme lui s'imaginait, ce que je trouvais déconcertant.

Selon moi, il perdait les pédales. Il se disait ravi d'être ici, mais ce n'était pas l'impression qu'il donnait. D'infimes ennuis suffisaient à l'exaspérer sans raison, trouvais-je, tout comme il s'énervait contre un bon nombre de gens inoffensifs que nous rencontrions. Il avait pris le pli de faire les cent pas en soupirant, renfrogné, les épaules voûtées et les mains derrière le dos, pour critiquer la sottise de diverses personnes et l'ineptie de certaines situations, le tout en en rajoutant. Ce chauffeur de bus qui nous avait assuré que nous pouvions gagner la côte à pied depuis la ville de Sigatoka ? Il ne savait pas plus où se trouvait l'océan qu'il ne savait de quel côté de la route il devait rouler. Cette dame aux yeux exorbités qui tenait l'Harbourview ? C'était une arnaqueuse et un danger public. En fait, je commençais même à le trouver effrayant. Ce qui est certain, c'est qu'il me rendait nerveux.

Nous nous sommes mis à boire du kava en compagnie de quelques types de Yadua. Ils avaient une baraque à la lisière de la ville, près d'une artère asphaltée, la Queens Road, qui lui conférait davantage l'aspect d'une petite ville au bord de l'autoroute que d'un village traditionnel. Pourtant, la cérémonie du kava s'y déroulait pratiquement de la même manière que partout ailleurs. Elle débutait en fin d'après-midi. Nous nous y rendions dès que les vagues retombaient. Il nous arrivait parfois de rentrer au campement à minuit, en titubant. Les habitués de la cabane à kava étaient principalement des pêcheurs qui mouillaient leurs barques dans une calanque, à l'ouest des dunes, mais d'autres hommes de Yadua la fréquentaient également. La seule femme était l'épouse d'un dénommé Waqa. Elle aidait à préparer et servir le rhum. Les gens étaient intrigués, bien évidemment, par ces campeurs *palagis* – *kaivalagis* en fidjien –, mais, du moins de mon point de vue, ils se montraient aussi remarquablement décontractés avec nous et nous laissaient peu ou prou nous expliquer à notre rythme.

J'aimais bien regarder bavarder ces gens, même quand je ne comprenais rien, ce qui était fréquemment le cas puisqu'ils s'exprimaient d'ordinaire en fidjien. Ils semblaient disposer, pour les rapports sociaux, d'un volumineux répertoire d'expressions aussi délicates que complexes. Ils parlaient avec la bouche, les mains et les yeux – tout ce qui sert normalement à communiquer – mais aussi avec le menton, les sourcils, les épaules, pratiquement tout le corps. Les observer en train d'écouter était encore plus instructif. Ils partageaient presque unanimement un joli geste que je ne me rappelais pas avoir vu ailleurs : cette légère saccade de la tête, de droite à gauche, en même temps qu'ils redressaient le cou cran par cran à la façon d'un oiseau. J'y voyais l'expression d'une extrême tolérance. S'il voulait suivre les différents locuteurs, enregistrer diverses impressions avec la plus grande impassibilité, l'auditeur devait constamment repositionner son esprit selon une nouvelle perspective. Nous autres *kaivalagis* provoquions une flagrante accélération de ce repositionnement mental/vertébral, trouvais-je, mais c'était peut-être de la paranoïa.

L'irritabilité de Bryan, cependant, mettait à rude épreuve mon égalité d'humeur, à un degré tel qu'aucun de ces dodelinements de la tête ne me l'aurait fait accepter. Un soir, enhardi par le kava, je lui ai déclaré que je n'en pouvais plus de marcher sur des œufs avec lui. Stupéfait, il m'a répondu que lui-même ne supportait plus de marcher sur des œufs *avec moi*. Nous avons regagné le campement sous une lune gibbeuse, tous les deux à cran. J'espérais que sa tente grouillerait de scorpions, ai-je dit. Lui que j'allais tomber de mon hamac. Quoi qu'il en fût, en anglais, on ne dit pas marcher sur des œufs mais sur des *coquilles d'œuf.*

Plus nous fixions les Yasawas sur la carte — ces îles où les Américains avaient censément trouvé des vagues — plus l'idée nous paraissait inepte. Elles étaient interdites aux houles du sud, point barre. Pourtant, nous sommes montés jusqu'à Lautoka, un port au nord-ouest de Viti Levu, d'où des bateaux partaient pour les Yasawas. Nous nous tâtions encore sur le quai, posant des questions, comparant le tarif des ferries. Rien de ce que nous entendions ne nous faisait changer d'avis : il eût été stupide de nous y rendre avec nos planches. Abattus, nous avons renoncé aux Fidji occidentales et acheté un billet de retour pour Suva par un bus matinal. Mais nous ne sommes pas allés plus loin que la gare routière. Bryan souffrait de maux d'estomac qui ne cessaient d'empirer. Un trajet en bus d'une journée était hors de question. Nous sommes rentrés à l'hôtel. Bryan s'est recouché. Je suis allé traîner dans Lautoka.

L'après-midi, j'ai croisé quelque chose de tout à fait étrange dans la rue : des cheveux blonds ; une jeune femme blanche, ni plus ni moins. Je l'ai suivie dans un bar et je me suis présenté. Elle s'appelait Lynn, venait de Nouvelle-Zélande et semblait heureuse de bavarder. Elle m'a expliqué devant un café qu'elle vivait à bord d'un yacht avec deux Américains (dont son petit ami) et une Tahitienne.

Où donc avaient-ils croisé ? me suis-je enquis.

Ils étaient restés à l'ancre pendant des semaines près d'une petite île inhabitée "pour permettre aux garçons de surfer", m'a-t-on répondu.

Oh !

La quête

Elle était consciente de dévoiler un secret. Mais elle semblait s'en délecter. Son petit ami, John Ritter, était professeur des écoles dans les Samoa américaines, m'a-t-elle appris.

Je lui ai dit que je le connaissais. En réalité, un autre instituteur/surfeur de Guam nous avait conseillé de chercher un certain Ritter à Pago Pago, mais nous n'étions jamais arrivés jusque-là. Fantastique ! ai-je déclaré. Conduis-moi jusqu'à lui. Elle l'a fait.

Ritter m'a vu débarquer avec Lynn, étonné, mais, quand j'ai commencé à citer les noms de surfeurs de Guam qu'il connaissait et que j'ai insisté pour qu'il m'accompagne à l'hôtel afin d'y rencontrer Bryan, il s'est visiblement alarmé. C'était un garçon à la voix douce, circonspect, qui approchait de la trentaine. Il avait les cheveux en broussaille, blanchis par le soleil, et portait des lunettes de grand-mère rafistolées au scotch. Il n'a pas cherché à dissimuler son irritation envers Lynn. Mais il a eu l'air de décider que le sort en était jeté et il a consenti à venir boire une bière.

La vague n'était pas aux Yasawas, nous a-t-il appris. C'était une feinte. Mais aux Mamanucas, ce qui faisait nettement plus sens. En fait, elle se cassait devant la barrière de récifs de Malolo qui protège les Mamanucas, à la lisière sud des Nadi Waters. L'île, Tavarua, se trouvait grosso modo à quelque dix kilomètres à l'ouest de Viti Levu. La vague déferlait tout autour du littoral occidental de l'île et se heurtait aux alizés. Ritter a dessiné une carte grossière sur la nappe. Elle pouvait être très inconstante, a-t-il précisé. Il fallait la bonne houle. Il n'avait pas l'air de vouloir en dire plus.

Le lendemain même, alors que nous nous préparions à aller enquêter sur place, j'ai enfin trouvé la carte manquante, bizarrement, dans un râtelier de brochures touristiques. La carte top secret servait de toile de fond à un encadré publicitaire aussi large qu'un napperon, vantant "une croisière de rêve de trois jours dans un lagon" à bord d'un yacht partant d'une station balnéaire de la côte. La pub était imprimée sur un épais papier brun, et les bords dessinés de l'encadré étaient déchiquetés et roulés aux coins comme un parchemin, afin de lui conférer l'aspect d'une carte au trésor. Provenant de toute évidence de la bibliothèque d'avant guerre d'un particulier, elle était malgré tout authentique. C'était la pièce manquante de notre collection. Tavarua y figurait, de même que la longue barrière de récifs qui courait au nord-ouest de l'île, avec les légendes "rouleaux hasardeux", "lourds brisants" et "à fleur d'eau" inscrites près des plus gros bouillons. Le village de Viti Levu le plus proche de Tavarua était Nabila.

Nous nous y sommes rendus en bus. Le village se dressait à plusieurs kilomètres de la route asphaltée. Une ligne de chemin de fer miniature, destinée au transport de la canne à sucre, courait entre des collines brûlées par le soleil. De mornes mangroves poussaient à profusion le long d'une côte sans vagues. Le bus a fait halte sous un arbre à pain. "Nabila", a dit le chauffeur. Le village était torride, silencieux, assoupi. Il semblait n'y avoir personne alentour. Nous avons gravi lentement une colline qui s'élevait derrière, le long d'une piste sinueuse qui passait entre des huttes aux murs de boue et au toit de chaume où filaient se réfugier des enfants à l'air effarés. Ils ne devaient pas voir des masses de touristes. La piste était brûlante et poussiéreuse. Quelques centaines de mètres plus haut, nous sommes tombés sur un bon poste d'observation. Nous avons tourné nos jumelles vers l'île minuscule qui se dressait de l'autre côté du chenal et nous l'avons scrutée. Nous regardions droit sur la vague. Elle arrivait du nord-ouest en un paquet presque perpendiculaire. C'était une longue, très longue gauche – qui allait se fuselant très distinctement. Les murs en étaient d'un gris sombre sur fond de mer gris pâle. *C'était la bonne.* Le lineup était d'une symétrie irréelle. En se cassant, les vagues se déroulaient de manière si égale qu'elles évoquaient des instantanés. Il semblait n'y avoir aucune section. *C'était la bonne.* Alors que je la fixais à travers les jumelles, j'ai oublié de respirer pendant une série d'au moins six vagues. C'était elle, bon Dieu !

Les pêcheurs qui nous ont fait traverser le chenal depuis Nabila n'avaient jamais vu une planche de surf. Pas même en photo ni en dessin. Ils refusaient de croire que nous prenions des vagues avec et ils les prenaient pour de petites ailes d'avion. Nous en servions-nous pour pêcher ? En abordant le rivage nord-ouest de Tavarua, le moteur hors-bord de notre embarcation relevé pour traverser un chenal hérissé de coraux, nous constatâmes que la houle était fortement retombée depuis la veille. Elle semblait même trop faible à présent pour surfer. Mais, si nous nous en abstenions, les doutes de nos compagnons seraient étayés, si bien que je me suis mis aussi sec à ramer. L'eau qui recouvrait le récif était absurdement peu profonde, haute de moins de deux centimètres, et les vagues m'arrivaient aux genoux, trop faiblardes et franchement trop rapides pour qu'on les prît. Mais j'ai réussi à en choper une et, quand je me suis levé, j'ai entendu des cris et des coups de sifflet s'élever sur la plage. J'ai surfé sur quelques mètres puis je suis retombé à plat ventre. La houle que nous avions vue du sommet de la colline était morte et enterrée.

En s'attardant sur place pour assister à cette brève démonstration, nos amis s'étaient retrouvés piégés par la marée basse. Ils attachèrent leur esquif à un arbre, mais il s'échoua bientôt sur le sable. Ils étaient quatre, tous d'origine indienne. Leur chef était Bob. Trapu, volubile, d'âge mûr, il se plaisait à beugler des ordres à Peter, son neveu âgé de vingt-neuf ans. Les deux autres étaient Atiljan, un garçon de huit ans, et un très vieux monsieur, maigre et taiseux, à la moustache blanche. Bob et Peter avaient tout un tas de conseils pour nous. D'abord sur les requins. Puis sur les serpents de mer à bandes, ou tricots rayés, très venimeux, qui, la nuit, remontent par centaines sur le rivage, en quête d'eau douce. "Essayez de jouer avec les serpents et vous le regretterez", nous a lancé Peter. Il a longé la plage, en a très vite débusqué un, l'a attrapé derrière la tête et l'a brandi. Il faisait près d'un mètre vingt de long, le corps rayé de bandes noires et blanches, la queue aplatie en forme de pagaie. Peter l'a gentiment remis à l'eau. Nous avons appris que ce serpent (le *Laticauda colubrina* ou *dada-kulachi* en fidjien) était surnommé le "trois-pas", parce que, s'il vous mordait, vous n'aviez que bien peu de chances d'aller plus loin. Il appartenait à la sixième espèce la plus dangereuse du monde, puisque ses crochets vous injectaient un cocktail fatal de myotoxines et de neurotoxines. Le bon côté, c'était qu'il avait la bouche très petite. Peter nous a montré comment serrer le poing, quand on en tient un ou qu'on passe près de lui en ramant, afin d'éviter qu'il ne vous morde entre les doigts.

Et entre les orteils ?

Peter a haussé les épaules. Normalement, ils ne sont pas agressifs.

Peter nous a montré trois piles de bois sec à la lisière de la jungle, sur le rivage oriental. Ce sont des feux de signalisation, nous a-t-il expliqué. Les pêcheurs s'en servent pour communiquer avec leurs familles à Viti Levu. Un feu unique signifie que tout va bien − que vous passez la nuit sur l'île parce que la mer est démontée ; deux feux, que ça va mal et que vous avez besoin d'aide. "Peut-être que le moteur est en panne." Trois, qu'il y a urgence. Si jamais l'un de nous se blessait grièvement, nous devrions allumer trois feux à la nuit tombée. Un bateau viendrait "même par gros temps".

Ils nous ont montré où poussaient les papayers, non loin dans la broussaille, et les bons coins proches du rivage où des poissons comestibles venaient nager à marée haute. La marée remontait à présent et elle serait bientôt assez haute, croyais-je, pour leur permettre de franchir le récif, mais Bob a affirmé que le vent était trop fort. Ils passeraient la nuit sur l'île. Il allumerait un feu un peu plus tard pour faire savoir à leurs familles de Nabila qu'ils s'y trouvaient. Peter emporta une ligne jusqu'au coin poissonneux et eut tôt fait d'attraper une douzaine de mulets gris. Nous les avons fait griller sur des bâtons et nous les avons mangés avec les doigts, en les faisant passer à grand renfort de lait de coco. Bob a inspecté nos provisions. Notre équipement de pêche, qui n'avait encore jamais servi, ne l'impressionna pas. Il a ordonné à Peter de nous laisser des lignes plus solides et de meilleurs hameçons. Au-dessus de nous, le vent agitait les palmes des cocotiers. Le soleil se couchait sur les Mamanucas occidentales.

Notre campement à l'orée de la jungle faisait face à la vague, bien abrité des alizés, et, selon les hommes de Nabila, comportait la seule structure de Tavarua faite de la main de l'homme, soit un séchoir à poissons. Ledit séchoir, constitué de six courts poteaux de bois plantés dans le sable et d'une couverture de chaume, en dépassait d'une soixantaine de centimètres. Il avait la forme et la taille d'un lit à une place. J'ai testé la résistance du chaume. Il avait l'air robuste. Bob a eu un hochement de tête approbateur. Ça ferait un bon endroit où dormir, a-t-il ajouté. Les serpents d'eau, qui sont très rapides dans la mer mais bons à rien sur la terre ferme, ne pourraient pas grimper le long de ces poteaux. Bryan comptait dormir sous la tente. Il l'avait montée et fermée hermétiquement, et, par le langage des signes, il m'a bien fait comprendre que, si d'aventure il retrouvait son grillage de toile dézippé, je pouvais m'attendre à subir les pires des tortures, au moyen d'épieux pointus, de la machette de Bob ou de notre propre ouvre-boîte. L'emploi d'une fourchette à cervelle – souvenir touristique populaire des Fidji, dont l'original servait, disait-on, à l'époque du cannibalisme – n'était pas non plus exclu.

La lune se levait. Peter, qui fixait le feu, nous a appris qu'il portait ainsi les cheveux courts et bizarrement coupés parce qu'il avait perdu son père récemment. Peter était quelqu'un d'enjoué, d'ingénu, qui se confiait facilement. Il était grand, mal rasé, la bouche pleine de dents. Sa vie semblait très compliquée. Il nous a parlé d'une petite amie et des intentions très incertaines qu'il nourrissait à son égard. "Si je la quitte, elle doit se marier. Elle ne peut pas rester chez elle. Vous connaissez les gens, ils ne peuvent pas se passer de sexe." Bob lui a ordonné d'aller vérifier le bateau, qui avait maintenant besoin d'une ancre. Peter s'est levé d'un bond et a commencé à se foutre à poil. "C'est pas possible, pauvre connard, il n'a pas envie de voir ta putain de bite dégueulasse !" Peter s'est jeté dans la nuit.

Bob s'est roulé dans le sac de ma planche. Peter s'est servi du sac de couchage de Bryan et a rabattu le pan du bout sur sa tête, comme une capuche. Le vieux a continué d'entretenir le feu. Chaque fois qu'il y jetait une palme de cocotier sèche, Peter se réveillait, ouvrait en vitesse un livre de poche et lisait quelques lignes à sa lumière. Son bouquin était un policier écrit en hindi, à la couverture bariolée et défraîchie. Le petit Atiljan dormait dans un nid de feuilles vertes qu'il s'était aménagé. Le vieux ne dormait pas. Il chantait et priait en silence, et ses prières et ses chansons s'infiltraient dans mes rêves. Il avait le visage émacié et de hautes pommettes aiguës. Quand le feu brasillait, je pouvais le voir en train de fixer l'est dans le noir, direction Nabila, de l'autre côté du chenal.

Le cinquième, ou peut-être le sixième jour, nous avons surfé. Les vagues étaient encore petites, mais nous étions à ce point sevrés que nous nous sommes jetés à l'eau au premier signe de houle. Des vagues qui nous arrivaient à la cuisse glissaient sur le récif, la plupart du temps trop rapides pour qu'on les surfât. Mais les rares que nous avons pu accrocher étaient stupéfiantes. Elles me faisaient penser à un lance-pierre. Si vous réussissiez à y entrer assez tôt, exécuter un top-turn*, prendre assez de vitesse pour que la crête ne vous passe pas sous le nez, puis adopter la bonne ligne droite, elles donnaient l'impression de soulever l'arrière de la planche et de la propulser sans interruption dans la bonne direction, tandis que sa lèvre continuait de déferler par-dessus votre dos – instant critique qui ne durait normalement que très brièvement mais qui faisait l'effet de se prolonger, chose impossible, pendant trente secondes, voire davantage. L'eau se faisait de moins en moins profonde et les meilleurs rides eux-mêmes finissaient mal. Mais les coups d'accélération étaient magiques. Je n'avais jamais vu une vague dérouler de manière aussi mécanique.

Quand la marée culmina, il se passa un étrange phénomène. Le vent tomba et l'eau, déjà très limpide, devint encore plus transparente. Il était midi, et le soleil au zénith la rendait quasiment invisible. Un peu comme si nous flottions sur un coussin de néant, en suspension au-dessus du récif et dans l'impossibilité d'évaluer sa profondeur, sauf à heurter une masse de corail. Les vagues qui approchaient n'étaient qu'une illusion d'optique. On voyait le ciel, l'océan et le fond de la mer au travers. Et, quand j'en ai pris une et que je me suis levé sur ma planche, elle a disparu. Je volais le long de la ligne que je traçais, mais je ne voyais que le récif brillant défiler sous mes pieds. C'était comme de surfer sur l'air. La vague était si petite et si translucide que je ne parvenais pas à distinguer sa face des creux qui la précédaient ou la suivaient. Je devais surfer au jugé. C'était onirique. Quand je l'ai sentie accélérer, je me suis accroupi pour prendre de la vitesse et, brusquement, je l'ai de nouveau aperçue − parce que, vue d'en bas, sa crête qui m'arrivait à la taille était plus haute que l'horizon.

Les alizés ont forci, la surface s'est feuilletée et cette extrême limpidité a disparu.

La marée a commencé à redescendre et nous avons regagné la plage.

Nos mains, nos pieds, nos genoux, nos avant-bras et le dos de Bryan ruisselaient de filets de sang luisant dus aux éraflures contre le récif. Même surfer à mi-marée semblait hors de question.

J'avais recopié à la main huit feuillets d'instructions pour les premiers secours sur un carnet de notes. Infections, fractures, état de choc, brûlures, empoisonnement, blessures à la tête, coups de chaleur et même blessures par balle − tous les rudiments des soins à administrer sur le terrain y figuraient, soigneusement répertoriés par listes et abondamment soulignés. Je n'avais aucune expérience dans ce domaine et, autant que je le sus, Bryan non plus. Mais je lui avais montré où toutes ces indications se trouvaient dans mon carnet, entre des dessins de Nuku'alofa et des notes pour mon roman ferroviaire. Je les relisais moi-même de temps en temps en m'efforçant de me les graver dans la mémoire, mais il ne m'en restait pas grand-chose. Quasi-noyades, attelles, garrots, victime inconsciente − dans mon cerveau de primitif, il me semblait que me les représenter trop clairement risquait de me porter malheur. Bryan hasarda qu'une banale infection, telle que l'appendicite, pouvait fort bien, si loin de tout, avoir très rapidement raison de l'un de nous. Qu'il nous faudrait attendre la tombée de la nuit pour allumer les feux de signalisation. C'était plutôt vrai, m'étais-je dit, mais, là encore, le seul fait d'y penser pouvait nous porter malheur. Faire le tour de l'île prenait vingt-cinq minutes sans hâter le pas. Bryan compta les traces récentes de serpents dans le sable de la plage et il arriva à un total de cent dix-sept. Ainsi que l'avait dit Bob, ils étaient maladroits sur la terre ferme. Il leur fallait plusieurs minutes pour traverser les dix mètres de sable qui séparaient la ligne de marée haute de l'orée de la jungle. On les repérait facilement et ils n'étaient pas véritablement agressifs. Quand on s'éloignait du feu de camp la nuit, il valait mieux emporter une lampe torche pour éviter d'en piétiner un. La plupart de mes rencontres avec les *dada-kulachi* se firent dans l'eau, où ils abondaient, tant à la surface que dans les profondeurs, sur le récif et dans le lagon.

Il y avait d'ailleurs pléthore de toutes sortes de créatures sur le récif : oursins, anguilles, poulpes et, selon ma prudente estimation, au moins huit millions d'espèces de poissons. J'allais nager tous les jours à marée haute avec masque et tuba, mais sans palmes ni harpon, et je me laissais dériver à la suite de bancs de bestioles ridiculement belles, à travers des canyons de corail affleurant presque à la surface, au milieu de larges éventails cramoisis, de flegmatiques gibbosités semblables à des cervelles et de ramures à l'aspect malfaisant. Je reconnaissais quelques visages familiers : poissons-perroquets, rougets, balistes (*humuhumu !*), mérous. Il semblait y avoir une centaine de types différents de labres. On rencontrait aussi des anges de mer, des gobies, des poissons-globes. J'ai cru voir des gaterins, des poissons-chirurgiens, des vivaneaux rouges, des dorés de mer, des blennies, des brèmes et des mauresques. J'ai aperçu un barracuda et un petit requin à pointe blanche. Et, pourtant, la grande majorité des innombrables poissons qui vaquaient à leurs affaires près du rivage de Tavarua restaient pour moi mystérieux. Certains étaient si vainement sublimes que j'en grognais dans mon tuba.

Nous étions de piteux pêcheurs. Même avec la ligne et les hameçons qu'on nous avait laissés, nous ne faisions pas une seule touche, alors même que nous connaissions le meilleur coin à marée haute. J'ai cueilli un poulpe sur le récif, je l'ai battu pour le ramollir et je l'ai fait bouillir sans trop faire attention, en mettant beaucoup trop d'eau douce, et il resta coriace et immangeable. (J'ai appris plus tard que j'aurais dû mettre du sel. Du moins si nous en avions eu.) En règle générale, s'agissant de survivre grâce aux ressources de la mer et de la terre, nous ne pissions pas très loin. Nous n'avons pas tardé à cueillir et dévorer toutes les papayes mûres qui nous tombaient sous la main. J'ai escaladé le plus bas des cocotiers, celui dont les palmes, sous le vent, ployaient le plus vers la terre, pour chercher des noix de coco vertes, mais j'ai dû m'avouer vaincu devant les plus grands et les plus droits. On trouvait beaucoup de grosses chauves-souris fructivores au mufle rayé de jaune (elles pendaient le jour à l'étage supérieur de la jungle comme autant de grosses gousses grises et nous survolaient la nuit) qui auraient probablement fait de bonnes soupes. Nous n'avions aucune idée de la façon de les attraper. Il y avait aussi diverses sortes de crabes, mais ceux qui semblaient les plus comestibles perdirent tout leur attrait dès que nous constatâmes avec quelle efficacité ils déterraient et dévoraient nos excréments.

Quoi qu'il en fût, nous avions apporté des vivres. Conserves de porc aux haricots, de corned-beef, de ragoût de bœuf, sachets de soupes, ramen, biscuits, confiture. Et juste ce qu'il fallait d'eau. Il n'y avait pas d'eau douce sur l'île. Les *dada-kulachi* buvaient apparemment des gouttes de rosée ou s'abreuvaient aux petites flaques boueuses de la brousse. Nous regrettions de n'avoir rien apporté de sucré. Nous nous remémorions nos plats préférés du monde civilisé – poulet frit, gros hamburgers américains. Même le chow mein de chèvre de Suva, dans notre souvenir, nous paraissait succulent. Nous avons dressé la liste de tous les bars de Missoula, Montana, où l'un de nous avait bu un coup, et nous en avons trouvé cinquante-trois. Nous étions conscients de nous transformer en personnages de BD naufragés sur une île déserte. "Rends-moi un service, tu veux bien... cesse de dire *"entre nous"*[01]." La nuit, nous apercevions des avions de ligne passer au-dessus de nos têtes et des navires illuminés croiser dans la Nadi Waters en direction de Lautoka. Nous étions, comme les adeptes du culte du Cargo, frappés de stupeur devant les lumières électriques. Les chaises me manquaient tout particulièrement.

Bob et son équipe sont revenus au bout d'une semaine comme prévu. Nous avons laissé nos planches et le plus gros de notre équipement sur l'île, puis nous sommes allés à Nadi, une ville de marché au sud de Laukota, où nous avons fait d'autres provisions et, dès le lendemain après-midi, nous étions de retour à Tavarua.

01 — En français dans le texte.

La première houle consistante s'est déclarée la semaine suivante, aux alentours du premier août. Les vagues nous arrivaient à la tête. Certains jours, elles nous dépassaient. Oniriques, galvanisantes, les sessions se confondent dans mon esprit. Le 24 août, si j'en crois mon journal, elles faisaient le double de ma taille.

La vague avait un millier d'humeurs différentes, mais, en règle générale, plus elle était grosse, plus elle s'améliorait. Aux alentours d'un mètre quatre-vingts, c'était sans doute la meilleure que nous eussions jamais connue. Plus haute encore, sa vélocité apportait à la régularité mécanique de la lame un supplément d'âme ; ses profondeurs rugissantes, scintillantes, et son plafond voûté prenaient l'aspect d'un miracle sans fin, les entrelacs de la surface et les puissantes nervures du mur s'ornaient de détails délicats, désormais apparents, qui lui insufflaient une richesse exceptionnelle. Parfois le vent changeait, soufflait vers l'est, se heurtait aux lames et leur envoyait un rude coup à la face, surtout sur les cent derniers mètres du chenal. Quand il soufflait du sud ou du sud-ouest et contournait la partie occidentale de l'île, il semait la pagaille dans les vagues approchant par la bande, large de quelque huit cents mètres, qui s'interposait entre nous et la lisière sud du récif. Mais elles se reformaient subitement au moment de leur dernier virage dans le lineup, et leur côté lance-pierre était encore redoublé par un vent de traîne qui se glissait sous nos planches et murmurait : *Vas-y*.

Nous avons lentement appris à distinguer le take-off. Trois arbres exceptionnellement hauts, plantés en triangle, nous servaient à repérer le lineup, tandis que des remous constants, au-dessus de grosses patates de corail, marquaient ce qui nous semblait le principal point de take-off. Le courant était tantôt faible tantôt féroce, et il coulait dans les deux sens sur le récif, selon que la marée était montante ou descendante. Quand les vagues se faisaient plus grosses et venaient se casser dans une eau plus profonde, on risquait moins d'être projeté sur le récif. Mais il n'en restait pas moins essentiel de la prendre au plus tôt. Même au moment optimal, c'était comme de sauter dans un train lancé à toute allure. Ramer en profondeur, souquer ferme contre les masses d'eau qui dégringolaient du récif, puis piquer sur la gauche quand la vague commençait à soulever la planche, plus fort encore au pied de la face, se relever très tôt, trouver la bonne vitesse dans le ventre de la vague d'un bref plongeon de la main dans l'eau, avant de choisir la ligne qu'on allait tracer – de décider du cap qu'on allait prendre, de s'y tenir étroitement adapté quand elle déferle – pouvait être d'un grand secours. Quand elles devenaient plus grosses et plus consistantes, le seul choix de la vague qu'on allait prendre devenait un défi en soi. Ce contre quoi je devais alors lutter, c'était la trop forte poussée d'adrénaline. À ramer par-dessus la première vague de la série, à voir les lignes des suivantes s'entasser derrière elle tandis que la prochaine était déjà en train de dérouler et de s'écraser sur le récif, je me retrouvais pantelant, le cœur battant la chamade et le cerveau trépidant. Que faire ? De toute ma carrière de surfeur, je n'avais jamais été confronté à une pareille abondance.

Pour le regular foot que je suis, cette vague gauche était d'une singulière ironie. Je ne la surfais pas aussi bien qu'une droite de la même puissance. Mais ma technique de revers s'améliorait. D'ésotériques questions auxquelles je n'avais jamais accordé aucune pensée, tel que le délestage du rail, s'éclairaient soudain en surbrillance à la lumière de cette course interminable sous l'épée de Damoclès d'une lèvre menaçant constamment de s'effondrer sur moi. J'ai commencé à changer de rail dès le bottom-turn, en gardant mon rail extérieur, celui du gros orteil, sur l'eau, même pour remonter la face, tout en me tenant prêt à piquer en un éclair vers le bas et en interdisant à la brise qui soufflait de la terre de passer sous ma planche pour me soulever plus haut que je l'aurais souhaité. Ma planche filait plus vite que je ne l'aurais cru possible. J'ai appris à me détendre, jusqu'à un certain point, dans les situations critiques où mon instinct me hurlait qu'il était temps pour moi de me préparer à l'impact. Encore une fois, cette vague donnait l'impression que la dernière seconde pouvait durer très, très longtemps.

Bryan surfait de front, lui – face à la vague. Il pouvait se lever au moment de la prendre et regarder le train lui arriver dessus. Il n'avait pas besoin de se tortiller ni de regarder par-dessus son épaule. Il pouvait laisser son rail gauche sur la face de la vague. Il refusait de se presser, même quand je trouvais qu'il aurait dû. La première partie de la vague, celle où il fallait se lever promptement pour prendre de la vitesse, le cueillait parfois alors que quelques coups de sonde frénétiques, près du sommet, juste après le take-off, lui auraient sans doute permis d'éviter ça et de se remettre d'aplomb. Il n'a guère apprécié que je lui en fasse part et, après tout, le style de son attaque était impeccable – le drop nonchalant, le calme de torero quand la vague rugissait autour de lui, puis la grimpette et la descente en longues paraboles, à la vitesse de l'eau. Bryan continuait de surfer Rainbows à Maui, en décrivant ses propres lignes loin de la cohue affolante, trouvais-je, tandis que, pour ma part, je surfais encore Honolua, survolté, parce qu'il me semblait que la vague l'exigeait.

Ramer vers le large après un long ride mettait les nerfs à rude épreuve. À la fois exalté et complètement épuisé, je me suis rendu compte que je ne pouvais pas voir calmement passer une nouvelle série sans aussitôt la surfer. J'étais programmé pour prendre une vague, ne fût-ce qu'une section terminale. L'idée qu'il y en aurait d'autres, que, dans dix minutes, nous serions vraisemblablement en quête d'une aussi bonne série depuis un point de take-off bien supérieur, plus loin sur le récif, n'avait tout bonnement aucune influence sur ma conviction qu'une vague ne peut être que rare. Bryan a éclaté d'un rire bien peu compatissant en me voyant hésiter, gémir et hyperventiler.

Nos conversations changeaient. Elles prenaient d'habitude un tour assez prolixe, façon "il faut parler de tout", même durant les longues journées oisives où nous attendions les vagues. Mais en mer, au niveau du lineup, quand les houles commençaient à donner, de larges auras d'un respect teinté d'admiration semblaient nous étreindre, nous intimant le silence ou réduisant nos propos à des murmures et à quelques mots codés, comme si nous nous trouvions dans une église. Il y avait trop à dire, l'émotion était trop forte et, ainsi, il n'y avait rien à dire. Même un "Regarde celle-là !" nous paraissait de trop. Et encore n'était-ce pas qu'un raccourci inapproprié pour un "Seigneur, *regarde-moi celle-là* !", qui, à son tour, aurait été impropre ? Ce n'était pas tant que ces vagues défiaient le langage. Elles le brouillaient, plutôt. Un après-midi où le ciel était plombé et où un vent du sud-ouest gravait sur les faces en approche des vaguelettes de plus petit calibre pareilles à des enluminures médiévales, je me suis rendu compte que je voyais défiler de manière incongrue sur ces grands murs gris de longs mots allemands en lettres gothiques, *Arbeitpartei*, *Oberkommando*, *Weltansshauung* et *Götterdämmerung*. Je venais de lire, dans mon hamac, la biographie d'Hitler par John Toland. Bryan l'avait lue avant moi. Je lui ai fait part de ce que je voyais. "*Blitzkrieg*, a-t-il marmotté. *Molotov-Ribbentrop*."

Un soir, longtemps après le coucher du soleil, alors qu'apparaissaient déjà les premières étoiles, j'ai surfé une vague qui s'est dressée puis a paru se recourber et s'éloigner du récif vers le large, ce qui était impossible. Le fond du mur brillait d'une obscure lumière verte bouteille tandis que sa crête écumait de blancheur. Tout le reste – sa face ridée par le vent, le chenal au-delà, le ciel – avait adopté diverses nuances bleu marine. Alors qu'elle se recourbait de plus en plus, je me suis retrouvé en train de voguer en direction du nord de Viti Levu et de la chaîne de montagnes derrière laquelle se levait le soleil. *Pas possible*, me soufflait mon cerveau. *Continue*. La vague semblait mettre ma foi, voire ma santé mentale, à rude épreuve, à moins qu'elle ne fût un énorme cadeau immérité. Les lois de la physique s'étaient comme assouplies. Une vague creuse qui rebroussait chemin, en rugissant, vers des eaux plus profondes ? Impensable. Avec cette lumière au fond de l'océan et cette canopée de dentelle blanche, ça me faisait l'effet d'un train emballé, ou de l'irruption du réalisme magique. Je l'ai accompagnée. Elle a fini, bien entendu, par se recourber de l'autre côté, trouver le récif et aller s'effiler dans le chenal. Cette vague était surnaturelle.

Les surfeurs sont des fétichistes de la perfection. La vague parfaite, etc, etc. Ça n'existe pas. À l'instar des roses ou des diamants, les vagues sont des objets immuables de la nature. Ce sont des événements brefs et impétueux, qui interviennent à la fin d'une longue concaténation d'actions et de réactions orageuses de l'océan. Les breaks les plus symétriques ont leurs excentricités, leur particularisme local et leur tempérament singulier, qui changent avec chaque modification de la marée, du vent et de la houle. Les meilleurs jours des meilleurs breaks ont un côté platonique – ils commencent par incarner l'idéal même de ce que souhaitent les surfeurs. Mais ça s'arrête à ce début. Bryan ne s'intéressait pas à la perfection, me semblait-il, et, parmi tous les surfeurs de ma connaissance, son indifférence à cet égard constituait à mes yeux un rare degré de réalisme, de maturité et de compréhension philosophique de la nature même des vagues. Quant à moi, je ne portais pas non plus beaucoup d'intérêt à cette chimère qu'est la perfection. Mais peut-être un peu plus que lui.

Je pense à une autre "dernière vague de la journée", celle-là à la fin de la plus longue session que nous ayons vue à Tavarua. Les vagues étaient énormes – c'était peut-être le vingt-quatre août, ce jour où, selon mon journal, elles étaient deux fois plus hautes que nous – et nous avions renoncé à notre politique, pourtant déjà bien établie, de ne surfer qu'à marée haute. Nous nous rendions compte désormais que la vague était aussi surfable au jusant, voire à marée très basse, pourvu qu'elle fût assez grosse. J'étais resté dans l'eau presque toute la journée, depuis une demi-marée maigrelette, où seules les lames turquoise les plus musclées venaient déferler sur le récif avec une marge raisonnable, jusqu'au plus fort de la marée haute et au pic de la houle, où les plus grosses séries se déployaient très largement et se cassaient si loin et dans des eaux si profondes qu'elles manquaient le récif et s'émoussaient, gros murs d'écume solide dépourvus de crête, qui fonçaient droit devant eux en grondant sur cinq à dix secondes avant de se heurter de nouveau au récif et d'à nouveau se dresser pour reprendre leur tonitruante progression. Deux séries m'avaient un peu effrayé, non pas parce qu'elles m'avaient spéciale-ment malmené, ni même retenu trop longtemps sous l'eau, mais tout simplement parce que leurs vagues commençaient à prendre une taille de plus en plus menaçante et que j'avais eu de fulgurantes mais déplaisantes visions de moi-même en train de découvrir, derrière la très grosse vague que j'étais déjà en train de franchir laborieusement, une vague encore plus massive venue d'un autre monde. Peut-être n'avions-nous pas la première idée de ce dont était capable ce spot et allions-nous payer au prix fort tout ce plaisir et notre bonne étoile. C'était la toute première fois que les vagues de Tavarua me faisaient peur. Mes craintes étaient superflues. Car rien de trop puissant n'a surgi. En lieu et place, j'ai pris et surfé de nombreuses vagues, à quatre ou cinq moments différents de la journée, et j'avais l'impression d'avoir fait le plein à ras bord de bonne fortune ; d'avoir été, plus que jamais, connecté au rythme des vagues.

Et c'est là qu'est intervenue la dernière vague. La marée descendait. Bryan était déjà rentré. La houle retombait. Le vent avait tourné et venait un peu plus du nord-est – du large –, créant des conditions plus chaotiques et conférant à la surface de la mer un aspect plus sévère et une teinte kakie évoquant davantage Ventura que les Tropiques. Une série très consistante est apparue en contre-jour, tonitruante, menaçant de se casser plus haut sur le récif. J'ai ramé par-dessus les deux premières vagues et, ayant appris à prendre mon mal en patience, je n'ai pris que la troisième. Elle était bosselée mais superbement profilée, et je me suis empressé parce que le vent du large risquait de la faire très vite s'effondrer. Elle virait aussi plus rudement que la plupart, de sorte que son long mur semblait heurter le récif d'un seul tenant et qu'elle déroulait encore plus vite qu'à l'ordinaire. Je commençais à regretter de l'avoir choisie, mais il était trop tard pour reculer ou plonger, me suis-je rendu compte – la marée semblait avoir descendu d'encore soixante centimètres depuis ma vague précédente, et les têtes de corail affleuraient subitement partout. Pire, la vague paraissait grossir à mesure qu'elle longeait le récif. Elle me dépassait maintenant de plus d'un mètre et sa face n'était pas nette. Elle présentait de bizarres petites sections et des paquets de mer qui s'en éjectaient ou retombaient. Mais elle était extrêmement rapide, j'étais presque à son pied et elle commençait à drainer toute l'eau du récif par capillarité. Je n'avais, je le répète, aucune échappatoire, aucun autre choix que de continuer à rouler, pied au plancher. Après une succession de sections en rafale – je surfais quasiment à l'aveugle, tout se passait trop vite pour me permettre de réagir autrement qu'instinctivement –, je me suis retrouvé en train de ricocher dans le chenal. Je me suis allongé sur ma planche, encore tremblant, puis je suis péniblement rentré en ramant à contre-courant. Arrivé sur la plage, je me suis arrêté à mi-chemin de notre bivouac, complètement épuisé et je me suis surpris à sangloter, à genoux dans le sable au crépuscule.

Nous n'avons pas toujours surfé seuls. John Ritter et ses amis sont revenus et ont jeté l'ancre dans le chenal. Il n'y avait pas de houle sur le moment et ils sont repartis sans avoir surfé. L'*Alias* et le *Capella* sont aussi passés, et eux ont eu droit à des vagues. Nous avons fini avec Bryan par occuper un emploi de pilotes à bord de l'*Alias*. Nous avons pu prendre ce bus de Lautoka à Suva, trouver enfin du courrier du pays à la poste restante, pour la première fois depuis des mois — nos proches semblaient bien se porter et poursuivre leur existence dans un univers parallèle —, puis, ayant appris que Mick détenait à présent des coordonnées relativement correctes pour la vague qu'il traquait, nous avons de nouveau fait voile vers l'ouest sur le ketch en ciment armé. L'*Alias* a mouillé près de Tavarua et nous sommes retournés camper sur l'île. Une houle a frappé le lendemain, et Mick et Graham, tous deux des goofy foots, en sont restés estomaqués. Ils ont surfé à s'en rendre marteaux. Graham, en particulier, était un magnifique surfeur. Quand la houle est retombée, ils ont mis le cap sur Nadi. Le *Capella* aussi est reparti. Puis, dès que les deux yachts se sont éloignés, d'autres vagues sont arrivées avec un léger vent de traîne du sud-ouest, celui qui se glissait sous nos planches et murmurait : *Vas-y, maintenant.*
Nous y sommes allés.
Quand nous avons quitté Tavarua cette année-là, nous pensions que neuf surfeurs seulement, en tout et pour tout, connaissaient l'existence de cette vague. Ce nombre incluait deux membres australiens de l'équipage. Il présumait aussi que Ritter et Gary avaient été les premiers à la prendre. Dans le petit monde du surf, c'était une découverte majeure. Compte tenu de la logique de la rareté qui règne dans ce monde, il était essentiel de la garder secrète. Nous avons tous fait vœu de silence. Bryan et moi avons pris l'habitude, même entre nous, de dire *"da kine"*, le mot de pidgin hawaïen qui signifie "machin-truc", pour parler de Tavarua. Mick et Graham, avec

qui nous avions finalement fait voile à bord de l'*Alias*, l'appelaient "l'Île Magique", un surnom qui, selon moi, manquait
d'inspiration (mais d'autres viendraient, bien pires).

Sur une liane, j'ai cueilli une poignée de petites graines
rouge et noir. La nuit qui a suivi notre départ, alors que nous
avions jeté l'ancre en face d'une station balnéaire proche de
Nadi, nous nous sommes saoulés comme des cochons. Je me
suis réveillé avec l'oreille droite percée et, fichée à l'hameçon
accroché à mon lobe, une petite graine brillante. Au bout
de quelques jours, j'avais l'oreille horriblement infectée. J'ai
envoyé les autres graines à Sharon en lui suggérant d'en faire
un collier. Elle s'est exécutée, mais elle m'a avoué plus tard
ne l'avoir jamais porté parce que les graines lui provoquaient
une éruption cutanée.

Bryan Di Salvatore
et Joe le cheminot,
entre Coober Pedy et Alice Springs,
Australie, 1979

6

LA CONTRÉE CHANCEUSE

Australie, 1978-1979

On nous avait envoyé un exemplaire de la revue *Outside*, avec, à l'intérieur, un article écrit par un de mes anciens professeurs sur un week-end de ski et de beuverie dans le Montana. Je me souvenais de ce week-end, mais dans une autre version. Peut-être qu'avec la distance la conception américaine du divertissement commençait à m'échapper. L'article affirmait que "je menais à présent une existence hors de tout contrôle en Australie". Première nouvelle, sauf pour ce qui concernait l'Australie.

Nous avions atterri à Kirra, ville balnéaire du Queensland proche de la frontière des Nouvelle-Galles du Sud. Nous étions les fiers détenteurs d'un break Falcon de 1964, acheté trois cents dollars près de Brisbane, et nous avions surfé la Côte Est de long en large, de Sydney à Noosa, en dormant dans la voiture. Revenir dans l'Ouest, avec son confort et ses commodités – il y avait même sur les routes des panneaux "PLAGE DE SURF" – était grisant. Et c'était géant d'avoir une voiture. L'essence et la nourriture étaient bon marché. Pourtant, nous étions pratiquement fauchés. Nous avons donc loué avec nos dernières économies un bungalow moisi au fond d'un complexe délabré bien mal nommé, le Bonnie View Flats – les appartements de Bellevue. La plupart de nos voisins étaient des insulaires de Thursday sans emploi – des Mélanésiens du détroit de Torres, au nord, près de la Papouasie et de la Nouvelle-Guinée – et certains d'entre eux jouissaient peut-être d'une belle vue. Nous, non. Mais la plage était juste de l'autre côté de la route et nous n'avions pas choisi Kirra au hasard. Le spot avait une vague légendaire. Or l'été austral débutait et, avec lui, les houles cycloniques du nord-est, du moins l'espérions-nous.

Bryan avait trouvé un emploi de chef dans un restaurant mexicain de Coolangatta, la ville la plus proche au sud. Il avait affirmé aux patrons qu'il était à moitié mexicain, mais, quand on lui avait demandé son nom, il s'était planté et avait répondu McKnight au lieu de Rodriguez. Il ne disposait d'aucun visa de travail valide à l'un de ces deux noms. Ils l'avaient engagé malgré tout. J'avais moi-même dégoté deux jobs harassants, au salaire quotidien payé en liquide, dont celui de cantonnier, qui mérite bien sa réputation d'être une des plus abrutissantes des besognes. Puis je m'étais fait engager, sous le nom de Fitz-patrick, comme plongeur dans un restaurant du Twin Towns Services Club, un grand casino juste derrière la frontière, à quinze minutes de marche. Une des conditions de mon recrutement était que je rase ma barbe, avait dit le gérant, et je l'avais accepté. Quand Bryan était rentré le même soir, il ne m'avait pas accordé un regard qu'il poussait un hurlement. Il semblait sincèrement bouleversé. Selon lui, mon visage donnait l'impression d'être à moitié carbonisé. J'étais blanc comme un linge là où ma barbe avait poussé et marron foncé partout ailleurs.

Là, là, avais-je répondu, ça repoussera.

J'ai claqué mes premiers salaires en planches de surf. Kirra, sur la Gold Coast, est un haut lieu du surf et on y trouve partout des planches d'occasion. J'en ai acheté deux, dont une "squashtail" Hot Buttered de 6'3", qui se retournait en un clin d'œil et pouvait foncer extraordinairement vite si besoin. C'était la voiture de sport des planches de surf et, après avoir monté des mois durant ma robuste planche de voyage, c'était un agréable changement. Bryan a lui aussi fait l'achat de planches neuves beaucoup plus petites. Le spot voisin, qui était couru toute l'année, s'appelait Duranbah. C'était un large beachbreak au nord de l'embouchure de la Tweed, tout près de mon job au casino. Il semblait y avoir toujours des vagues là-bas. Elles étaient souvent moyennes, mais on trouvait parfois des diamants dans la boue. Le jour de mon trente-sixième anniversaire, j'ai pris un joli tube dans une droite étincelante et j'en suis sorti sans une égratignure.

Les pointbreaks (Kirra, Greenmount, Snapper Rocks et Burleigh Heads, qui ont contribué à placer la Gold Coast sur la carte mondiale du surf) ne s'illumineraient qu'après la Noël, nous disait-on. De fait, les vagues ne commenceraient à s'y casser qu'au Boxing Day, soit le 26 décembre, nous a affirmé un voisin qui ne surfait pas. Cette invraisemblable précision nous a fait bien rire, mais nous attendions les vagues avec impatience.

Entre-temps, je commençais à sérieusement m'éprendre de l'Australie. Le pays ne m'avait jamais vraiment passionné. De loin, il m'avait toujours paru d'une désespérante fadeur. Mais, de plus près, c'était une nation de petits marrants, de garçons qui venaient de la brousse, tout en gueule, sans aucun respect pour l'autorité. Les autres laveurs de casseroles du casino – ils nous appelaient des *dixie-bashers*, des récureurs de casseroles en argot aussie –, formaient une équipe à la fierté des plus étranges. Dans les cuisines d'un grand restaurant, nous étions classés tout en bas de l'échelle, en dessous des filles qui faisaient la vaisselle. Nous épluchions les patates (qu'on appelait les "idahos"), nous sortions les ordures, nous récurions les plats les moins ragoûtants, nous lavions à l'eau chaude, en fin de soirée, les sols graisseux au tuyau d'arrosage. Pourtant nous touchions un très bon salaire (je pouvais économiser jusqu'à la moitié de mes gains) et, en tant qu'employés du casino, nous avions accès au bar du club privé, au dernier étage du bâtiment. Nous y débarquions en groupe après le travail, vannés et ramollos, et nous sifflions des pintes au milieu de ce qui passait pour des gros flambeurs de la Gold Coast. À une ou deux reprises, mes collègues y ont repéré le propriétaire du casino et l'ont traité de salaud de richard. De sorte que, culpabilisé à juste titre, il a payé la tournée suivante.

Je n'avais jamais vu aussi vaillamment brandie la dignité du travail, même dans les chemins de fer. L'Australie était, sans l'ombre d'un doute, le pays le plus démocratique du monde. On la surnommait la *Lucky Country* – la Contrée chanceuse. L'épithète avait été forgée par Donald Horne, un critique social dont le livre de 1964 au titre éponyme décriait en ces termes

la médiocrité de sa politique et de son monde des affaires :
"L'Australie est une contrée chanceuse, gérée par des gens de
second ordre qui partagent sa bonne fortune." Mais l'expression avait perdu son sens au fil du temps et, depuis, avait été
unaniment adoptée en tant que brillante devise nationale. Ça
me convenait très bien. Les marqueurs habituels des classes
sociales, si visibles en d'autres pays, y étaient magnifiquement
brouillés. Billy McCarthy, un de mes camarades récureurs de
casseroles, était un garçon d'une quarantaine d'années au langage châtié, bon pied bon œil, marié et père de deux enfants.
Je l'ai cuisiné un soir devant des bières et j'ai appris qu'il avait
été naguère saxophoniste professionnel à Sydney, en même
temps qu'il exerçait le jour un emploi de contremaître dans une
usine de parfums. Il avait suivi ses parents sur la Gold Coast,
s'était associé avec un ami dans une affaire (tonte de pelouses,
lavage de carreaux, culture de bonsaïs qu'ils revendaient au
marché aux puces, empotage de palmiers confiés ensuite en
dépôt à des magasins). Il était encore pépiniériste, mais il avait
besoin du salaire régulier versé par ce restaurant. Il jouait au
golf, souvent avec des musiciens venus de Sydney pour un set
dans le night-club du casino ou dans d'autres boîtes locales.
Si son travail d'aide-cuistot gênait Billy, il ne me l'a jamais
fait sentir. Il travaillait dur, était enjoué, toujours prompt à
la raillerie, plutôt à droite politiquement, et sifflotait généralement quelque morceau ringard. Sans effort apparent, il me
mettait à l'aise. Une fois, alors que je me pointais au taf, je
l'ai entendu crier : "Et le voilà, l'homme qu'ils n'ont pas pu
fusiller, baiser ni électrocuter !"

Le chef de cuisine m'appelait "Fitzie", diminutif auquel,
volontairement, je ne répondais jamais. C'était lui notre patron.
Une fois, alors que je me moquais d'un plat de poisson à la
déco criarde qu'on allait envoyer en salle, il m'a jeté un regard
noir et il a ajouté : *"Don't come the raw prawn with me* [01],
cobber !" (Me la fais pas à l'envers, mon pote). Pas moyen de
dire si j'avais poussé le bouchon trop loin. Mais McCarthy et
les autres *dixie-bashers* ont trouvé la remarque jubilatoire. Ils
ne m'ont plus appelé que *Raw Prawn* – Crevette Crue.

01 —Littéralement : "Me la joue pas crevette crue !"

248

Les surfeurs du coin étaient moins accueillants. Il y en avait des milliers. Le niveau était élevé, la compétition pour les vagues très vive. Comme partout, chaque spot avait sa bande, ses stars, ses vieux mâles dominants. Mais il y avait aussi, dans chaque ville balnéaire de la Gold Coast – Coolangatta, Kirra, Burleigh –, de véritables clubs, cliques et autres dynasties familiales. Ainsi que des hordes de touristes et de randonneurs. On continuerait de nous assimiler, Bryan et moi, à un rang inférieur tant que nous n'aurions pas fait nos preuves. Les types avec lesquels nous avons commencé à surfer régulièrement appartenaient tous à une bande d'expats : un Anglais que nous appelions Peter le Rosbif, un Balinais prénommé Adi. Peter, un solide surfeur, était cuisinier au casino et marié à une fille du coin. Ils vivaient dans un appartement de Rainbow Bay qui donnait sur la vague des Snapper Rocks. Adi avait aussi épousé une autochtone. C'était un surfer talentueux, qui travaillait comme serveur et envoyait son salaire au pays. Un soir, je l'ai emmené avec son cousin Chook voir *Car Wash* dans un drive-in. Chook avait les cheveux qui lui tombaient jusqu'à la taille et c'était l'homme adulte le plus squelettique que j'eusse jamais rencontré – *chook* veut dire "poulet", en argot aussie. Adi et lui se sont enivrés au vin pétillant pendant le film, qu'ils appelaient *Wash Car*, et qui les faisait rire comme des baleines. Ils trouvaient que les Afro-Américains – les Négros, dans leur bouche – étaient les gens les plus drôles de la terre.

Le casino a donné pour le personnel une soirée de Noël, ce qui m'a fourni une occasion de revivre cette période douloureuse de la vie de lycéen que j'avais manquée en jouant les surfeurs hippies voués à finir derrière les barreaux avant même d'assister au bal de promo. Toutes les jeunes femmes des cuisines – serveuses, plongeuses, pâtissières – étaient très excitées par cette fête. Je les entendais sans arrêt passer en revue leurs robes, petits copains, coiffures, orchestre et projets pour l'after. Je me suis rendu compte que j'avais très envie d'y être moi-même, avec, peut-être, une jolie serveuse au bras. Mais je n'avais pas de chemise à manches longues, sans même parler du smoking qui, si j'avais bien compris, était de rigueur. Et, surtout, il crevait les yeux que je n'existais pas pour ces filles. Leurs soupirants étaient tous de jeunes voyous locaux avec qui elles étaient probablement allées au lycée. J'ai passé toute la soirée de la fête à travailler sur mon roman dans la petite chambre cradingue de mon bungalow. Combien j'ai détesté être un étranger exclu de tout ! L'intensité de ma honte, de mon humiliation, était affligeante.

Nous nous écrivions très fréquemment avec Sharon. Recevoir ses lettres me réconfortait d'ordinaire, mais je pouvais difficilement tout lui raconter. Sans doute se montrait-elle discrète elle aussi sur certains sujets. Composer avec les véritables paramètres de ma solitude n'incombait qu'à moi seul.

Nous voulions écrire un article pour *Tracks*, un magazine de surf publié à Sydney. La revue ne ressemblait en rien à ses cousines américaines sur papier glacé, luxueuses et soignées. C'était un tabloïd sur papier journal, grossier, drôle et éditorialement agressif. C'était aussi, apparemment, le magazine le plus lu par la jeunesse australienne, l'équivalent de *Rolling Stone* à sa grande époque. Nous projetions de nous moquer de la domestication du surf en Australie. *Tracks* et ses lecteurs haïssaient d'ores et déjà les Américains. Ils nous traitaient de *seppos* (le diminutif de *septics tanks* – fosses septiques –, ce qui rime avec *Yanks* en argot)... quand ils voulaient rester polis. Plus communément, nous étions tous des têtes de nœud. Nous nous pensions capables de leur rendre la pareille. Les éditeurs nous ont donné le feu vert.

La cible était presque trop grosse. Le surf est un sport largement grand public en Australie (avec tous ces clubs, ces concours, ces équipes scolaires et ces "PLAGES DE SURF" bien balisées ; je n'aimais d'ailleurs tout ce cirque qu'à moitié), et l'attrait massif qu'il inspirait était sans doute la seule raison pour laquelle un magazine aussi étroitement spécialisé que *Tracks* pouvait se doubler d'un journal généraliste d'envergure nationale pour la jeunesse. Mais, du point de vue culturel, c'était outrageusement nul. Nous avions grandi au sud de la Californie, où la plupart des villes balnéaires et des flics municipaux chargés de surveiller les plages méprisaient et harcelaient les surfeurs. Mon lycée nous aurait sans doute exclus plutôt que de nous soutenir. Les surfeurs étaient de mauvais garçons, hors-la-loi et rebelles. Nous étions *cool*, le mot est lâché. Le surf n'était pas un "sport" soumis, autorisé par les autorités. Nous pensions pouvoir jouer cette carte dans *Tracks*.

Le plus difficile serait la rédaction de l'article. Nous n'avions jamais rien coécrit, et notre présomption à partager une même sensibilité, se révéla formidablement erronée. Nous étions à peu près d'accord sur l'idée directrice, mais Bryan ne supportait pas mes brouillons et je méprisais les siens. Pourquoi me montrais-je si banal, si prévisible ? Et lui, pourquoi était-il si ampoulé, si excessif ? Quand donc allait-il grandir ? Est-ce que j'*aspirais* à la médiocrité ? Je ne tenais pas à associer mon nom à ces enfantillages. Et ainsi de suite. Je me suis fâché si fort que j'ai froissé les quelques pages qui étaient l'enjeu de notre dispute et que je lui ai jeté la boulette de papier au visage. Il m'a appris par la suite qu'il avait failli me frapper. Au lieu de ça, il sortit, furieux.

Nous nous connaissions depuis huit ans à l'époque. Ce désaccord total et féroce, portant sur quasi chaque ligne de cette petite dissertation, m'a amené à me demander à quel moment nos divergences littéraires s'étaient faites si prononcées. Lors de nos premières rencontres à Lahaina, c'était de découvrir que nous aimions les mêmes livres qui nous avaient attirés l'un vers l'autre. Les premiers mots que je lui avais adressés étaient : "Qu'est-ce que tu fabriques avec ce bouquin ?" Il traversait le parking d'une poste, *Ulysse* à la main, et les barres familières du grand *U*, dans l'édition de Random House avaient accroché mon regard. Nous étions restés plantés une heure ou deux en plein soleil à discuter de Joyce puis de la Beat Generation pendant que Domenic attendait impatiemment à l'ombre. Que nous nous rencontrions de nouveau plus tard semblait inéluctable. Bien sûr, nos goûts n'avaient pas toujours été exactement les mêmes. De nous deux, j'étais l'admirateur le plus inconditionnel de Joyce − je devais passer plus tard une année à étudier *Finnegans Wake* avec Norman O. Brown, un exercice d'obscurantisme masturbatoire auquel Bryan ne se serait jamais adonné −, tandis qu'il montrait pour la fiction, et en particulier pour les westerns, un intérêt qui me faisait défaut. J'aimais Pynchon, Bryan trouvait sa prose effroyable. Et ainsi de suite. Mais nous nous recommandions constamment de nouveaux auteurs, et, le plus souvent, nous trouvions les mêmes qualités à leurs œuvres. Bryan tendait à prendre des années d'avance sur le public – il vantait le travail de Cormac McCarthy longtemps avant que les critiques n'en eussent entendu parler –, et je me félicitais de marcher sur ses pas. En Australie, nous nous plongions dans Patrick White et Thomas Kenneally, et nous faisions la fine bouche devant Colleen McCullough. Alors pourquoi la moindre phrase que Bryan écrivait sur le surf australien m'agaçait-elle, et réciproquement ?

Nous prenions manifestement des directions différentes. Adolescent, j'étais parti sur une sorte de surréalisme lyrique, de phrasé ivre à la Dylan Thomas, et je m'étais lentement efforcé de mettre de l'eau dans mon vin. Moins épris d'originalité à l'esbroufe, je m'intéressais désormais davantage à la transparence et à la précision. La musique des mots – ce qu'il avait appelé une fois "l'incroyable et trépidant bonheur d'une phrase bien tournée" –, continuait d'enchanter Bryan. Il adorait les dialogues bien rendus, pris sur le vif, l'humour vernaculaire un peu fêlé, la vivacité truculente, les métaphores saisissantes, et il n'y avait rien au monde qu'il détestât davantage qu'une expression toute faite.

J'optais pour laisser tomber l'article, ou, à tout le moins, pour qu'il ne fût signé que de sa main. Mais Bryan restait déterminé à ce que nos deux noms y figurent. Nous avons donc dû revoir son texte jusqu'à ce que je consente à le cosigner. Nous nous sommes servis de nos vrais noms, ce qui tombait bien puisque l'article a causé des remous inattendus à sa parution. Peter le Rosbif, qui ne nous connaissait que par nos noms d'emprunt, me demanda à un moment donné si je l'avais lu. Les insultes impétueuses de ces petits branleurs d'Américains avaient singulièrement énervé quelques locaux, m'apprit-il. Bryan et moi décidâmes de ne pas en revendiquer la paternité si l'on nous posait la question. Nous avions espéré choquer le lecteur, mais nous ne tenions pas à être chassés de la Gold Coast. *Tracks* publiait traditionnellement un courrier des lecteurs, petite merveille de grossièreté, et nous avons eu droit à nos lettres d'insultes. J'ai bien aimé le : "Je ne vous cracherais pas dessus si vous preniez feu, tas de bâtards." Bryan a préféré : "Que vos oreilles se transforment en trous du cul et vous chient sur les épaules."

J'ai rencontré une fille. Sue. Elle m'a dit que j'étais "aussi fêlé qu'une montre à deux sous". C'était un compliment dans sa bouche. Je l'aimais énormément. C'était une mère de trois enfants, une grande gueule aux yeux brillants et à la poitrine opulente. Son mari, un musicien de rock local accro à l'héroïne, était en prison. Nous vivions dans la crainte de sa libération. Elle vivait avec ses gosses dans une petite ville balnéaire aux très nombreuses tours qui portait le nom (quand on vous dit populaire !) de "Surfers Paradise". Sue faisait partie des *bons vivants*[01]. Elle aimait la musique d'avant-garde, l'art, la comédie, l'histoire australienne et la culture aborigène. Elle connaissait un tas de ragots sur la Gold Coast — quelle star du surf et cocaïnomane avait balancé ses copains aux flics, quelle autre star du surf et cocaïnomane sautait l'épouse de son sponsor. Elle connaissait aussi les magnifiques montagnes plantées de forêts d'eucalyptus qui s'élevaient derrière le littoral, là où paissait le bétail, bondissaient les kangourous et où des partisans hirsutes du "retour à la terre" vivaient une version imbibée de cannabis du Temps du rêve aborigène. Nous y passions des journées entières quand la mer était d'huile. Les gamins de Sue, qui allaient de huit à quatorze ans, m'ont fait un superbe collage comique montrant d'adorables koalas perplexes observant des flâneurs en train de se pavaner sur la Gold Coast. Puis, un soir, j'ai reçu un coup de fil à minuit. Le mari avait été relâché. Sue avait été prévenue, elle avait entassé ses gamins dans sa bagnole pourrie et se trouvait déjà à des centaines de kilomètres du Surfers Paradise. "Envolée comme la nuisette d'une jeune mariée, précisait-elle. Comme un seau de crevettes un jour de canicule." Tout bien pesé, elle semblait plutôt heureuse. Ils se rendaient chez sa mère à Melbourne, à près de deux mille kilomètres. Elle me retrouverait un de ces jours. Je devais me méfier de son mari.

01 — En français dans le texte.

Sue n'est pas vraiment un bon exemple, mais un tas d'Australiennes donnaient l'impression d'en avoir leur claque de leur Australien de mari. Les *"Ockers"*, comme on les surnommait – le mot venait d'une émission télévisée populaire – buvaient beaucoup trop de bière, aimaient avant tout le football et leurs copains, et traitaient mal leur épouse. Je ne saurais dire si cette généralisation était exacte et justifiée, mais, après avoir séjourné assez longtemps à Kirra pour faire comprendre aux autochtones que nous résidions vraiment là, Bryan et moi avons commencé à nous sentir dans la peau d'innocents chanceux bénéficiant d'une désillusion féminine collective. Comparés aux Ockers, nous étions des garçons modernes et sensibles. Les filles de la Gold Coast avaient du temps à nous consacrer. Même quand nous nous comportions grossièrement, nous passions pour être plus distingués que les indigènes. Sue me manquait. Je me félicitais de n'avoir toujours pas croisé son mari, mais, Dieu merci, j'ai réussi à surmonter cette phase de sentimentalisme à l'eau de rose.

J'ai trouvé un nouveau job : barman au Queensland Hotel de Coolangatta, un bar qui faisait double emploi : pub à l'ancienne la semaine et, le week-end, club de rock à l'enseigne de "The Patch". (Sue et moi y avons écouté Bo Diddley.) J'ai appris à tirer convenablement des pintes sous la surveillance vigilante d'un vrai barman de profession, Peter. Il m'avait appris que le client, s'il était mal servi, était en droit de te jeter la bière (mais pas le verre) à la gueule, et d'exiger qu'on lui en tirât une autre. La liste des erreurs méritant cette punition était longue : trop de mousse, pas assez de mousse, trop plate, pas assez fraîche, tiédasse, trop pingre, traces de savon dans le verre. Cette annonce avait produit son petit effet : mort de peur, je tirais précautionneusement. En semaine, les soirées étaient plutôt tranquilles, ça ne se bousculait pas. Mais le vendredi et le samedi soir, au Patch, une sorte de grande grange sombre qui se dressait derrière le vieux pub, c'était une tuerie : des dizaines de milliers de rhum-Coca, des clients bourrés qui hurlaient derrière le comptoir, du punk rock vociféré à plein volume. La saison touristique estivale débutait. Après le boulot, je regagnais Kirra en longeant la route de plage, j'accueillais le silence avec gratitude, et je m'arrêtais au bout de la pointe, là où était censée se casser la grande vague, pour scruter, par-delà le pied de la jetée, les ténèbres où venaient ballotter les vagues. Toutes celles que nous avions surfées jusque-là avaient été très belles, chaudes, douces, mais toujours avec leurs défauts. On disait de Kirra que, quand elle se cassait, c'était un pointbreak de dingue, une vague aussi puissante qu'une rocket. Difficile pour l'heure de se l'imaginer.

La première houle cyclonique a frappé pour le Boxing Day, comme prévu. Kirra s'est réveillée. Cette vague "difficilement imaginable", désormais, il n'y avait pas moyen d'en détourner les yeux. Mais c'était une bête étrange, dégingandée, rien à voir avec les pointbreaks de Californie. De gros paquets d'eau sablonneuse allaient se drosser tout autour de la jetée pour former ensuite un courant le long de la côte. Le ciel était à la fois plombé et d'un éclat éblouissant ce matin-là, l'océan d'un gris-brun strié d'argent aveuglant. Les séries donnaient l'impression d'être plus petites qu'en réalité et de dériver pratiquement sans but vers la barre, juste derrière la jetée, avant de subitement se dresser, plus hautes et épaisses qu'elles ne l'auraient dû, de hoqueter et, finalement, de se disloquer en une féroce succession de sections qu'on pouvait prendre. Certaines vagues se cassaient carrément à angle droit, leur lèvre se projetait très loin devant tant elles avaient de puissance. Que Kirra se brisât sur du sable restait difficile à croire. Je n'avais jamais rien vu de pareil. La foule était déjà nombreuse dès l'aube et ça empirait rapidement. Nous nous sommes mêlés à elle.

J'ai dû en prendre trois ce jour-là. Nul ne voulait me céder la place. Le courant qui longeait la côte transformait tout le spot en une compétition de barbotage. Personne ne parlait. Ramer était trop éreintant, et la moindre interruption ou seconde d'inattention se traduisait par une perte de terrain. J'étais en forme, mais les caïds locaux, eux, étaient si fringants que c'en était obscène, et c'était leur raison de vivre. Près de la pointe et du take-off, le courant se faisait encore plus violent. Quand une série approchait, il fallait le remonter à toute vitesse, selon un angle bien précis pas forcément évident, et se débrouil-ler pour creuser suffisamment l'écart entre soi et la meute grondante et gesticulante, pour finalement se retrouver tout seul dans le creux de la vague au moment où l'eau se retirait de la barre, pivoter et, au moyen de quelques derniers coups de main appuyés, la prendre avant qu'elle ne basculât. Puis, pourvu qu'on ait réussi à la prendre, la surfer en ramant comme un dingue sur une des vagues les plus rapides du globe. Ça ressemblait beaucoup à un travail harassant. Mais, quand on prenait une vague, elle en valait la peine. Elle valait tout ce qui était un tant soit peu important. C'était, me disais-je, une vague qui exigerait mon plus grand sérieux.

Elle n'avait sans doute pas l'ampleur panoramique, ni la grandiose beauté d'une Honolua Bay. Elle était bien plus compacte et filandreuse. Les premières centaines de mètres vous donnaient l'impression, avec tous ces spectateurs alignés sur la jetée de la pointe, derrière les garde-fous de la route du littoral, au sommet de la falaise verte et escarpée qui se dressait par-delà et même, parfois, dans le parking du Kirra Hotel, un grand pub assez quelconque niché à son pied, de traverser un amphithéâtre. Au-delà, on débouchait sur une large plage et, quand la houle était assez forte et qu'on avait pris le bon angle, la ride pouvait encore se poursuivre sur deux cents mètres, hors de vue, sur une piste déserte extatique. Ce n'était pas une vague mécanique. Elle avait ses défauts, ses variantes, ses plages de ralenti, ses close-outs. Les vaguelettes qui frappaient la jetée ou la barre intérieure refluaient souvent vers la mer et sabotaient la troisième ou la quatrième vague de la série. Mais les plus correctes présentaient une *compression* étourdissante, une compression parfois littérale. Les plus lourdes semblaient d'abord se raccourcir, puis prendre tant de force qu'elles commençaient à exploser sur la barre principale, un affleurement de sable connu sous le nom de section Butter Box – Beurrier. En dépit de son fond sablonneux, c'était une section très intimidante, même avec une vague qui semblait surfable. Il fallait l'accrocher en vitesse, rester couché parallèlement à sa face et se préparer à esquiver sa lèvre épaisse quand elle se projetait à l'horizontale, puis se débrouiller pour se maintenir sur sa planche en dépit d'une accélération du feu de Dieu. La section Butter Box donnait un tout nouveau sens à la vieille imprécation des surfeurs : "Cale-toi !" C'était le seul moyen de s'en tirer : en se calant le tube.

J'avais surfé mon lot de tubes de front, depuis la section intérieure fiable de Lahaina Harbor Mouth jusqu'à une vague mutante scélérate connue sous le nom de Stockton Avenue, où j'avais cassé des planches en deux par des journées de vagues de presque un mètre, et où je pouvais m'estimer heureux de ne m'être pas blessé sur le récif à fleur d'eau. Mais Stockton était une vague courte et effroyable − avec plus d'un tour dans son sac. Kirra était tout aussi creuse et elle se cassait sur une pointe. Elle était aussi longue que Rincon ou Honolua et plus creuse que ces deux dernières. Et le fond, encore une fois, n'était ni rocheux ni corallien, mais sablonneux − disposition sans précédent, à ma connaissance, pour un grand pointbreak. Le sable n'est pas spécialement doux, ai-je appris. Je l'ai heurté une fois si rudement au Butter Box que je m'en suis tiré avec une commotion, incapable de dire où j'habitais. Une autre fois, toujours au même endroit, alors que la vague n'était pas particulièrement grosse, je me suis retrouvé avec mon leash si étroitement enroulé autour de ma taille que je n'arrivais plus à respirer. Et, à une autre occasion, toujours dans la même section, mon leash a tranché dans le rail de ma planche favorite et sectionné la moitié du tail. De sorte que, si le sable était assurément le bienvenu, la violence de la vague restait intacte − et indissociable, comme toujours, de son charme sauvage. Tel est le fil rouge.

L'ordre hiérarchique, à Kirra, était d'une longueur déconcertante, et les gars qui en occupaient le sommet tendaient à être des champions mondiaux ou internationaux. Michael Peterson, deux fois champion d'Australie, régnait sur le lineup quand nous avons commencé à surfer le spot. C'était un personnage musculeux, sombre et taciturne, à l'épaisse moustache, dont les yeux brillaient d'une lueur inquiétante. Il prenait toutes les vagues qui lui chantaient et surfait comme un démon, dans une posture puissante, à grand renfort d'ahans sauvages. Un matin, je l'ai surpris en train de me dévisager. Nous étions près du point de take-off et je ramais fougueusement, comme toujours, pour tenter de prendre de vitesse la meute, mais Peterson, lui, s'était figé. "Bobby !" a-t-il crié. J'ai secoué la tête et continué sur ma lancée. Il avait l'air d'avoir vu un fantôme. "Tu n'es pas Bobby ? Tu ressembles trait pour trait à mon pote qui est en prison ! J'ai cru qu'on l'avait relâché. Bobby !" Suite à cet incident, j'ai vu souvent Peterson me fixer dans l'eau. Nous échangions un signe de tête pour nous saluer, même si je semblais l'épouvanter, et j'ai senti l'ordre hiérarchique s'assouplir autour de moi quand les autres ont remarqué qu'on se disait bonjour, moi et le légendaire Peterson. J'étais heureux de prendre cette vague. Mais j'en voulais d'autres, tout simplement. Comme tous ceux qui étaient là.

Nous avions l'avantage avec Bryan d'habiter aussi près que possible de Kirra — à moins de loger au Kirra Hotel, qui n'avait pas de chambres. Je vérifiais la jetée tous les soirs en rentrant du boulot, et, s'il y avait la moindre trace de houle, nous nous pointions avant l'aube. Il se trouva que cette saison de surf fut grandiose, une des meilleures de mémoire, avec une houle constante pratiquement chaque semaine de janvier et de février. Un cyclone, Kerry, dévasta les îles Salomon puis parut dériver pendant des semaines autour de la mer de Corail en produisant une puissante houle nord-ouest. Nos sorties au petit matin, souvent fructueuses, nous apportaient des vagues fraîches avec relativement peu de monde : l'équipe des habitués des premières heures du jour, dont certains qui n'étaient pas des surfeurs particulièrement brillants. Parmi eux, un grand barbu empoté mais amical, qui surfait une gun pour les grosses vagues, ne virait presque jamais et beuglait, chaque fois qu'il se relevait pour tracer sa ligne : *"I got a lady doctor."* Je connaissais le vers suivant de la chanson : *"She cure da pain for free[01]."* C'était vrai.

Kirra, dans la mesure où c'était une droite fameuse et courue, n'entrait pas dans les vagues préférées de Bryan. Il la surfait néanmoins fidèlement et réussissait à trouver des failles dans la cohue, lors des sessions matinales peu fréquentées, en jouant avec les points de connexions dans la succession des bancs de sable, ce qui lui permettait de prendre ses propres vagues. Il

01 — "J'ai une copine doctoresse/Elle soigne gracieusement la douleur."

ne participait pas à la mêlée générale avec la même régularité que moi, ni ne chassait le Graal qui, les grands jours, s'incarnait de plus en plus dans le vortex du Butter Box (que nous avions pris l'habitude d'appeler tout simplement la "section féroce"). Il avait l'air d'aimer autant que moi l'Australie – l'impertinence invétérée des Aussies, les salaires ahurissants, la richesse de l'argot, le soleil, les filles. Mais il n'écrivait plus et ça devenait inquiétant. Il avait terminé à Guam un roman dont l'intrigue se déroulait dans une petite ville de l'Idaho Panhandle. C'était fantastique. Meilleur même, trouvais-je, que son roman façon Bildung sur ses copains de lycée surfeurs. Il l'avait envoyé à un agent de New York, le genre de chose auquel je n'avais jamais osé me livrer. (J'avais dorénavant, dans mes fonds de tiroir, deux romans que seuls des amis avaient lus.) Le manuscrit n'avait pas encore trouvé d'éditeur. Ce délai ne décourageait pas Bryan, mais il semblait désormais ne plus désirer écrire pour un temps.

C'était un lecteur insatiable – fiction, biographies. Il lisait toujours assis dans un vieux fauteuil d'osier qu'il avait installé près de la porte d'entrée de notre bungalow. Chez un brocanteur de Coolangatta, j'avais trouvé une haute pile de vieux *New Yorker* qu'il vendait à un penny l'unité, j'en avais acheté une petite centaine et je les avais offerts à Bryan pour Noël. Il avait posé la pile à côté de son fauteuil et entrepris de les feuilleter méthodiquement. Ils devinrent pour nous une sorte de sablier, chargé de tenir le compte du temps que nous passions à Kirra – cent magazines de lus, deux cents autres à suivre. J'avançais de mon côté chapitre après chapitre sur mon roman, auquel j'avais enfin trouvé une trame. Nous partagions une antique machine à écrire que Sue nous avait données. Bryan tapait, pour ses amis au pays, de longues lettres drolatiques leur narrant nos aventures à Oz, qui toutes ne relevaient pas de la fiction. Il m'en lisait parfois des passages dont il pensait que je les trouverais amusants. L'un d'eux, resté gravé dans mon esprit, ne m'a toutefois guère amusé : il nous décrivait tous les deux sous les traits d'un couple de surfeurs itinérants physiquement très mal assortis. Lui était trop gros, écrivait-il, et moi trop maigre. J'étais maigrelet, il est vrai, et Bryan un tantinet dodu mais mon amour-propre s'est hérissé devant cet autodénigrement excessif. Ma réaction était sans doute étrange, notamment parce que je m'étais toujours efforcé d'alléger les tensions entre nous − et davantage encore entre Domenic et moi −, en jouant volontairement l'idiot du village quand on était tous les deux. Mais mon physique n'était manifestement pas un sujet de moquerie, surtout si cette saillie suggérait, de ma part, veulerie ou, Dieu me pardonne, un certain manque de virilité. Le comportement de Bryan, à cet égard, était bien plus sain que le mien. Bryan ne laissait pas d'autre choix à ses élèves : il était Clint Eastwood et personne d'autre. Clint, à qui il était fort loin de ressembler. Ce "numéro" faisait partie de son charme de séducteur.

En parlant d'anatomie, la Gold Coast m'offrit une véritable leçon de vie à ciel ouvert. Il devint ici évident que je détruisais systématiquement ma santé en surfant. En observant autour de moi les Australiens qui passaient beaucoup de temps sous un soleil tropical auquel ils n'étaient pas génétiquement préparés − la plupart étaient originaires du nord de l'Europe −, je pouvais pressentir l'avenir médical peu brillant qui m'attendait. Tous, même adolescents, semblaient souffrir d'une cataracte due au soleil qui voilait leurs yeux bleus. Excroissances de peau derrière les tympans, nez violets et bras affreusement constellés des hommes mûrs étaient autant d'avertissements des plus fair-play : carcinomes baso-cellulaires (sinon cancers spino-cellulaires ou mélanomes) me guettaient. Je souffrais moi-même de cataracte aux deux yeux. J'avais pourtant pris des mesures préventives, et j'avais surfé sous des latitudes plus froides ; mais rien n'y fit. Les années où j'avais surfé dans l'océan glacé de Santa Cruz m'avaient donné des exostoses − des excroissances osseuses dans le conduit auditif, connues comme "l'oreille du surfeur" −, qui ne cessaient de piéger l'eau de mer, de provoquer des infections douloureuses, et qui exigeraient plus tard au moins trois interventions. Sans compter la panoplie habituelle des blessures dues au surf : égratignures, lacérations, éruptions cutanées, nez cassé, fracture du cartilage de la cheville. Je ne m'intéressais pas à ce qui pouvait m'arriver à l'époque. Tout ce que j'exigeais de mon corps, c'était qu'il rame plus vite, qu'il surfe mieux.

La contrée chanceuse

Je suis devenu à Kirra une véritable machine à ramer. Mes bras ne se fatiguaient tout bonnement plus. Bien connaître le courant côtier était d'une grande aide. Il était constant, mais il avait ses aléas, ses points faibles, ses remous – voire parfois, selon les diverses marées, de profonds creux, légèrement sur le côté –, et sa disposition changeait au gré de la force et de la direction de la houle, ainsi que selon les déplacements du sable. Rares étaient ceux qui exploitaient ces aléas, et nous avons appris à les connaître. La compétition était si rude – nous nous efforcions de faire en sorte que chaque coup comptât –, que nous ne nous parlions pas souvent. Cependant une sorte d'accord rudimentaire quant au partage des vagues a néanmoins fini par émerger, né de la conjugaison de la nécessité de surfer pour tous et du respect de l'autre. J'ai pris davantage de vagues. Et j'ai appris à m'en sortir correctement.

De multiples façons, le surf à Kirra était diamétralement opposé à celui qu'on pratiquait à Tavarua. Celle-ci était une gauche immaculée, déserte, qui se cassait sur un récif de corail dans une abondance paradisiaque. Celle-là une droite ultra-fréquentée sur le fond sablonneux du Miami australien. Toutes deux étaient de longues vagues exceptionnelles, exigeantes, demandant à la fois vitesse et raffinement, et qui savaient récompenser une étude sérieuse de la zone. Entrer à pleine vitesse dans la section sauvage, surfer collé à la face – s'y caler –, puis, une fois à l'intérieur du tube, garder son sang-froid, savoir avec certitude qu'elle pourrait fort bien vous recracher, c'est là la clef du surf à Kirra. Elle s'en abstenait d'ordinaire, mais j'ai vu des vagues qui, alors que leur ouverture éclairée par le soleil filait droit devant moi, m'ont taquiné, menaçant à deux, voire trois reprises, de me dépasser avant de marquer une pause et de miraculeusement revenir vers moi, tandis que leur lèvre écumante donnait l'impression de s'ouvrir comme le diaphragme d'un appareil photo, jusqu'à ce que je sois pratiquement hors du trou, puis de se renverser, de remettre le couvert et de reculer de nouveau, magnifiquement et désespérément hors d'atteinte, avant de revenir, porteuse d'un espoir encore plus superbe. Ce furent les plus longs tubes de ma vie.

Ce qui soulève une question : celle de revendiquer une vague. Le mieux, et de loin, quand on est expulsé d'un tube profond,

261

c'est de ne rien faire. Continuer à surfer. Feindre que ça vous arrive sans arrêt. C'est difficile sinon impossible. Une sorte de catharsis, sous la forme d'une petite célébration intime, devient pratiquement une nécessité physique. Peut-être pas en levant le poing de manière ostentatoire, ni même en jetant les bras en l'air comme quand on vient de transformer un essai, mais en reconnaissant qu'il vient de se passer quelque chose de rare et de profondément émouvant. Par un des meilleurs jours que nous ayons connu à Kirra, alors que les séries pivotaient largement pour aller se casser dans une eau plus profonde et plus bleue que d'ordinaire, j'ai enfilé un tube oblong, non caverneux, dont j'ai immédiatement constaté que le plafond commençait déjà à se désagréger – à s'effriter. J'ai courbé la tête et fait le dos rond, m'attendant à voir tomber le couperet, mais j'ai continué à tracer ma ligne et j'ai réussi à me faufiler. À la sortie, quand je me suis relevé, stupéfait, en essayant de rester cool, j'ai remarqué Bryan parmi les gars qui ramaient sur l'épaule. J'ai bien perçu quelques huées, mais aucune qui vînt de lui. Plus tard, quand je lui ai demandé s'il avait vu ma vague, il me l'a confirmé. Il a ajouté que je l'avais revendiquée abusivement. J'en étais sorti les mains jointes, levées au ciel comme pour une prière. Assez ringard. Ce n'était pas une prière, ai-je répondu. Juste un petit remerciement. J'avais effectivement les mains jointes, mais pas brandies. J'étais cependant mortifié. Et en colère. M'en soucier était sans doute puéril, mais ce mépris affiché pour mon euphorie m'a paru mesquin. Pourtant, j'ai fait le vœu de ne plus jamais revendiquer une vague, si grande soit-elle.

Grandeur reste un terme relatif, bien entendu. Par la même grosse houle, sans doute le même après-midi, je revenais à pied d'un ride extrêmement long qui m'avait amené à mi-chemin de Bilinga, le premier village au nord – c'était si loin que rentrer en ramant semblait inepte. J'avais donc décidé de marcher jusqu'à Kirra puis de passer en force à partir de la pointe. J'étais seul sur la plage. La houle forcissait, le vent venait de la mer, les vagues semblaient désormais se casser sans interruption. Très loin au large, j'ai vu un minuscule surfeur en maillot rouge se caler un gros tube bleu puis en émerger à une vitesse dont j'avais rarement – voire jamais –

été le témoin jusque-là. Il n'arrêtait pas de le faire – disparaître, ressortir. Il donnait l'impression de ne pas se placer au bon endroit de sa planche pour parfaitement la diriger – beaucoup trop en avant – mais, malgré tout, il réussissait à virer, procédait à de petits ajustements lui permettant de se maintenir à l'intérieur du rouleau pendant un laps de temps ridiculement bref. Il continuait d'avancer et sa posture – je m'en rendais mieux compte maintenant qu'il se rapprochait – était désinvolte, presque provocante. Il ne revendiquait aucun des tubes qu'il enfilait. Il se payait un des plus beaux rides que j'eusse jamais vus, et il se comportait comme s'il le méritait. Je ne comprenais pas la moitié de ce qu'il faisait, techniquement parlant. Des virages du nose à l'intérieur du tube ? Ça m'a rappelé la première fois où j'avais vu un shortboard en action – en l'occurrence Bob McTavish au Rincon. Ce que j'ignorais, c'était que ce gamin en maillot rouge était Wayne "Rabbit" Bartholomew, le tout nouveau champion du monde. C'était un garçon du coin, rentré au pays uniquement pour participer au circuit des championnats internationaux. Menu mais jamais effarouché par des grosses vagues et ridiculement talentueux, c'était le Mick Jagger du surf, loué à l'envi par tous les magazines pour les poses de rock star qu'il prenait dans les situations les plus difficiles. Il avait grandi en surfant Kirra, et le ride auquel j'assistais était quasiment un cours magistral sur la manière de s'y prendre quand on est le meilleur surfeur mondial.

Au Patch, la saison touristique estivale tirait à sa fin. Bryan et moi avions mis assez à gauche pour poursuivre notre route. Nous étions fin prêts pour faire le grand tour de l'Australie. Mais pas notre voiture. Le radiateur bafouillait, faisant surchauffer le moteur. Bryan en a trouvé un de rechange dans une casse. Nous l'avons installé, nous avons rendu nos tabliers, fait nos adieux et, une demi-heure plus tard, nous déménagions de Bellevue. Bryan a marqué une pause après avoir fermé la porte et déclaré : "Disons que c'est la fin d'une époque." Quelque quinze kilomètres plus loin, l'indicateur de la température repassait sur brûlant. J'ai collé un bout de bande adhésive opaque sur le voyant pour cacher cette nouvelle de mauvais augure puis j'ai écrit *"She'll be all right"* dessus. La devise nationale officieuse de l'Australie.

Nous avons retrouvé l'*Alias* à Sydney. Mick, Jane et leur petit garçon né aux Fidji mouillaient dans un coin tranquille du port, près de Castlecrag. Graham et sa petite amie étaient partis travailler. Devant une bière et des crevettes, Mick nous a exposé le plan frauduleux qu'ils avaient concocté pour se faire de l'argent. Il y avait à Sydney un tas de riches surfeurs yuppies. Il s'agissait d'en persuader un petit nombre de débourser des milliers de dollars pour s'offrir un safari du surf, à bord de l'*Alias*, sur l'île Magique. On ne leur dirait pas où ils se rendraient − seulement que c'était "la vague la plus parfaite du monde". Si cette première excursion était un succès, les passagers en parleraient à leurs amis fortunés et le bouche-à-oreille ferait décoller le nombre de croisières. Fondamentalement, le secret serait préservé. Le plus dur serait de convaincre le premier groupe de cracher une grosse somme et de monter dans un avion à Nadi. Des photos seraient d'un grand secours. Graham et lui avaient été trop occupés à surfer Tavarua pour prendre des clichés convenables. N'en aurions-nous pas de bons à notre disposition ?

Nous avons marmonné que nous aussi étions trop occupés à surfer et que, si nous disposions de quelques photos, aucune n'était bonne, ce qui était la stricte vérité. Tout comme il n'était pas moins vrai que nous n'avions aucune envie de voir cette magouille aboutir.

Nous avons piqué vers le sud, surfé et campé tout le long de la côte sud-est de l'Australie jusqu'à Melbourne, où nous avons retrouvé Sue et ses gosses, qui vivaient chez sa mère. (Son père, lui, semblait définitivement ne pas faire partie du tableau.) La maison était déjà bien remplie, de sorte que nous créchions chez la sœur cadette de Sue. C'était une étudiante inscrite à la fac, qui habitait, avec un groupe de punks, un squat délabré dans un quartier pourri de la ville. La nuit, nous buvions et dansions avec les punks, ou nous regardions de vieux films (*Sergent York*) sur un poste de télé noir et blanc complètement défoncé de récupe. Un jour, nous avons assisté à un match de cricket international, un vrai marathon, Australie contre Pakistan, avec la mère de Sue, en mangeant des sandwichs au concombre et en sirotant des Pimm's Cups. Tard dans la nuit, dans un moment d'absence, genre "et pourquoi pas ?", Bryan s'est laissé raser la tête par les punks. En guise de décoration, ils portaient ses boucles noires à leurs oreilles percées de nombreux trous. Une fois dessaoulé, ils lui ont annoncé d'un air contrit que son nouveau nom de scène serait désormais Sid Tempérance.

Nous avons mis le cap à l'ouest vers la Grande Baie australienne, qui présente le plus long alignement de falaises marines du monde entier, et la plaine de Nullarbor, sans doute la plus grande étendue calcaire du globe. C'était torride, aveuglant, déboisé et dépeuplé. Nous roulions sur des routes de terre à travers des salants et des dunes de sable, et nous avons campé près de Cactus, un spot de surf perdu et mangé aux mites, où l'eau était glacée et d'un bleu rappelant celui des mers du Sud. Il y avait deux longues gauches, Cactus et Castles, qui se cassaient sur un cap rocheux, et une lourde droite, Caves, quelques centaines de mètres plus à l'ouest. La houle était solide et constante d'un jour sur l'autre. Plus que solide, certains jours. Le vent était brûlant, saturé de poussière, et il soufflait de la terre depuis le grand désert central. Bryan surfait les gauches. Je surfais désormais une nouvelle planche bleu pâle de 6'9", une pintail à l'arrière arrondi que j'avais achetée à Torquay, ville balnéaire de Victoria. J'avais, non sans quelque regret, laissé ma South Pacific en consigne dans la boutique où j'avais trouvé ma pintail, charge à eux de la revendre. J'espérais que ma nouvelle planche, fabriquée en Nouvelle-Zélande, me ferait le même usage universel que l'ancienne. Elle était légère et rapide et, à Caves, les plus gros jours, elle m'a paru capable de prendre un sérieux drop sans déraper.

Les surfeurs de Cactus formaient un mélange rustique de voyageurs et de personnes venus ici par choix. Ces derniers arrivaient tous d'une autre région plus peuplée de l'Australie — des quidams capables de reconnaître une grosse vague désertée quand ils la voyaient, et pour qui vivre en pleine cambrousse n'était pas un souci. Ils surfaient et vivaient des allocations de chômage, pêchaient ou trouvaient à se faire employer à Penong, une escale pour poids lourds située sur l'autoroute asphaltée, quelque vingt kilomètres plus haut à l'intérieur des terres. Ces individus régnaient sur le lineup, naturellement, mais il n'était pas encore surpeuplé, et, s'agissant des vagues, nous les avons trouvés d'une étonnante générosité. Certains pouvaient même se montrer loquaces avec nous. L'un d'eux m'a gratifié d'un récit en forme de mise en garde, dans lequel son pote Moose s'était retrouvé à lutter pour une vague avec un campeur de passage. Moose s'était relevé tout sourire, était rentré en ramant, était monté dans son camion et avait roulé plusieurs fois, d'avant en arrière, sur la tente de l'individu avant de regagner le lineup, toujours souriant. Je prenais bien soin de ne pas souffler sa vague à Moose.

Un autre local était surnommé Madman – le Dingue. Coiffé en brosse, possédant d'invraisemblables réserves d'énergie, il n'arrêtait pas d'essayer, en quête des take-offs les plus tordus, tout ce qui était possible dans le vaste chaudron bouillonnant où se cassait une Caves haute de presque deux mètres cinquante. On m'apprit que Madman avait une fois cassé son leash, un jour où les vagues étaient puissantes, mais que, trop enragé pour rentrer le réparer à terre, il avait continué de surfer en se contentant, pour se maintenir sur sa planche, de serrer le bout de corde sectionné entre ses dents. Puis une méchante gamelle lui avait arraché de la bouche en même temps que deux incisives. Madman m'a plus tard fait un sourire, sans raison apparente, et j'ai pu constater que les deux dents en question lui manquaient bel et bien.

Comme toute la côte de Nullarbor, Cactus avait la réputation d'être infestée de grands requins blancs – que les gens d'ici appellent les "pointes blanches". J'ai rencontré dans l'eau un type qui, cinq ans plus tôt, avait été attaqué par une pointe blanche à l'endroit précis où nous nous trouvions. C'était un type très gentil – rien à voir avec Moose ou Madman – et j'étais enclin à le croire. Il m'a expliqué que le squale n'avait mordu que sa planche, mais que lui-même avait été blessé dans la mêlée – tailladé par les fragments de fibre de verre, très tranchants, de sa planche. Ça s'était produit en plein hiver et sa combinaison lui avait sauvé la vie. Malgré tout, il avait eu droit à cent cinquante points de suture et à dix-huit mois d'interdiction d'entrer dans l'eau. Il avait la conviction que la foudre ne frappe jamais deux fois au même endroit, si bien qu'il recommençait à surfer ici sans aucune appréhension. Quant à moi, après avoir entendu son récit, je n'ai jamais pu, malgré tous mes efforts, accorder foi à son bon karma.

L'idée de vivre à Cactus ne me tentait pas vraiment. Mais le spot me rappelait d'autres populations de surfeurs et d'exilés sur lesquelles j'étais tombé à Hawaï, Big Sur, dans l'Oregon et dans la Victoria rurale du sud-ouest. Ils venaient pour les vagues et s'incrustaient. Ils se familiarisaient avec les lieux et trouvaient des moyens de vivre ici. Avec le temps, certains devenaient des piliers de la communauté, tandis que d'autres restaient des marginaux. J'avais surfé quelques spots, Honolua Bay notamment, où la vague inspirait une telle dévotion aux gens qui y vivaient que j'en ai vu certains renoncer à jamais à toute ambition, si ce n'est celle de la surfer chaque fois qu'elle cassait. Il existait d'autres spots magnifiques où les vagues étaient bonnes et peu fréquentées, et où l'existence, au premier coup d'œil, était facile et bon marché. Je finirais peut-être mes jours dans un de ceux-là, me disais-je. Et à côté de cela il y avait aussi Tavarua. Ni Bryan ni moi ne prononcions jamais ce mot. Ce lieu était intemporel. L'idée de retourner vivre dans les Fidji ne m'est jamais venue à l'esprit.

Mais je me demandais ce que j'allais bien faire de ma vie. Nous étions partis depuis si longtemps que je me sentais désormais dégagé de toutes les justifications possibles à ce voyage. Il ne s'agissait certainement plus de vacances. Quelles vacances ? J'avais soutiré une année de congé sabbatique à la compagnie de chemins de fer, et elle avait pris fin pendant que nous étions encore à Kirra. Démissionner officiellement de mon emploi et renoncer à ma précieuse date d'ancienneté de cheminot – le 8 juin 1974 – m'avait été étonnamment difficile d'un point de vue émotionnel. J'étais toujours persuadé que je ne retrouverais jamais une place aussi satisfaisante et bien rémunérée. Mais ce qui est fait est fait. Il m'arrivait parfois de paniquer, persuadé de gâcher ma jeunesse et d'errer sans but sur la face cachée de la lune pendant que mes anciens amis, mes condisciples, mes pairs, réalisaient leur vie, faisaient carrière, et devenaient adultes en Amérique. À un moment donné, j'avais ressenti le besoin d'être utile à la société, de

travailler, d'écrire, d'enseigner, de faire de grandes choses
– où donc était passée cette intuition ? Certes, je m'étais
aussi senti obligé, pratiquement contraint, d'entreprendre ce
grand voyage consacré au surf et à rien d'autre. Mais fallait-il
vraiment qu'il durât si longtemps ?

Nous projetions de nous rendre ensuite à Bali. De grandes
vagues, une région très bon marché. Sharon m'avait écrit qu'elle
pourrait sans doute nous retrouver en Asie dans quelques mois.
Peut-être savait-elle déjà ce que j'allais y faire. Mais Sharon ne
surfait pas. En fait, l'océan la terrifiait. D'ailleurs, n'y allais-je
seulement que pour "surfer" ? Je traquais instinctivement les
vagues, je prenais mon pied autant que je le pouvais quand
elles étaient bonnes et j'étais chaque fois absorbé par l'éluci-
dation de l'énigme que posait chaque nouveau spot. Malgré
tout, les apogées sont, par définition, rares et espacés les uns
des autres. La plupart des sessions étaient sans magnitude. Ce
qui restait cohérent, c'était cette sérénité, un calme consécutif
aux sessions les plus rigoureuses. Cette humeur d'après-surf
était sans doute plus physique qu'autre chose, mais elle était
aussi de nature affective, j'en suis certain. Elle prenait parfois
la forme d'une douce euphorie. Ou, bien souvent, d'une mélancolie délicate. Après des tubes ou des chutes particulièrement
intenses, j'étais parfois prêt à verser des larmes. Ça pouvait
durer des heures. C'était un peu comme de ressentir l'éventail
des émotions extrêmes qui vous assaillent après une sublime
partie de jambes en l'air.

Les bons jours, il me semblait encore faire ce qu'il fallait.
Les spécificités de chaque nouveau spot m'accaparaient et me
retenaient, tout comme l'exploration d'un nouveau littoral, ou
le froid de certaines aubes admirables. Le monde était vaste et
insondable, il me restait encore tant à voir. Oui, j'en crevais
parfois, d'être un expatrié, d'être toujours en marge, ignorant
des réalités du pays où je me trouvais, mais je ne me sentais pas
prêt à mener une existence banale, à voir toujours les mêmes
têtes, les mêmes lieux, à avancer toujours avec plus ou moins
les mêmes pensées. J'aimais m'abandonner au courant, aux
incertitudes. Aux heureux aléas de la route. Et, en règle générale, il me plaisait d'être un étranger, un observateur, souvent
étonné par ce dont il était témoin. Comme le jour où, entre

de hautes rangées de pins de Norfolk, d'un vert profond sous les nuages bas, nous sommes passés par Victoria en Australie du Sud. Nous avons repéré un hippodrome de campagne et nous nous sommes garés puis faufilés dans la grande tribune. De la rambarde, nous avons assisté à une formidable course de chevaux puis nous avons vu les jockeys, avec leur casaque de soie brillante, monter sur la balance avec leur selle sous le bras. Nous avons trouvé un ballon de rugby derrière le pub et nous avons commencé à pratiquer de vieilles tactiques de football américain, à nous faire des passes, à le lancer en spirale ou à le conserver sur toute la longueur du terrain sous les yeux d'un groupe de gamins nu-pieds qui nous houspillaient. Nos visas autraliens touchaient à leur terme, et, pour ce qui me concernait du moins, je regrettais de devoir partir.

Nous avions notre propre vie domestique, bien sûr, et elle était souvent tendue. L'amitié est plus facile quand elle reste épistolaire. Une vie commune, c'est autrement plus difficile. Le ton montait souvent et, de temps en temps, les mots devenaient très durs. Que tout ce qui sortait de l'ordinaire et de nos bonnes vieilles habitudes nous parût risqué m'était insupportable. Un matin, à Cactus, alors que le vent soufflait de la mer et que les vagues étaient misérables, je me suis levé de bonne heure. Je suis allé me balader le long de l'eau, en direction de l'ouest. Les flaques laissées par la marée sur le calcaire du fond luisaient de la couleur du soleil levant. Omniprésentes le jour, les mouches de l'outback brillaient par leur absence, peut-être à cause de l'heure ou du vent. Le temps de rentrer au bivouac, nous étions en milieu de matinée et Bryan paraissait furieux. Où étais-je donc passé ? Il avait préparé et pris le petit déjeuner sans moi. Mon porridge était dur. Je n'avais pas l'intention de commencer à lui rendre des comptes. Je croquais une pomme. Il a continué à se plaindre. Puis j'ai explosé. Comment osait-il me dire où je devais aller ? Plus ou moins délibérément, j'ai craché dans notre tente une bouchée de pomme à moitié mâchée. Écœuré, Bryan s'est éloigné à grandes enjambées. Dieu merci, il n'a plus jamais fait allusion à cet épisode. Ç'avait été presque un point de rupture entre nous, comme cet autre moment, plus ou moins similaire, où, dans les Samoa occidentales, je lui avais hurlé de ne plus jamais me dire ce que j'avais à faire, et qu'il avait alors sérieusement envisagé, m'a-t-il appris plus tard, de tirer un trait sur la suite de notre périple dans le Pacifique Sud, lequel n'était encore vieux que de deux mois.

Nous avons opté pour le Never Never – le Jamais Jamais –, le Territoire du Nord. Les Australiens nous avaient conseillé de ne pas tenter de traverser le pays par le centre, depuis nous nous disions entre nous qu'on allait le faire. Et il ne fallait surtout pas le tenter dans un véhicule aussi peu fiable que notre caisse. Les "rangers" du Bush étaient à l'affût des voyageurs imprudents. Il y avait un certain nombre de jours de route entre deux étapes. C'était une exagération (aisément vérifiable en consultant la carte), mais nous avons tout de même fait l'acquisition d'un jerrican pour emporter une réserve d'essence, d'une vache à eau et de quelques tuyaux de rechange. À l'évidence, notre voiture n'était pas très fiable. Elle surchauffait le jour et refusait souvent de démarrer. Nous avions pris l'habitude de ne plus nous garer qu'en pente, si faible soit-elle, afin de lui fournir le "coup de manivelle" dont elle avait fréquemment besoin. Quand nous entrions dans une station-service, le radiateur fumant et chuintant, les employés nous demandaient toujours de vérifier la température. Ils passaient la tête par le carreau, côté conducteur, et le *"Tout ira bien"* écrit dessus déclenchait immanquablement leur hilarité.

Nous avons mis le cap sur le nord-est depuis Cactus et roulé sur une route de terre si peu fréquentée que nous n'avons croisé qu'un seul véhicule – une bétaillère –, sur près de quatre cents kilomètres. La route était comme de la tôle ondulée, elle faisait vibrer une des vitres arrière de la voiture si atrocement qu'elle a fini par tomber à l'intérieur de la portière. Nous avons essayé de la relever et de la remettre en place, mais aucune de nos réparations de fortune n'a tenu plus de dix minutes. Nous avons continué de rouler, d'abord à travers une poussière blanche pareille à du sel, puis dans une poussière rouge infernale, qui toutes deux s'engouffraient par la vitre arrière. Nous nous sommes protégé la bouche et le nez d'un bandana, bien contents d'avoir rempli notre *"esky"* – une glacière bon marché en polystyrène – de Crown Lager à Penong. Les distances entre deux villes de l'outback se mesurent parfois en "canettes" de bière – combien en faut-il pour parcourir tant de kilomètres ? Nous étions au moins à une dizaine de canettes de la principale route du nord, elle aussi de terre, que nous avons rejointe dans un village du nom de Kingoonya, où, dans un *diner* en piteux état, la plus jolie serveuse d'Australie nous a servi des burgers bienvenus comme jamais.

La principale route qui traversait le centre n'était pas mieux. Nous n'avons vu ni asphalte ni pavage pendant près de mille bornes. En revanche, nous avons pu contempler une quantité décourageante de véhicules lessivés gisant sur le flanc dans les buissons d'épices du bush. Alors nous avons décidé de prêter davantage attention aux conseils, mille fois répétés, selon lesquels rouler de nuit sans s'équiper d'un *"roo bar"* – un chasse-pierres pour kangourous –, c'était courir à la catastrophe. Nous avions vu bien assez de ces bêtes le jour, tant sur la chaussée qu'en train de bondir dans le désert. Nous campions donc la nuit. Un grand nombre de galahs, ces oiseaux noir et gris qui ressemblent aux perroquets, a longuement tournoyé au-dessus de nos têtes, un matin, pendant que nous tentions péniblement de faire redémarrer la Falcon.

Nous avons pris en stop un *swagman* – une sorte de chemineau australien –, qui, à près de quatre-vingts kilomètres du premier immeuble, déambulait le long de la route avec son barda. Joe était minuscule, comme rabougri par le soleil, pas très jeune, le visage marqué de rides profondes, et, sans aller jusqu'à lui accoler l'épithète de jovial, il pouvait vous parler toute la journée, avec la plus grande volubilité, des puits de forage, des *billabongs* et des bergeries où il avait travaillé. Et il sifflait allègrement nos bières. Je lui ai posé des questions sur ces saloperies de mouches. Il m'a répondu qu'on ne s'y habituait jamais. Selon lui, les Blacks eux-mêmes (les aborigènes) ne réussissaient pas à s'y faire. Puis il nous a demandé de le déposer à l'entrée d'une piste à peine visible qui courait en direction de l'est. Nous avons rempli sa gourde d'eau et nous lui avons filé cinq dollars.

Nous sommes entrés dans le territoire du nord. Dans un hameau saturé de poussière, du nom de Ghan, j'ai jeté un œil à l'intérieur d'un sac à planche de surf d'une saleté repoussante, arrimé par des sangles au toit de la voiture. Il contenait ma nouvelle pintail. Brillante, bleu clair... si cool et si galbée : une véritable vision. Elle invoquait un tout autre univers, d'une inimaginable fraîcheur. Nous projetions de rouler jusqu'à Darwin, une ville de la côte nord, d'y vendre la voiture et d'y trouver ensuite un passage pour l'Indonésie.

Bryan n'avait pas fini de lire sa pile de *New Yorker* quand nous avions quitté Kirra. Les quelque cinquante derniers exemplaires étaient entassés sous le siège avant. Nous les en sortions parfois pour en lire des extraits à haute voix – nouvelles, poèmes, critiques, humour, essais, longs reportages. Bryan ou moi, voire tous les deux, en avions déjà lu un bon nombre, mais ils sonnaient différemment dans l'outback. C'était une sorte de test. Comment ces écrits résisteraient-ils à la lumière du désert, cet éclat âpre et sans concession ? Certains y excellaient. L'écriture restait puissante, les histoires toujours aussi drôles. Mais la prétention et la graisse ressortaient, comme fluorescentes, sous cet œil impitoyable, et certains auteurs prenaient brusquement le visage de salopards prétentieux. Ils en devenaient désopilants malgré eux.

Nous prenions la grosse tête. Tout ça ressemblait sans doute à nos anciennes aventures dans l'Ouest, au pays – mais avec moins d'asphalte et davantage de bière. Le *Bivouac sur la lune* de Norman Mailer n'avait pas résisté au test de l'outback, ce qui me désolait puisque c'était un de mes héros. Qu'il s'opposât au *Voss* de Patrick White, roman tout à fait convaincant, mettant en scène un naturaliste prussien participant, au XIXe siècle, à une expédition dans le centre de l'Australie, ne jouait non plus pas en sa faveur. On argumentait, on lisait, on tirait sur des wombats avec des pistolets à eau bon marché en plastique vert. J'aimais la façon de conduire de Bryan. Le dos bien raide, dans la posture d'un routier traversant des continents. Dans les longues lignes droites, il laissait une main reposer sur sa cuisse. Il apportait à ses lectures la même attention nonchalante, de longue haleine. Nous étions rarement à court de sujets de discussion. Sur la route, à notre départ de Sydney, Mick et Jane s'étaient moqués de nous. Nous avions roulé en convoi avec eux jusqu'à Wollongong, pour y chercher des vagues. À notre arrivée, ils ont déclaré nous avoir observés pendant une heure d'affilée : nous gesticulions sans arrêt, moi surtout. Pendant ce trajet, venant tout juste de finir *L'Œil du cyclone* de Patrick White, j'avais exposé à Bryan ma première version d'une théorie sur cet auteur. Idem à bord de l'*Alias*, avaient-ils ajouté : constamment en train de nous opposer par la parole, et d'amuser les Aussies à notre insu.

Au nord d'Alice Springs, nous avons pris deux auto-stoppeuses, Tess et Manja (prononcez "meun-yeuh"), des étudiantes d'Adélaïde récemment diplômées qui, selon leurs dires, se rendaient à Darwin pour assister à une conférence féministe. Elles ont affirmé que les bouffées de cette poussière impossible qui saturaient à présent le moindre recoin de la Falcon ne les gênaient pas. Elles ont mis un bandana pour s'en protéger et nous avons voyagé pendant cinq jours en leur compagnie. Tess était une lilliputienne, vêtue d'une chemise d'homme à carreaux. Elle était menue, pâle, garçonne, portait courts ses cheveux noirs et faisait preuve d'un humour affûté et espiègle, qu'elle exerçait aux dépens des gens chaleureux et innocents que nous croisions dans les stations-service ou dans les pubs perdus où nous allions nous réfugier vers midi pour nous cacher des ardeurs du soleil, que la vaillante Falcon ne supportait plus non plus. Tess était plutôt clémente avec Bryan, moi et nos pistolets à eau, même quand nous avons insisté pour nous présenter comme des vétérans du Viet-nam mentalement diminués. "Pauvres garçons", a-t-elle fait. Nos cicatrices de surf étaient des blessures de guerre, nous sommes-nous vantés. "Bon sang, ça a dû faire mal. Payez-nous une pinte."

Manja était grande et mince, la voix douce, le regard cha-leureux. Elle riait ou, tout du moins, souriait avec indulgence. Elle était très orientée politiquement, mais sans insister, à la manière un peu timorée des Aussies. La nuit, elle et moi nous éloignions en catimini pour chercher un coin tranquille où étendre nos sacs de couchage. Elle m'a raconté son enfance. Elle avait grandi dans une ferme près de la Murray. Les chas-seurs du coin tiraient les kangourous et les wallabys et, s'ils trouvaient un petit vivant dans la poche d'une femelle, ils en faisaient cadeau à un gosse d'une des fermes. Ces animaux étaient des compagnons géniaux – gentils, fidèles, intelligents.

Elle-même habillait son jeune wallaby d'un chapeau et d'un manteau, et tous deux se rendaient en ville la main dans la main, l'un marchant, l'autre bondissant à côté.

Notre romance a viré à l'enfer à Darwin. Tess et Manja disposaient d'une maison où loger, une sorte de commune féministe interdite aux hommes. Tess était ravie d'être débarrassée de moi. J'avais apparemment interrompu une idylle – dont Manja avait négligé de me faire part. Nous séjournions avec Bryan dans un terrain de camping en dehors de la ville. Ils n'étaient guère nombreux à Darwin. La ville avait été quasiment rasée par un cyclone quelques années plus tôt. La reconstruction avançait lentement. Darwin était censé être en bord de mer, mais nous n'avons trouvé que de la boue, des broussailles et des hauts-fonds d'aspect toxique. L'eau était chaude, plate, immonde. Il y avait malgré tout un aéroport et des vols hebdomadaires bon marché pour Denpasar. Nous avons vendu la voiture deux cents dollars à une bande de mineurs de bauxite yougoslaves. Miraculeusement, elle a démarré du premier coup quand ils sont venus l'inspecter. Nous avons changé de camping, pas persuadés que lesdits mineurs comprenaient pleinement la signification de l'expression "en l'état".

Je me languissais de Manja. Nous avons réussi à nous retrouver dans un vieil hôtel épargné par le cyclone. Brusquement, je n'avais plus envie de quitter l'Australie. Il valait mieux que je parte, a-t-elle affirmé.

Elle avait raison. Le soir même, je me pointais à la communauté sans y avoir été convié. Personne n'est venu m'ouvrir. Je me suis permis d'entrer. J'entendais des bruits de fête monter de l'arrière-cour. Je suis allé jusqu'à la porte du fond. Manja était en train de se faire couper les cheveux sur une dalle de ciment éclairée par l'éclairage puissant du perron. La plupart de ses longues boucles blondes tapissaient déjà la dalle. Tess coupait allègrement celles qui lui restaient. La nouvelle coupe en brosse de Manja avait pris une teinte châtain clair et lui faisait la tête ronde et vulnérable d'un nourrisson. Quatre ou cinq autres femmes applaudissaient cette transformation. Elle sirotait une bière – une bouteille de Toohey, alors même qu'une vague de désespoir me serrait la gorge –, en souriant bêtement. J'ai dû faire du bruit. Manja a crié. Les autres ont beuglé. Bagarre, bousculade et vociférations ont suivi. J'avais cru repartir avec Manja. Je suis reparti avec la police.

Quelques semaines plus tard, à Bali, j'ai reçu une lettre d'elle. Elle "s'excusait" d'avoir appelé les flics. C'étaient des fascistes et elle espérait qu'ils ne m'avaient pas tabassé. Ils n'en avaient rien fait. En vérité, en bons Ockers qu'ils étaient, ils m'avaient relâché en débitant de vaseuses affirmations sur la solidarité masculine. Manja ajoutait que sa mésaventure avec moi n'avait fait que raffermir sa résolution de n'avoir plus jamais de relations avec des hommes. Je n'avais pas respecté ses frontières, ce qui était bien typique d'un homme. Je ne pouvais guère la contredire. Mais, moi, je l'aimais encore vraiment. Si elle m'avait écrit qu'elle comptait venir en Indonésie, je serais allé l'attendre à l'aéroport.

Bryan Di Salvatore, moi et José l'Équatorien,
Grajagan, Java, 1979

LE CHOIX DE L'ÉTHIOPIE

Asie, Afrique, 1979-1981

Bryan détestait Bali. Il a écrit pour *Tracks* un article – signé de nos deux noms par respect de la tradition, bien que je n'eusse fait que quelques légères corrections – moquant l'idée reçue, largement répandue à l'époque parmi les surfeurs australiens, selon laquelle Bali serait encore une sorte de paradis préservé, aux vagues peu fréquentées, peuplé d'hindouistes des plus doux. En réalité, écrivait-il, l'île était envahie par les surfeurs et les touristes. On pouvait "y voir des Européens des deux sexes sans haut ni bas sur la plage", "y entendre les mensonges de surfeurs venus des cinq parties du monde", "y engager un porteur de planche et éprouver la grisante exaltation du colonialisme" et "raconter que vous étiez de Cronulla alors qu'en réalité vous arriviez de Parramatta", cette banlieue de Sydney étant beaucoup moins cool que la localité précédente.

Je convenais avec lui que Bali était bien trop courue et que le télescopage du tourisme de masse et de la misère indonésienne était grotesque, néanmoins l'île me plaisait. Nous étions descendus dans un *losmen* (une pension) de Kuta Beach, très propre et très bon marché, nous mangions fort bien pour presque rien et nous surfions tous les jours. J'avais trouvé en une bibliothèque universitaire de Denpasar, la capitale provinciale, une retraite idéale pour écrire, et je m'y rendais chaque matin en bus. C'était, sur cette île torride et bruyante, un refuge aussi frais que paisible. Mon roman avançait bien. Un marchand ambulant apparaissait tous les midis devant la porte de la bibliothèque avec sa petite charrette turquoise, et c'était pour moi le signal du départ. Il servait du riz, de la soupe, des friandises et du satay par les fenêtres ouvertes des bureaux du campus. J'adorais son riz frit (*nasi goreng*, en indonésien). L'après-midi, quand il y avait de la houle, Bryan et moi filions dans la péninsule de Bukit, où une flopée de gauches superbes se cassaient sur des falaises calcaires. On trouvait aussi de très belles vagues autour de Kuta, même par faible houle, et à Sanur, une zone balnéaire de la côte est, quand le vent soufflait du sud-ouest.

Le spot qui m'a le plus profondément marqué était Uluwatu, une gauche spectaculaire d'ores et déjà célèbre. Un temple hindouiste du XIe siècle, construit en dur corail gris, perché juste à l'est de la vague sur le rebord d'une haute falaise. On entrait dans l'eau à marée haute par une clapotante caverne marine. Uluwatu pouvait être très puissante et, les meilleurs jours, quand le vent de terre était léger, il se produisait dans les longs murs bleus un phénomène auquel je n'avais assisté nulle part ailleurs. À des endroits discrets et bien séparés le long de la ligne de houle, l'eau écumait doucement jusque très, très loin de l'endroit où nous surfions – à des centaines de mètres devant nous et autant du rivage. Une succession d'étroites formations rocheuses courait manifestement sous la surface à partir du récif, affleurant suffisamment pour faire écumer une grosse vague, mais pas assez, du moins à l'occasion des houles que nous surfions, pour la contraindre à se casser. C'était assez déconcertant au début, mais, au bout de quelques rides stupéfiants sur des vagues massives qui ne se refermaient pas en tubes, le spectacle de ces lointaines sections écumantes exacerbait encore plus le plaisir qu'on prenait à filer comme une fusée sur une vague en train de se casser. Ces étranges bouffées d'embruns, à l'autre bout de la baie, promettaient de se transformer sur le récif intérieur en de très solides sections.

L'Uluwatu intérieure était connue sous le nom, pas très original, de "Racetrack" – le Champ de courses. Elle était peu profonde, très rapide, et se cassait sur des coraux acérés qui laissaient des griffures sur mes pieds, mes bras et mon dos. Un certain après-midi, j'ai eu la trouille de ma vie. La cohue, qui pouvait être compacte à Uluwatu, même en 1979, s'était un tantinet clairsemée, ce que je n'ai pas manqué de trouver curieux puisque les vagues étaient excellentes. Nous étions peut-être encore cinq dehors. La marée était basse, les vagues grosses et rapides. J'apercevais une vingtaine ou une trentaine de types sur la falaise, tous plissant les yeux au soleil couchant, ce qui aurait dû m'inciter à me demander : *Pourquoi regardent-ils au lieu de surfer ?* J'ai eu droit à deux chouettes rides, puis une vague a répondu à la question qui m'avait échappé. Elle me dépassait de beaucoup, était sombre et épaisse ; survolté par la testostérone, j'ai commis l'erreur de foncer droit, tête baissée, dans la Racetrack. Toute l'eau s'était retirée du récif. La marée était trop basse pour surfer ici une vague de cette taille, raison pour laquelle tout le monde était parti. Je ne pouvais plus me désengager. C'était trop tard. Ni plonger, car il n'y avait plus d'eau. J'ai pris, à revers, le tube le plus profond de ma vie. C'était très sombre et très bruyant à l'intérieur. Je n'y ai pris aucun plaisir. En vérité, même quand j'ai pris conscience que j'allais m'en sortir, j'ai regretté de l'avoir pris, non sans me rendre compte de l'étrange et amère ironie de la chose, et que j'aurais pu être n'importe où ailleurs à cet instant. Ce qui aurait dû être un fulgurant satori, un éclair, une illumination au terme d'une longue et patiente pratique, ne fut qu'un bref moment infernal, car la peur, au demeurant parfaitement justifiée, avait submergé mon cœur, mon cerveau. Je m'en suis tiré. Mais j'avais échappé par pure chance à d'horribles blessures, sinon à un sort pire encore. Attaquer ce tube avait été une réaction instinctive, bien peu susceptible d'aboutir et d'assurer ma survie. Ma propre bêtise m'avait fourré dans cette situation. Si l'occasion m'avait été donnée de recommencer, je m'en serais abstenu.

Il y avait tant de surfeurs à Kuta qu'on avait l'impression de participer à une conférence mondiale pour les obsédés de la vague. Peut-être ces gens affabulaient-ils, mais on les voyait discuter de surf vingt-quatre heures sur vingt-quatre et sept jours sur sept, tant sur la plage qu'au coin des rues, dans les bars, les cafés et les *losmen*. Max, qui s'était moqué de Bryan et de moi une fois, aurait sans doute passé une journée fabuleuse avec toute cette racaille. Mais, pour ma part, je trouvais étrangement perturbantes la véhémence avec laquelle un petit groupe de types pouvaient, adossés à un mur, débattre du profilé d'une planche — de son rocker, de ses points forts —, ou cette manie qu'avaient les surfeurs de s'agenouiller pour dessiner dans la terre, pour la gouverne d'étrangers ou de gens natifs d'ailleurs, la disposition du break qu'ils surfaient le reste de l'année. Leur récit, à leurs yeux, resterait incompréhensible à leurs auditeurs tant qu'ils n'auraient pas compris exactement comment tel récif de Perth chopait telle houle de l'ouest. Ils se perdaient dans des schémas plus détaillés que nécessaire. Sans doute pouvait-on attribuer cette ferveur au mal du pays, ou, tout bonnement, aux innombrables heures qu'ils avaient consacrées à étudier ce récif précis ; mais il faut dire aussi que la dope en était en grande partie responsable. Les surfeurs de Bali, tout comme les légions de touristes en sac à dos qui ne pratiquaient pas le surf, fumaient d'invraisemblables quantités de hasch et d'herbe. Bryan et moi étions les rares à nous en abstenir. Déjà, à la fac, le cannabis me flanquait des angoisses ; je n'en avais pas fumé depuis au moins cinq ans. Bryan se plaisait à traiter toutes ces substances, l'alcool excepté, de "drogues bidons".

J'avais déjà tenté d'intéresser des magazines à mes récits de voyages. Ma première commande vint de l'édition de Hong Kong d'une publication militaire américaine intitulée *Off Duty* (En perm). Je n'avais jamais ouvert la revue (je ne l'ai toujours pas vue), mais les cent cinquante dollars qu'on me proposait m'ont paru grandioses. On me demandait de raconter un massage à Bali. Les masseuses fourmillaient à Kuta, avec leurs paniers en plastique rose remplis d'huiles essentielles. J'étais trop timide pour en aborder une sur la plage, où, du matin au soir, on voyait des dizaines de corps pâles se faire tripoter. Mais, dès que j'ai fait allusion au fait que je m'y intéressais, la famille qui tenait notre *losmen* m'a présenté une vieille femme aux bras noueux. Les enfants de l'établissement ont éclaté de rire en la voyant me lorgner avec un plaisir sadique, avant de m'ordonner de me coucher à plat ventre sur une natte dans l'arrière-cour. J'étais sincèrement terrifié quand elle a planté ses doigts puissants dans mes dorsaux. Je m'étais déchiré un trapèze sur les rails, à Red

Wood City, en tentant de tirer sur un levier rouillé, et il ne s'était jamais correctement rétabli depuis. Je me demandais, un tantinet mal à l'aise, si cet épisode faisait réellement un bon sujet d'article. La blessure était déjà en soi un souvenir doux-amer. Sur le coup, mes collègues cheminots m'avaient recommandé de ne surtout rien signer et de ne pas accepter un seul dollar de la compagnie. Une telle blessure pouvait me rapporter un pactole d'au moins un million de dollars, affirmaient-ils : la pièce d'équipement défectueuse allait me permettre de l'attaquer en justice, de m'enrichir et de prendre ma retraite anticipée. Je trouvais pour ma part cette mentalité détestable, et, quelques jours plus tard, quand mon dos a été moins douloureux, j'ai encaissé un chèque, signé une décharge et repris le travail. Bien entendu, mon dos a recommencé à me faire souffrir dès le lendemain, et depuis il me martyrisait. Finalement ma masseuse, elle, ne m'a fait aucun mal. Ses doigts ont trouvé le muscle endolori, l'ont exploré et massé longuement et doucement. Il a cessé de m'élancer le jour même, et la vieille pulsation n'a pas repris avant plusieurs semaines.

Je suis tombé malade à un moment donné. Fièvre, migraine, étourdissements, frissons, quintes de toux sèche. J'étais trop affaibli pour surfer, et je me sentais trop épuisé pour aller travailler. Au bout d'un ou deux jours, je me suis traîné jusqu'à Sanur, allongé au fond d'un minibus, et j'ai réussi à dénicher un médecin allemand dans un des grands hôtels. Paratyphoïde, affection moins méchante que la typhoïde, a-t-il diagnostiqué. Je l'avais probablement attrapée en mangeant dans la rue, a-t-il ajouté. Il m'a prescrit des antibiotiques et m'a affirmé que je n'en mourrais pas. Je n'avais pratiquement jamais été malade auparavant, de sorte que je n'avais aucune expérience de l'extrême faiblesse. Je suis tombé dans un état de grand, et assez inquiétant, dérèglement : suées, apathie, mépris de moi-même. J'ai commencé à me persuader que j'avais gâché ma vie, à regretter de n'avoir pas écouté mes parents. (Patrick White : "Les parents, ces fanatiques de la vie.") Ma mère avait toujours souhaité me voir devenir un des Nader's Raiders, ces jeunes avocats idéalistes qui travaillaient avec Ralph Nader, son idole, pour exposer au grand jour les méfaits des multinationales. Pourquoi n'avais-je pas suivi cette voie ? Mon père, lui, aurait aimé me voir devenir journaliste. Son héros personnel était Edward R. Murrow[01]. Jeune homme, il avait travaillé comme coursier pour Murrow et ses copains de New York. Pourquoi ne l'avais-je pas écouté ? Bryan passait dans ma chambre, m'inspectait, trouvais-je, d'un œil dubitatif et ressortait, tandis que je me vautrais dans l'autoapitoiement. Non, les vagues n'étaient pas très bonnes, affirmait-il. Bali craignait toujours autant. Où dormait-il ? Il avait rencontré une fille. Une Italienne, ai-je cru comprendre.

Nous recevions du courrier – Kuta Beach, poste restante. Mais je n'avais plus de nouvelles de Sharon depuis des semaines. Je commençais à me sentir abandonné, aigri. Un matin, alors que j'avais repris un peu de forces, j'ai marché à pas lents jusqu'à la poste. J'avais reçu des cartes et des lettres de mes parents, mais rien de Sharon. J'ai envisagé un instant de lui envoyer un télégramme, puis j'ai remarqué un groupe de touristes agglutinés autour d'un vieux téléphone mural, sous un panneau "INTERNASIONAL". Et le téléphone ? Quelle idée brillante ! Je l'ai finalement appelée. C'était la deuxième ou la troisième fois que nous nous parlions depuis un an. Sa voix fut comme la musique d'une vie antérieure. J'étais aux anges. Nous avions beaucoup correspondu par lettres, mais le délicat, l'instable équilibre des vastes distances qui nous séparaient s'est brusquement effondré dès qu'elle m'a murmuré à l'oreille. Elle s'est inquiétée vivement en apprenant que j'étais malade. J'allais me rétablir. Elle m'a promis de me retrouver fin juin à Singapour. Grande nouvelle ! On était à la mi-mai.

Je me suis rétabli.

L'Indonésie est un territoire immense, avec près de deux mille kilomètres de littoral exposés aux houles de l'Océan Indien. Jusque-là, les surfeurs n'avaient vraiment exploré que la seule Bali. Bryan et moi étions prêts à chercher ailleurs d'autres vagues. À la pointe sud-est de Java, en pleine brousse,

---

01 — Journaliste radio à CBS, connu pour son courage et son intégrité pendant la Secondre Guerre mondiale et le maccarthysme.

on trouvait une gauche mythique connue sous le nom de Grajagan. Un Américain, Mike Boyum, y avait établi un camp au milieu des années 1970, mais on n'avait plus entendu parler de lui récemment. Ça nous semblait être un bon point de départ. Nous avons revendu nos planches australiennes. Et, parmi les hordes de Bali, trouvé deux comparses – Mike, un photographe indo-américain de Californie, et José, un goofy foot blond d'Équateur.

C'était une expédition ardue. Nous avons fait des provisions à Banyuwangi, ville de l'est de Java très éloignée de la côte. Un marchandage forcené semblait être la norme dans toute transaction, du moins pour les *orang putih* – les Blancs. Notre maîtrise du bahasa indonésien de Mike, qu'au départ nous semblait excellente, parut se désintégrer sous la pression des échanges. Je devins le marchand de tapis en chef. (Le bahasa est une langue qui s'apprend aisément, du moins si l'on ne craint pas de l'écorcher. Les verbes n'ont qu'un seul temps et ce n'est pas la première langue dans la majeure partie du pays – ou, du moins, ça ne l'était pas à l'époque –, de sorte qu'un étranger se retrouve plus ou moins rapidement à niveau.) Sur la côte, dans le village de Grajagan, il nous fallait un bateau pour nous conduire à cette vague que nous chassions, à près de vingt kilomètres de l'autre côté de la baie. Nouveaux marchandages féroces, nouvelles suées, nouvelles heures perdues. Les villageois avaient déjà vu des surfeurs, nous a-t-on dit, mais aucun au cours de l'année passée, voire davantage. J'ai rédigé dans mon journal le contrat que j'ai passé avec un pêcheur du nom de Kosua et je l'ai signé. La traversée nous coûterait vingt mille roupies (trente-deux dollars) et on viendrait nous reprendre huit jours plus tard. On nous fournirait aussi huit jerricans d'eau fraîche. Nous partirions le lendemain à cinq heures du matin.

Le bateau ne ressemblait en rien aux délicats petits *jukung* bariolés, ces catamarans qui pêchent au large d'Uluwatu. C'était une large embarcation au fond lourd et plat, mû non pas par des voiles mais par un antique moteur hors-bord à l'arbre de transmission étrangement long. Au bout de cinq minutes, il capotait dans le ressac juste en face du village. Personne ne fut blessé, mais tout le monde fut énervé et une partie du matériel trempé. Kosua voulut renégocier le contrat, en avançant que la traversée était bien plus risquée que nous ne l'avions laissé entendre. Je trouvais plutôt gonflé de sa part qu'il eût le culot, après avoir tamponné un banc de sable, de renchérir chaque fois qu'on remontait sur sa barque. Nous avons donc encore marchandé pendant un jour et des poussières, jusqu'à ce que les vagues se fassent moins fortes. Puis nous sommes repartis.

Le spot de surf de Grajagan, dont le nom local était "Pleng-kung", se trouvait tout au bout d'une pointe dépourvue de route praticable, dans une jungle dense dont on disait qu'elle était le tout dernier repaire du tigre de Java. Kosua nous a déposés à l'extrémité de la plage, dans une crique éloignée d'environ un kilomètre des quelques baraques branlantes où Boyum avait établi son campement. La marée était basse, et des vagues de belle apparence se cassaient au loin sur un large récif exposé. Nous avons entrepris de déballer notre matériel en plein cagnard, pendant que Kosua redémarrait. Les jer-ricans étaient affreusement lourds. Je pouvais tout juste en traîner un sur le sable. Mike n'y parvenait même pas. Bryan en portait deux à la fois. Je le savais costaud, mais, là, ça frisait le ridicule. Plus impressionnant encore : quand nous sommes arrivés au campement, pendant que nous étions tous prostrés à l'ombre, assoiffés et tirant la langue, Bryan a ouvert un jerrican, goûté l'eau et articulé calmement le mot : "Ben-zine." C'était ce calme qui était impressionnant. Il a longé la rangée de récipients en plastique. Le contenu de six sur huit était imbuvable. Ils avaient servi à transporter de l'essence et n'avaient pas été correctement rincés ensuite. Bryan a traîné les deux nourrices d'eau potable jusqu'au pied d'un arbre. "On dirait qu'un strict rationnement s'impose, a-t-il déclaré. Vous voulez que je m'en charge ?"

Mike et José semblaient en état de choc. Ils n'ont pas dit un mot. "Bien sûr", ai-je répondu.

Toute cette mésaventure à Grajagan s'est poursuivie dans ce sens : déboires, contretemps, soif inextinguible, avec Mike et José plus ou moins catatoniques. En comparaison, Bryan et moi passions pour des types aguerris et pleins de ressources. Ce leitmotiv avait commencé dès Banyuwangi. Quand Mike et José se sentaient dépassés, nous nous répartissions les tâches, veillions au grain. Nous voyagions ensemble depuis plus d'un an. Et savoir que nous pouvions entièrement nous fier l'un à l'autre était rassurant. Voire salutaire. Le partage de l'eau serait équitable, jusqu'à la dernière goutte, j'en avais la certitude.

Boyum avait construit plusieurs petites cabanes de bambou, toutes s'étaient effondrées sauf une. Nous avons dormi (d'un œil) dans celle qui tenait encore debout. Nous n'avons pas vu de tigres, mais nous avons entendu de très grosses bêtes pendant la nuit, dont des buffles sauvages (*banteng* en bahasa) et des sangliers qui, l'air très mécontent, fouinaient autour de notre arbre. Dormir par terre était hors de question.

Notre malchance a perduré durant notre première session de surf, quand Bryan est sorti d'une chute en se tenant un côté de la tête, le visage blanc de douleur. Nous soupçonnions un tympan crevé. Il n'est plus entré dans l'eau de la semaine.

J'ai cherché à le persuader que les vagues n'étaient pas aussi bonnes qu'elles en avaient l'air, ce qui était d'ailleurs la stricte vérité. Elles paraissaient incroyables – de longues, très longues gauches creuses et rapides, hautes d'un mètre quatre-vingts les mauvais jours, de deux mètres cinquante et plus par forte houle. Il me semble à présent que José et moi surfions au mauvais endroit. Remonter la ligne vers la crête – le premier endroit où l'on peut prendre une vague –, m'était naturel. Or, si la crête était très grosse, tronçonnée et écumante à Grajagan, c'était tout de même vers elle que je me dirigeais. José suivait mon exemple. Je me persuadais que j'arriverais, un peu plus loin, à accrocher une des sections les moins rapides de la vague, sauf que j'y parvenais rarement. Il y avait toujours des passages à vide, suivis de sections impossible à surfer. Je m'étais complètement trompé dans ma lecture du récif. Il ne m'est manifestement jamais venu à l'esprit de remonter un peu plus loin sur le rivage pour tenter de trouver un coin où un possible take-off donnerait sur une vague plus nette, moins encline à dérouler chaotiquement. Le meilleur jour, José a refusé de participer, et Mike, qui abandonnait rarement sa moustiquaire, m'a convaincu de ramer davantage vers le large, où les vagues étaient franchement énormes. Il a même réussi à me persuader d'enfiler la petite veste de combinaison blanche qu'il avait sur les épaules : elle ferait un charmant contraste avec l'eau turquoise et mes bras bronzés. J'ai pris contre tout bon sens une vague monstrueuse, et tout juste réussi mon drop sur ma pintail de Nouvelle-Zélande des plus fiables. Mike prétend avoir pris la photo, mais je ne l'ai jamais vue.

En réalité, la seule fois où j'ai su avec certitude qu'il avait une pellicule dans son appareil, ce ne fut qu'un ou deux ans plus tard, quand on m'a fait parvenir une photo pleine page qu'il avait réalisée, extraite d'un magazine de surf américain. On me voyait debout au premier plan à Grajagan, à marée basse, ma pintail sous le bras. Les vagues, comme d'habitude là-bas, étaient magnifiques.

La frustration fait partie intégrante du surf. Nous avons tendance à l'oublier – avec ces sessions ineptes, ces vagues manquées ou soufflées par le vent, ces accalmies apparemment interminables. Mais qu'une telle frustration ait pu être, durant toute une semaine de grosses vagues bien nettes, le fil rouge de mon séjour à Grajagan paraît si invraisemblable aux autres surfeurs qu'elle est restée gravée dans ma mémoire. Bryan n'a jamais pu y croire non plus.

Mes parents nous avaient envoyé deux casquettes de base-ball, blasonnées du titre du téléfilm sur lequel ils venaient de travailler : *A Vacation in Hell* – Vacances en enfer. On nous demandait sans cesse ce que cela signifiait. Mon bahasa n'était pas à la hauteur d'une traduction correcte. Bryan avait pris le pli de répondre : "Tu l'as sous les yeux, l'ami."

Quand nous nous sommes séparés – José et lui rentraient directement à Bali –, Mike nous a solennellement préve-nus que "l'Indonésie est un piège mortel". C'était sans doute un tantinet mélodramatique, mais traverser à peu de frais Java et Sumatra, chargés de nos planches de surf, ne fut pas aisé. Chaque bus, chaque fourgon que nous prenions était furieuse-ment inconfortable, bondé jusqu'à la gueule, et les opérateurs s'efforçaient de pressorer les passagers – comme des citrons, littéralement –, pour en tirer le maximum de profit. Toute-fois, je ne pouvais qu'admirer les efforts héroïques des jeunes chauffeurs, leurs incroyables prouesses en matière d'équilibre, d'agilité et de résistance, quand, cramponnés aux portières à des vitesses à faire se dresser les cheveux sur la tête, ils procédaient en même temps au calcul du tarif et le marchandaient à la vitesse de l'éclair. Et, dans certains cas, en réussissant à satisfaire à moitié l'usager, ils se révélaient même très doués dans les relations publiques. Pieds nus, vêtus de haillons, ces gosses géniaux auraient fait passer pour minables nos cheminots américains, qui, toujours chaussés de chaussures de chantier au bout renforcé, séparent précautionneusement, en suivant à la lettre les instructions du manuel, la locomotive des wagons de marchandises.

Nous avons pris le train pour traverser une partie de Java. La tête à l'extérieur pour sentir la brise sur mon visage, j'ai été frappé de constater que, pour quelqu'un qui observe l'Indonésie depuis la fenêtre d'un train, la principale activité nationale semble être la défécation. Chaque torrent, rivière, déversoir ou canal d'irrigation d'une rizière que franchissaient les rails semblait bordé de paysans et de villageois placidement accroupis. C'était comme de visiter les plus grandes et pittoresques toilettes publiques de la planète. Ce spectacle m'a rappelé que j'avais fait le vœu de me montrer plus prudent en matière d'alimentation et de boisson après ma paratyphoïde et mes turpitudes balinaises. Pour autant je mangeais encore dans ces stands installés dans les rues et nous descendions toujours dans des bouges. Toujours est-il que j'avais contracté la malaria à Plengkung, mais je l'ignorais encore. Entre-temps, un médecin de Jakarta avait appris à Bryan que son tympan était bel et bien crevé. Il lui avait donné des gouttes et affirmé que ça guérirait avec le temps.

L'Asie du Sud-Est rural, dans toute son intense tropicalité, présentait sans doute avec les campagnes polynésiennes une certaine ressemblance. Mais les divergences entre ces deux régions étaient bien plus importantes qu'il n'y paraissait. De grandes civilisations s'étaient bâties ici sur les excédents alimentaires d'une agriculture basée sur le riz. Des centaines de millions d'individus y vivaient et s'y bousculaient, au sein d'une société organisée en castes d'une incompréhensible complexité. J'ai entrepris d'interviewer des gens, de façon semi-officielle – sans aucun projet précis à l'esprit, c'était une entreprise assez étrange, mais j'étais poussé par la curiosité et, bien souvent, ils avaient l'air d'apprécier qu'on leur posât ces questions sur leur histoire familiale, leurs revenus, leurs perspectives et leurs espérances. Un cultivateur de riz des environs de Jogjakarta, ex-capitaine à la retraite, m'a fait un compte rendu détaillé de sa carrière, des frais d'exploitation de son entreprise et des progrès de son aîné à la fac. Pourtant, dans presque tous les récits que j'entendais, lorsqu'il était question de la période 1965-1966, quand l'armée et le clergé islamique avaient massacré un demi-million d'Indonésiens, une lourde chape de plomb semblait brusquement s'abattre. Les cibles principales en avaient été les communistes, vrais ou prétendus, mais des chrétiens et des individus d'origine chinoise avaient aussi trouvé la mort et été spoliés de leurs biens. La dictature de Suharto, à laquelle ce bain de sang avait donné le jour, sévissait encore, et, comme rayés de l'histoire, ces massacres n'étaient ni enseignés à l'école ni l'objet de débats publics. Un conducteur de vélo pousse-pousse de Padang, ville portuaire de l'est de Sumatra, m'a appris qu'il avait passé plusieurs années en prison, soupçonné de gauchisme. Qu'il avait été professeur avant la grande purge. Qu'il aimait les Américains, mais que le gouvernement américain avait collaboré à ces tueries et applaudi le pouvoir en place à l'époque.

Pour nous, Sumatra avait été un changement rafraîchissant après Java : plus montagneuse, moins peuplée et étouffante, plus prospère, du moins dans les zones que nous traversions. Nous avions en notre possession une carte au trésor, cadeau d'une Australienne pratiquante enthousiaste du kneeboard* qui affirmait avoir surfé une vague géniale à Pulau Nias, île située à l'est de Sumatra. Le spot n'était plus secret, apparemment, mais un seuil critique n'avait pas encore été franchi : aucune photo de cet endroit n'avait été publiée jusqu'ici. Nous avons pris à Padang un petit ferry spartiate fonctionnant au diesel. Nias se trouvait à plus de trois cent cinquante kilomètres et une tempête nous a pilonnés dès la première nuit. Nous étions plongés dans la plus complète obscurité. Il nous semblait parfois, ce qui était terrifiant, ne plus retrouver l'entrepont. Les vagues submergeaient le pont. L'unique cabine était une petite cabane en contreplaqué réservée au timonier. La plupart des passagers souffraient du mal de mer. Mais les gens restaient étonnamment sans réaction. Personne ne criait. Tout le monde priait. Nous pouvons nous estimer heureux que personne ne soit passé par-dessus bord. Que le vieux rafiot n'ait pas sombré. Nous sommes entrés en teufteufant dans Teluk Dalam, petit port au sud de Nias, par un matin de morne grisaille. Rien de ce qui concernait Teluk Dalam n'aurait été déplacé dans un roman de Joseph Conrad, me suis-je dit. La population de Nias s'élevait à cinq cent mille âmes et il n'y avait pas l'électricité.

La vague se cassait à quelque quinze kilomètres à l'ouest, près d'un village du nom de Lagundri. La kneeboardeuse n'avait pas menti. C'était une droite impeccable. La pointe sur laquelle elle se cassait était en réalité un récif, car elle ne suivait pas la ligne de la côte. Elle se levait comme un mur, de manière très distincte, droite comme un *i*, lorsqu'elle frappait le récif, puis déroulait dessus, loin du rivage, sur quelque quatre-vingts mètres, sans présenter aucune section, en déferlant superbement, à contrevent, avant d'arriver en eau profonde. Une petite compagnie de très hauts cocotiers se penchait sur l'eau à la pointe comme pour mieux observer la vague. Le paysage était vraiment beau. La baie de Lagundri était profonde et en forme de fer à cheval. Le village, sis peut-être à deux kilomètres de la pointe et séparé de la plage par une palmeraie, était un humble ramassis de cabanes de pêcheurs, à l'exception d'une assez imposante maison de trois étages, richement décorée et nantie d'un toit pointu passablement élaboré : le *losmen*. Quatre ou cinq surfeurs y séjournaient, tous Australiens. Si notre arrivée les a consternés, ils l'ont bien caché. Nous avons suspendu nos moustiquaires au balcon du deuxième étage.

C'est sur ce balcon que Bryan m'a déclaré qu'il renonçait. Je me rappelle que je tenais à la main la biographie de Mark Twain par Justin Kaplan, que nous n'avions pas cessé de nous partager. C'était par un après-midi torride. Nous attendions que le pic de la canicule fût passé pour sortir en fin de journée. Ce n'était pas une surprise totale. Bryan avait déjà marmonné plusieurs fois qu'il comptait retrouver Diane en Europe pour ses vacances d'été.

N'empêche, ça faisait mal. Je n'ai pas levé les yeux du livre. Ce n'était pas ma faute, a-t-il précisé quand je lui ai posé la question. Il était fatigué. Il se languissait du pays. Il en avait sa claque de voyager. Diane lui avait lancé un ultimatum, mais il était déjà prêt à partir. Il se mettrait en quête d'un vol à tarif réduit à Singapour ou Bangkok et serait probablement parti à la fin juillet. Grosso modo dans cinq ou six semaines.

Nous surfions. La houle est restée remarquablement constante durant la première semaine. L'éclat de la vague n'en semblait qu'augmenter. Elle était surfable par toutes les marées ; ne donnait jamais l'impression d'éclater. Un petit courant contraire, partant vers le large depuis le fond de la baie, contribuait à maintenir la surface bien damée par toutes les conditions météorologiques. Ramer était ainsi si facile que ça en devenait absurde. On marchait jusqu'à la pointe, au-delà de la vague, on se glissait dans une faille du récif et on se retrouvait dans le lineup les cheveux pratiquement secs. Mis à part sa qualité de droite de classe mondiale, c'était l'inverse exact de Kirra. On n'avait pas à lutter contre un courant démoniaque. Si tous les surfeurs dans un rayon de cinq cents kilomètres étaient sortis au même moment, le spot n'aurait toujours pas été surpeuplé. Et, si la principale qualité de Kirra était sa compression à couper le souffle, Nias, en comparaison, brillait par son expansion. Elle vous invitait à aller plus loin, à la prendre plus tôt, à s'y enfoncer plus profondément, à filer sur une plus haute ligne. Le take-off était rude mais franc. Il vous suffisait de dépasser la crête et de vous maintenir sur la vague quand elle se cassait. Pas le temps de décrire de grands virages sur le mur principal. C'était une vague du genre "prends-la et cours", avec un tube somptueux, pourvu qu'on prît la ligne haute et qu'on minutât correctement son entrée à l'ouverture. Ce n'était sans doute pas un rouleau complet – en amande, comme on dit –, bien qu'il se cassât assez rudement pour briser des planches. Et, s'il n'était pas extrêmement long, comme l'était Tavarua, il n'était pas non plus dangereusement superficiel. En plus, Nias avait une extraordinaire touche de grâce. Sur les dix derniers mètres, juste avant qu'il n'arrivât en eau profonde, le mur principal se cabrait très haut. Sa face, sans aucune raison évidente, y dépassait alors le reste de la vague de plus d'un mètre. La grande pente verte, surtout en son tiers supérieur, semblait exiger, supplier, pour qu'on exécutât quelque acrobatie à haute vitesse, une manœuvre qui resterait inoubliable, un témoignage de reconnaissance et, à la fois, de grande maîtrise.

Même si je n'en avais pas conscience sur le moment, mon surf a culminé à Nias. J'avais vingt-six ans et j'étais probablement plus fort que jamais et plus vif que je ne le deviendrais jamais. J'avais à ma disposition la bonne planche et la bonne vague. J'avais surfé de manière presque constante pendant plus d'un an. Il me semblait possible de faire pratiquement n'importe quoi sur n'importe quelle vague qui s'offrait à moi. Quand elles ont encore grossi en fin de semaine, j'ai doublé la mise et surfé avec davantage d'abandon. La section supérieure extra-haute me permettait de décoller de la crête à une hauteur que je n'avais encore jamais tentée jusque-là et, la plupart du temps, j'amerrissais très correctement sur ma planche. J'étais conscient de n'avoir jamais surfé des vagues de cette taille avec une telle décontraction. Je me sentais immortel.

Bien que ce fût la saison sèche, un orage de deux jours a inondé le village et rempli la baie d'une eau douce et brunâtre qui a paru tuer les vagues.

Je suis allé me coucher en me sentant mal et je me suis réveillé avec la fièvre. J'ai d'abord cru à une rechute de la paratyphoïde. C'était plus vraisemblablement le palu. Subitement, je me suis senti beaucoup moins immortel. Peut-être l'Indonésie était-elle effectivement un piège prêt à se refermer sur vous. Trois surfeurs australiens avaient découvert la vague de Lagundri en 1975, et l'un d'eux, John Giesel, était mort neuf mois plus tard d'une prétendue pneumonie après des accès répétés de malaria. Il avait vingt-trois ans. Bob Laverty, un Américain et un des deux premiers à avoir surfé Grajagan — l'autre était le frère de Mike Boyum — était mort quelques jours seulement après son retour à Bali. Il s'était noyé à Uluwatu. Mike Boyum, lui, avait survécu à l'Indonésie, mais il avait trempé dans un trafic de cocaïne, était allé en prison à Vanuatu et avait trouvé la mort plus tard, sous un pseudonyme, dans une grande vague qu'il avait découverte aux Philippines.

Moi aussi j'étais fatigué, j'avais le mal du pays et j'en avais marre de voyager. Je n'étais guère tenté de quitter l'Asie avec Bryan, mais j'avais un mal fou à me rappeler la raison exacte de ma présence ici. Ce n'était pas le surf, puisqu'il ne serait jamais meilleur qu'à Lagundri. Je n'arrivais tout bonnement pas à m'imaginer de retour aux États-Unis. J'ai recopié un passage de *Lord Jim* : "Illustres ou obscurs, nous errons par milliers à la surface du globe, pour amasser au-delà des mers argent ou gloire, ou gagner seulement une croûte de pain ; mais il me semble que pour chacun de nous le retour au pays constitue une sorte de reddition de comptes." Je n'étais pas prêt à rendre des comptes. Et d'une, je ne pouvais pas rentrer avant d'avoir terminé mon roman. J'y songeais constamment, je noircissais des carnets entiers d'intrigues, de nouvelles approches, d'autoflagellations et d'exhortations à mieux faire, mais je n'avais pas écrit une page depuis Bali. Où pouvais-je bien me terrer pour m'y atteler de nouveau ? L'écriture me semblait à peine justifier mon existence — ce fin fond de l'obscurité que j'avais choisi avec perversité. Mais je commençais aussi à m'inquiéter pour l'argent. Nous vivions jusque-là avec quelques dollars par jour, mais les grandes villes comme Singapour et Bangkok seraient une autre paire de manches. Il en restait suffisamment à Bryan pour rentrer. Se retrouver fauché en Asie du Sud-Est pouvait prendre une tournure sinistre. Je doutais que Sharon eût beaucoup épargné. Nous allions devoir économiser le moindre dollar.

Mais j'étais conscient que c'était du pipi de chat et qu'il était répugnant, de ma part, de me faire du souci pour le fric alors que la Piste asiatique et ses ironiques tribulations n'étaient jamais très loin. La Piste asiatique est cette grande route intercontinentale tortueuse qui court de l'Europe jusqu'à Bali et croule depuis les années 1960 sous des milliers de routards occidentaux. Elle avait déjà été morcelée en 1979 par la révolution iranienne, et l'invasion soviétique de l'Afghanistan allait bientôt soustraire de l'itinéraire une autre Shangri-La, percluse de misère mais riche en dope. Cela étant, cette piste, qui présentait une escale principale au lac Toba, au nord de Sumatra, était également rejointe par une route secondaire partant de Nias. Ça n'avait pas grand rapport avec le surf. Elle devait apparemment son existence à la culture locale qui s'était développée dans un relatif isolement et comportait des mégalithes, une spectaculaire architecture à base de bois de fer (l'*omo sebua*), des danses guerrières et, au sommet des collines, des villages dont les maisons étaient construites en imitant des galions hollandais de l'époque de la Traite des Nègres. Si bien que d'étranges hordes de hippies et de touristes européens remontaient la route du littoral en traversant Lagundri. Les villageois les regardaient de travers, surtout les routards chevelus. On en comprenait aisément la raison : voilà un rejeton de l'élite dirigeante mondiale qui, aussi lourdement chargé qu'embarrassé, avait probablement dépensé en un jour, pour son billet d'avion, plus d'argent que n'en pouvait gagner un villageois de Nias en une dure année de labeur, et ce, pour le seul plaisir de quitter un pays d'une richesse et d'une propreté inimaginables au profit d'une contrée insalubre et d'une pauvreté désespérante. Regardez-le en train d'arpenter aveuglément la route sous son énorme sac à dos, désorienté, ignare et suant comme un bœuf. Il tenait à voir l'Asie d'en bas, au ras du sol, plutôt que du dernier étage du Hilton climatisé de quelque station balnéaire, que toute personne saine d'esprit aurait sans doute préféré. L'écheveau complexe d'espérances et de répulsions qui conduisent le malheureux routard à près de quinze mille kilomètres de chez lui, pour peiner, souffrir de la dysenterie, d'insolations ou pire encore, dans la jungle équatoriale – tout ce qui peut vous faire passer pour un "voyageur" plutôt que pour un "touriste" – est sans doute impossible à démêler. Mais il était bien certain qu'il portait si peu d'argent sur lui que l'arnaquer n'en valait sûrement pas la peine.

La famille de Bryan et la mienne étaient aisées. Et être un richard d'*orang putih* dans un pauvre monde basané craignait. *Nous* craignions.

La famille qui tenait la *losmen* de Lagundri était musulmane, ce qui faisait d'elle un élément étranger dans un Nias à prédominance chrétienne. Dans les villages voisins, des chants fervents ébranlaient les murs des églises. Sur les sentiers de la jungle, on croisait de petits hommes souriants, une machette enfoncée dans le pagne, chargés d'énormes sacs de jute remplis de noix de coco. Nos hôtes étaient affables et relativement cosmopolites – ils venaient de Sumatra –, et ils nous avaient prévenus de ne jamais dépasser de nuit les limites du village. Le christianisme local ne l'était que de nom, nous ont-ils affirmé. Pendant la Seconde Guerre mondiale, quand l'île s'était retrouvée coupée du monde, les diverses congrégations étaient très vite retournées à leurs pratiques précoloniales et avaient dévoré leurs missionnaires hollandais et allemands. Je n'ai pas pu corroborer cette affreuse rumeur.

Ma fièvre était entrecoupée de frissons. J'avais constamment mal au crâne. Je prenais de la chloroquine, remède prophylactique populaire contre le paludisme, sans savoir qu'elle n'avait aucun effet sur les souches locales de la maladie. Les villageois indonésiens demandaient souvent des pilules sans spécifier leur nature. Vitamines, aspirine, antibiotiques – leur foi dans les pilules semblait totale. Au début, je croyais que ces requêtes concernaient des parents ou des amis malades, ou bien qu'ils accumulaient des réserves au cas où, puis j'ai vu des gens en parfaite santé gober tout ce qu'on leur tendait, quoi que ce fût, sans jamais poser de questions. Si ce n'avait été aussi dangereux, peut-être aurait-on trouvé ça drôle. Maintenant que j'étais malade, on me laissait tranquille. J'entendais les bébés pleurer. Je lisais, amorphe, un recueil de nouvelles de Donald Barthelme. Des répliques sont restées gravées dans ma mémoire : "Appeler Bomba le garçon de la jungle ? Tu as son numéro ?" L'exécrable, incontournable "Rivers of Babylon" de Boney M tournait en boucle, s'échappant du lecteur de cassettes d'un adolescent du village.

J'écoutais Bryan et les Aussies brasser du vent. Bryan était dans une bonne passe. Il leur avait fait priser du café de Sumatra. Je l'entendais dégoiser : "Oh, ouais, si un spot de surf est trop loin des États-Unis, on appelle le Génie militaire et ils le déménagent. Ça prend deux ou trois jours, un tas de camions, et ils doivent fermer toute l'autoroute. Il leur arrive parfois de déplacer entièrement la baie, d'autres fois seulement le récif et les vagues. Faut voir ça descendre la route – les gars qui continuent de surfer et tout et tout. Il faut qu'ils y aillent vraiment très doucement. C'est une opération d'envergure."

Il allait terriblement me manquer. Il m'avait sans doute affirmé que je n'y étais pour rien, mais je savais que j'avais partiellement contribué à son départ. Nous nous entendions à présent presque sans efforts et nous ne nous étions pas querellés depuis des mois, mais la synergie sous-jacente de notre association restait inchangée. Je courais après quelque chose, quoi que ce fût. Et l'alchimie de mon insolence et de sa propre passivité, dont il remarquait l'existence depuis Air Nauru et le Hilton de Guam, n'était pas pour faire avancer les choses. Il ne voulait pas donner l'impression d'être d'accord pour poursuivre le voyage. Il fallait qu'il parte. Mais, sans lui, à quoi ressemblerait ce long et saugrenu périple ? Lui et moi parlions une langue que nul autre ne comprenait. "Oh, wouah, une nouvelle expérience !" C'était ce que nous étions censés dire, selon Teka des Tonga, après un tremblement de terre ou si l'on nous volait notre voiture. Mais nous le disions aussi après de moindres fiascos – nuits infernales à bord de ferries prenant l'eau, journées de soif inassouvie due à des jerricans mal lavés. "Radio Ethiopia", une chanson inécoutable de Patti Smith, sorte de trope rimbaldien de seconde main mais qui représentait toute cette posture hippie faussement exotique. Des noms, distraitement lâchés dans la conversation à New York, des lieux qu'on n'avait jamais visités et où l'on avait encore moins vécu... Nous nous sentions supérieurs à tout cela, mais aussi vaguement menacés. Ces gens poursuivaient leur carrière dans les arts et connaissaient ce que Bryan appelait parfois le *Suckcess*[01]. Et, maintenant, il rentrait aux States et je restais en "Ethiopia". Je l'enviais silencieusement.

J'ai commencé à recouvrer des forces et à entreprendre de petites promenades. Sur un sentier de la jungle, j'ai rencontré un vieil homme qui a tendu la main pour me tapoter le ventre. Sa manière de dire bonjour.

01 — Mot-valise à partir de *success* (réussite) et *suck* (craindre).

"*Jam berapa ?*" (Quelle heure est-il ?) C'était une question que les gamins adoraient poser en montrant du doigt leur poignet nu.

"*Jam karet.*" (L'heure caoutchouc.) Plaisanterie récurrente, laissant entendre qu'en Indonésie l'heure exacte restait une notion élastique.

Les gens que je croisais me demandaient souvent : "*Dimana ?*" (Où vas-tu ?)

"*Jalan, jalan, saja.*" (Je marche, je marche, c'est tout.)

Tout le monde voulait savoir si j'étais marié. Répondre "*Tidak*" (Non) était grossier. Trop brutal. C'était témoigner de l'irrespect vis-à-vis du mariage. Il valait mieux dire "*Belum*" (Pas encore).

Je me demandais comment Sharon aurait vécu à Nias. Elle avait été intrépide au Maroc. Partante pour n'importe quel détour par la casbah. J'ai commencé à raconter aux gens de Lagundri que je partais pour Singapour mais que je serais de retour dans quelques mois. Ils m'ont passé leurs commandes : une montre homme Seiko automatique en argent ; un ballon de volley Mikasa ; un livre d'or pour le *losmen*. J'ai entrepris de dresser la liste des articles que je regrettais ne pas avoir apportés : miel, whiskey, ruban adhésif, fruits secs, noix, lait en poudre, flocons d'avoine. Davantage de protéines ne nous ferait pas de mal. La viande, et même le poisson frais, bizarrement, étaient des raretés à Lagundri. Nos repas se composaient principalement de riz et de chou frisé, accompagnés de piments rouges pour aider à lutter contre les bactéries. Nous mangions avec les doigts, comme tout le monde. Un pêcheur de Java m'avait appris que c'était la meilleure méthode pour le riz. Les trois premiers doigts servent d'auge et le pouce de pelle. Ça fonctionnait. Mais j'avais besoin de mieux manger, de plus de vitamines. Mon short de surf me tombait des hanches.

Le soleil est revenu. La vase de la baie s'est éclaircie.

J'ai fait le trajet jusqu'à Teluk Dalan à l'arrière d'une mobylette. J'avais entendu dire qu'il y avait en ville une boutique disposant d'un générateur et d'une glacière. J'ai trouvé la boutique et placé deux grosses bouteilles de Bintang, la Heineken indonésienne, dans la glacière. Puis, une fois qu'elles ont été bien froides, je les ai emballées dans de la sciure et je suis rentré en vitesse à Lagundri. Je les ai montées sur le balcon du deuxième étage pour les montrer à Bryan, encore glacées. J'ai bien cru qu'il allait pleurer de joie. Moi-même j'ai failli fondre en larmes. De toute mon existence, peu de choses m'ont paru plus délicieuses que ces bières. Nous sommes restés sans voix.

Tout avait un arrière-goût d'adieux. Bryan m'a demandé de prendre une photo de lui pour ses "petits-enfants". Il s'est planté sur la plage avec sa planche et a fixé le soleil couchant en prenant une pose comiquement héroïque. Il portait un sarong, ce que tout le monde, locaux ou étrangers, faisait normalement. Sauf lui.

Les vagues sont redevenues bonnes. Mais presque toujours en fin d'après-midi, l'heure dorée. Le dernier jour, sans même nous concerter, nous avons pris une vague ensemble – ce qui ne nous arrivait jamais. Nous avons surfé un moment debout puis nous nous sommes allongés et nous avons franchi les eaux blanches côte à côte, par-dessus le récif, en nous cognant mutuellement le poing.

Après ces trois mois en Indonésie, Singapour a été un choc, tant la ville nous a paru ordonnée, propre et prospère. Quand nous avons retrouvé Sharon à l'aéroport, elle a été scandalisée par l'agressivité que Bryan et moi témoignions aux chauffeurs de taxi et aux porteurs. J'ai tenté de lui faire comprendre que nous souffrions d'un syndrome de stress post-indonésien et que nous avions oublié comment nous comporter avec des gens qui ne cherchaient pas à nous faire les poches en marchandant. C'était la stricte vérité, mais ça ne l'a pas convaincue je crois.

Notre chambre d'hôtel avait l'air conditionné. Sharon avait apporté une chemise de nuit à l'ancienne mode, blanche, très élaborée et pourvue sur le plastron d'une quantité victorienne de petits boutons. On pouvait sans doute l'ôter en la passant par-dessus la tête, mais les petits boutons étaient une idée de génie.

Bryan est allé retrouver des amis à Hong Kong et nous nous sommes éclipsés à Ko Samui, une île du golfe de Thaïlande, où nous séjournions dans un bungalow sur la plage. C'était paisible, adorable, bouddhiste et bon marché. (J'ai appris plus tard que des centaines d'hôtels avaient été construits là-bas depuis. À l'époque, il n'y avait que des pêcheurs et des paysans exploitant les cocotiers.) Les vagues et l'électricité brillaient par leur absence, mais y plonger était fantastique. Sharon, qui débarquait tout juste du nord de la Californie, semblait un tantinet sidérée par l'Asie du Sud-Est rurale – sa chaleur féroce, ses insectes implacables, l'absence de confort matériel. Pourtant elle était en très grande forme : soulagée d'avoir terminé son doctorat, ravie d'avoir échappé à la coopération universitaire. À notre première rencontre, elle était encore spécialisée dans l'étude de Chaucer, mais elle avait fini par faire sa thèse sur le personnage du samouraï dans la fiction américaine récente. "La permissivité de la tolérance est illimitée", se plaisait-elle à dire en citant Philip K. Dick – faisant tantôt allusion à la souplesse d'esprit de ses directeurs de thèse, tantôt à d'ésotériques pratiques sexuelles, mais, le plus souvent, surtout aux tentatives de la philosophie en général pour appréhender l'inconnu. Elle-même disposait de très grandes capacités d'adaptation et témoignait d'une sorte d'intérêt romantique pour la vie préindustrielle, intérêt que j'avais d'ailleurs partagé mais dont je me rendais compte à présent qu'il s'était quelque peu estompé chez moi. J'étais content qu'elle fût venue et je lui en étais reconnaissant. Elle m'a annoncé qu'elle était d'accord pour visiter la région des collines du nord de la Thaïlande, ainsi que la Birmanie – Tangoon, Mandalay – et, s'agissant de Sumatra et Nias, elle a aussi répondu par l'affirmative. Sa peau commençait à perdre un peu de sa pâleur du pays des brumes. Son rire se fit de nouveau entendre – ce rire en dents de scie qui s'achevait sur une note gutturale, si théâtrale qu'il était contagieux.

Je me sentais un peu perdu, à dire vrai. Après l'Indonésie, je trouvais exaspérantes l'absence de marchandage et l'intimité sans fin de Ko Samui. Nous disposions presque de trop de temps et de place pour nous intéresser l'un à l'autre. J'avais l'habitude – dès lors profondément ancrée – d'une tout autre sorte de vie quotidienne. Et celle, aussi, de constamment traquer des vagues – ou, tout du moins, de patauger jusqu'à elles. C'était donc cela ma nouvelle existence ? Nous étions tous deux très attentionnés – trop polis, en tout cas. Mais nous avions rapporté une bouteille de whisky de Singapour, et, une fois ouverte, nous nous sommes montrés plus téméraires. J'avais changé − j'étais plus mince et plus bronzé −, mais pas seulement physiquement. J'étais aussi plus tempéré, plus réservé, ce que Sharon trouvait déconcertant. De son côté, elle faisait des déclarations qui m'agaçaient. "Ces gens montrent un amour bien particulier pour leurs enfants", m'a-t-elle dit une fois en regardant passer une famille sur un sentier. Sans doute était-ce bien intentionné, ou du moins anodin, mais ça m'a donné des brûlures d'estomac. Elle avait l'air de parler des quarante-six millions de Thaïs, alors qu'elle n'en avait rencontré que trois. Il s'agit juste de savoir comment il faut le dire, m'étais-je persuadé. Je parlais depuis un bon bout de temps une langue différente − plus tranchante, plus sarcastique, plus masculine, en prenant toujours garde à ne pas passer pour un imbécile. Je parlais couramment ce dialecte, dans toute sa lubricité crue. J'avais seulement besoin d'en apprendre − ou d'en réapprendre − un autre, avec lequel nous pourrions communiquer. Au bout de quelques gorgées, Sharon m'a demandé pourquoi j'étais devenu si exigeant avec elle − "excessivement critique", voulait-elle sans doute dire. Étais-je aussi intolérant avec Bryan quand il était un peu éméché ? Non. De sorte que je me mordais ensuite la langue quand me venaient de mauvaises pensées. Que je ne me sentisse pas très bien n'arrangeait rien. J'étais retombé à Singapour dans un bref accès de fièvre, dont un médecin m'avait affirmé qu'elle était causée par la malaria. Les symptômes passés, j'avais cru à une crise bénigne. Sharon me pressait de manger plus de nouilles et de riz. J'étais tout en muscles noueux. L'organisme a besoin de réserves de graisse. Je trouvais charmant que quelqu'un prît ainsi soin de moi, me regardât d'un tel œil.

Nous partîmes pour Bangkok, où nous retrouvâmes Bryan, qui était descendu au Station Hotel, un établissement vaste et tout à fait miteux. La ville était caniculaire, chaotique, excitante, épuisante, avec ses taxis fluviaux scintillants qui montaient et descendaient les canaux, ses stupéfiants temples bouddhistes, son excellent satay qu'on achetait dans la rue, et son palais d'aspect plutôt européen. La consommation de drogue était pour le moins impressionnante dans notre hôtel, où d'ailleurs sévissaient de petits dealers opérant tant parmi les

Occidentaux que parmi les Asiatiques. La présence de multiples couches de criminalité était palpable dans certains quartiers chauds. J'avais reçu deux commandes de *Tracks* – pour des articles sur l'Indonésie par-delà Bali –, et j'y travaillais. La signature de Bryan y figurerait aussi – la jeunesse australienne ne s'attendait pas à moins –, puisqu'il avait apporté quelques légères retouches à ma copie. Mais les émoluments seraient maigres, si d'aventure ils réussissaient à nous trouver, et je m'inquiétais de plus en plus pour l'argent. Compte tenu du remboursement de mes impôts sur les revenus que m'avait adressé avec surprise l'Australie, ce paradis des travailleurs, je disposais d'un peu plus de mille dollars. Sharon de beaucoup moins. À Sibolga (Sumatra) un arnaqueur allemand à la gueule d'ange s'était proposé d'acheter mes traveller's checks à raison de soixante cents par dollar – il me suffisait, m'avait-il expliqué, de déclarer leur vol pour qu'on me remboursât intégralement – et je regrettais à présent de n'y avoir pas songé plus sérieusement. Il y avait davantage de petits escrocs de la Piste asiatique au mètre carré dans le Station Hôtel que partout ailleurs. Peut-être pouvais-je y vendre mes traveller's checks. C'était risqué, moralement limite et, surtout, pas dans mes cordes. C'était certain. Mais, à Oz, nos petites tentatives de travail au noir s'étaient bien passées, non ?

La crise humanitaire sur la frontière de la Thaïlande et du Cambodge faisait les gros titres. L'armée vietnamienne avait déboulonné les Khmers rouges un peu plus tôt dans l'année et un grand nombre de réfugiés avaient été refoulés de l'autre côté de la frontière. Les Khmers rouges étaient retournés dans la brousse mais disposaient encore, dans cette zone, de forces armées qui continuaient de combattre les Vietnamiens et d'accroître la misère générale. Je me suis surpris moi-même à me pencher sur des cartes et à dévorer des articles de presse, en me demandant ce qu'il m'en coûterait de descendre là-bas et de me présenter comme volontaire à un organisme d'aide humanitaire. Ce n'était qu'à un jour de route. Deux jeunes Françaises que j'avais rencontrées dans un café s'y rendaient justement. L'une était photographe de presse et l'autre infirmière. Ça ne me rapporterait pas un sou, et je n'avais pas encore abordé l'idée avec Sharon, mais elle avait lu *Les Guerriers de l'enfer* de Robert Stone – bon sang, ça figurait même dans sa thèse. Toute l'action du livre se passait au Vietnam, ou, tout du moins, lors des interminables contrecoups de la guerre. Partagé entre ce projet de magouille et mes rêves de guerre, j'ai fini par me décider et me rendre au bureau local de l'American Express, où j'ai déclaré la perte de mes traveller's checks. L'employé qui a enregistré ma fausse déclaration avait l'air si sceptique que j'en avais la bouche sèche de trouille. Mais l'arnaqueur allemand avait eu parfaitement raison. Un ou deux jours plus tard, on me remboursait intégralement. Cela étant, je ne savais toujours pas quoi faire de mes premiers traveller's, à dépenser au plus vite. Spolier l'American Express m'avait fait l'effet d'une jolie prouesse à la Robin des Bois. J'avais fait un bras d'honneur à une compagnie qui, d'ordinaire, mettait un doigt à tout le monde. Au regard des hauts faits de certaines de mes idoles littéraires, ça paraissait même minable. Dean Moriarty volait des voitures pour prendre son pied. William Burroughs ! Quand je leur ai raconté le micmac, Sharon et Bryan n'ont pas eu l'air impressionnés. Ils m'ont conseillé de balancer les vieux chèques dans les toilettes et de tirer la chasse si je ne voulais pas me retrouver dans une prison de Bangkok.

Tout cela fut oublié la nuit suivante, de toute manière, quand je me retrouvai dans un hôpital de Bangkok. C'était une excellente petite clinique, la meilleure que mes amis avaient pu trouver. Mes souvenirs de cette première nuit et des jours suivants restent assez vaseux et flous. Je sais au moins que, pris d'une très grosse fièvre, j'avais commencé à divaguer, que j'étais trop faible pour traverser une chambre d'hôtel, et encore moins pour résister à leur décision de me faire hospitaliser. Je sais aussi que le faste des lieux m'avait horrifié – c'était manifestement une clinique réservée aux diplomates étrangers –, et qu'on m'a fermement prié de la boucler. La doctoresse était allemande. Elle m'a expliqué que mon sang était "noir de malaria" et qu'on devait me rapatrier immédiatement par avion aux États-Unis. À ce stade, mes amis ont hésité. J'étais encore en état de leur faire comprendre mon opposition absolue à une mesure aussi drastique, eux ne m'auraient forcé la main qu'à contrecœur. S'ensuivit un débat sur mes chances de survie et tous les cas de paludisme que la doctoresse avait pu connaître au cours des quarante années qu'elle avait passées en Asie. On ne m'a pas mis dans un avion.

Les jours qui suivirent furent noirs. Des crises de frissons arctiques, qui me faisaient trembler de tous mes membres, succédaient à de violents et douloureux accès de fièvre. J'ai perdu beaucoup de poids, au point de ne plus peser que soixante-huit kilos. (Je mesure un mètre quatre-vingt-dix.) Ettinger, la vieille doctoresse, était sévère mais gentille. Elle m'a affirmé que j'étais un veinard et que j'allais survivre. De petites infirmières venaient me faire de grosses piqûres dans les fesses. J'étais à ce point prostré que je n'ai pas pu quitter mon lit pendant une semaine. Paranoïa et dépression parasitaient mon cerveau. Penser à cette note d'hôpital qui n'arrêtait pas de grimper et dont je ne pourrais jamais m'acquitter m'était insupportable. Bryan et Sharon passaient tous les jours et me distrayaient en me racontant des histoires sur cette Bangkok que je ne pouvais que deviner, par-delà les pelouses tranquilles et les haies de la clinique. Mais j'avais le plus grand mal à rire ou sourire. Je me sentais perdu moralement, et le soupçon croissant, selon lequel j'étais en train de gâcher ma vie, revint telle une Furie. Je souhaitais voir mon père apparaître et me donner un conseil concret et compréhensif. Je l'aurais suivi à la lettre. Cela dit, je ne tenais absolument pas à ce que mes parents soient informés de mon état. Ils n'en ont rien su.

Puis Bryan a cessé de me rendre visite. Sharon restait vague quant à ses raisons. Il voyait d'autres personnes. J'étais persuadé qu'ils couchaient ensemble. Je ressassais un incident qui s'était produit au Station Hotel : Bryan était assis dans notre chambre, Sharon prenait une douche. Elle était sortie de la salle de bains complètement nue, et Bryan avait glapi puis s'était couvert les yeux. Elle avait éclaté de rire et l'avait traité de prude, pendant qu'il grommelait, la suppliait de passer un vêtement et continuait de se voiler la face. Sur le moment, j'avais trouvé ça très drôle. Elle se savait belle nue, et elle avait pris son pied à le choquer. Ils étaient bons amis, et elle était consciente que derrière sa paillardise de macho se cachait en réalité quelqu'un d'assez coincé, pour qui certaines limites restaient infranchissables. Elle prenait donc plaisir à le taquiner. Sans plus. Il n'y avait aucune tension sexuelle entre eux, m'étais-je persuadé.

Mais je pouvais me tromper. À moins, peut-être, qu'elle ne prît sa revanche sur moi pour m'être montré un tel crétin d'égoïste, l'avoir laissée plantée là une éternité pendant que je faisais la chasse aux vagues. Un certain jour, exaspérée par mes virées avec Bryan, elle m'avait scandalisé en me lançant : "Pourquoi ne baiseriez-vous pas ensemble tous les deux, qu'on en finisse ?" C'était tellement à côté de la plaque, si grassement convenu que ça ne lui ressemblait pas. Cela étant, jusqu'à quel point pouvais-je me targuer de la connaître ? Ou de connaître Bryan ? Je ne m'en étais jamais confié à lui, mais j'imaginais déjà sa réplique désinvolte, que moi seul comprenais, quand il était question d'homosexualité masculine : "Roule, Raoul, roule !"Cependant je m'étais déjà mépris sur des amis et on avait déjà réussi à me leurrer.

Le pire, c'était les nuits. J'avais l'impression de figurer dans les *Pinturas Negras* de Goya. Des goules dont l'ombre se projetait sur les murs semblaient cerner mon lit. Ma migraine emplissait le monde. Pas moyen de trouver le sommeil. J'avais bien sûr à l'esprit qu'en me conduisant ici Sharon et Bryan avaient fait ce qu'il fallait. Ils m'avaient probablement sauvé la vie. On me soignait bien. Mais la facture était désormais tellement au-dessus de mes moyens que je pourrais m'estimer heureux si l'on − et ce *on* désignait-il la clinique ? l'ambassade des États-Unis ? − me laissait de quoi acheter un billet de retour. J'allais rentrer au pays la queue entre les jambes − sans un sou et le cœur brisé. Je serais un raté.

Assez tard un soir, longtemps après l'heure des visites, Bryan s'est pointé à mon chevet. Il portait un gros sac en papier. Il n'a pas dit un mot. Il l'a retourné et m'en a déversé le contenu, de nombreuses liasses sales de bahts thaïlandais − la devise locale − sur les cuisses. Ça faisait une grosse somme d'argent. Elle suffirait à couvrir une bonne partie, sinon la totalité de mes frais d'hospitalisation, m'a-t-il déclaré. Il avait l'air tout à la fois épuisé, triomphant, en colère et un peu fêlé.

Je n'ai jamais eu le fin mot de l'histoire. Mais Sharon m'a grosso modo mis au parfum. Prenant conscience de ma situation désespérée, Bryan avait fouillé mes sacs dans notre chambre et trouvé les traveller's checks dont j'avais déclaré la perte. (Dans mon délire, j'avais depuis longtemps oublié leur existence.) Puis il était sorti et les avait vendus à des gangsters chinois, à raison de soixante cents par dollar. Ça n'avait pas été une transaction facile. Il avait refusé de les leur remettre tant qu'il n'aurait pas touché l'argent rubis sur l'ongle. Ç'avait été l'affaire de plusieurs jours et s'était terminé par un marchandage à enterrer tous les marchandages. Rien de tout ça ne ressemblait à Bryan, pourtant il en sortait gagnant. C'était une inversion complète des rôles pour nous deux. Il avait pris un très gros risque, m'avait affranchi de la clinique et, dans le même temps, s'était libéré de moi.

Avec Sharon nous avons fini par retourner à Nias. La mousson battait son plein et la pluie sabotait les vagues. Il y avait en plus quinze surfeurs à Lagundri et on m'en a présenté la raison dès mon arrivée : une photo fascinante de la plus séduisante des vagues était parue dans un magazine de surf américain. L'endroit n'était plus un secret. Ces quinze types seraient bientôt cinquante. De nombreux villageois, dont quelques enfants, étaient tombés malades. Un paludisme endémique, nous ont appris les propriétaires du *losmen*. Les gens qui mendiaient des médicaments nous semblaient à présent encore moins drôles. Je prenais un nouveau traitement prophylactique contre la malaria – deux, en fait –, et je boitillais encore, suite aux grosses injections que les petites infirmières de Bangkok m'avaient administrées des mois plus tôt. Il y eut quelques jours de grosses vagues. Je découvris que j'avais repris assez de forces pour surfer. Le ballon de volley, le livre d'or et la montre avaient été très bien accueillis. Mais ces petits gages d'amitié me semblaient désormais grossièrement mal venus.

Nous avons poursuivi notre chemin, toujours en direction de l'ouest. Nous avons pris un bateau de la Malaisie à l'Inde. Nous dormions sur le pont. Nous avons loué une petite maison dans le sud-ouest du Sri Lanka. Le loyer mensuel était de vingt-neuf dollars. Sharon accumulait de la matière pour sa thèse. Nous avions des bicyclettes chinoises et, tous les matins, ma planche sous le bras, je prenais une piste menant à la plage, où se cassaient presque tous les jours des vagues convenables. Nous n'avions pas l'électricité et nous devions puiser notre eau. Les singes volaient tous les fruits qui n'étaient pas sous notre surveillance. Sharon apprit de Chandima, notre propriétaire, à confectionner un curry délicieux. Une folle vivait juste en face de chez nous. Elle rugissait et vociférait jour et nuit. Les insectes – moustiques, fourmis, scolopendres, mouches –, étaient infatigables. Dans un monastère bouddhiste, au pied de la colline, de jeunes moines donnaient de bruyantes soirées ; ils diffusaient jusqu'à l'aube de la musique enregistrée et tapaient à qui mieux mieux sur des clarines. J'ai entendu de nombreux commentaires anti-Tamouls – nous vivions dans une circonscription cinghalaise –, mais il faut dire que c'était avant la guerre civile.

Je me demande encore aujourd'hui si Sharon s'intéressait un tant soit peu à mon grand projet de voyage, et même si elle savait seulement de quoi il retournait. Cette ambition de faire le tour du monde sans trop me préoccuper de prendre des raccourcis était un tantinet idiote, de sorte que je n'en parlais jamais. Je me souviens d'y avoir fait allusion devant une amie le matin de mon départ de Missoula. Nous étions plantés sur le trottoir, entourés par de sombres sommets enneigés, devant l'entrée du café où elle travaillait. Ce jour-là, je lui avais expliqué que je partais vers l'ouest, vers la côte. Et qu'à mon retour – brève pause pour marquer le coup –, j'arriverais de l'est. Elle a incliné la tête, éclaté de rire, puis m'a mis au défi de le faire.

Sharon se passionnait pour l'Afrique, de sorte que nous étions encore plus ou moins sur la même longueur d'onde. Nous cherchions un bateau à destination du Kenya ou de la Tanzanie, mais ces deux pays exigeaient des visas que le Sri Lanka ne pouvait pas nous délivrer. Nous avons fini par prendre un vol pour l'Afrique du Sud. Nous avons acheté un vieux break à Johannesburg et suivi le littoral à partir de Durban. Nous avons traversé le Natal et le Transkei jusqu'au Cap en dormant dans la voiture. C'était en 1980, encore en plein apartheid. Je continuais d'interviewer de manière informelle les locaux que nous rencontrions au hasard. Ces gens vivaient tous avec un sacré paquet de bizzareries : comme ces insondables faux-fuyants de la part des travailleurs noirs et autres broussards, au demeurant très polis ; comme ce racisme sans état d'âme et profondément enraciné chez des campeurs blancs. À la lecture des œuvres de Gordimer, Coetzee, Fugard, Breytenbach et Brinks − de celles, du moins, qui n'étaient pas interdites −, Sharon et moi nous appuyions une rude courbe d'apprentissage. Tous les surfeurs étaient blancs, ce qui n'était pas franchement une surprise. Nous avions, pour la suite de nos pérégrinations, un projet assez téméraire : faire un grand bond vers le nord, "du Cap au Caire", en traversant tout le continent. Mais nous commencions à manquer d'argent.

Au Cap, nous avons appris que les écoles locales réservées aux Noirs souffraient d'une pénurie d'enseignants alors que l'année scolaire débutait. Quelqu'un m'a donné la liste des écoles des townships. Dans la deuxième à laquelle j'ai rendu visite (le lycée de Grassy Park), le principal, un type tonitruant du nom de George Van den Heever, m'a engagé dans la foulée. J'enseignerais l'anglais, la géographie et une matière qu'il appelait l'instruction religieuse. Je commençais sur-le-champ. Les élèves, qui avaient de douze à vingt-trois ans et portaient un uniforme, parurent estomaqués de trouver dans leur classe un Américain blanc, ignorant de tout, chaussé de tongs en plastique marron du Sri Lanka et affublé d'une cravate rayée à trois dollars achetée le matin même au Woolworth. Mais ils ont ravalé leurs appréhensions, ont commencé à me donner du "monsieur" et ce sont pour la plupart montrés sérieux et bienveillants.

Nous avons loué une chambre dans une vieille maison humide, peinte en turquoise, donnant sur la baie False et le littoral, côté océan Indien, du cap de Bonne-Espérance. La péninsule du Cap est un long doigt filiforme pointant vers le sud et l'Antarctique. Un massif d'une hauteur spectaculaire se dresse à sa base − son extrémité septentrionale −, et la ville du Cap s'élève tout autour. La face nord du massif, la Montagne de la Table, surplombe le centre-ville. Les Noirs du Cap en avaient été bannis et rassemblés dans une étendue aride et broussailleuse, à l'est, appelée la Plaine du Cap − une de ces manipulations d'ingénierie sociale, aussi haineuses que dénuées de scrupules, relevant en droite ligne de l'apartheid. Grassy Park était une des townships "de couleur" de la Plaine − une communauté misérable et infestée par la criminalité, pourtant bien moins indigente que certains autres bidonvilles du voisinage. Nous logions, législation oblige, dans une "zone blanche". Dans la mesure où Grassy Park ne se trouvait qu'à quelques kilomètres de la côte de la baie False, le trajet n'était pas trop éprouvant. Un vaste et informe beachbreak s'ouvrait juste en face de notre humide demeure, et j'allais y surfer quand je n'étais pas trop occupé à corriger des copies ou à préparer mes cours.

Mon boulot commençait à me prendre tout mon temps. Sharon envisageait elle aussi d'enseigner, mais elle avait des problèmes de papiers avec l'administration. La nouvelle nous parvint que sa mère était gravement malade. Elle fourra ses affaires dans un sac et prit un vol pour Los Angeles. J'avais plus ou moins murmuré que j'allais l'accompagner, mais je n'y songeais pas sérieusement. Une année s'était écoulée depuis son arrivée à Singapour. Nous avions trouvé le bon rythme − nos centres d'intérêt coïncidaient ; nous nous disputions rarement. Mais j'avais des projets : un roman, un tour du monde, des spots où j'espérais surfer. Enfin, j'enseignais à Grassy Park. Les objectifs de Sharon étaient moins immédiats, moins évidents. En proie à mon habituelle myopie nombriliste, je ne lui demandais jamais ce qu'elle attendait de la vie. Nous ne parlions pas de l'avenir. Elle allait sur ses trente-cinq ans. À dire vrai, nous étions mal assortis. J'avais, je ne sais trop comment, réussi à ce qu'elle s'intéressât à moi pendant plusieurs années, mais je n'étais pas l'homme qui lui fallait. Pendant ce temps, je profitais simplement de ces moments passés avec elle, rien de plus. Quand elle a quitté Le Cap, nous n'avions fait ni projets ni promesses.

L'enseignement me prenait beaucoup de temps, en raison surtout de l'impossibilité dans laquelle je me trouvais de faire cours à partir des manuels qu'on nous donnait. Tous puaient la désinformation et la propagande en faveur de l'apartheid. Le cours de géographie, par exemple, comportait une rubrique sur des pays voisins de l'Afrique du Sud, les présentant comme de paisibles colonies portugaises. Je savais moi-même que, en réalité, le Mozambique et l'Angola avaient tous les deux livré une longue et sanglante guerre de libération nationale, chassé les Portugais quelques années plus tôt et étaient à présent déchirés par une guerre civile désespérée, dans laquelle les rebelles étaient entraînés et armés par l'Afrique du Sud. S'agissant de la géographie urbaine, la version sud-africaine de nos manuels était, à sa façon, encore plus retorse. Elle traitait la ségrégation et l'assignation à résidence en fonction de la race comme s'il s'agissait d'une loi naturelle qui se serait appliquée pacifiquement. Présenter comme un fait historique – dans une communauté qui ne devait son existence qu'à son éviction violente et massive de quartiers du centre-ville dont on avait préalablement décidé qu'ils étaient "blancs" –, une fiction destinée à servir le régime n'était décidément pas de mise. Je me suis donc absorbé dans mes recherches, en tâchant de m'informer rapidement sur ce sujet et un certain nombre d'autres, ce qui se révéla plus difficile que prévu. Nombre de livres qui m'auraient aidé étaient interdits. J'ai réussi à trouver le chemin d'un rayon particulier de la bibliothèque universitaire du Cap, où l'on pouvait consulter – sans pour autant pouvoir les emprunter –, des publications censurées par ailleurs, mais, bien entendu, s'agissant de l'histoire et de la politique locales et régionales, tout cela restait une vaine partie de cache-cache.

Non point, d'ailleurs, que mon expertise ou plutôt mon manque d'expertise en la matière inquiétât particulièrement mes élèves. Tous ou presque refusaient d'être entraînés sur le terrain de la politique – que ce fût par indifférence ou parce qu'ils se méfiaient de moi. Les rares exceptions se trouvaient toutes parmi les plus âgés que je rencontrais, et la plupart du temps, manifestement, à l'occasion de l'instruction religieuse. Sur leur insistance, nous n'ouvrions jamais les Bibles qui étaient nos seuls manuels, mais nous consacrions le cours à une libre discussion. Leur future carrière, les ordinateurs et les avantages et inconvénients du sexe avant le mariage étaient leurs sujets de prédilection. Parmi ceux d'entre eux qui n'étaient pas opposés aux discussions politiques se trouvait un garçon maussade, et pourtant averti, répondant au nom de Cecil Prinsloo. Il était conscient des efforts que je faisais pour tenter d'enseigner à mes classes autre chose que la propagande gouvernementale.

Le choix de l'Éthiopie

Cecil avait pris l'habitude de rester en classe après le cours pour bavarder, me questionner de manière assez précise sur mes antécédents et mes conceptions et tester ma maigre connaissance de la situation en Afrique du Sud. La seule résistance réelle à mes tentatives pour mettre un terme à la doxa officielle ne venait pas de mes élèves, mais de mes collègues plus conservateurs. Eux aussi avaient appris que je ne préparais pas seulement mes élèves pour les examens, et ils m'ont bien fait comprendre que c'était inacceptable. Je ne savais plus quoi faire. Par bonheur, aucun de ceux à qui j'enseignais ces matières ne passerait d'examen national standard avant un an ou deux. Tant et si bien que mon renoncement à cette propagande toxique ne les mettait pas immédiatement en danger scolaire. Je m'étais fait à l'idée que j'avais de bonnes chances d'être bientôt viré. Je n'avais aucune sécurité de l'emploi – tout se passait selon le bon vouloir du principal. Et lui-même était un conservateur bon teint. Mais je n'avais vraiment pas envie d'arrêter l'enseignement.

Tout a changé un beau matin d'avril quand nos élèves ont brusquement entrepris de boycotter les cours pour protester contre l'apartheid dans l'enseignement. J'écris "brusquement" parce que ça m'a moi-même surpris. En vérité, le boycott avait été longuement et soigneusement préparé. Le lycée était recouvert de bannières : À BAS LE LYCÉE DÉPOTOIR, LIBÉREZ TOUS LES PRISONNIERS POLITIQUES. Les élèves manifestaient, chantaient le poing levé, rugissaient les slogans zoulous, en forme d'appels et de réponses, à cette lutte pour la liberté et l'égalité.

"*Amandla !* (Le pouvoir)

— *NGAWETHU !*" (Au peuple !)

Lors d'un meeting dans la cour du lycée, Cecil Prinsloo a déclaré à la foule : "*Ceci n'est pas un congé scolaire !*" Il a mis l'accent sur chaque mot. "*Nous prenons congé du lavage de cerveau !*"

D'autres lycées de la Plaine du Cap boycottaient eux aussi leur établissement et la protestation a bientôt pris une envergure nationale. En quelques semaines, ce sont deux cent mille élèves qui ont refusé d'assister aux cours et exigé la fin de l'apartheid. Ceux de Grassy Park continuaient de se rendre tous les jours au lycée pour y organiser des cours alternatifs avec l'aide de professeurs sympathisants. J'en faisais partie. Maintenant que des élèves portés sur la révolution avaient pris le pouvoir, mes préalables accrocs au syllabus gouvernemental ne passaient plus pour des fautes professionnelles et j'ai cessé de craindre pour mon emploi. Mes cours sur la Constitution américaine étaient déjà prêts. Ce fut une période aussi chaotique que jubilatoire.

Mais cette exultation a été de très courte durée − l'affaire de quelques semaines. Les autorités avaient été prises à contre-pied. P.W. Botha, le Premier ministre, fulminait et menaçait, mais l'énorme machine répressive de l'État semblait peiner à se mettre en marche. Pourtant, quand elle s'activa enfin, l'atmosphère ne tarda pas à s'assombrir. Les meneurs étudiants, dont certains appartenaient à notre lycée, et les profs révolutionnaires (dont mon collègue Matthew Cloete, qui donnait ses cours dans la salle de classe voisine de la mienne) commencèrent à disparaître − quelques-uns pour se mettre au vert, mais la plupart pour rejoindre les prisons du régime. On appelait cela des "détentions sans accusation". Le chiffre des détenus connus ne tarda pas à atteindre plusieurs centaines.

Le conflit s'intensifia. Au Cap, il culmina dans une grève générale à la mi-juin. Pendant deux jours, des centaines de milliers de travailleurs noirs restèrent chez eux. Usines et commerces furent contraints de fermer. La police, désormais armée jusqu'aux dents et entièrement mobilisée, s'en prenait aux rassemblements illégaux − et, en vertu d'un *Riotous Assemblies Act* (Loi sur les attroupements séditieux), tout rassemblement de Noirs était désormais interdit. Incendies et pillages débutèrent et la police annonça qu'elle "tirerait pour tuer". La Plaine du Cap devint un champ de bataille. Les hôpitaux rendaient compte de centaines de mutilés et de blessés. La presse parlait de quarante-deux morts. Beaucoup de ces morts et blessés étaient des enfants. Les écoles étaient à présent toutes fermées, de même que les routes menant à Grassy Park. Les informations peinaient à filtrer. Lorsqu'on rouvrit les routes, j'ai roulé jusqu'à mon lycée. Les destructions étaient conséquentes dans certaines zones de la plaine, mais le bâtiment de l'établissement scolaire intact. J'y ai retrouvé trois de mes élèves. Ils m'ont assuré qu'ils étaient restés enfermés chez eux pendant toute la période de violence. Aucun de nos lycéens n'avait été blessé, ce qui m'a paru miraculeux.

Les cours ont repris trois semaines plus tard. Nous n'étions encore qu'à la moitié de l'année scolaire et, comme ne cessait de nous le rappeler le principal, nous allions devoir mettre les bouchées doubles.

Ai-je surfé pendant que mon existence et celle de quelques dizaines d'adolescents se télescopaient brutalement dans le lycée d'une township ? Un peu. Les vagues étaient bonnes sur le versant Atlantique du Cap, où l'eau était étonnamment froide – mes parents me firent parvenir ma combinaison. De lourdes houles commencèrent à rouler de l'océan austral dès le début de l'hiver. Les meilleurs spots étaient pour la plupart des criques rocheuses, dont quelques-unes se trouvaient même en pleine ville, cernées par des pâtés de maisons cossues. D'autres étaient beaucoup plus éloignés, sur un Cap montagneux et balayé par le vent. Mon préféré était Noordhoek, une droite, située dans un tranquille paysage champêtre, qui se cassait à l'extrémité nord d'une magnifique étendue de plage déserte : un pic en A nanti d'un joli mur intérieur, parfait sous les vents du sud-ouest. L'eau y était souvent d'un lumineux bleu-vert. J'y surfais parfois complètement seul. Un après-midi où je regagnais ma voiture en gravissant la colline, je l'ai trouvée pleine de babouins. Les singes s'étaient confortablement installés et ils ne se laissaient pas facilement effaroucher. J'ai dû me servir de ma planche comme d'une épée, d'une massue et d'un bouclier quand ils se sont mis à simuler d'assez effrayantes attaques, les canines découvertes, avant de déguerpir.

Le spot que j'attendais avec impatience d'explorer se trouvait, lui, sur l'Eastern Cape, à quelque six cents kilomètres au nord du Cap, sur la côte de l'océan Indien. Son nom était Jeffreys Bay, et nul tour du monde de surf n'eût été complet sans une escale là-bas. *The Endless Summer*, ce film de 1966 qui a façonné les objectifs de nombreux jeunes surfeurs, dont moi-même, trouvait son apogée à Jeffreys, quand deux surfeurs américains découvraient la "vague parfaite" au cap St. Francis. Le spot qui figurait dans le film s'était révélé une créature inconstante, bien souvent impraticable, mais Jeffreys Bay était, lui, authentique : une longue pointe droite de la meilleure qualité, avec une houle monstre en hiver et des vents soufflant fréquemment de la terre. Je m'efforçais de me tenir au courant des conditions météo, et j'y ai même effectué deux rapides virées depuis Le Cap sans la trouver exceptionnellement bonne. Puis, en août, je suis allé y passer une semaine en me fiant à une précision météo prometteuse : deux grosses zones de basse pression dans les Quarantièmes rugissants, qui m'avaient tout l'air de tempêtes génératrices de vagues et qui s'engouffraient en tournoyant dans la fenêtre menant à Jeffreys.

Et elles étaient bien là. Les vagues ont déferlé toute la semaine pour culminer un beau jour, si grosses qu'un seul type a réussi à sortir en mer — nous avons été nombreux à tenter le coup en vain — et encore il n'a pas pris qu'une seule vague. Jeffreys Bay était un petit village de pêcheurs délabré, avec, éparpillées parmi les aloès, quelques maisons de vacances en stuc. J'étais descendu dans une pension érodée par les intempéries, sise au beau milieu des dunes à l'est du village. Quatre ou cinq Australiens y séjournaient aussi, et retrouver la compagnie de surfeurs australiens décontractés m'a été d'un grand réconfort. Il n'y avait pas beaucoup de monde — rarement plus de dix surfeurs dans l'eau —, et, compte tenu de la taille des vagues et de la longueur de nos rides, nous étions généralement éparpillés d'un bout à l'autre de la pointe. À deux reprises le matin, alors que j'étais le premier de sortie, je me suis glissé par une fente, proche du bout de la pointe. J'avais vu des locaux l'emprunter. Un vent glacé soufflait souvent de la terre et, au lever du soleil, les vagues émergeaient d'une mer aveuglante. Mais, dès qu'on en prenait une, elle projetait une ombre profonde, d'un vert argenté, au sein de laquelle, quand on se relevait, tout alentour se parait d'une clarté radieuse.

Les rides étaient d'une longueur étonnante. Plus longs encore qu'à Tavarua. Et c'était une droite, déferlant sur moi. Les deux spots n'étaient en rien identiques, en réalité. Jeffreys est rocailleux, mais l'eau n'y est pas spécialement peu profonde. C'est une vague avenante, une large toile permettant des virages à grand rayon, y compris des cutbacks vers la mousse. Elle est rapide, puissante, mais pas particulièrement creuse – elle ne comporte pas de sections à la Kirra, susceptibles de vous rompre les os. Certaines vagues présentent des sections plates ou de curieuses bosses ; il leur arrive aussi de devenir molles ou de fermer. En règle générale, néanmoins, on a plutôt affaire à un mur qui roule sur lui-même, déroulant de manière continue sur des centaines de mètres. Ma pintail bleu pâle adorait cette vague. Même au double de ma hauteur et quand je la prenais à contrevent, elle ne ripait jamais. Personne, cette semaine-là, ne se risqua à prendre les plus grosses séries, du moins du principal point de take-off, où, les gros jours, les murs étaient massifs et intimidants. Tu la veux ? Non, vas-y, toi ! Et le moment décisif passait sans que la bête fût surfée. Un peu plus bas sur la ligne, en un point un peu moins effrayant, quelqu'un pouvait sauter à bord. C'étaient les meilleures vagues que j'ai pu prendre depuis notre premier voyage à Nias, plus d'un an auparavant. Surfer en combinaison était sans doute différent, et la célèbre Jeffreys n'avait rien de l'anonymat équatorial d'une Lagundri, mais, techniquement parlant, c'était comme si ma planche et moi avions repris le fil presque exactement là où nous l'avions laissé : grand mur droit, franchir la section en puissance, bondir, choisir sa trajectoire, prendre de la vitesse, filer et carver. Et s'efforcer de ne pas hurler de joie.

Le soir, nous jouions aux fléchettes ou au billard, nous buvions de la bière et nous parlions de surf. Le patron de la pension était un homme âgé, un braillard de colon britannique chassé de l'Afrique orientale par la décolonisation. Il aimait son gin et adorait se vanter d'avoir "fait descendre tous ces Africains de leur cocotier". Il nous a aussi enseigné quelques trucs utiles : bien cirer ses bottes ou se servir d'un balai. J'étais incapable de l'écouter très longtemps. Mais les Australiens, eux, ne semblaient pas y prêter attention, ce qui m'a rappelé un des aspects de l'Australie que j'avais préféré. Dans les cuisines du casino où j'avais travaillé, les autres récureurs de marmites parlaient tous, sur un ton méprisant, des *"wogs"*, vaste catégorie d'êtres humains incluant tous les Européens du Sud. À l'époque, des réfugiés – les "boat people" – déferlaient sur l'Asie du sud-est − et le racisme saumâtre que ce sujet déclenchait dans presque toutes les conversations auxquelles j'ai assisté en Oz était sidérant.

Je devais retourner à Jeffreys l'hiver suivant − en 1981 −, et il se trouva que c'était à nouveau le bon moment pour surfer. Entre-temps, j'avais passé dix-huit mois en Afrique du Sud − bien davantage que ce à quoi je me serais attendu. Pourtant, je n'y avais trouvé personne avec qui surfer. J'avais certes rencontré des surfeurs au Cap, mais, compte tenu des conditions imposées par l'apartheid, cette obsession des vagues, qui m'était pourtant familière, me semblait alors vaguement embarrassante, voire ignominieuse. Je n'avais aucunement le droit de juger comment les Sud-Africains, qu'ils fussent Blancs ou Noirs, se comportaient individuellement dans cette situation sortant de l'ordinaire, mais, à travailler dans la Plaine du Cap, à voir fonctionner de relativement près les rouages de la justice institutionnelle et de la terreur étatique, j'en avais été très profondément affecté − et mon exaspération − vis-à-vis de moi-même, entre autres − encore exacerbée. On n'échappe tout bonnement pas à la politique, et, politiquement, je ne me trouvais aucun terrain d'entente avec les surfeurs que je rencontrais. De sorte que je traquais les vagues en solo.

Mes parents débarquèrent au Cap à l'improviste, sans y avoir été invités. Je ne tenais pas à leur visite. J'étais débordé au lycée, mais ce n'était pas la vraie raison. Je souffrais d'un mal du pays chronique, surtout depuis le départ de Sharon, et je craignais que la vue de mon père et de ma mère − que voir leurs visages, entendre leurs voix, et le rire de ma mère en particulier − ne réduisît en miettes ma détermination à poursuivre sur cette voie d'expatrié solitaire et à mener mes projets d'élection − l'enseignement, mon roman − à leur terme.

C'était aussi dû à cette dissonance sensible entre le monde où je vivais désormais et celui que j'imaginais être le leur. Pas tant d'ailleurs que j'eusse une idée bien claire de l'existence qu'ils menaient. Ils m'écrivaient régulièrement et je faisais de même. Si bien que je connaissais dans les grandes lignes, sinon dans le détail, les projets, déboires et centres d'intérêt de ma famille. Mes frères et sœur étaient désormais tous à la fac, et eux aussi m'écrivaient. Mais les comptes rendus de mon père et de ma mère – films réalisés, achats de voiliers, vacances – semblaient me parvenir d'une planète très éloignée. Professionnellement, mon père s'était retrouvé dans les cordes quelques années plus tôt. Ma mère et lui avaient lancé leur propre société de distribution, puis des spectacles avaient été annulés, des contrats avaient capoté et la trésorerie s'était épuisée. Je n'ai vraiment saisi l'ampleur de la catastrophe qu'en découvrant qu'ils participaient à des séminaires "EST" néobouddhistes à la mode, tenus par un charlatan autoritaire du nom de Werner Erhard, qui a brièvement ensorcelé une bonne partie d'Hollywood. Cette découverte m'a tout à la fois effrayé et – j'ai honte de le dire – écœuré. Elle suggérait une sorte de désespérance de la culture américaine et évoquait tellement Los Angeles. (En réalité, "EST" était aussi très populaire à New York, à San Francisco, en Israël et en de nombreux autres pays – y compris au Cap blanc !) Cela étant, cette chute dans le New Age de mes parents semblait être survenue il y a un certain temps, des années plus tôt. Puis leur société avait prospéré et leur horizon s'était élargi. Ils réalisaient des films dont ils étaient fiers et travaillaient avec des gens qu'ils appréciaient. Tout allait donc pour le mieux de ce côté-là désormais. Le hic, c'était que j'étais parti depuis si longtemps que leur vie me semblait à présent aussi brillante qu'étrangère, tandis que la mienne, au Cap, restait si médiocre et terne. Je n'étais pas prêt à voir une version jet-set et nouveau riche de mes parents s'installer dans mon labeur quotidien d'humble professeur des écoles. Ils le comprenaient, j'en suis sûr. Mais trop, c'était trop – deux ans et demi s'étaient écoulés –, et je n'avais pas le courage de leur intimer de rester loin de moi.

Une chance ! Les revoir fut fantastique. Eux semblaient ravis de me retrouver. Ma mère n'arrêtait pas de me tenir la main et de la pétrir entre les siennes. Tous deux avaient comme rajeuni, l'œil plus brillant et vif que dans mon souvenir – et il n'y avait rien de "nouveau riche" en eux. Je leur ai fait visiter Le Cap. Chaque inscription en charabia boer, chaque panneau RÉSERVÉ AUX BLANCS, chaque bidonville ou vignoble semblait les fasciner. Je vivais à l'époque dans une chambre proche de l'université, sur le versant oriental de la Montagne de la Table. Avec deux de mes colocataires, nous avons gravi la montagne – pas une mince randonnée ! – et nous avons pique-niqué au sommet. De là-haut, nous pouvions voir Robben Island dans la baie de la Table, où étaient emprisonnés – mais pas oubliés –, Nelson Mandela et ses camarades. (Leurs paroles et leurs représentations étaient rigoureusement interdites.) Puis nous sommes redescendus jusqu'à la côte par le versant occidental.

Mes parents insistèrent pour visiter le lycée de Grassy Park. Mes élèves, de leur côté, insistèrent encore plus pour que je les y conduise. Nous y sommes donc allés – j'avais pris un jour de congé pour l'occasion. Le principal se montra un hôte enthousiaste. Il adorait les Américains. Il leur fit faire le tour du campus, et j'ai veillé à ce que, pendant leur visite, ils fassent halte dans les classes de mes élèves, que leur emploi du temps contraignait à toujours se déplacer en groupe. Chaque fois que nous entrions dans une salle de classe, tous se levaient en chœur, pour les dévisager et brailler : *"Bonjour, monsieur et madame Finnegan !"* Ne sachant pas trop comment réagir, j'ai fini par les leur présenter un par un – Amy, Jasmine, Marius, Philip, Desiree, Myron, Natalie, Oscar, Mareldia, Shaun –, en remontant et redescendant les travées et en déclenchant, au fur et à mesure, sourires et rougeurs. Au bout de cinq ou six classes, le proviseur a fini par déclarer qu'il n'avait jamais assisté à une telle prouesse. Mais, en réalité, ça ne m'avait rien coûté et, me suis-je rendu compte par la suite, c'était un bon moyen de montrer à mes parents, sans trop le rabâcher, l'étendue de mon implication avec ces gamins. Ma propre salle de classe, la nouvelle salle 16, était investie par un groupe de filles plus âgées qui y avaient préparé un banquet. Il y avait une énorme marmite de curry et un étalage grandiose de spécialités des Malais du Cap : *bredie*, *samoosas*, *sosaties*, *frikkadels*, riz jaune aux raisins et à la cannelle, poulet rôti, *bobotie* et *buriyani*. La cloche avait sonné entre-temps et les autres professeurs étaient conviés. June Charles, ma plus jeune collègue – elle n'avait que dix-huit ans mais enseignait déjà au lycée –, s'est chargée de guider mon père dans le labyrinthe de ces succulents mets qui lui étaient inconnus. Ma mère, pendant ce temps, avait jeté son dévolu sur Brian Dublin, un professeur de maths, et l'avait complimenté à l'envi en lui disant qu'avec sa barbe et son béret il lui rappelait Che Guevara. Brian était un militant dont j'avais fini par admirer le sérieux et le dévouement.

Mes parents étaient fiers de moi, me suis-je rendu compte. D'accord, ce n'était pas le Corps de la Paix – les premières espérances de ma mère –, ni non plus, assurément, les Raiders de Nader. Mais j'étais devenu "son fils qui aidait les petits Noirs opprimés d'Afrique du Sud", et c'était déjà pas mal. Ils se passionnaient surtout pour un projet d'orientation professionnelle que j'avais instituée et dont ils avaient entendu parler par le principal, mon plus grand fan. Ledit projet était issu de mes premières conversations avec les élèves les plus âgés, qui tous rêvaient d'une grande carrière mais donnaient l'impression de ne disposer d'aucune information sur les facs et les bourses. Nous avions écrit à toutes les universités et écoles techniques d'Afrique du Sud et nous avions reçu des brassées de fascicules, de brochures et de dossiers de candidature, y compris une bonne dose de nouvelles encourageantes à propos de subventions et de "permis" autorisant les élèves noirs à s'inscrire dans des établissements naguère réservés aux seuls Blancs. Ledit matériel finit par occuper une étagère entière de la bibliothèque du lycée, et sa consultation se révéla très appréciée, pas seulement par les élèves plus âgés. Avec eux, j'avais mis au point des stratégies et des lettres de candidature qui me paraissaient tout à fait prometteuses. Ce que j'ignorais, c'était que les "permis" dont nous avions besoin étaient très controversés dans la communauté noire et faisaient l'objet d'un boycott par le mouvement de libération – ce dont personne ne se résolvait à m'informer. En vérité, j'en savais même beaucoup moins qu'eux. À la sortie du lycée, par exemple, bien peu de nos élèves de terminale auraient le droit de s'inscrire dans la plupart des universités qui nous intéressaient, y compris celle du Cap. Des réseaux existaient déjà, bien sûr, permettant à ceux qui avaient décroché leur diplôme de se frayer un chemin dans le monde du travail ou de l'enseignement supérieur. En fin de compte, j'en suis venu à considérer mes plans de carrière comme une énorme lubie américaine, éventuellement destructrice quand elle alimentait de faux espoirs ou incitait des jeunes à défier des boycotts dont je ne savais rien.

C'est grâce à des militants activistes, tels que Brian Dublin, Cecil Prinsloo et d'autres encore, qui décidèrent qu'on pouvait se fier à moi, que j'ai pu rattraper mon retard en matière de politique progressiste sud-africaine – lequel retard avoisinait le degré zéro de toute connaissance sur le sujet. Mon principal interlocuteur était Mandy Sanger, une élève de terminale d'un autre lycée. C'était une amie de Cecil et elle avait fait partie des meneurs locaux pendant le boycott. Elle prenait un plaisir particulier à crever ce qu'elle regardait comme des illusions de gauche calculatrices. L'année scolaire s'achevant, alors que je ne voyais moi-même, après la fin violente et filandreuse du grand boycott estudiantin, que découragement et repli dans ce que tout le monde appelait "le Combat", Mandy me reprit en évoquant pour ma gouverne les leçons qu'on avait retenues, l'engagement qui s'était enraciné dans les esprits et comment les organisations nationales s'étaient renforcées. "On a fait un grand pas en avant cette année, et pas seulement les élèves", disait-elle. Elle n'avait que dix-huit ans mais elle voyait loin.

Il n'y eut ni cérémonie de remise des diplômes ni fête rituelle de fin d'année. Mes élèves s'éparpillèrent après leurs examens, en me souhaitant de bonnes vacances et en espérant me revoir l'année prochaine. Mais je n'avais pas l'intention d'enseigner à nouveau à la rentrée. J'avais suffisamment économisé pour reprendre mes pérégrinations ; enfin... en vivant avec trois fois rien. Mais je ne pouvais décoller qu'à la seule condition, ai-je décidé, de terminer mon pauvre vieux roman sur les cheminots. Avant de m'y atteler de nouveau, je comptais passer Noël à Johannesburg avec des amis. Ma vieille bagnole n'aurait pas supporté ce long trajet, si bien que j'envisageais de faire du stop. Mandy, à ma grande surprise, a demandé à m'accompagner. Elle avait, me disait-elle, des affaires à régler à Johannesburg, affaires dont elle ne m'a pas précisé la teneur. Je voyais mal comment je pouvais le lui refuser. Le trajet nous a pris plusieurs jours. Nous esquivions les flics, nous dormions dans le veld, nous nous chamaillions, nous riions, nous prenions des coups de soleil, les lèvres gercées par le vent. Et nous rencontrions une invraisemblable variété de Sud-Africains. Noël passé, nous avons gagné Durban en stop, où Mandy menait d'autres activités militantes étudiantes, sans qu'elle m'en dise plus. Téléphone et courrier postal étaient inutilisables – la "Branche spéciale", comme on l'appelait, mettait les téléphones sur écoute et ouvrait toutes les lettres. Les membres de la résistance clandestine devaient se rencontrer en tête à tête. Après Durban, nous avons continué de longer la côte. Au Transkei, nous avons campé sur une plage. J'ai emprunté une planche de surf et poussé Mandy dans des vagues clémentes. Elle n'arrêtait pas de jurer. Mais elle était athlétique et elle ne tarda pas à se tenir sur la planche sans aucune assistance de ma part.

Mes projets l'intéressaient – allais-je continuer à voyager jusqu'à la fin de mes jours ? Aucune chance, ai-je répondu. Je rentrerais bientôt aux États-Unis. Mais je lui demandai son avis : pensait-elle que je pouvais écrire, à l'intention des lecteurs américains, quelque chose d'utile sur la situation en Afrique du Sud ? Elle avait, j'en étais conscient, une conception assez réaliste et pragmatique de ce qu'on pouvait faire à l'étranger pour soutenir le Combat, et cette conception avait suffisamment déteint sur moi pour que l'idée de servir à mes compatriotes d'épouvantables récits sur l'"apartheid" me parût inefficace, voire contre-productive. De toute évidence, mes lecteurs resteraient passifs. Ça ne ferait pas progresser la cause. Peut-être devrais-je m'en tenir à écrire sur... bon, sur un sujet que je connaissais intimement. Le surf. Nous en débattions de manière intermittente durant notre longue boucle en auto-stop, du Cap au Cap. Mandy me reprochait de lui avoir brouillé la vision qu'elle se faisait auparavant de l'Amérique – une sorte d'ogre capitaliste bien décidé à balayer tous les mouvements progressistes de la surface du globe, avec mes histoires sur la vie de serre-frein dans les chemins de fer californiens. Puis, sur une pointe du Transkei baignée de soleil, où nous regardions des pêcheurs xhosas embarquer des *galjoens* au moyen de perches en bambou, elle m'encouragea à rentrer aux États-Unis et à réfléchir à ce que je pouvais écrire d'utile. Je pouvais certainement trouver d'autres sujets que le surf. "Et je te dis ça de surfeur à surfeur !"

Je me suis replongé dans mon roman. L'achever m'a pris huit mois de plus. Je me suis rendu compte que l'intérêt que je prenais à écrire ce genre de fiction se dissipait. L'Afrique du Sud m'avait changé, m'avait ouvert à la politique, au journalisme, aux questions de pouvoir. La seule note aigre du séjour de mes parents au Cap datait du jour où mon père m'avait demandé ce que j'écrivais, puis avait paru attendre avec impatience que je lui avoue être encore, fondamentalement, un amateur. À la fin de l'année scolaire, je me suis surpris à me promettre de ne plus jamais reprendre un travail régulier. Je gagnerais ma vie en écrivant, point final. J'ai entrepris d'écrire des essais, de courts textes pour des magazines américains. Rien sur l'Afrique du Sud − même si je disposais déjà d'une pile de carnets noircis. Il me tardait de rentrer chez moi − où que ça pût être. Je me raccrochais à une phrase d'une des lettres de Brian. Il était retourné vivre à Missoula. Il y avait une place pour moi dans l'équipe de softball, m'écrivait-il. *Une place dans l'équipe de softball.*

Sharon et moi avons fini par rompre une bonne fois pour toutes. Sa mère était morte et elle avait accepté un emploi au Zimbabwe, où elle dirigeait une école pour ex-guérilleros invalides. La longue guerre de libération nationale du Zimbabwe avait pris fin récemment et la "construction du socialisme" avait commencé. La décision de cette rupture définitive venait entièrement de Sharon. J'étais plus bouleversé que je n'en avais le droit. La séparation n'avait que trop tardé.

Mon frère Kevin a débarqué au Cap. Je l'avais encouragé à venir. Pourtant, je n'arrivais pas à me départir de la certitude paranoïaque que mes parents l'avaient envoyé me chercher. Si tel était le cas, il tombait à pic. J'étais enfin disposé à rentrer. Kevin et moi allions peut-être monter au Caire. Mon odyssée du surf prenait fin. J'ai cherché à renvoyer ma pintail bleu clair aux États-Unis par bateau − j'y étais extrêmement attaché. Mais l'envoi coûtait très cher et j'avais besoin du moindre centime, de sorte que je me suis résolu à la vendre. Mon vieux break battait de l'aile. Nous l'avons troqué contre une Rover, non moins vétuste mais plus robuste.

En faisant mes adieux au Cap et alentour, j'ai appelé chez Mandy. Sa mère a décroché et, quand j'ai demandé à parler à Mandy, elle a éclaté en sanglots. La Branche spéciale l'avait arrêtée. Sa mère ne savait pas où elle était retenue en détention. Elle était toujours en prison quand nous avons quitté l'Afrique du Sud.

Kevin et moi avons roulé vers le nord, à travers la Namibie, le Botswana et le Zimbabwe. Nous campions. Nous avons aperçu du gros gibier, fait du bodysurf à la Skeleton Coast. Kevin semblait enthousiaste, investi, et il ne donnait absolument pas l'impression de se livrer à une mission qui l'oppressait, ce qui m'était d'un grand soulagement. Il avait l'air d'en savoir très long sur à peu près tout – l'histoire de l'Afrique, la politique africaine. Depuis quand ? Il avait étudié l'histoire à la fac, décroché un diplôme aux beaux-arts, et il travaillait dans la production cinématographique. Il tenait l'alcool mieux que moi. Nous avons laissé la voiture à Sharon, au Zimbabwe – épisode navrant pour ce qui me concernait puisqu'elle s'était déjà trouvé un autre homme : un jeune ex-guérillero ndebele passé officier dans l'armée.

Nous avons poursuivi notre lente progression vers le nord, traversé le lac Malawi sur toute sa longueur à bord d'un vieux rafiot plein à craquer, le *MV Mtendere*, qui desservait des villages perdus, et nous avons dormi sur le pont. Zambie, Tanzanie, Zanzibar. Nous avons gagné le pays masaï en bus local et campé au bord du cratère du Ngorongoro. Puis, au pied du Kilimandjaro, un pickpocket m'a subtilisé mon passeport à un arrêt de bus et nous n'avons pas pu franchir la frontière du Kenya. Nous avons rebroussé chemin jusqu'à Dar Es-Salaam. Ça m'avait passablement abattu. J'étais prêt à revenir en Occident, ai-je annoncé. Au tour de Kevin d'avoir l'air soulagé – lui devait reprendre le fil de sa vie en Californie. Nous avons renoncé à notre projet de périple du Cap au Caire et nous avons pris le premier vol low cost en partance pour le Nord : Aéroflot, direction Copenhague, via Moscou.

J'ai traversé seul l'Europe de l'Ouest. Je dormais sur des divans chez des amis, ravi de tout ce confort matériel. J'ai pris à Londres un avion pour New York. Quel bonheur devant chaque objet américain ! Mais l'automne était déjà bien avancé. Mon frère Michael était inscrit à l'université de New York. J'ai dormi par terre dans sa chambre de la résidence universitaire. Michael étudiait la littérature française et jouait des morceaux de piano-bar avec une étonnante subtilité. *Depuis quand ?* J'ai fait du stop jusqu'à Missoula – un long, glacial et magnifique trajet. Un camion m'a déposé sur l'autoroute et je suis entré en ville en titubant. Pour ce que ça valait, j'arrivais de l'est, comme promis.

Noriega Street, Ocean Beach, San Francisco, 1985

8

CONTRE TOUT
ABANDON DE POSTE

San Francisco, 1983-1986

L'océan possède le tempérament sans scrupules d'un
autocrate sauvage corrompu par trop d'adulation.

JOSEPH CONRAD, *Le Miroir de la mer*

Quand j'ai emménagé à San Francisco, j'avais réussi à m'abstenir de surfer pendant deux années au moins. On était en 1983, au début de l'automne. J'avais passé l'été précédent dans un sous-sol de l'East Village infesté de cafards à pondre un scénario de film et à dormir par terre. Mon roman se baladait encore entre plusieurs éditeurs. Les rares intéressés tenaient à ce que je décrypte pour le grand public le vocabulaire technique (le jargon des cheminots) mais, à mon sens, c'était précisément là que résidait toute la poésie, le génie insaisissable des endroits et lieux de travail que j'espérais restituer. J'étais passé à autre chose. À dire vrai, je ne tenais pas à me replonger dans ce manuscrit. En aucun cas. Je redoutais ce que je risquais d'y trouver – de mauvaises tournures, des niaiseries et, plus que tout, une certaine puérilité.

J'avais vécu ici et là, partout dans le pays. Incapable de m'acquitter d'un loyer, j'avais successivement logé chez Bryan dans le Montana, chez mes parents à Los Angeles et chez Domenic à Malibu. Quant à mon retour en Amérique, ma reddition de comptes, au sens où l'entendait Conrad, n'avait été ni triomphante ni disqualifiante. Il y avait eu des moments à la Rip van Winkle. Je n'étais pas encore bien familiarisé

325

avec le répondeur automatique – tout le monde en avait un, maintenant. Mais j'étais réellement content de mon retour et pressé de me mettre au travail. Le séjour à Missoula avait été superbe, tout y était resté exactement comme dans mon souvenir. Bryan s'y était très bien installé, il écrivait avec acharnement et avait retrouvé le rythme américain. Pas de surf. Il semblait plus mûr, plus sûr de lui, plus adulte – les plus hautes latitudes lui convenaient mieux. Lui seul était en mesure de comprendre par où j'étais passé ces dernières années. Nous pouvions encore bavarder jusqu'à l'aube. Pour mon vingt-neuvième anniversaire, j'étais allé chasser le daim dans les montagnes, au-dessus de Blackfoot. Pourtant, je ne suis pas resté à Missoula. Quelque chose – quelque farfadet cabochard tablant sur mon ambition, sans aucun doute – me disait que je serais plus à ma place dans une grande ville. J'avais même envisagé Los Angeles, mais mes vieux préjugés étaient encore trop puissants. Je travaillais en free-lance. Les commandes arrivaient au compte-gouttes, dont l'écriture de ce scénario qui, même à New York, payait mon loyer. Mon passage en Afrique du Sud me tourmentait encore l'esprit. Mais mes réserves – quant au lectorat américain, à mon désir de prendre la politique pour sujet, à mon envie d'écrire sur l'Afrique du Sud, disparurent.

J'avais une nouvelle petite amie, sublime : Caroline. Elle venait du Zimbabwe. Nous nous étions rencontrés au Cap, où elle étudiait les beaux-arts. Elle était maintenant étudiante en troisième cycle au San Francisco Art Institute. Elle m'avait rejoint à New York, dans ce sous-sol où nous dormions par terre – notre premier logement commun. Elle travaillait aussi comme hôtesse dans un restaurant, au bas de la Cinquième Avenue. Nous ne sommes pas sortis de Manhattan une seule fois cet été-là. Notre pâté de maisons était infesté de junkies, de dealers et de prostituées. C'était un quartier chaud et sordide, et nous nous engueulions souvent. Nous étions tous les deux têtus comme des mules et soupe au lait. Mais quand elle a repris les cours, je l'ai suivie.

Que San Francisco possède quelques-unes des meilleures vagues de Californie est resté un secret des années durant.

Quelque cent vingt kilomètres plus au sud, Santa Cruz était déjà un centre surpeuplé du surf quand j'en fréquentais la fac, mais, des milliers de gens qui y surfaient, seule une poignée s'aventuraient jusqu'à San Francisco. J'avais surfé quelquefois Ocean Beach, le principal spot de la ville, à l'époque où je descendais de mon train à Bayshore Yard, qui était tout proche du Candlestick Park. J'étais donc au courant de son existence. Il n'empêche que je ne savais toujours pas à quoi je devais m'attendre en m'y installant. J'avais signé un contrat pour écrire un livre – sur l'enseignement au Cap. Nous avions loué un appartement dans un quartier brumeux et passé de mode, l'Outer Richmond, peuplé en grande majorité d'asiatiques. La pièce qui me servait de bureau était tapissée d'un papier peint vert citron. De ma table de travail, je voyais la pointe nord d'Ocean Beach.

De là-haut, Ocean Beach paraissait acceptable. Parfaitement rectiligne, longue de près de huit kilomètres, avec beaucoup de houles et de nombreux bancs de sable de bon augure. Froids, les vents dominants soufflaient du nord-ouest vers la terre, la classique brise de mer de l'après-midi californien. Cela étant, il y avait pléthore d'heureuses exceptions – le matin, en automne, en hiver –, quand la mer était lisse ou quand les vents soufflaient vers le large. C'était un beachbreak sur toute sa longueur, qu'aucune construction ou langue de terre ne venait rompre – ni récif, ni embouchure, ni jetée ou embarcadère. La forme des vagues et leur emplacement dépendaient au premier chef de la configuration des bancs de sable. Leur disposition changeait constamment. Toute vague de l'océan est trop complexe pour qu'on en donne un schéma détaillé, mais, parmi tous les spots de surf, les beachbreaks constituent une espèce particulièrement imprévisible. Or Ocean Beach, qui reçoit une quantité inhabituelle de lames de fond venues en majorité du Pacifique Nord en même temps qu'elle est sillonnée par de forts courants de marée, puisque les mille kilomètres carrés de la baie de San Francisco se vident et se remplissent deux fois par jour à travers le Golden Gate, juste à son angle nord, présente un agencement plus compliqué que tous les spots de ma connaissance. S'il s'était agi d'un livre, il aurait été d'une lecture affreusement rébarbative : philosophie analytique européenne ou physique théorique. En plus de sa complexité, Ocean Beach pouvait devenir très puissante : pas à la manière californienne, mais à la façon d'Hawaï. Enfin, l'eau y était froide et les fonds mal connus. Une fois qu'on y était entré, elle pouvait souvent se montrer déraisonnable.

J'ai commencé par surfer son extrémité nord, un break pas trop violent et protégé du vent connu sous le nom de Kelly's Cove. Kelly présentait des zones assez profondes et quelques remous de lavasse aléatoires à l'extérieur, mais produisait aussi, très régulièrement, d'épaisses lames vertes en forme de coin qui se brisaient très vite sur un banc de sable. Ces lames n'étaient pas d'une grande beauté, mais elles avaient des tripes et, quand on parvenait à décrypter certaines de leurs excentricités, elles fournissaient de temps en temps de puissants rouleaux. C'était aussi le spot le plus populaire de tout Ocean Beach. Mais, même ainsi, Kelly n'était jamais surpeuplé. Plus au sud, VFW, la plage voisine, offrait un terrain plus vaste, où les vagues étaient plus grosses, avec un large dispositif de bancs de sable. VFW se trouvait en face de l'extrémité ouest du Golden Gate Park. Une digue couverte de graffitis dominait la plage.

Les quelque six kilomètres suivants aboutissaient au quartier du Sunset, une version plus miteuse encore de Richmond – des maisons basses, assoupies, une sorte de quadrillage de rues en pente douce construites à la hâte sur des dunes pour héberger les ouvriers pendant la guerre. Le front de mer était un remblai grossier percé de tunnels humides pour les piétons et surmonté d'une route côtière défoncée appelée la Great Highway – la grande autoroute. La plage était déserte la plupart du temps, sauf les rares jours de forte chaleur. Les poivrots cuvaient dans les quelques recoins ensoleillés ; il arrivait à des clochards d'y camper brièvement, avant d'en être chassés par le vent et le froid. À marée haute, des Coréens chaussés de bottes de caoutchouc s'y battaient avec des cannes à pêche. Quand on descendait plus au sud, les vagues se faisaient généralement plus grosses et intimidantes, compte tenu des bancs de sable plus éloignés du rivage. Vues de la mer, surtout quand elles étaient particulièrement hautes, les rues qui remontaient à l'intérieur des terres constituaient de bons repères pour le lineup. Dans le Sunset, elles se succédaient du nord au sud par ordre alphabétique : Irving, Judah, Kirkham, Lawton, Moraga, Noriega, Ortega, Pacheco, Quintara, Rivera, Santiago, Taraval, Ulloa, Vicente, Wawona et, enfin, Sloat, l'excentrique. On ne disait pas qu'on avait surfé Ocean Beach mais Judah, Taraval ou Sloat. Le zoo municipal s'étendait au sud du Sloat Boulevard et, par-delà, des falaises sablonneuses commençaient à se dresser tandis que le front de mer urbain – Ocean Beach – prenait fin.

Ce premier automne, je me suis retrouvé dans l'eau presque tous les jours. Je montais une planche d'occasion de 7'0", en single, de teinte vanille toute simple, raide mais polyvalente, stable et rapide, qui prenait bien la vague. Je disposais d'une vieille combinaison customisée, relique de mon époque prospère de cheminot, qui commençait à s'élimer et à prendre l'eau. J'ai trouvé quelques bancs de sable qui engendraient de jolis pics, au moins pendant quelques jours d'affilée, selon la marée et la direction de la houle, avant que le sable ne fût déporté. Je commençais à bien connaître ma planche. Elle était parfaitement adaptée à ces grandes faces bien ouvertes, fendait les vents qui soufflaient du rivage et réagissait bien à grande vitesse. Mais elle avait du mal à se plier aux duck-dives* – elle était épaisse et, par conséquent, parvenait difficilement à s'enfoncer assez profondément pour échapper à l'écume qui arrivait sur moi. Ramer vers le large à Ocean Beach était presque toujours une épreuve – autre raison pour laquelle peu de gens la surfaient –, et le volume supplémentaire de cette planche ne me facilitait pas la tâche. Je m'efforçais de raccourcir mes sorties. Mais je travaillais mieux quand je venais de surfer. L'eau glacée, l'épuisement, puis la douche brûlante pour me réchauffer me laissaient physiquement apaisé, capable de rester assis devant mon bureau sans trépigner. Je dormais mieux aussi. Mais ça, c'était avant les premières grosses houles de l'hiver.

Il y avait une petite équipe de surfeurs locaux, qui passaient effectivement inaperçus. En fait, tout natif de San Francisco vous aurait affirmé qu'il n'y avait pas de surf ici. Des vagues, certes, il y en avait, mais l'océan était bien trop froid et démonté pour permettre la pratique de ce sport, m'avait-on lancé plus d'une fois. À dire vrai, l'océan était effectivement trop agité, la plupart du temps, pour qu'on s'y initiât au surf – les plus proches breaks pour débutants étaient hors de la ville. Un petit contingent des habitués d'Ocean Beach avaient donc appris les rudiments ailleurs – à Hawaï, en Australie ou en Californie du Sud –, puis étaient arrivés en ville à l'âge adulte. Ces nouveaux venus, dont je faisais désormais partie, étaient le plus souvent des professionnels, et ils se distinguaient d'une certaine façon des surfeurs qui avaient grandi sur place, pour la plupart dans le Sunset.

Mais les deux groupes achetaient leur wax et leurs combinaisons au Wise Surfboards, un magasin de Wawona, lumineux et haut de plafond, installé à quelques pâtés de maisons de la plage. Flanquée d'un restaurant mexicain et d'un dispensaire chrétien, c'était la seule boutique de surf de la ville. Une longue rangée de planches brillantes, flambant neuves, s'alignait contre un des murs, et des présentoirs de combinaisons étaient installés tout au fond. Quand on cherchait quelqu'un avec qui surfer, c'était par Wise qu'il fallait commencer.

Bob Wise, le propriétaire, était une sorte de fan de James Brown sarcastique, aux muscles noueux, âgé d'une quarantaine d'années. De derrière son comptoir, il pérorait sans cesse sur les particularités d'Ocean Beach et des types qui la surfaient. C'était une sorte de juke-box plein de récits sur le surf, disposant d'un vaste répertoire d'histoires galvaudées : la fois où Edwin Salem s'était retrouvé face à une vague qui poussait devant elle un tronc de séquoia, alors que lui-même était plongé dans l'eau jusqu'à la taille ; le coup du tonneau de résine qui avait grillé les sourcils de Peewee en explosant. Les affaires marchaient souvent au ralenti, sauf quand de riches planteurs de marie-jeanne étaient descendus du nord bourrés de fric et avaient proposé à leurs amis : "Tu veux une planche ? Je t'en offre une. Tu crois que Bobby en voudrait une aussi ? On va lui en prendre une."

Un après-midi, à mon entrée, Wise était au beau milieu d'une histoire dont il régalait deux clients : "Donc Doc, qui pouvait voir les vagues de sa fenêtre, m'appelle pour me dire :

'Allez, on sort.' Je n'arrête pas de lui demander : 'D'accord, mais comment ça se présente ?' Et lui de me répondre : 'C'est *intéressant*.' Je ramène mes vieux os là-bas, on entre dans l'eau et c'est carrément l'Enfer. Alors Doc me fait : 'Tu t'attendais à quoi ?' Quand Doc te dit que c'est *intéressant*, ça veut dire que c'est *pire* que l'Enfer."

Wise parlait de Mark Renneker. Renneker était un des sujets de prédilection des conversations à bâtons rompus sur le surf, sinon une sorte d'obsession locale. C'était un médecin de famille qui habitait sur le front de mer, côté Taraval, à quelques pâtés de maisons de la boutique de Wise. De fait, je connaissais Mark de la fac de Santa Cruz. Il était venu faire médecine à San Francisco et, pendant des années, il m'avait pressé de m'y établir, me vantant dans ses lettres la qualité des vagues et m'envoyant des photos de lui sur des vagues sublimes qu'il qualifiait seulement de "moyennes". Je n'aurais su dire à l'époque s'il plaisantait.

Mais, maintenant que j'étais en ville, avec Mark nous surfions souvent ensemble. Il était dingue d'Ocean Beach et s'était livré à une étude inhabituellement scrupuleuse de sa complexité. De tout ce qui se rapportait au surf, d'ailleurs. Je découvrais qu'il tenait depuis 1969 un compte rendu détaillé de chacune de ses sorties, où il décrivait les conditions météo, notait l'emplacement, la taille des vagues, la direction de la houle, la planche qu'il avait montée, les noms de ses compagnons (si compagnons il y avait), les événements ou observations mémorables et autres données comparables d'une année sur l'autre. Son journal de bord indiquait aussi que la plus longue période durant laquelle il s'était abstenu de surfer ne dépassait pas trois semaines. Elle datait de 1971, à l'occasion d'un bref passage dans une fac de l'Arizona. Sinon, il s'était rarement absenté plus de trois jours et avait souvent surfé quotidiennement pendant plusieurs semaines. Pour un passe-temps qui ne s'ouvre réellement qu'à ses pratiquants les plus absurdement zélés, Mark était le fanatique des fanatiques.

Il vivait avec sa petite amie Jessica, une artiste peintre, au dernier étage d'un immeuble kaki de trois étages de la Great Highway. Un panneau était planté juste en face de leur appartement, près d'un tunnel menant à la plage : DES NOYADES SE PRODUISENT CHAQUE ANNÉE, EN RAISON DU RESSAC ET AUX PUISSANTES LAMES DE FOND. VEUILLEZ RESTER SUR LE RIVAGE, SVP. – POLICE MUNICIPALE. Le garage de Mark et de Jessica était rempli à ras bord de planches – une bonne dizaine, dont la plupart servaient toujours, encore que, lors de ma visite, j'aie remarqué un article de collection : une 7'0" en single, aux rails roses et au deck jaune, profilée et montée à l'origine par Mark Richards, un Australien quatre fois champion du monde. "C'est un peu comme de posséder un des vieux clubs de golf de Jack Nicklaus", a dit Mark. Pour tout lecteur de magazines de surf, les Richards sont immédiatement identifiables. Mark Renneker ne l'avait pas montée depuis des années. Cinq autres planches étaient encore debout sur leur tail dans l'escalier. Pourquoi lui fallait-il autant de planches ? Pour surfer dans différentes conditions, évidemment, et surtout pour prendre les plus grosses vagues, où le choix du matériel peut se révéler crucial. Observateur averti du design des planches, il conservait également, "à titre indicatif", les deux moitiés d'une 7'4" façonnée sur le North Shore d'Oahu, qu'il chérissait et qui s'était brisée à Sloat par une journée violente. Les grosses vagues étaient pour Mark une passion essentielle.

Sur une des parois de la boutique de Wise était encadrée une photo de "Doc" pénétrant un énorme mur d'Ocean Beach, quasiment vertical et couleur de vase. La face le dépassait de presque cinq fois sa taille. Je n'avais jamais vu personne s'attaquer à une vague de cette taille en Californie. Je n'avais même pas souvenir d'avoir déjà vu une photo d'un tel exploit. Elle était à l'échelle de celles du North Shore – Waimea, Sunset. Sauf que l'eau était probablement à 10 °C, assez froide pour en durcir la surface au point de la rendre quasiment impénétrable, tandis que la lèvre, en retombant, devait peser comme du béton. Et le spot n'était pas un récif célèbre et bien cartographié mais un obscur, féroce et changeant beachbreak. J'espérais ne jamais tomber sur une Ocean Beach de cette taille. Cette photo expliquait pour beaucoup la fascination pour des locaux de Mark.

On pouvait difficilement le manquer : un mètre quatre-vingt-dix et des poussières, mince, large d'épaules, une barbe brune mal entretenue et des cheveux qui lui tombaient jusqu'au milieu du dos : un bonhomme imposant et tapageur, doté d'un rire bruyant, à mi-chemin entre coup de klaxon et rugissement. Pour quelqu'un d'aussi volumineux, il était remarquablement peu emprunté. Il évoluait comme une ballerine. Avant de sortir ramer, il s'astreignait rituellement, au bord de l'eau, à une série d'étirements de yoga. Il pouvait se montrer extrêmement volubile avec les gens qu'il aimait bien. Il se passait toujours, dans les vagues, le vent, les bancs de sable, les repères de lineup à Santiago, quelque chose qui exigeait un commentaire circonstancié et spirituel de sa part. Quand il était dans l'eau, tout le monde le savait. "Tu ne connais pas la loi des films de surf ?", m'a-t-il hurlé un matin où les vagues étaient médiocres.

Je l'ignorais.

"Il n'y aura jamais de bonnes vagues le lendemain d'une soirée où l'on a projeté un film de surf ou un diaporama !"

La veille au soir, nous avions visionné des diapos d'une de leur virée de surf au Portugal avec Jessica.

Un peu plus tard ce même matin, nous nous réchauffions dans son bureau en buvant du café. La pièce donnait sur l'océan. Ses étagères étaient bourrées de textes médicaux (*Épidémiologie et prévention du cancer*), de guides sur la nature (*Oiseaux du Mexique*), de bouquins sur l'océan, la météorologie, et de centaines de polars. Des photos de Mark et de ses amis en train de surfer, ainsi que les affiches défraîchies de vieux films de surf (*The Performers, The Glass Wall*) étaient punaisées aux murs. Une collection de magazines spécialisés sur plusieurs décennies et rassemblant des milliers de numéros était soigneusement empilée et répertoriée. Une station de radio météo aboyait les dernières prévisions tirées des données des bouées maritimes. Je feuilletais ces vieilles revues de surf pendant que Mark parlait avec Bob Wise au téléphone.

Mark a fini par raccrocher et m'annoncer que Wise avait à présent dans son stock exactement la nouvelle planche qu'il me fallait.

J'ignorais que j'avais besoin d'une nouvelle planche.

Mark n'en croyait pas ses oreilles. Comment pouvais-je me contenter d'une seule ? Et surtout cette vieille planche cabossée à dérive unique !

Je n'ai pas réussi à l'expliquer. Elle me suffisait, voilà tout. C'était devenu récurrent entre nous. Mon manque de sérieux, s'agissant du surf, ma foireuse nonchalance, étaient pour Mark une véritable provocation. N'étais-je pas celui qui, en quête de vagues lointaines, avait entrepris la circumnavigation, un grand safari autour du globe ? Ouais, bien sûr. Et lui-même n'était-il pas resté au pays pour faire ses études de médecine ? Mais ça ne voulait pas dire que le surf occupait dans ma vie une place aussi centrale que dans la sienne. L'ambivalence dont je faisais preuve à l'endroit de ce sport que nous pratiquions tous les deux l'horrifiait. C'était une hérésie. Le surf, au demeurant, n'était pas pour lui un "sport" mais une "voie". Et plus on s'y investissait, plus il vous payait de retour. Il en était la preuve vivante, bouillonnante.

J'étais plutôt d'accord, en fait. Appeler le surf un sport, c'était se méprendre à tous les égards. Mark me faisait l'effet d'une sorte de figure emblématique surdimensionnée, l'effigie parfaite pour une affiche vantant l'obsession des vagues. Mais je me méfiais de son chant des sirènes, de ses exigences constantes. J'éprouvais même une certaine réticence à y songer plus que nécessaire. Et je ne voulais pas d'une autre planche. De toute manière, j'étais fauché.

Mark avait poussé un soupir agacé. Il tapotait sur le clavier de son ordinateur. "Tu me fais rire", finit-il par dire.

J'étais conscient d'avoir consacré au surf une quantité de temps et d'énergie qui relevait presque du sacrilège. En 1981, un magazine de surf avait publié une liste des dix vagues que ses éditeurs considéraient comme les meilleures du globe. J'ai constaté avec surprise que j'en avais surfé neuf. La seule exception était une longue gauche du Pérou. La liste comportait plusieurs breaks où je m'étais sérieusement impliqué : Kirra, Honolua Bay, Jeffreys. Voir ces noms y figurer ne me plaisait pas plus que ça. C'étaient sans doute des spots célèbres, mais je les considérais comme des histoires intimes. En revanche, que la plus belle vague que j'eusse surfé manquât à l'appel, parce que le monde ignorait son existence, me fit un plaisir extrême. Par pure superstition, avec Bryan, nous nous interdisions encore de mentionner le nom de Tavarua, que ce fût dans nos paroles ou dans nos écrits. Persuadés que nous finirions par y retourner en temps voulu, nous disions tout simplement "*da kine*".

Un des nombreux et formidables attraits de Caroline, résidait dans le scepticisme dont elle faisait montre à l'endroit du surf. La première fois que nous avions observé des vagues ensemble, quelque part au sud du Cap et plusieurs mois après notre rencontre, elle avait été horrifiée de m'entendre baragouiner dans un jargon qu'elle pensait que j'ignorais. "Ce n'est pas seulement le vocabulaire, tous ces mots dont tu ne t'étais jamais servi devant moi, ces "*gnarly*", "*suckout*", "*funkdog*", mais les bruits, les grognements, les rugissements et les horribles râles", m'avait-elle expliqué quand elle s'était remise du choc. Elle avait fini par s'habituer à certains des codes vernaculaires et à l'argot crypté des surfeurs, et même aux grognements, rugissements et autres horribles râles, mais elle ne comprenait toujours pas pourquoi, après avoir passé des heures à étudier les vagues du rivage, nous exprimions souvent notre intention de ramer vers le large par des expressions comme : "Finissons-en !" Elle pouvait sans doute comprendre notre réticence : combinaisons poisseuses, eau glacée, mer démontée, vagues médiocres. Mais elle ne comprenait tout bonnement pas la sévère componction avec laquelle on y allait.

Une fois, à Santa Cruz, elle en prit plus pleinement la mesure. Nous étions plantés sur les falaises d'un break assez populaire du nom de Steamer Lane. Quand les surfeurs passaient devant l'endroit où nous nous tenions, nous surplombions presque les vagues, de sorte que nous les voyions d'abord de haut puis de dos. Nous disposions donc pendant quelques secondes d'une vue surélevée de ce qu'eux-mêmes voyaient, et l'idée que Caroline se faisait du surf en a été radicalement modifiée. Auparavant, les vagues n'étaient pour elle que des objets bidimensionnels dressés vers le ciel et fonçant verticalement droit devant eux. Et, brusquement, elle se rendait compte qu'il s'agissait en réalité de pyramides dynamiques, dotées d'une épaisseur, d'une face escarpée, d'un dos déclive, autant de complexes et changeantes constructions tridimensionnelles qui s'effondraient, se relevaient et s'effondraient de nouveau, tout cela très vite. L'eau blanche était contondante et chaotique ;

l'eau verte soyeuse et accueillante ; et la lèvre, au moment où elle se cassait, une sorte de moteur évanescent, se dérobant en cascade, en même temps qu'un refuge occasionnel. Ce qui, en soi, ajoutait-elle, aurait presque suffi à rendre le spectacle du surf passionnant.

Caroline ne risquait pas de devenir une fanatique de l'océan. Elle était née et avait été élevée au Zimbabwe, contrée enclavée. Il me semblait parfois que sa tranquille vision critique des diverses passions enflammait l'Amérique (réalisation personnelle, estime de soi, certaines formes de patriotisme parmi les plus grossières) lui venait de ce qu'elle avait grandi au beau milieu d'une guerre civile qui déchirait ce qu'on appelait encore la Rhodésie. Elle se berçait de bien moins d'illusions sur la nature humaine que la plupart des gens de ma connaissance. Je me suis rendu compte, plus tard, que je me trompais sur l'impact qu'avait eu la guerre sur sa façon de voir le monde. Elle jouissait tout simplement d'un extraordinaire sens commun et d'une profonde pudeur, qu'un rien suffisait à hérisser. L'important, pour elle, c'était le dessin – et surtout la gravure. Le procédé auquel elle recourait – la taille-douce – était très élaboré et exigeait un travail harassant, quasi médiéval, et ses camarades de classe de l'institut des beaux-arts semblaient en admiration devant ses talents de dessinatrice, ses connaissances techniques, son œil, son obsessivité. Je l'étais moi-même. Elle travaillait souvent la nuit. Elle était grande, fine et pâle. Il y avait chez elle une sérénité préraphaélite, comme si elle était sortie tout droit d'un tableau de Burne-Jones pour entrer de plain-pied dans le San Francisco postpunk débraillé. Elle pouvait se montrer joviale, voire grivoise, avec les gens qu'elle aimait bien, et apporter un joyeux panachage d'argots britannique et africain à la conversation. Elle connaissait une expression synonyme de masturbation en gujatari (*Muthiya maar !*) et, d'assez confondante façon, trouvait toujours de nouvelles occasions de s'en servir.

Nous avions pris l'habitude d'aller nous balader en fin d'après-midi dans les collines, au nord de notre appartement. Le parc qui s'étendait là-haut était connu sous le nom de Lands End et les collines donnaient sur l'océan à l'ouest et le Golden

Gate au nord. Cyprès, eucalyptus et hauts et noueux pins de Monterey contribuaient à arrêter la froide brise de mer. Il s'y trouvait aussi un vieux parcours de golf public, toujours un peu désert. Quelqu'un m'avait passé trois ou quatre clubs rouillés – je pouvais les tenir tous d'une seule main – et, pendant nos promenades, j'ai commencé à tenter quelques trous histoire de. Je ne connaissais rien au golf. Nous n'avons jamais vu le clubhouse, mais j'aimais frapper la balle et l'envoyer très loin de l'ombre profonde portée par les arbres, dans les fairways luxuriants, pendant qu'un soleil couchant faisait chatoyer les collines avant de sombrer dans le Pacifique. Caroline portait des pulls longs et bouffants, des jupes avec des rubans qu'elle confectionnait elle-même. Elle avait de très grands yeux et un rire qui carillonnait au crépuscule.

Je devenais un homme d'intérieur. Non pas sous la pression de Caroline – c'était une étudiante en arts expatriée, âgée de vingt-quatre ans, qui ne montrait par aucun signe qu'elle voulait réellement s'installer quelque part d'une façon définitive –, mais par choix, avec circonspection, en faisant de petites, voire d'infimes concessions pour vivre une vie plus stable, plus propre aux convenances. J'ai ouvert un compte en banque, le premier de ma vie, à trente et un ans. J'ai recommencé à payer des impôts et, heureux de le faire – c'était un signe de mon retour. J'ai demandé une American Express, en me promettant d'être un consommateur modèle – c'était ma piteuse pénitence personnelle pour avoir escroqué cette compagnie à Bangkok. Je me suis rendu compte qu'au cours des treize années qui s'étaient écoulées depuis ma sortie du lycée, jamais, sauf au Cap, je n'étais resté plus de quinze mois à la même adresse. *Basta*. Il fallait arrêter avec les voyages. J'écrivais mon livre à la main, mais, je me disais que lorsque j'aurais assez d'argent, j'achèterais un ordinateur, comme tout le monde semblait le faire, du moins dans la baie de San Francisco. Je commençais à me passionner pour la politique américaine, surtout étrangère. Une de mes commandes nécessitait que je parte pour le Nicaragua pour dresser le portrait d'un poète sandiniste. J'en suis revenu écœuré par la guerre que nous y financions. J'ai pondu pour le *New Yorker* un bref article sur ce sujet, et sa publication, quelques semaines plus tard, m'a réellement galvanisé.

Mais c'était surtout l'Afrique du Sud qui occupait mon esprit. Je la revivais dans mes journaux intimes et mes souvenirs, dans les hautes piles de livres et de périodiques que je n'avais jamais eu l'occasion de lire là-bas quand j'y vivais − ils étaient pour la plupart proscrits −, et dans ma correspondance avec des amis restés au Cap. Mandy avait été relaxée peu après mon départ, mais pas avant la date de ses examens, de sorte qu'elle avait raté sa première année de fac. Elle avait l'air d'aller bien, du moins dans ses lettres. Elle nous faisait part de son amitié, à moi et à tous ceux qui vivaient dans l'Amérique de Reagan. Les Sud-Africains, universitaires ou militants activistes anti-apartheid, étaient relativement nombreux dans la région de la baie de San Francisco, et j'ai retrouvé leur compagnie avec une certaine gratitude. Je me suis mis à faire des discours en public − dans une fac, dans un lycée. J'étais affreusement nerveux, ne sachant pas trop, s'agissant d'un système d'une injustice aussi flagrante que l'apartheid, où établir la ligne de séparation entre journalisme et activisme. J'écrivais. Le premier plan de mon livre comportait neuf chapitres. J'en étais à quatre-vingt-onze. J'ai tapissé les murs vert citron de mon bureau de papier de boucherie et je l'ai noirci de notes, de listes et d'organigrammes, en m'efforçant de distinguer dans ce fatras le livre qui aurait dû s'y trouver.

Quand les premières houles du début de l'hiver ont frappé, la cohue des rameurs a spectaculairement empiré. La plupart des spots de surf ont un itinéraire recommandé du rivage au lineup ; nombre d'entre eux sont affligés de chenaux où ne se casse aucune vague. On peut rester sur la rive aussi longtemps qu'on veut, s'efforcer de laborieusement recenser les emplacements où elles se brisent, tenter d'élaborer une course avec certitude − toute cette eau qui déferle doit nécessairement retourner à la mer quelque part et creuser sur son passage un canal où quelques vagues au moins devraient venir se casser −, avant de se précipiter pour ramer vers le large, tout cela pour découvrir que les conditions ont si rapidement évolué qu'on ne dépassera pas le bord de l'eau.

Contre tout abandon de poste

Les jours calmes, cette persévérance était d'ordinaire récompensée. Les plus violents, c'était une autre paire de manches. De la rive, devant le spectacle d'une énorme série dentelée de six ou sept murs d'eau blanche et glaciale fondant sur vous, grondant et écumant, imaginer ramer à sa rencontre nécessite un grain de folie. Le projet semble impossible : c'est un peu comme de remonter une cascade à la nage. Il ne faut pas moins qu'un regain de foi pour s'y résoudre. Vous vous jetez dans le courant glacé et commencez à ramer de toutes vos forces vers le large. À leur approche, les vagues tonitruent comme des boules de bowling dévalant leur piste, puis, quand elles fondent sur vous, roulent sur votre tête baissée et vos épaules voûtées, elles émettent un fracas évoquant la chute des quilles et déclenchent instantanément une migraine, pareille à celle qui vous prend après avoir croqué dans une boule de glace. De longues minutes s'écoulent ensuite, tendues. Aucun progrès ou bien peu. Les vagues n'arrêtent pas de se succéder, vivaces et agressives. Vous vous efforcez d'opposer le moins de résistance possible aux murs d'eau blanche qui vous submergent, en souhaitant de toutes vos forces qu'elles vous aient déjà dépassé alors même qu'elles s'emparent de votre corps et l'aspirent en arrière. Votre respiration se fait hoquetante puis râpeuse, et votre cerveau ne tarde pas à tourner en boucle, à décrire des cercles de plus en plus étroits, à ressasser la même question absurde : votre persévérance sera-t-elle *récompensée* ? Est-elle seulement considérée ? Entre-temps, derrière cette vaine activité plus ou moins hystérique, le surfeur cherche encore à distinguer les motifs sous-jacents des vagues. Quelque part, un peu plus bas ou plus haut sur la côte ou par-delà le prochain haut-fond, les vagues pourraient bien être moins fortes. Depuis un tout autre point de vue que le vôtre, ou presque – du rivage, ou de celui de ce pélican en plein vol –, le meilleur trajet devrait crever les yeux de l'observateur averti, mais, dans l'eau, au beau milieu de ce maëlstrom où vous passez parfois plus de temps sous la surface, et où, entre deux vagues, vous n'avez souvent droit qu'à respirer quelques embruns mousseux, le parcours se borne à cruellement apparaître puis disparaître dans votre imagination, comme la solution théorique à un problème d'une impensable complexité.

De fait, Ocean Beach présentait une structure basique. Les jours où les vagues dépassaient entre un mètre cinquante ou un mètre quatre-vingts, et particulièrement au sud de VFW, on surfait normalement la barre extérieure, celle où les vagues venaient se casser en premier. Pour l'atteindre, il fallait franchir la barre intérieure, où elles tendaient à se briser le plus violemment et le plus inlassablement. Les types qu'on voyait patauger près du rivage et qui avaient renoncé à ramer n'avaient pas, la plupart du temps, réussi à surmonter ce premier obstacle. Entre les deux barres, on trouvait d'ordinaire un creux – une eau plus profonde où l'on pouvait parfois reprendre son souffle, y voir un peu plus clair, permettre à ses sinus de se vider, à ses bras de reprendre vie et à son cerveau de fixer un cap jusqu'à la barre extérieure.

Mais atteindre cette dépression ne faisait pas toujours mon bonheur. Franchir la barre intérieure suffisait parfois à m'épuiser. Si l'on renonçait assez tôt, on se retrouvait tout bonnement en train de barboter dans l'eau toute la journée. Mais, si l'on poussait au-delà d'un certain point, cette éventualité s'évanouissait. Quand je commençais à sérieusement fatiguer, je me fiais à mon leash et je larguais complètement ma planche pour progresser à plat ventre, les doigts plantés dans le fond de l'océan, une poignée de sable après l'autre, en sortant la tête de l'eau entre deux vagues pour prendre un bol d'air. Il arrivait souvent un moment où je me disais : *Non, tant pis, c'est trop dur, je vais regagner le rivage.* Mais c'était toujours trop tard. La violence était telle, dans la zone d'impact de la barre intérieure d'Ocean Beach par un jour d'hiver rigoureux, que ni les vœux pieux ni la force de volonté n'avaient de sens. Il n'y avait pas de retour en arrière possible. Les vagues vous aspiraient en elles avec une force monstrueuse. Par bonheur, la plus puissante et la plus effrayante, celle qui donnait l'impression d'être réellement déterminée à vous nuire, vous recrachait toujours un peu plus loin, dans le creux d'eau profonde, quand elle en avait fini avec vous. C'était précisément pour cette raison que ce trou d'eau m'apparaissait de plus en plus comme un lieu effrayant. J'y perdais brusquement tout intérêt pour le surf, mais je ne pouvais plus regagner le rivage. En vérité, j'affrontais désormais une nouvelle épreuve, celle de vagues encore plus grosses sur un terrain encore plus vaste.

Ce qui me remettait en mémoire que, si grosses fussent-elles, les vagues de la barre extérieure étaient en général plus douces que les bombes de l'intérieur en eau peu profonde. Il me restait encore à trouver un chenal y conduisant, autrement dit à me démancher le cou pour tenter de déchiffrer l'horizon depuis la crête de chaque houle qui traversait la dépression. Quels étaient les motifs significatifs qu'on pouvait distinguer dans les mouvements faibles et distants qui, à quelque huit cents mètres au large, agitaient l'eau gris-bleu ? Et dans les bosses qui se formaient par-delà ? Où l'énergie semblait-elle se concentrer le long de la vaste et ondulante barre extérieure ? Vers où devais-je me diriger ? Quand devais-je piquer un sprint ? Tout de suite ? Dans deux minutes ? En gros, comment faire pour éviter une effroyable raclée en eau profonde. La peur que j'éprouvais, à l'occasion de ces interminables traversées du creux, ne ressemblait en rien à la terreur panique qui m'avait envahi, plus jeune, devant la grosse Rice Bowl. Elle était plus diffuse, plus nauséeuse, plus aléatoire. La noyade n'était qu'une vague, improbable éventualité, une ultime issue indésirable, qui rôdait à la surface de mon esprit comme une sorte de spectre vert et glacé, sans plus. Si je parvenais à gagner la barre extérieure indemne, je n'aurais plus qu'à surfer, qu'à prendre des vagues. N'était-ce pas pour cela que nous sortions en mer ?

Un mot à propos de cette détermination des vagues à vous nuire : pour la plupart des surfeurs − en tout cas, à mes yeux −, elles sont d'une effroyable dualité. Quand on s'emploie obstinément à les surfer, elles ont l'air d'être vivantes. Chacune a sa personnalité, compliquée et bien distincte, et est sujette à de rapides changements d'humeur, auxquels il faut réagir le plus intuitivement, voire intimement possible − trop de gens ont assimilé l'acte de prendre une vague à celui de faire l'amour. Et pourtant, les vagues ne sont ni vivantes ni conscientes, et l'amante que vous vous apprêtez à étreindre peut brusquement devenir assassine. Ça n'a rien de personnel. La vague mortelle qui vient d'elle-même s'éventrer sur la barre intérieure ne *cherche* pas à vous nuire. Le croire est un anthropomorphisme instinctif. L'amour avec une vague est une rue à sens unique.

Le surf à Ocean Beach valait-il tout ce travail ? Par certains jours, oui c'est certain. Mais seulement pour quelques-uns. Tout dépendait de votre tolérance aux raclées, de l'état de vos nerfs, de votre aptitude à déchiffrer les barres, à surfer de grosses vagues, à ramer puissamment, et de votre chance. Il pouvait y avoir de très belles vagues – de grandes droites bombées, de longues gauches solides – mais leurs pics, me suis-je aperçu, étaient rarement cohérents et bien définis, de sorte qu'on avait le plus grand mal à savoir où les attendre. Si d'autres surfeurs étaient de sortie, on pouvait sans doute échanger des conjectures ou signaler des repères de lineup. En ma qualité de nouveau venu à Ocean Beach, j'avais soif de conseils. La somme de choses qu'il me restait à apprendre était monstrueuse. La camaraderie était un réconfort. Et pourtant je savais que, pour les plus grosses vagues, la sécurité ne se trouvait pas dans le nombre, et que le "copinage" n'allait généralement pas jusque-là. Quand la situation prenait une tournure trop violente, il semblait n'y avoir jamais personne alentour, du moins dans mon expérience. Et encore moins de gens en position de vous aider. Dans un break aussi vaste et piètrement défini qu'Ocean Beach, on se retrouve toujours tout seul quand on a des ennuis. Et encore, je ne l'avais pas vu par très gros temps. Au cours de ces deux premiers mois, les plus grosses vagues que j'ai surfées faisaient au plus trois mètres de haut. Selon les critères des locaux.

La taille des vagues est un sempiternel sujet de dispute entre les surfeurs. Il n'existe aucune méthode universellement acceptée – universellement acceptée par les surfeurs, j'entends – permettant de mesurer la hauteur d'une vague. Si bien que ces débats sont d'une nature comique – des opéras-bouffes, généralement sur le thème de celui qui a pris la plus grosse, où se heurtent des ego mâles –, et j'ai toujours cherché à m'y soustraire. S'agissant de la description de leur hauteur, je m'en tiens au visuel, tandis que celui qui la surfe me fournit les points de repère nécessaires : haute jusqu'à sa taille, jusqu'à sa tête, plus haute que la tête. La face d'une *double-overhead* sera deux fois plus haute que le surfeur. Et ainsi de suite.

Mais, pour celles que personne ne surfe ou pour les vagues qui trompent l'œil, ce qui reste vrai de la plupart, il vaut mieux les mesurer en mètres. Se contenter d'estimer la distance de leur base à leur crête, en postulant, pour les besoins de la cause, qu'une vague de l'océan en train de se casser est un objet plat, bidimensionnel, suffit parfois à vous fournir un chiffre grossièrement correct. Mais un tel chiffre sera toujours déconsidéré par la plupart des surfeurs, moi compris, parce qu'il sera regardé comme trop élevé. Pourquoi ? Parce que la surestimation est *más macho*.

En réalité, la question de la taille qu'il convient d'attribuer à une vague ne se pose que dans certains contextes. Par exemple, je ne me souviens pas d'en avoir jamais discuté ni débattu avec Bryan. Une vague était petite ou grosse, faible ou puissante, médiocre ou *magnífica*, effrayante ou autre, et c'était tout. Donner une valeur chiffrée n'ajoutait rien à cela. S'il fallait rendre compte d'une session à celui des deux qui n'y avait pas participé, un raccourci conventionnel ("de un à un cinquante") pouvait suffire, toujours en mettant les guillemets. On comprenait en dépit du minimalisme de la description. Mais, ça, c'était entre nous deux. À Ocean Beach, on prenait ces mesures très au sérieux. Les spots de grosses vagues ont cet effet sur les gens. Ils incitent à la prétention, exagèrent l'insécurité qu'elles provoquent.

En vérité, la sous-estimation est pratiquée avec le plus grand aplomb sur le North Shore d'Oahu. Là-bas, une vague peut atteindre la taille d'une petite cathédrale avant que les locaux ne se décident à lui attribuer une hauteur de quelque deux mètres quarante. L'arbitraire de toute cette affaire saute aux yeux quand on sait que, pour les surfeurs, où qu'ils vivent, il n'existe pas de vagues de presque quatre mètres. (Quiconque affirmerait le contraire serait la risée de la plage.) Quand il vivait à Honolulu, Ricky Grigg, océanographe et surfeur de grosses vagues, avait l'habitude de téléphoner à un ami de Waimea Beach pour lui demander un compte rendu des vagues. L'épouse de son ami, qui les voyait de sa cuisine, n'avait jamais réussi à pleinement appréhender le système irrationnel dont se servaient les surfeurs pour mesurer les vagues, mais, en revanche, elle était parfaitement capable d'évaluer, avec une vraie précision, le nombre des réfrigérateurs qu'on pouvait entasser afin d'arriver à une hauteur équivalente à celles des vagues qu'elle avait sous les yeux, de sorte que Grigg lui demandait : "Combien de frigos ?"

La taille des vagues finit par être le produit d'un consensus local. Une vague estimée haute d'un mètre quatre-vingts à Hawaï et transférée, intacte, en Californie du Sud, s'y verrait attribuer une hauteur de trois mètres. De trois mètres soixante, voire de quatre mètres cinquante, en Floride. Quand j'habitais à San Francisco, une *double-overhead* était, sans aucune raison, regardée comme haute de deux mètres quarante ; une *triple-overhead* de trois ; une vague quatre fois plus grande qu'un surfeur de trois mètres soixante ; cinq fois, de plus ou moins quatre mètres cinquante. Au-delà, tout le système – si l'on peut parler de système – ne fonctionnait plus. Buzzy Trent, un vétéran parmi les surfeurs de grosses vagues, aurait dit-on affirmé : "Les grosses vagues ne se mesurent pas en mètres mais en degrés de trouille." S'il l'a réellement dit, il avait parfaitement raison. La puissance d'une vague qui se fracasse n'augmente pas en raison de sa hauteur mais du carré de sa hauteur. Si bien qu'une vague de trois mètres n'est pas légèrement plus puissante qu'une vague de deux mètres quarante – puisque le saut qualitatif n'est pas de huit à dix mais de soixante-quatre à cent, ce qui la rend plus puissante de plus de cinquante pour cent. C'est là un fait brut que tous les surfeurs connaissent dans leurs tripes, qu'ils aient ou n'aient pas entendu la formule. Deux vagues de même taille, en l'occurrence, peuvent fortement différer en volume et en férocité. Enfin, il y a le facteur humain. D'ailleurs une variante du vieil adage l'affirme : "Les grosses vagues ne se mesurent pas en mètres mais en degrés de connerie."

Quand j'étais encore un môme, les grosses vagues étaient toute une affaire. Une équipe fameuse, à laquelle appartenaient Grigg et Trent, surfait Waimea, Makaha et Sunset Beach. Ils se servaient de longues et lourdes planches spécialement façonnées pour ces vagues, connues sous le nom d'*elephant guns* (fusils à éléphants), puis tout simplement de *guns* (fusils). Les magazines et les films de surf vantaient leurs hauts faits. On entendait de terrifiants récits de mise en garde, que tous

les surfeurs connaissaient : la fois, par exemple, où deux pion-
niers du North Shore, Woody Brown et Dickie Cross, étaient
sortis à Sunset en 1943, alors qu'une houle enflait. Quand les
séries ont commencé à grossir, les forçant à ramer plus loin
vers le large, ils se sont aperçus qu'ils ne pouvaient plus regagner le rivage – Sunset se refermait – et ils ont décidé de
gagner Waimea Beach, cinq kilomètres plus loin, dans l'espoir
que le chenal d'eau profonde y serait encore accessible. Il ne
l'était pas et le soleil se couchait. Au désespoir, Cross a piqué
vers le rivage. Il avait dix-sept ans. Son corps n'a jamais été
retrouvé. Woody Brown, un peu plus tard, a pataugé hors
de l'eau, nu et à demi noyé. Les exploits de Grigg, Trent et
compagnie dans les années cinquante et soixante étaient des
sagas légendaires pour tous les surfeurs – pour le gremlin*
que j'étais. Ce n'étaient pas les meilleurs surfeurs du monde,
mais ils étaient d'une audace stupéfiante. J'aimais beaucoup
les astronautes quand j'étais jeune, mais je trouvais la petite
coterie des surfeurs de grosses vagues encore plus cool.

Leur heure de gloire est peu ou prou passée avec la révolution du shortboard. Les gens ont continué à surfer de grosses
vagues, mais ils donnaient l'impression d'avoir atteint une
limite dans leurs performances, ainsi qu'un seuil dans la taille
des vagues qu'on pouvait prendre et surfer. Toutes celles qui,
selon nous, dépassaient les sept mètres soixante, paraissaient
se déplacer trop vite ; ça devenait physiquement impossible
de les prendre. Très peu de surfeurs, de toute manière, semblaient s'intéresser aux vagues de cette taille. Matts Warshaw,
l'universitaire de très grande qualité, étudiant de très près tout
ce qui touchait au surf – il est l'auteur de *The Encyclopedia of
Surfing* et de *The History of Surfing*[01], deux copieux ouvrages
qui font autorité –, place à un sur vingt mille le nombre
des surfeurs disposés à prendre une vague de sept mètres
soixante. D'autres sont encore plus pessimistes. Nat Young, le
grand champion australien, en qui Warshaw voit "sans doute
le surfeur le plus influent du [XXe] siècle", et qui, dans sa
jeunesse, était une sorte de spadassin flamboyant surnommé
"l'Animal", ne voyait aucun intérêt à surfer des vagues de

01 — Respectivement *Encyclopédie du surf* et *Histoire du surf.*

plus de six mètres. Dans un film de 1967 sur le surf, Young déclarait : "Je ne l'ai fait qu'une fois, sur une seule vague, et je ne souhaite pas recommencer. Si ces types prennent leur pied à dégringoler avec leurs tripes et leurs boyaux dans un puits de mine, je les respecte et j'admire leur courage. Je ne crois pas pouvoir m'exprimer un jour en crevant de peur."

J'étais du côté de Young et des quatre-vingt-dix-neuf pour cent d'opposants. J'avais surfé sur le North Shore avec quelques spécialistes des grosses vagues, mais je voyais en eux des mutants, des mystiques, des pèlerins qui empruntaient une route différente de la nôtre, et qui, sans doute, étaient fabriqués dans un matériau brut différent. Des êtres bioniques, suspicieusement hermétiques aux réactions naturelles (peur, lutte ou fuite) devant un péril menaçant leur existence. En vérité, il existait un large éventail intermédiaire de vagues très lourdes, qui n'avaient pas cet aspect apocalyptique, ce côté fin du monde, mais que nous négociions tous avec la peur au ventre. Elles traçaient pour nous une sorte de sombre frontière intime, indépassable, dès qu'une grosse houle frappait. Ma propre limite reculait depuis vingt ans. J'avais pris d'assez grosses vagues : Sunset, Ulutawu, Grajagan extérieur et même Santa Cruz – le Middle Peak de Steamer Lane pouvait vous balancer de très lourdes bombes. J'avais pratiqué un surf agressif, intrépide, survolté à l'adrénaline, dans les grosses vagues d'Honolua et une Nias haute de trois mètres. J'avais même surfé quelquefois Pipeline, une vague véritablement dangereuse et effrayante, mais jamais les jours où la houle était forte. Toutefois je n'avais jamais possédé un gun. Je n'en voulais pas.

Marc tenait jusqu'au bout des ongles cette posture de frimeur bionique, dans une rare et bouffonne version de gourou hippie. Il prétendait n'avoir jamais craint les grosses vagues. En fait, il affirmait que cette crainte si répandue était infondée. Exactement comme le cancer fait davantage peur aux gens que l'infarctus, alors que les crises cardiaques tuent bien plus de monde, expliquait-il, les surfeurs redoutent davantage les grosses vagues que les petites, qui pourtant, lorsqu'elles sont prises d'assaut, tuent et blessent beaucoup plus de surfeurs. Selon moi, sa théorie ne valait pas grand-chose. Ces grosses vagues sont violentes et terrifiantes, point à la ligne. Et, de manière générale, plus elles sont hautes et larges, plus elles sont violentes et effrayantes. D'un point de vue purement anthropomorphique, elles cherchent désespérément à vous noyer. Rares sont ceux qui les surfent, et c'est uniquement pour cette raison qu'elles ne tuent pas davantage.

Tout comme chaque surfeur se trace une limite quant à la taille des vagues dans lesquelles il s'aventurera, ceux qui vivent dans le voisinage de très grosses vagues finissent, au fil du temps, par connaître celle des autres habitués. Quand j'habitais à San Francisco, le seul surfeur dont le niveau approchait de celui de Mark était Bill Bergerson, un charpentier que tout le monde appelait Peewee[01], surnom peu enviable qui lui restait de l'époque où il avait été le petit frère de quelqu'un. Peewee était un surfeur tranquille, concentré et d'une exceptionnelle fluidité, sans doute le meilleur et le plus pur que San Francisco eût engendré. Sa passion pour les grosses vagues n'était pourtant pas aveugle. Il ne cherchait pas à surfer Ocean Beach tous les gros jours ; il ne sortait que lorsque les vagues étaient raisonnables. Mark, en revanche, ramait vers le large quand nul autre ne l'aurait envisagé, ce qui frisait la démence, et prenait ces vagues en riant comme un fou. Beaucoup trouvaient ça agaçant.

Mais sa quête des grosses vagues relevait d'un joyeux masochisme. Un beau matin, planté sur le remblai de Quintara, je l'observais pendant qu'il s'efforçait de rejoindre vers le large. Les vagues faisaient presque plus de deux mètres quarante de haut, étaient démontées, impitoyables, et aucun chenal praticable n'était visible. Le creux lui-même restait impossible à situer. Sortir en mer semblait impossible et, au demeurant, les vagues n'en valaient pas la peine ; mais Mark s'acharnait toujours. On apercevait sa petite silhouette en combinaison noire, au milieu d'un furieux maëlstrom d'eau blanche, cherchant à se précipiter dans les murs compacts d'écume qui arrivaient sur lui. Chaque fois qu'il donnait l'impression de légèrement progresser, une nouvelle série apparaissait à l'horizon, plus grosse que la précédente, et allait se casser encore plus loin

01 — "Nabot."

– les plus grosses à quelque deux cents mètres du rivage –
comme pour le ramener dans la zone d'impact. Tim Bodkin,
un hydrogéologue et le plus proche voisin de Mark, se tenait
à mes côtés. Il prenait plaisir à le regarder peiner. "Laisse
tomber, Doc !", ne cessait-il de hurler au vent avant d'éclater de rire. "Il n'y arrivera jamais ! Il refuse tout bonnement
de l'admettre." À certains moments, nous le perdions entièrement de vue. Les vagues lui laissaient rarement une chance
de grimper sur sa planche et de ramer ; il était la plupart du
temps dans l'eau, à plonger sous les vagues, à nager vers le
large en suivant le fond de la mer, sa planche derrière lui. Au
bout d'une demi-heure, j'ai commencé à m'inquiéter : l'eau
était froide et les vagues violentes. Bodkin, le visage illuminé
de joie mauvaise, ne partageait pas mon appréhension. Finalement, au bout de trois quarts d'heure, une brève accalmie
s'est produite. Mark s'est péniblement hissé sur sa planche,
s'est mis à ramer furieusement et, trois minutes plus tard, il
avait dépassé la zone d'impact et donnait tout ce qu'il pouvait
par-dessus les crêtes de la série suivante, avec une marge de
cinq bons mètres. Une fois en sécurité derrière elles, il s'est
assis sur sa planche pour se reposer, petite tache noire dodelinant sur la surface bleue de la mer agitée par le vent. Écœuré
par sa réussite, Bodkin m'a planté là sur le remblai.

Mark avait pris l'habitude de m'appeler aux aurores. J'en
étais venu à redouter ses appels. Des rêves pleins de géantes
vagues grises, hantés par une terreur morbide de la noyade,
trouvaient leur point culminant lorsque le téléphone hurlait
dans le noir. À l'aube, sa voix à l'autre bout du fil sonnait
toujours enjouée, braillarde, et semblait me parvenir d'un
monde différent, celui de la lumière du jour.

"Alors ? Ça ressemble à quoi ?"

De chez lui, il pouvait voir l'extrémité sud de South Beach,
tandis que, de mon côté, j'en distinguais l'extrémité nord ;
il voulait un rapport météo. Je titubais jusqu'à la fenêtre en
frissonnant et je scrutais la mer glacée et démontée au travers
de jumelles voilées.

"Ça a l'air… risqué.

— Eh bien ? Qu'est-ce qu'on attend ?"

D'autres surfeurs avaient eux aussi droit à ses coups de fil. Edwin Salem, un étudiant originaire d'Argentine très agréable et l'un des protégés de Mark m'a raconté qu'il lui arrivait de rester éveillé la moitié de la nuit dans la crainte de ce coup de téléphone, et de paniquer quand il sonnait. "Doc ne m'appelait que quand la mer était violente et que personne ne voulait sortir avec lui. D'ordinaire, j'acceptais."

Moi aussi, jusqu'à un certain point, une limite encore indéterminée.

Par une petite matinée froide et claire du début du mois de novembre, nous avons ramé avec Mark vers le large à Sloat. C'était la première journée d'une petite houle du nord, et les vagues étaient pourries – bosselées, discordantes, inconsistantes. Il m'avait persuadé qu'avant même qu'elles n'eussent eu le temps de s'apaiser et de s'organiser, les vents du nord-ouest, qui, selon sa station météo, soufflaient déjà à vingt-cinq nœuds sur les îles Farallon, seraient sur place. Quand ils arriveraient, ces vents mettraient complètement le souk dans les vagues, de sorte que c'était sans doute notre seule chance de surfer cette houle ce jour-là. Oui, nous étions les seuls surfeurs en vue, mais probablement parce que les autres s'attendaient à une embellie lors du reflux de la marée. Ils n'étaient pas, comme lui, informés des vents du nord-ouest.

"À moins qu'ils n'aient un travail, ai-je haleté.

— Un travail ?" Mark a éclaté de rire. "Voilà leur première erreur !"

C'était en fin de matinée et il n'y avait pratiquement pas de vent. Mes mains brûlaient tant elles étaient glacées. Même après avoir dépassé les vagues, je n'avais aucun moyen de les réchauffer sous mes aisselles parce qu'un courant féroce tirait vers le nord, tant et si bien que nous devions ramer constamment rien que pour rester sur place face à la plage. Ce courant violent signifiait aussi que nous ne pouvions chercher que des droites, qui tiraient vers le sud. J'avais trop de mal à respirer pour me laisser entraîner dans une discussion sur ceux qui avaient un travail et ceux qui n'en avaient pas. L'agenda professionnel de Mark était entièrement conçu autour du surf, permettant un maximum de souplesse de son emploi du temps, car il exerçait une grande diversité de tâches. Il réorganisait sans cesse son agenda en fonction des houles, des marées et du vent. Il avait beaucoup de travail, ce que lui-même trouvait profondément satisfaisant, et aucune difficulté à payer son loyer. Son mépris affiché pour les emplois conventionnels relevait de la plaisanterie et était surtout destiné à m'exaspérer, ce qui le faisait exulter.

Le dédain qu'il témoignait pour le mariage et les enfants était encore plus franc : "La règle, avec les types qui se marient, c'est que leur désir de surfer des grosses vagues retombe immédiatement d'un cran, se plaisait-il à dire. Et d'un autre, encore plus important, à chaque nouveau gamin. La plupart des pères de trois enfants ne prendront jamais plus une vague supérieure à un mètre vingt !"

Les vagues se révélèrent bien meilleures qu'elles ne nous avaient paru depuis le rivage, et nous eûmes tous deux droit à une série de brefs rides rapides sur des vagues de bonne taille. Leur clapot leur apportait d'étranges creux, engendrant des pointes d'accélération inattendues. Mark est ressorti en plein vol d'une closed-out musclée en marmonnant qu'il aurait bien eu besoin d'une planche plus longue. Il surfait une 6'3". Quand il arrivait au fracas du ressac de s'apaiser, on entendait hurler les singes du zoo municipal par-delà le remblai de la plage. Mais, à dire vrai, San Francisco aurait aussi bien pu se trouver dans l'autre hémisphère. En hiver, la nature à Ocean Beach est aussi sauvage, brutale et féroce que dans tout le reste de la région des montagnes Rocheuses. On voyait bien circuler des voitures sur la route du littoral, mais leurs passagers, eux, avaient peu de chances de nous apercevoir. Si on leur avait posé la question, beaucoup auraient sans doute répondu qu'on ne surfait pas à San Francisco.

Mark se montra incapable de résister à une large gauche enveloppante. Il décolla et, en quelques secondes, se retrouva à mi-chemin d'Ulloa. Je pris la suivante – une gauche également – et je fus déporté encore plus au nord. Pendant que nous rentrions, une série qui cassait au sud de notre position nous emporta encore plus loin. Remonter à contre-courant eût été si pénible que nous décidâmes d'abandonner Sloat au profit de Taraval. Le pic qui cassait sur le banc de sable de Taraval était si pentu et versatile que nous cessâmes d'y prendre des vagues. Un meilleur pic semblait casser à Santiago. Une idée vint à Mark : arrêtons de lutter contre le courant. Quand il devient à ce point violent à la marée montante, il se change en train express de Sloat à Kelly. Continuons de le suivre vers le nord et de surfer ce qui se présente à nous. J'étais lessivé et j'ai malgré tout accepté. Nous avons cessé de ramer plein sud, et la plage n'a pas tardé à défiler sous nos yeux. À laisser les barres venir à soi au lieu de s'efforcer d'atteindre un point de take-off et de s'y tenir, on ressent une troublante impression d'impuissance. L'eau qui reflue d'un banc de sable rend malaisée toute tentative pour maintenir la même position à sa lisière extérieure, où les vagues s'apprêtent justement à se casser ; mais, impétueux et tortueux, le courant nous charriait, bon gré mal gré, à travers toutes sortes de spots sous toutes sortes d'angles différents.

Mark, qui adorait ce genre d'expériences plus ou moins incontrôlables, y allait d'un commentaire ininterrompu sur les bancs que nous rencontrions : c'était ici, à Quintara extérieur, que s'était cassé le grand pic de l'an dernier ; et c'est là qu'est le lineup de Pacheco, les jours où les vagues sont géantes. Tu vois cette croix au sommet de la montagne ? Il faut toujours la garder à l'aplomb de l'église. Et tu peux voir qu'il commence à se passer quelque chose d'intéressant à Noriega. "Par ces houles persistantes, les vagues ne se cassent ni vraiment à l'intérieur, ni vraiment à l'extérieur. La barre extérieure bifurque à cet endroit, si bien qu'elles se cassent au beau milieu et déroulent tous azimuts."

S'agissant des bancs de sable de Noriega, il avait entièrement raison : les vagues ne se brisaient plus sur les barres extérieures au milieu desquelles nous avions dérivé ; nous tournoyions paresseusement à l'intérieur d'une vaste étendue privée de vagues. Une loutre a surgi juste devant nous, nageant sur le dos. Sa petite tête était d'un brun-roux luisant. Les loutres ne sont pas très répandues à Ocean Beach ; celle-là avait dû être attirée par notre passivité inhabituelle.

Le courant nous déportait à présent vers le large. J'ai proposé à Mark de recommencer à ramer vers le rivage. Il a accepté, à contrecœur, d'abréger notre dérive.

Alors que nous progressions encore vers Judah, nous avons rencontré de petites vagues compactes qui cassaient avec une violence surprenante sur la barre extérieure. J'appréciais les drops raides et rapides, et j'ai pris trois droites d'affilée, sous adrénaline, juste avant de me fourvoyer dans une vague qui avait tout d'une erreur, aussi haute que moi. Ma planche est restée un instant suspendue à la lèvre de la vague, puis j'ai été propulsé dans l'espace. J'ai cherché à me dépêtrer de ma planche, mais je n'ai pas osé plonger la tête la première – l'eau est peu profonde sur la barre extérieure. J'ai heurté avec maladresse la surface, à moitié contorsionné, et j'ai touché le fond de l'épaule avec une relative douceur. J'ai senti ma planche me passer par-dessus à toute vitesse : en fait, elle m'avait frôlé les bras, dont je me couvrais le visage, juste avant que la vague ne me frappe. J'ai été sérieusement malmené, mais j'ai fini par refaire surface en cherchant à reprendre ma respiration, avec ce qui m'a fait l'effet de plusieurs kilos de sable dans la combinaison. J'avais eu de la chance – j'aurais pu être blessé. Je suis ressorti de l'eau à quatre pattes, les oreilles tintantes et le nez coulant.

Mark se mit à surfer avec plus de précautions. "C'est quand la flotte commence à recouvrir un banc de sable à fleur d'eau qu'on se brise le cou", déclara-t-il. Que quelqu'un prît les risques les plus extrêmes et se montrât en même temps si prudent pouvait paraître paradoxal, mais il n'en restait pas moins que Mark "se faisait" (c'est-à-dire qu'il en ressortait toujours debout) un pourcentage de vagues nettement plus élevé que tout autre surfeur de ma connaissance. Il se contentait tout bonnement d'éviter celles qui lui paraissaient trop risquées, et, lorsqu'il en choisissait une, il se gardait soigneusement de tout mouvement négligent ou inconsidéré.

Nous renonçâmes dès qu'il eût pris une droite et moi une longue gauche. Alors que nous ramions pour rentrer, il claironna : "Novembre est puissant et stupide." Ce qu'il voulait dire, c'était qu'au mois de novembre les vagues d'Ocean Beach étaient souvent énormes mais rarement bien ordonnées. Avant qu'il n'ait pu ajouter autre chose, nous avons été séparés par une série que nous nous sommes empressés d'esquiver. Quelques minutes plus tard, il reprenait : "Les correspondances entre ce qu'on peut lire sur une carte météo et ce qui se passe à Ocean Beach ne sont pas encore tout à fait établies."

En fait, il y avait à Ocean Beach de grandioses journées d'automne, quand les premières houles du nord et de l'ouest de la saison rencontraient les premiers vents soufflant de la terre. Ceux-ci ne commençaient à se lever qu'après la première chute de neige dans les High Sierras. Bien entendu, le surf automnal sort gagnant de l'inévitable comparaison avec les mois de brouillard et de clapot qui sont l'apanage de l'été à Ocean Beach. Mais les premières grosses houles d'automne arrivaient plutôt en novembre, bien souvent avant que les bancs de sable ne fussent prêts à les convertir en vagues surfables. C'était en hiver que les vagues étaient les meilleures. En décembre et janvier, la conjugaison d'énormes houles d'orage hivernales, de conditions météo favorables et de la disposition des plages locales était bien souvent délicieuse.

Il pouvait faire très froid – la température de l'eau pouvait descendre jusqu'à 4 °C, et l'air en dessous de zéro les matins d'hiver. J'envisageais d'investir dans des bottines, des gants en néoprène et un capuchon, tous articles que certains gars arboraient déjà. Un leash brisé et un séjour trop prolongé dans l'eau peuvent se traduire par une hypothermie. La perte de sensation dans les mains et les pieds me posait déjà des problèmes. Il me fallait souvent demander à des inconnus d'ouvrir la portière de ma voiture et de glisser la clef dans le contact, une vague ayant eu momentanément raison de ma dextérité. La notion du temps elle-même était faussée : deux longues sessions dans l'eau glacée, des vents forts et de grosses vagues suffisaient à vous faire prendre deux jours pour deux semaines.

Nous arrivions à présent à VFW, où les bancs de sable étaient un vrai foutoir. Nous avions dérivé sur près de cinq kilomètres. Mais la marée était assez haute à présent et le courant semblait mollir. Nous étions dans l'eau depuis au moins deux heures, mes mains étaient engourdies, et aucun malaxage sous les aisselles de mes pauvres bras glacés et épuisés ne leur rendrait la vie pour l'instant. J'étais disposé à rentrer.

Nous décidâmes de faire du stop jusqu'à Sloat plutôt que de marcher. Pendant que nous gravissions le remblai pour atteindre l'autoroute, Mark s'est brusquement retourné pour annoncer triomphalement : "Tu sens ça ? Voilà les vents de terre !" Il avait raison. Une étroite et sombre ligne de vent courait déjà à la surface, barattant les vagues et les écrêtant sur la barre extérieure. "Les autres ont merdé !" a-t-il lancé.

Mes vieux potes Becket et Domenic semblaient tous deux avoir renoncé au surf. Becket était retourné vivre à Newport, où il gérait une entreprise de construction de yachts et de charpenterie de marine. Sa marque de fabrique, style "planquez vos greluches, le rat des quais débarque", semblait toute prête à être brevetée. Là où ses voisins apposaient sur leur voiture un autocollant JE PRÉFÉRERAIS FAIRE DE LA VOILE, lui sillonnait l'Orange County dans une camionnette dont le pare-chocs arborait : J'AIMERAIS MIEUX FAIRE UN CUNNILINGUS. Quand je suis allé lui rendre visite, j'ai eu la surprise de trouver une photo de moi encadrée sur un mur de son bureau. C'était, découpé dans un magazine de surf, le cliché de Grajagan : moi, une planche sous le bras, debout au bord du récif pendant qu'en arrière-plan, à contre-jour, une fabuleuse gauche déserte passait en rugissant. Becket avait punaisé une légende, "les poulets aussi surfent", allusion à mes chevilles maigrelettes. "Je sais pourquoi il t'a fallu faire le tour du monde, m'a-t-il dit pendant que je regardais la photo. Tu ne trouvais pas ici suffisamment de raisons de te sentir malheureux."

C'était une théorie qui ne manquait pas de logique, guère différente au demeurant de l'idée que se faisait Domenic de mes tendances à m'autoflageller. Entre-temps, ce dernier s'était fait une place au soleil. Il réalisait des publicités haut de gamme pour la télévision. Il avait épousé une directrice commerciale française, non moins prospère. Ils possédaient un appartement à Paris, une maison à Beverly Hill, un condo à Malibu. Domenic et Becket surfaient encore, ou du moins possédaient-ils une planche, mais aucun des deux ne semblait devenu le pilier à plein temps d'un spot local. La Californie du Sud et ses foules polluantes étaient dissuasives, j'en étais conscient. Quand j'avais atterri à San Francisco et commencé mon apprentissage d'Ocean Beach, il ne me serait jamais venu à l'esprit de parler à mes anciens partenaires de surf des grandes vagues désertes que j'avais eu la chance de prendre. Je n'en faisais pas non plus un secret. Je savais simplement que ça ne les intéresserait pas. Trop de tribulations à l'étranger pour seulement quelques jolis rides occasionnels. Trop froids, trop *gnarly*, trop intransigeants.

Ma mère n'aimait guère San Francisco. Ce qui faisait d'elle un oiseau rare à Los Angeles, dont les natifs déversent traditionnellement des tonnes de lyrisme verbeux sur son pendant nordiste − Bagdad-sur-Bay, le cœur perdu de Tony Bennett (*I Left my Heart in San Francisco*), etc. Elle trouvait que la ville valait la peine d'être visitée, mais qu'elle était un peu trop fière d'elle-même et quelque peu défraîchie, surtout depuis sa grande époque hippie. Je l'ai entendue la qualifier de "maison de retraite pour jeunots", pique qui ne manquait pas de mordant puisque Kevin et moi y vivions tous les deux. Ayant décroché de l'industrie cinématographique, Kevin faisait maintenant son droit. Il habitait au centre-ville, dans un quartier qui s'appelait le Tenderloin[01]. Aucun de nous deux ne mollissait à vrai dire, mais, quand nous rentrions tous à la maison pour les vacances, je ne manquais jamais de remarquer à quel point L.A. vibrait d'une sorte d'énergie fébrile, frénétique, endémique, propre aux métiers du spectacle, chose que j'avais ignorée quand j'y avais grandi mais que je pouvais désormais pleinement mesurer. Hormis la Silicon Valley, qui n'était d'aucun intérêt pour moi mais qui bourdonnait manifestement d'une énergie créatrice, il n'existait rien à Los Angeles qui correspondît à la région de la Baie de San Francisco.

Je savais que ma mère avait repris le travail, pourtant je n'avais réellement eu conscience de cet état de fait qu'en voyant, à la télévision, une Patricia Finnegan aussi souriante que diserte recevoir, dans la salle de bal d'un hôtel de Washington, D.C., un prix pour un film qu'elle avait produit. S'agissait-il vraiment de ma mère ? Elle avait commencé en se portant volontaire pour une société de production à but non-lucratif, avait rapidement trouvé ses marques, puis mon père et elle avaient fondé leur propre société. Ils avaient connu quelques déboires au départ, mais, au bout de plusieurs années, ma

01—Le filet, en boucherie.

mère engageait mon père en tant que producteur délégué de téléfilms hebdomadaires. Elle savait reconnaître un bon scénario et s'entendait très bien – aisément, fructueusement – avec les auteurs, les réalisateurs, les acteurs et les cadres de la chaîne, chose qui, de prime abord, peut paraître un jeu d'enfant mais en fait exige un rare talent. Mon père et ma mère étaient très pris par leur travail. Colleen et Michael avaient sérieusement envisagé tous les deux d'entrer dans l'affaire familiale puis avaient pris leur envol et étaient retournés dans l'Est – Colleen pour faire médecine et Michael du journalisme. Kevin, qui avait de fortes convictions de gauche, ne reviendrait pas à Hollywood après son droit. Nous avions donc tous fui le show-business. Je n'aurais su dire si la publication de mes articles, çà et là, plaisait à mon père, lui l'ex-journaliste. Le livre que j'étais en train d'écrire, en revanche, risquait de surprendre mes parents. Eux regardaient encore comme un travail accompli l'enseignement que j'avais dispensé au Cap. Mais une bonne partie de mon bouquin porterait sur mon échec à aider mes élèves et les conséquences imprévues de mes efforts les moins éclairés.

Le désarroi où j'étais plongé depuis mon départ d'Afrique du Sud ne m'avait pas quitté. Je faisais toujours d'horribles rêves à propos de Sharon. Je n'avais aucun contact avec elle et je m'efforçais de cacher ce crève-cœur à Caroline. Mais je me demandais parfois si cet état d'esprit n'allait pas déteindre sur mon compte rendu de la libération des Noirs d'Afrique du Sud, et de quelle manière il l'influencerait.

Kevin, qui avait fait ses études supérieures à San Francisco, vivait, lui, un cauchemar bien plus sombre. La pandémie de sida n'en était qu'à son premier stade et restait encore très mal comprise. Les jeunes de San Francisco tombaient malades et y succombaient par centaines, bientôt par milliers. Caroline et moi étions des nouveaux venus en ville et nous ne connaissions personne dont le test de dépistage se serait révélé positif, mais les amis et les voisins de Kevin du centre-ville vivaient dans la terreur et étaient cruellement ostracisés. Le San Francisco General Hospital ouvrit en 1983 le premier service des États-Unis consacré au sida. Il se remplit en quelques jours. Sue, une des plus proches amies de Kevin, jeune et charmante avocate qui avait été sa colocataire à l'époque de la fac et avait passé Noël avec nous, en mourut à trente et un ans. La plupart des victimes de l'épidémie étaient des homosexuels, bien sûr. Kevin, qui est lui-même gay, participait activement au mouvement exigeant qu'on consacrât plus de ressources à la recherche sur le sida et à son traitement, mais il ne s'en ouvrait guère à moi. Nos périples en Afrique nous faisaient l'impression de s'être déroulés dans un autre siècle ; un autre siècle moins désolé. Au mieux, mon frère semblait absent. Je lui ai épargné le récit de mes quasi-noyades à l'inside* d'Ocean Beach.

J'ai ramé un jour vers le large avec Mark, à Pacheco, par une journée ensoleillée mais effrayante. Dans la mesure où il n'y avait que nous dans l'eau, on pouvait difficilement juger de la taille des vagues. Nous sommes sortis sans difficulté – les conditions étaient impeccables, les chenaux parfaitement discernables – mais, ensuite, nous avons mésestimé les conditions et pris position trop près du rivage. Avant même de surfer nos premières vagues, nous avons été surpris à l'intérieur par une énorme série. La première a arraché mon leash de ma cheville comme s'il s'agissait d'un simple bout de ficelle. J'ai plongé et continué de nager vers l'extérieur. La deuxième avait l'air d'un immeuble de trois étages. Comme la précédente, elle menaçait de se casser à quelques mètres de moi. J'ai plongé plus profondément et nagé encore plus vigoureusement. En frappant la surface juste au-dessus de moi, sa lèvre a claqué comme un coup de foudre tombant tout près et saturé l'eau environnante d'ondes de choc. J'ai réussi à me maintenir sous les turbulences, mais, en refaisant surface, je me suis rendu compte que la troisième vague de la série était d'un tout autre calibre. Plus grosse, plus massive, elle draguait aussi le fond beaucoup plus bas. J'avais les bras comme du caoutchouc et je me suis mis à hyperventiler. J'ai plongé plus tôt, et encore plus profondément. Plus je m'enfonçais dans l'eau, plus elle se faisait sombre et froide. Quand la vague s'est cassée, le bruit qu'elle a émis m'a paru surnaturel, sourd, un *basso profundo* d'une prodigieuse violence, tandis que la force qui me refoulait et m'aspirait vers le haut évoquait une cauchemardesque inversion de la gravité. Je suis encore parvenu à m'échapper et, quand je suis enfin remonté à la surface, j'étais très loin du rivage. Il n'y avait plus aucune vague, ce qui n'était pas plus mal car j'étais convaincu que la dernière m'aurait achevé. Mark, lui, était encore là, à quelque dix mètres sur ma gauche. Il avait plongé aussi, et, tout comme moi, échappé d'un cheveu à l'impensable. En revanche, son leash ne s'était pas brisé ; il tanguait sur sa planche. Ce faisant, il s'est tourné vers moi, une lueur de démence dans les yeux, et a beuglé : "C'est génial !" Ç'aurait pu être pire. Il aurait pu hurler : "C'est intéressant !"

Pour la postérité, j'ai appris plus tard qu'il avait effectivement trouvé "intéressant" cet après-midi de surf. Il était resté quatre heures dans l'eau (pour ma part, je m'étais appuyé le long trajet de retour à la nage, j'avais récupéré ma planche sur le sable et j'étais rentré me coucher), et il avait établi l'intervalle entre les vagues – le temps qu'il faut à deux vagues d'une même série pour passer au même point – à vingt-cinq secondes. Le plus long dont il eût été témoin à Ocean Beach. Ça ne m'a pas surpris outre mesure. Les vagues à plus ample intervalle se propagent plus vite à la surface de l'océan que leurs cousines à intervalle moindre, s'y enfoncent plus profondément, et, parce qu'elles ont accumulé davantage d'énergie, déplacent un volume d'eau bien plus important en se cassant. L'entrée du journal de Mark relative à cette session indiquait aussi, entre autres choses, que mon leash s'était brisé le vingt et unième jour de cette saison de surf, durant laquelle lui-même avait surfé des vagues de deux mètres quarante ou plus, et le neuvième jour où il surfait des vagues de trois mètres ou plus.

Ce qu'il fallait redouter avant tout, selon moi, c'était l'obligation de retenir sa respiration pendant le passage successif de deux vagues. La correction était si prolongée que vous n'aviez pas le temps de refaire surface avant que la vague suivante ne s'abatte sur vous. Ça ne m'était jamais arrivé. Des gens y avaient survécu, mais l'issue n'était jamais heureuse. J'ai entendu parler de types qui avaient renoncé au surf après avoir subi une telle épreuve. Quand quelqu'un se noie dans une grosse vague, il est rarement possible d'en déterminer la raison exacte, mais il me semblait qu'une apnée sur deux vagues d'affilée devait en être à l'origine. La principale raison de la frayeur que m'avait inspirée la troisième vague de cette monstrueuse série coupable d'avoir rompu mon leash, c'était qu'elle hurlait précisément ces mots : "Reste sous l'eau." C'était, pour Ocean Beach, un rare et contondant spécimen, à l'instar de la pire espèce des suçoirs qui font ventouse à l'intérieur d'une barre, mais en deux ou trois fois plus grand. Je ne comprenais pas à quel endroit des barres elle allait se casser, ni même pour quelle raison – je ne le comprends toujours pas –, mais, compte tenu de son épaisseur, j'étais conscient, alors même que je nageais dessous, qu'il ne resterait plus beaucoup d'eau devant moi à mon émergence, ce qui signifiait que j'allais vraisemblablement être aspiré, auquel cas j'aurais droit au moins à une collision avec le fond, peut-être désastreuse, suivie d'une apnée extrêmement longue, sinon fatale. J'ignorais encore l'intervalle exact entre deux houles, mais, dès les premières vagues que nous avions vues, j'avais pressenti qu'il serait exceptionnellement long. Dans ces conditions, rester en apnée pendant deux vagues risquait de toute évidence de dépasser mes moyens.

Tenir quarante ou cinquante secondes sous l'eau sans respirer peut paraître relativement tolérable. La plupart des surfeurs de grosses vagues peuvent retenir leur souffle plusieurs minutes ; mais sur la terre ferme ou dans une piscine. Quand on est ballotté par une grosse vague, dix secondes vous font l'effet d'une éternité. Au bout de trente, tout le monde ou presque frise l'évanouissement. Lors des pires raclées de mon existence, je n'avais aucun moyen de déterminer avec précision – ni même grossièrement –, la durée de mon apnée. Sur le moment, je m'efforçais avant tout de garder mon calme, de ne pas lutter ni brûler mon oxygène et de conserver suffisamment d'énergie pour remonter à la surface quand la punition aurait pris fin. Ma planche flottant mieux que moi, il me fallait parfois grimper le long de mon leash. Mes plus longues apnées étaient toujours celles où je me croyais arrivé au bout de mes forces – au tout dernier coup de pied avant de crever la surface – quand ce n'était pas encore vraiment le cas. Ce dernier ou ces deux ou trois derniers coups de pied encore nécessaires pour l'atteindre conféraient à ce spasme de la gorge, à cette tentative désespérée pour aspirer un peu d'air, l'allure d'un sanglot ou d'un cri étouffé. Réprimer ce réflexe qui vous incitait à aspirer de l'eau dans vos poumons était effroyable, frénétique.

Physiquement parlant, rien ne m'était arrivé de déplaisant à Pacheco sous cette troisième vague de la série. Et aucune ne lui avait succédé, de sorte que cette apnée de deux vagues que j'avais crainte n'aurait pas pu se produire. Pourtant, ce coup manqué m'avait épouvanté. Je savais désormais n'être pas prêt à affronter les conséquences d'un choc de plein fouet avec une vague de cette puissance. Je doutais d'ailleurs de l'être jamais.

Je trouvais sidérant qu'on pût apprendre à surfer à San Francisco. J'ai entrepris d'interroger de manière informelle des types à qui c'était arrivé. Edwin Salem m'a appris que, petit garçon, il avait fabriqué lui-même, au moyen de plaques de contreplaqué, de planchettes de récupération et de deux roulettes provenant d'un caddie de supermarché, un râtelier à planches à accrocher à son vélo. Il décollait du Sunset District deux heures avant que la marée ne fût propice à Fort Point, parce qu'il lui fallait ce délai pour y arriver en pédalant. Fort Point est une gauche pentue, juste sous l'extrémité sud du Golden Gate. Il lui arrive d'être bondée, mais c'est une vague relativement clémente. Vers douze ou treize ans, Edwin s'était mis à surfer l'eau blanche d'Ocean Beach. Peewee, qui était déjà l'un des cadors du spot, lui avait expliqué, avant même qu'Edwin ne sût encore surfer, qu'il devait ramasser beaucoup de bois – du bon bois sec – pour faire une belle flambée à son retour. "J'ai ramassé beaucoup de bois, m'a confié Edwin. Mais aussi un gros tas de merde." Et il est peu à peu devenu lui aussi un des piliers d'Ocean Beach.

Âgé à présent d'environ vingt-cinq ans, Edwin était maintenant un surfeur puissant et fluide, aux cheveux bruns bouclés et aux yeux verts pétillants. Nous nous trouvions à Sloat, en train de reprendre notre souffle après une exténuante sortie en ramant. C'était en milieu de matinée et il faisait froid. Les vagues étaient démontées mais médiocres ; personne d'autre n'était dans l'eau.

Les effluves de beignets chauds dérivaient jusqu'à nous depuis une boulangerie voisine de la boutique de Wise. À l'horizon, un pétrolier croisait en direction du Golden Gate. Nous avons décidé que nous nous étions trop éloignés du rivage. Nous avons recommencé à ramer vers la zone de take-off en nous faufilant soigneusement entre les houles, et j'ai commencé à questionner Edwin sur le surf en Argentine. Je savais qu'il y était né et y retournait de temps en temps rendre visite à ses parents. Il a éclaté de rire. "Après avoir surfé à San Francisco, je n'arrivais pas à croire que ce soit aussi facile là-bas, m'a-t-il répondu. L'eau était si chaude, les vagues si veloutées. Et il y avait des filles sur la plage !"

Les gros jours, la ville elle-même semblait différente. Lointains et vitreux, rues et immeubles semblaient les simples contours d'une sphère épuisée : la terre ferme. Toute l'action était en mer. Un matin de janvier 1984, Ocean Beach était si grosse que, lorsque j'ai roulé jusqu'à la côte à travers les quelques blocs d'immeubles qui m'en séparaient, San Francisco m'a fait l'effet d'une ville fantôme. C'était une triste et sombre journée de bruine et de froidure. L'océan était gris et brun, et extrêmement menaçant. Il n'y avait pas de voitures à Kelly ni à VFW. J'ai piqué vers le sud en conduisant assez lentement pour observer les vagues. Impossible d'évaluer leur taille : il n'y avait strictement rien en mer — ni personne — qui pût me fournir une échelle. Elles faisaient au moins six mètres de haut, voire davantage.

Quand je me suis garé sur le parking, Sloat m'a paru complètement déchaînée. Les vagues qui se cassaient au loin étaient tout juste visibles du rivage. Ramer jusque là-bas était impensable. Il n'y avait pas de vent, mais les plus grosses vagues s'ornaient malgré tout d'un plumet d'écume tant le volume d'eau qu'elles projetaient en cassant était énorme. Les déflagrations consécutives étaient d'une blancheur surnaturelle, évoquant de petites explosions nucléaires ; à les observer, j'en avais l'estomac retourné. Quand Mark m'avait téléphoné un peu plus tôt, il s'était contenté de dire : "Sloat. Soit t'en es, soit t'en es pas." Mais Sloat était hors de question. Mark s'est garé quelques minutes après moi. Il s'est tourné dans ma direction et a écarquillé les yeux — sa façon de me dire que les vagues étaient encore plus grosses qu'il ne l'avait cru. Il s'est fendu d'un gloussement sinistre. Nous sommes convenus d'aller observer les vagues du côté sud d'une jetée provisoire, construite par la ville à quelque huit cents mètres de là. Alors que nous repartions, Edwin s'est à son tour garé. Mark l'avait aussi réveillé à l'aube. Nous avons roulé à travers les dunes au sud de Sloat.

La houle venait du nord-est – engendrée par une grosse tempête sur les Aléoutiennes – tant et si bien que côté sud, à son abord immédiat, la jetée longue de quatre ou cinq cents mètres réduisait de manière significative la puissance des vagues. Celles-ci n'arrivaient même pas à la moitié des lames gargantuesques du versant nord, et elles semblaient presque surfables. Encore fallait-il les atteindre. Des gens sortaient parfois en ramant sous la jetée, où un courant d'arrachement constant, ramenant à la mer l'eau que les vagues accumulaient près de la plage, avait creusé une profonde tranchée, si bien que les vagues s'y cassaient rarement. Mais c'était le souk là-dessous : des câbles détachés en pendillaient, et d'énormes plaques de fer saillaient de l'eau à des angles bizarres, sans même parler des piliers eux-mêmes, qui, très rapprochés les uns des autres, ne bronchaient pas d'un poil quand les vagues vous plaquaient contre eux. J'en avais pris le risque certains jours, quand sortir à Sloat m'avait paru au-dessus de mes forces, mais je m'étais juré de ne plus jamais recommencer. Des vagues brisées déferlaient en grondant entre les piliers, pareilles à de petites avalanches traversant une forêt de fer. La seule méthode pour sortir ce jour-là avait été de se faufiler en catimini devant la guérite du gardien du chantier de construction, de courir jusqu'au bout de la jetée et d'en sauter, puisqu'il était abrité des vagues.

"On fait comme ça", a lâché Mark.

Nous étions encore assis dans sa fourgonnette – une vieille Dodge cabossée mais robuste de 1975, équipée pour la montagne –, elle était garée sur une route de terre juste au sud de la jetée. Personne n'avait pipé mot depuis dix bonnes minutes, sauf pour s'écrier "Oh, mon Dieu !" ou "Regardez-moi ça !" Je n'avais aucune envie d'aller surfer. Par chance, ma planche n'était pas adaptée à ces conditions ; même le gun de 8'4" d'Edwin semblait trop petite. Mark avait emporté deux planches pour les grosses vagues, chacune longue de plus de deux mètres soixante-dix. L'un de nous pouvait se servir de la seconde, a-t-il précisé.

"C'est bien pour ça que je ne possède aucune planche de plus de deux mètres soixante-dix", a répondu Edwin avec un rire nerveux.

En réalité, c'était même pour cette raison que la plupart des surfeurs ne possèdent pas de planches de plus de deux mètres quarante ; car cela devait soulever cette question : faut-il sortir quand les conditions exigent une planche de cette dimension ? Une fois où, dans la boutique de Wise, des surfeurs étudiaient un gun de 10'10" en exposition, j'ai entendu l'un d'eux marmonner à l'intention de ses amis : "Celle-là est vendue avec un cercueil en prime." Pour des planches aussi sérieuses, le marché reste très réduit.

Mark a sauté de sa fourgonnette, en a fait le tour jusqu'à la portière arrière et a enfilé sa combinaison. Pour la toute première fois depuis que je m'étais établi à San Francisco, j'étais disposé à refuser de sortir et Mark a paru s'en rendre compte. "Allez, Edwin, a-t-il lancé. On a déjà surfé de plus grosses vagues."

C'était sans doute vrai. S'agissant des grosses vagues, Mark et Edwin avaient passé un pacte, officieux mais léonin. Ils surfaient ensemble depuis qu'ils avaient fait connaissance en 1978. Mark s'était intéressé de très près à l'avenir d'Edwin, l'avait conseillé sur la manière dont il fallait se comporter aux États-Unis, l'avait encouragé à s'inscrire à la fac. Edwin, qui vivait avec sa mère — ses parents étaient divorcés —, en était venu à apprécier les conseils de ce père de substitution, qui avait fini par inclure un laïus d'encouragement pratiquement ininterrompu à propos des grosses vagues. Edwin était physiquement taillé pour les affronter : de constitution robuste, c'était un nageur infatigable et un excellent surfeur. Il avait aussi des nerfs solides et était fortement enclin à une forme assez juvénile d'allégresse. En dernier lieu, il fallait dire aussi qu'il se fiait entièrement à Mark — et même qu'il l'adorait. Ce qui en faisait l'apprenti idéal dans un programme qui, depuis plusieurs hivers, l'amenait à affronter des vagues de plus en plus grosses, et parfois même géantes. La teneur principale de leur pacte était un entendement tacite, selon lequel Mark ne forcerait jamais Edwin à sortir les jours où il risquait vraisemblablement de se noyer.

Edwin secouait la tête d'un air lugubre tout en dézippant la fermeture Éclair de sa parka. La plupart du temps, en société, il aurait fait un improbable Sancho Pança – il mesure plus d'un mètre quatre-vingt, avec une mâchoire carrée et les dehors d'un meneur d'hommes –, mais ce qui surtout m'a frappé, à les voir enfiler laborieusement leur combinaison, c'est à quel point Mark ferait passer n'importe quel compagnon pour un simple faire-valoir.

Pendant qu'Edwin s'affairait sur un leash qu'il transférait de sa planche à celle que Mark lui prêtait – une volumineuse gun jaune pâle de 9'6" à une seule dérive –, ce dernier me montrait comment me servir de son appareil photo. Puis il s'est emparé de la planche qu'il allait lui-même surfer – une magnifique et étroite 9'8"à trois dérives –, l'a emportée dans les dunes et a entrepris d'en waxer méthodiquement le deck avant de se livrer à une série de longs étirements de yoga, tout cela sans jamais quitter les vagues des yeux.

"Pourquoi on fait ça ?" m'a demandé Edwin. Son rire nerveux a de nouveau fusé, en dents de scie.

Edwin enfin prêt, tous deux sont partis, passant sur la pointe des pieds devant la caravane du gardien, disparaissant de temps en temps derrière des piles de canalisations d'égout format mammouth, toujours trottinant – deux silhouettes aériennes dont les planches se détachaient dramatiquement sur fond de ciel blanchâtre. Par-delà la jetée, je voyais les vagues de Sloat se casser là où jamais elles ne cassent. Encore plus au nord, la gamme des houles gris-beige et des murs blancs semblait sortir tout droit de mes pires cauchemars sur le surf. Même ainsi, assis au chaud et au sec dans la fourgonnette, ces vagues me fichaient la trouille.

Au bout de la jetée, Mark et Edwin ont descendu une échelle, se sont affalés sur leurs planches et ont entrepris de revenir vers le rivage en ramant. Leur approche permettait à présent de se faire une idée de l'échelle des vagues, qui, finalement, se révélèrent moins monstrueuses que je ne l'avais imaginé. La gauche massive qu'Edwin s'empressa de prendre faisait près de trois fois sa taille. L'air vorace, elle était d'un brun boueux ; j'ai commencé à prendre des photos. Edwin l'avait bien accrochée, mais elle s'aligna brusquement sur la jetée, cinquante mètres orientés vers le nord, et se referma sur toute sa longueur, le forçant à redresser le cap. L'eau blanche explosa et l'engloutit. Un instant plus tard, sa planche en ressortait en cabriolant ; son leash s'était rompu. Les vagues se cassaient près du rivage – il n'y avait pas de barre extérieure au sud de la jetée –, et Edwin vint très vite s'y échouer. Il gravit la colline, le souffle court, puis sourit quand je déclarai avoir pris plusieurs clichés de son ride. "C'est pas trop le bordel, je crois, m'affirma-t-il. Peut-être une légère tendance au close-out." Il a souhaité m'emprunter mon leash. Je le lui ai prêté avec joie. Les vagues semblaient témoigner bien davantage qu'une "légère tendance au closed-out" et ça ne se réchauffait pas. L'air devait être à 4 °C.

Alors qu'Edwin entreprenait de gagner à nouveau la jetée, j'ai remarqué une série terrifiante qui, peut-être deux cents mètres plus au nord, se cassait sur une barre extérieure. Dans la mesure où il y avait maintenant du monde dans l'eau à Sloat, on pouvait bel et bien évaluer à presque sept mètres la taille des vagues. Mais cette série précise n'était pas seulement colossale. Elle était aussi d'une violence phénoménale. En se cassant, les vagues donnaient l'impression de se retourner sur elles-mêmes et, quand elles marquaient une pause, de cracher des nuages de brume – de l'air piégé dans des tubes gros comme des camions. Je n'avais jamais rien vu de tel, même sur le North Shore : des tubes cracheurs de brume de sept mètres de haut. Edwin gesticulait à l'attention de Mark pour essayer de lui signaler, à l'horizon côté sud, une série qui menaçait de se casser. Le fracas des vagues sous la jetée noyait les rugissements d'une série, pourtant plus grosses, qui étaient plus éloignées, et Edwin ne tournait jamais les yeux vers le nord, où le spectacle l'aurait sans doute pétrifié.

Mark prit coup sur coup deux droites de trois mètres escarpées, qu'il réussit dans les deux cas, mais, s'agissant des droites, je n'avais pas le bon angle pour prendre des photos et, de toute façon, d'un point de vue purement photographique, la situation au sud de la jetée commença à se détériorer après le retour d'Edwin. Il se mit à pleuvoir sérieusement, et Edwin et Mark, que je distinguais à peine dans la brume, ne prirent pas une seule vague pendant une demi-heure. Je suis allé ranger l'appareil de Mark, j'ai refermé la fourgonnette et je suis rentré chez moi.

Edwin m'apprit plus tard qu'il avait pris une autre gauche peu après mon départ. Il l'avait surfée sans encombre, mais la suivante, un pic de quatre mètres cinquante qui venait se fracasser sur la jetée, l'avait englouti. Mon leash s'était rompu à son tour, mais, cette fois, au lieu d'être rejeté sur le rivage, Edwin avait été happé par un courant puissant et entraîné droit sur la jetée. Terrifié, il s'était frayé un chemin entre les piliers et en était ressorti indemne côté nord. Mais, là, le même courant était reparti vers le large et l'avait déporté en direction de la barre extérieure – celle-là même où j'avais vu ces tubes de six à sept mètres de haut se retourner sur eux-mêmes en crachant. Il avait nagé vers la rive, mais le courant s'était montré plus fort. Affaibli et paniqué, il se trouvait déjà à des centaines de mètres de la rive, mais toujours au sud du banc de sable meurtrier, quand une série traîtresse de lames de fond s'était brisée juste devant lui. Ces vagues étaient beaucoup moins fortes que celles qui se cassaient là où il était emporté, et il était donc resté à la surface et s'était laissé télescoper. La série l'avait repoussé vers la lisière intérieure du courant d'arrachement. Là, il avait réussi à suivre à la nage la voie tracée par l'eau blanche qui, revenant en grondant de la barre assassine, l'avait rapproché du rivage. Quand il avait atteint la plage, non loin de Sloat, il n'avait plus la force de marcher.

Mark l'y avait trouvé. Edwin était trop secoué pour conduire, Mark l'avait donc ramené chez lui. J'ignore s'il lui a expliqué ce qu'il fabriquait pendant qu'Edwin se battait pour sa vie dans l'eau puis gisait sur le sable, pantelant, mais il m'a confié plus tard qu'il avait fini par se lasser des trop longues accalmies de la houle au sud de la jetée et qu'il avait gagné le versant nord en ramant. Il était resté très à l'écart de la barre mortelle, mais il avait pris à Sloat deux vagues géantes avant de revenir au sud en quête d'Edwin. Il s'était sans doute inquiété en trouvant la planche qu'il lui avait prêtée sur le sable, et il avait été soulagé de retrouver Edwin un peu plus loin. Leur pacte a survécu à cet épisode sévère. Cependant, après que Mark l'avait raccompagné à l'appartement qu'il partageait avec sa mère, Edwin ne quitta pas la terre ferme pendant plusieurs jours. Et il ne surfa que très peu jusqu'à la fin de l'hiver. On ne le vit plus sortir par très grosses vagues.

Un autre jour de froid à Sloat : une demi-douzaine de personnes, à marée haute, dans des vagues translucides de plus de trois mètres. Je reste sur le rivage, au chaud et au sec, incapable de quoi que ce soit depuis que, deux semaines plus tôt, je me suis foulé la cheville en chute libre au Dead Man, une gauche dans les falaises au sud du Golden Gate. Je suis à nouveau dans la fourgonnette de Mark, un appareil photo en main. Je ne prends presque jamais de photos de surf – je ne tiens pas en place quand les vagues sont bonnes –, mais Mark a vu là une très bonne occasion de me filer de nouveau l'appareil dans les mains et il a saisi l'opportunité au vol. Pratiquement tous les surfeurs aiment se voir en photo sur une planche. Affirmer que les vagues, tout comme les rides qu'elles vous procurent, sont essentiellement des événements éphémères et qu'il est bien normal, par conséquent, que les surfeurs aient envie d'en conserver des souvenirs, ne suffit pas à expliquer cet engouement collectif pour les autoportraits. Je suis censé shooter deux ou trois types – Mark et ses amis –, mais ils ne prennent pas beaucoup de vagues. Elles piquent vers le sud, entraînant la foule avec elles, et mes modèles se fondent dans un champ de lumière étincelante.

Je devrais les y suivre. Je me hisse péniblement sur le siège du conducteur, je mets le contact et je me sens soudain dans la peau d'un gamin qui vient d'endosser le pardessus de son papa : les manches me tombent jusqu'aux genoux, l'ourlet balaie le plancher. Mark n'est pas beaucoup plus grand – il me dépasse de trois ou quatre centimètres –, mais le siège me semble bizarrement large, le volant surdimensionné, et la fourgonnette, plutôt qu'une voiture, pendant que je la pilote entre les flaques et les nids-de-poule du parking de Sloat, est un cargo au pont surélevé et au gouvernail sûr. De la place du conducteur, le véhicule, dont le plateau est surchargé de planches de surf, me fait l'impression d'un gros félin en train de s'étirer, conscient de sa puissance, de la musculature de ses membres longilignes et de sa parfaite santé. Moi-même, à voir le monde du point de vue d'un roi de la jungle rincé par les vagues, je me sentirais prêt à évangéliser n'importe qui.

Mark comprenait cette passion compulsive pour les photos de surf. Non seulement il projetait des diapos et avait punaisé des clichés de lui sur tous les murs de son appartement, mais encore était-il ravi de présenter à ses amis des photos d'eux en train de surfer. J'avais vu ces clichés encadrés comme des icônes religieuses et accrochés aux cimaises des maisons de leurs modèles respectifs. Il m'en avait d'ailleurs offert un, où j'étais accroupi sur ma planche dans un tube gris ardoise à Noriega. Caroline l'avait fait encadrer pour mon anniversaire. C'était une très belle photographie, mais sa vue m'agaçait, parce que le photographe, un ami de Mark, l'avait shooté une seconde trop tôt. Immédiatement après l'instant qu'il avait capté, je disparaissais à l'intérieur de la vague. Et c'était là la seule photo que je convoitais : la vague seule, avec la certitude que je décrivais en son sein, derrière l'épais rideau emperlé d'argent qui déferlait, une ligne rectiligne. C'est l'instant d'invisibilité, et non son anticipation, qui est le cœur même du ride. Mais les photos ne sont pas faites pour rendre compte de ce qu'on ressent lors d'un ride. Elles sont là pour afficher ce que d'autres ont pu en voir. Ce cliché de Noriega – je l'ai en ce moment même sous les yeux – expose une mer très sombre ; pourtant le souvenir que j'en ai gardé est comme baigné de lumière argentée, parce que, pendant que je croisais dans les profondeurs de cette vague et que j'en ressortais par son œil en amande, je fixais le sud.

À mes yeux, et pas uniquement aux miens, le surf recèle ce paradoxe : il existe un désir de se retrouver seul avec les vagues, et celui-ci fusionne avec le désir, tout aussi fort, d'être admiré, d'occuper le devant de la scène.

Cet aspect social peut prendre l'allure d'une compétition ou de la pure et simple aspiration à un peu de compagnie, voire les deux à la fois. J'ai découvert à San Francisco que ce besoin pouvait être extrêmement puissant. La communauté des surfeurs est assez restreinte, et, à surfer Ocean Beach quand les vagues y sont déchaînées on peut se sentir formidablement seul. Un beau matin de printemps, alors que j'étais en train de waxer ma planche juste devant chez Kim, l'épouse de Tim Bodkin, sur la Great Highway, elle m'a bien fait comprendre quelle place j'occupais dans la communauté. Plusieurs autres surfeurs étaient en train de traverser le tunnel de Taraval. Kim avait son nourrisson avec elle et le faisait sauter sur ses genoux au soleil. (Mark avait déjà prédit que Tim cesserait de surfer les grosses vagues du Sloat l'hiver suivant.) "Alors, toute l'escouade du Doc est de sortie ? m'a-t-elle demandé.

— La quoi ?

— L'escouade du Doc. Ne viens pas me dire que tu n'es pas au courant. Tu fais partie des membres fondateurs."

Le dernier numéro de *Surfer* traînait sur le comptoir chez Wise. En temps normal, je m'en serais emparé pour le feuilleter. Mais la couverture présentait une gauche bleue à l'aspect familier en train de dérouler à l'arrière-plan, tandis qu'au premier plan un surfeur sautait d'un bateau avec sa planche. "FANTASTIQUES FIDJI", titrait la manchette, tandis qu'une bande transversale, dans le coin supérieur droit, clamait : "UNE DÉCOUVERTE !" Il s'agissait de Tavarua, évidemment.

J'avais déjà envie de vomir. Et je ne connaissais pas encore la moitié de l'histoire.

En réalité, l'article du *Surfer* ne portait pas sur la découverte d'une nouvelle grande vague mais sur l'inauguration d'un complexe hôtelier. Deux surfeurs californiens avaient, semblait-il, acheté ou loué l'île ; ils y avaient fait bâtir un hôtel et l'ouvraient désormais à la clientèle. Ils offraient à un maximum de six hôtes l'accès exclusif à la meilleure vague du monde contre une certaine somme d'argent. C'était là un tout nouveau concept : payer pour surfer des vagues désertes. Les articles sur la découverte d'une nouvelle grande vague sont une sorte de marronnier dans les revues de surf, mais, quant à l'obligation de dissimuler sa localisation, les règles tacites restent strictes. Sans doute peut-on divulguer le nom du continent, mais jamais celui du pays proprement dit, ni même, parfois, celui de l'océan. Certains risquent sans doute de le deviner, mais ils seront très peu nombreux et il leur faudra s'échiner pour y parvenir ; et ces derniers tiendront ensuite à en garder le secret. En l'occurrence, toutes les règles avaient été bafouées. Certes, le complexe hôtelier et les accords qu'il avait passés avec les autorités locales interdiraient aux foules de s'y presser. Ce serait une vague privée. Donc inscrivez-vous tout de suite. On accepte toutes les cartes de crédit. Il y avait même une publicité pour la station balnéaire dans le même numéro du magazine.

Il se trouva que Bryan, cette même semaine, arrivait à San Francisco de Tokyo par avion. Il était en free-lance pour des magazines de tourisme et rentrait d'une mission à Hokkaido. Je suis allé l'attendre à l'aéroport. Durant le trajet de retour jusqu'à notre appartement, j'ai laissé tomber le dernier numéro de *Surfer* sur ses genoux. Il s'est mis à jurer dans sa barbe, de plus en plus bruyamment. Spéculer sur l'identité de celui qui avait ouvert sa grande gueule eût été vain. Le fantasme que nous partagions avait crevé comme une bulle : en fin de compte, Tavarua n'avait pas patienté chastement pendant six ans sans que nul surfeur ne la découvre, dans le fracas de ses transcendantes vagues vierges contre le récif.

Bryan l'a bien plus mal pris. Ou, du moins, n'est-il pas resté aussi passif : il a écrit une lettre à *Surfer*. En nous sentant ainsi ulcérés, m'a-t-il expliqué, nous nous comportions comme des roquets qui grondent devant la mangeoire et interdisent aux bêtes de brouter le foin dont ils n'ont rien à faire. Il n'en trouvait pas moins, comme moi-même, toute cette affaire parfaitement nauséabonde. Tout ce qui est libre et gratuit en ce monde peut donc être exploité, souillé et gâché, écrivait-il. Sa lettre posait à *Surfer* les bonnes questions sur ses accords financiers avec l'hôtel et qualifiait ses éditeurs de maquereaux ; ou, au mieux, de crétins.

Revoir Bryan en chair et en os me faisait tout drôle. Bien sûr, nous entretenions encore fidèlement une volumineuse correspondance, à tel point qu'il me semblait parfois vivre dans le Montana une seconde vie, une vie bien plus remplie que la mienne – à skier comme un fou, boire sec et traîner mes guêtres avec un tas d'écrivains tapageurs et talentueux, qui semblaient toujours pulluler dans ce bled. Bryan publiait beaucoup – articles, critiques – et travaillait à un autre roman. Il vivait avec une "méchante femme maigre comme un clou", ainsi qu'il la décrivait, une écrivaine du nom de Deirdre McNamer, qui n'était pas méchante du tout et lui fit même plus tard la grande faveur de l'épouser. Ses articles sur le tourisme le conduisaient aux quatre coins du globe – Tasmanie, Singapour, Bangkok. Deirdre l'avait accompagné à Bangkok, où il lui avait montré le Station Hotel et nos anciens repaires. Lui-même avait été choqué par son aspect sordide. "Combien l'argent peut changer une ville, m'écrivait-il à la quinzième page d'une lettre qu'il m'avait envoyée d'Asie du Sud-Est. Elle est en train de devenir climatisée, organisée, facile." Drôles, volcaniques, les lettres de Bryan – même celles, fréquentes, qui étaient truffées d'autoflagellation –, avaient quelque chose de Whitman. Il m'a écrit une fois qu'il venait seulement de comprendre que l'hospitalité qui nous avait été offerte aux Samoa, en 1978, par Sina Savaiinaea et sa famille, leur avait beaucoup coûté, compte tenu de leur peu d'argent, et que nous les en avions remerciés avec des babioles au lieu de l'argent dont ils avaient si cruellement besoin, et qu'ils avaient été trop polis pour nous le faire remarquer. Il en était si meurtri qu'il en avait perdu le sommeil. Et il avait sans doute raison sur ce point.

Bryan n'avait pas surfé depuis un bon moment. La houle d'octobre était faible. Mark lui prêta une planche et une combinaison. La combinaison était trop petite et Bryan dut s'escrimer pour l'endosser, en se tortillant dans la pénombre du garage de Mark sous les yeux un peu trop amusés du propriétaire et de ses amis. Je l'ai aidé à la zipper. Dans l'eau, il s'est épuisé. L'eau blanche d'Ocean Beach était impitoyable, comme à son habitude, et Bryan était moins en forme que jadis. Je plongeais à ses côtés pour esquiver les vagues, en lui donnant quelques conseils qui furent mal reçus. Nous avons surfé deux fois pendant son séjour, et il feignait le plus grand enthousiasme à l'idée de retrouver l'océan. J'attendais avec impatience qu'un des jeunes membres de l'escouade du Doc lui fît quelque remarque cuisante pour rabattre son caquet, mais nul ne s'y risqua. Bryan jaugea Mark et la réciproque fut probablement vraie. Bryan n'aimait rien moins que la frime.

Bryan et Caroline, en revanche, parlaient la même langue. J'ai relevé quelques remarques qu'il lui a faites, quand elle m'a traité de "hyène" pour avoir rôdé dans la cuisine, ou quand elle lui a demandé d'un air indigné en quel honneur une mordue locale de fitness pourrait bien s'intéresser à son "vilain corps". Bryan nous avait rapporté du Japon des décalcomanies touristiques en anglais – NOUS AVONS FAIT UN EXCELLENT SÉJOUR ou NOUS AVONS PRIS DES PHOTOS PARTOUT – que nous avons collées sur le frigidaire.

Un an environ après cette visite, Bryan écrivit un petit article sur son équipe de softball dans le *Montana Review of Books* et m'envoya le manuscrit. Est-ce que ça intéresserait le *New Yorker* ? Je lui répondis que c'était très bon, mais pas pour la rubrique "Talk of the Town". Trop romancé, trop confessionnel. J'étais un expert en la matière, évidemment, puisque j'avais vendu un de mes articles au magazine... Bryan n'attendit pas ma réponse éclairée et soumit le texte à la revue. William Shawn, son rédacteur en chef, le lut et l'appela pour le couvrir de louanges. Il lui paya le billet d'avion pour New York, l'installa à l'hôtel Algonquin et lui demanda ce qu'il aimerait écrire d'autre. Il publia sur-le-champ l'article sur le softball et lui confia la rédaction d'un article en deux parties sur l'histoire de la dynamite – l'idée était de Bryan. Quand j'appris par Deirdre que Bryan était à New York et ce qui l'y amenait, je posai piteusement la question : N'avait-il donc pas ouvert la lettre que je lui avais écrite et qui l'attendait à Missoula ?

Un jour à VFW en fin d'hiver où les vagues étaient particulièrement puissantes. Tim Bodkin et Peewee sont les seuls de sortie. De la plage, la mer n'est qu'une étendue incolore et aveuglante, brisée de manière intermittente par les murs noirs des vagues. Mark était arrivé très tôt. Quand il rentra, il affirma que les vagues étaient hautes de trois à trois mètres soixante et que le courant du sud au nord était "une tuerie". Un léger vent du nord-ouest s'était levé entre-temps, marbrant la surface, les vagues un poil plus dangereuses et difficiles à surfer. Bodkin et Peewee en prennent quelques-unes. Ils nous restent la plupart du temps invisibles à cause de la lumière éblouissante. Ils surfent des gauches massives qui se cassent sur une barre extérieure, où j'ai vu des vagues, rarement, casser et qui ne m'avaient jamais paru surfables quand elles s'y brisaient. Par les petits jours à peu près corrects, cette partie du spot est d'ordinaire la plus fréquentée. Mais il s'agit précisément d'une de ces journées où, selon Bob Wise, il reçoit un tas de coups de fil de types qui lui demandent : "C'est gros ?" et lorsqu'on répond "Non ! Énorme !", se souviennent brusquement qu'ils ont quelque chose à faire dans un autre secteur, très éloigné de la Bay.

Huit ou dix surfeurs observent la mer depuis le remblai, nerveux et de mauvaise humeur. Tous semblent tomber d'accord pour dire que le vent a saboté les vagues et qu'il n'y a plus aucune raison de sortir. Les litanies de grossièretés dont on fait usage pour débattre des vagues, du temps, du monde, sont particulièrement longues, même de la part de surfeurs. Ils font les cent pas, les poings dans les poches, la bouche sèche, rient trop fort. Puis Edwin, qui contemple l'océan derrière des verres miroir et qui est resté coi jusque-là, éclate : "J'ai une idée ! annonce-t-il. Faisons comme les groupes de soutien. Ce n'est pas parce que j'ai la *trouille* que je ne sors pas. Pourquoi ne dirions-nous pas tous : 'Ce n'est pas parce qu'on a la trouille qu'on ne sort pas ?' Allez, Domond, dis-le."

Domond, un type coriace et bruyant qui bosse dans la boutique de Wise quand il ne conduit pas un taxi, détourne la tête d'un air écœuré. Edwin s'adresse donc à un autre gars du pays, surnommé Beeper Dave, qui lui aussi évite le sujet, secoue la tête et grommelle dans sa barbe. Tout le monde ignore Edwin, qui se contente de hausser les épaules et de rire avec nonchalance.

"Une série !" s'exclame quelqu'un. Tous les yeux se tournent vers l'horizon, où le drap lisse et étincelant de la mer commence à se soulever pour former des rides grises d'une largeur effrayante. "Ces gars sont *morts* !"

Je décidai de tenter d'écrire sur Mark. Il était OK. J'envoyai une proposition au *New Yorker* : un portrait de ce stupéfiant surfeur et médecin métropolitain amateur de grosses vagues. L'idée plut à Shawn qui me confia la pige.

Entre Mark et moi, tout changea. Qu'on pût se méprendre sur mon compte et voir en moi l'un de ses acolytes cessa de me mortifier. J'étais le Boswell de ce Samuel Johnson-là, figurez-vous. Je l'ai interrogé sur son enfance – son père était psychiatre à Beverly Hills. J'ai dressé l'inventaire du contenu de sa fourgonnette. Je l'ai accompagné dans ses déplacements professionnels, assis à l'intérieur pendant qu'il examinait ses patients. Durant nos années de fac, il avait été une sorte de prodige. Quand on avait diagnostiqué une tumeur chez son père, Mark, qui était encore en première année de médecine, s'était plongé dans l'étude du cancer avec un acharnement qui avait convaincu nombre de ses camarades que son but était d'en découvrir le traitement à temps pour le sauver. Il se trouva que la tumeur était bénigne. Mais Mark poursuivit dans cette voie. En réalité, il ne s'intéressait pas à l'oncologie – pour guérir la maladie –, mais à l'enseignement et à la prévention du cancer. Quand il entra enfin à la fac de médecine, il avait créé avec un autre étudiant une série de cours académiques sur le cancer et cosigné *The Biology of Cancer Sourcebook*[01], manuel d'un cours qui devait être ensuite distribué à des dizaines de milliers d'étudiants en médecine. Il en cosigna un second, *Understanding Cancer*[02] qui devint un best-seller universitaire, et il continua à donner, dans tous les États-Unis, des séminaires sur la recherche, l'enseignement et la prévention de cette maladie.

"Le plus drôle, c'est que je ne m'intéresse pas vraiment au cancer, me confia-t-il. Mais à la manière dont les gens y réagissent. Beaucoup de patients et de gens qui ont survécu affirment qu'ils n'avaient pas réellement vécu avant que la maladie ne se déclare, que le cancer les avait contraints à regarder les choses en face, à vivre plus intensément. Au sein de la famille, on se rend compte que les parents ne peuvent plus se permettre d'avoir des rapports superficiels quand un membre de la famille est frappé. Aussi ringard que ça puisse paraître, c'est à l'esprit humain que je m'intéresse, à la façon dont les gens réagissent au stress et à l'adversité. À leur manière de lutter, de riposter, de trouver le moyen de refaire surface." Mark fendit l'air de ses bras. Il mimait le combat qu'il fallait mener pour remonter à la surface à travers les turbulences d'une vague massive.

01 — "Le recueil de références sur la biologie du cancer."
02 — "Comprendre le cancer."

Contre tout abandon de poste

J'ai demandé son opinion professionnelle à Geoff Booth, journaliste, médecin et surfeur australien. "Mark a décidément un désir de mort en lui, m'a-t-il répondu. C'est une force extrêmement compulsive ; je pense que seule une poignée de gens dans le monde peuvent réellement la comprendre. Je n'ai connu qu'une seule autre personne qui la possédait... Jose Angel." Un grand surfeur hawaïen de grosses vagues, qui a disparu en 1976 durant une plongée à Maui.

Une des théories d'Edwin, c'était que ce désir compulsif chez Mark, de surfer de grosses vagues, était induit par la fureur et le sentiment de futilité que lui inspirait la mort de ses patients. Mark en trouvait l'idée grotesque. L'autre hypothèse d'Edwin était de nature freudienne. (N'oublions pas qu'il venait d'Argentine, où la psychanalyse est la religion de la classe moyenne.) "C'est de toute évidence phallique, disait-il. Cette grosse planche, c'est sa queue." Je n'ai pas pris la peine de soumettre cette analyse à Mark.

J'ai terminé mon livre sur l'Afrique du Sud. En attendant d'avoir des nouvelles de l'éditeur, je suis allé à Washington pour rendre compte dans un article de la politique des États-Unis concernant ce pays. L'agitation pour les droits civiques en Afrique du Sud faisait les gros titres et le mouvement anti-apartheid gagnait en influence au niveau mondial. Estimant très judicieusement que l'apartheid était condamné, un groupe de jeunes parlementaires conservateurs menés par Newt Gingrich avait fomenté une révolte contre la politique de l'administration de Reagan, laquelle était globalement favorable à l'apartheid. S'ensuivit une vague de luttes intestines dans les rangs des Républicains, certains éminents représentants étaient maintenant impatients de s'exprimer. S'agissant de l'apartheid, j'avais moi-même un os à ronger plus que conséquent, mais mon masque d'impassibilité s'endurcissait (je suis toujours prêt à mélanger les métaphores) et ma compréhension du pouvoir politique continuait de s'affiner. Je portais un costume noir bon marché, un nouvel attaché-case que m'avait offert Caroline et je m'efforçais de me comporter comme si je savais ce que je faisais dans les bureaux des parlementaires et des sénateurs, le Département d'État et la Fondation Heritage. Je me suis frayé un chemin à travers la frange militariste où officiait le lieutenant-colonel Oliver North, qui n'était pas encore une figure publique. J'étais novice et maladroit, mais j'adorais ce boulot : suivre des pistes, établir des relations, poser des questions difficiles. C'était mon troisième ou quatrième article pour *Mother Jones*, un mensuel de gauche de San Francisco qui cherchait tout content à se faire une place au soleil. La rébellion des jeunes conservateurs du Congrès triompha. Reagan retourna gentiment sa veste au sujet des sanctions économiques imposées à Pretoria. Son administration n'en continua pas moins de faire pleuvoir les morts au Nicaragua.

La petite communauté des surfeurs de San Francisco ne parut que très lentement prendre conscience de mon nouveau statut de reporter. Entre-temps, j'avais appris à en connaître les principales figures masculines − il n'y avait encore que des hommes dans l'eau à Ocean Beach, aucune femme −, bien que peu d'entre eux en sachent long sur moi. Quand le bruit s'est répandu que j'écrivais un article sur Mark, il m'a semblé qu'on commençait à me regarder d'un autre œil. Certains l'articulaient spontanément : "C'est le plus grand des petits gars de la Beach", disait de moi Beeper Dave. L'intention était bonne. "Un truc à propos du Doc : il persiste à dire que tout est possible", avançait Bob Wise. Un autre visage de Mark, qui m'avait échappé jusque-là, m'apparut petit à petit. Sa plus claire expression me vint d'un inconnu qui m'avait rattrapé en ramant, manifestement dans un but bien précis, à VFW. C'était un type coriace, aux longs cheveux blond sale, l'air de sortir du ruisseau, et il s'était approché bien plus près que ne l'autorisait l'étiquette du surf. Il m'a regardé droit dans les yeux et a grogné : "Doc est un putain de kook." Je n'ai pas moufté et, au bout d'un assez long moment, il s'est éloigné. Ravi d'avoir fait ta connaissance, moi aussi. À première vue, sa remarque était absurde. Dans le jargon du surf, un kook est un débutant. Mais l'important, c'était l'insulte, peut-être la plus grave qui fût dans le monde du surf, et la bouillante hostilité. J'en pris acte.

Pour ma part, je voyais en Mark un élève assidu d'Ocean Beach. Mais, aux yeux de certains locaux, je finis par m'en rendre compte, ce n'était qu'un gosse de riches d'une famille de L.A., qui commençait à prendre un peu trop de place dans les esprits. Socialement, la frontière entre cols-bleus du coin et cols blancs qui venaient d'arriver n'était ni simple ni clairement définie. De nombreux potes de Mark étaient natifs du Sunset District. Et un tas d'habitués d'Ocean Beach n'entraient dans aucune de ces deux catégories. Sloat Bill, par exemple, était courtier en matières premières, et venait du Texas tout en étant passé par Harvard. Il devait son surnom au fait d'avoir vécu pendant un mois dans sa voiture sur le parking de Sloat après un de ses divorces, et avoir juré de ne la quitter que lorsqu'il aurait maîtrisé l'art difficile de surfer ce spot. Qu'il ait ou n'ait pas atteint cet objectif, il avait sans doute gagné plus de fric, en passant des ordres d'achat et de vente sur son ordinateur branché à l'allume-cigare de sa voiture, que nous tous en restant assis dans ce même parking. Sloat Bill était récemment retourné vivre à San Francisco après un bref séjour à San Diego. "Surfer là-bas, c'est comme de rouler sur une autoroute. On surfe dans le plus complet anonymat", résumait-il.

Le contrat social du surf est un document délicat. On le réimprime chaque fois qu'on sort ramer. Sur les breaks très fréquentés, où l'on doit se battre pour les vagues avec une légion d'inconnus, talent, agressivité, connaissance des lieux et réputation locale (quand elle existe) aident sans doute à établir une sorte d'ordre hiérarchique, de priorité grossier. J'avais souvent participé dans l'allégresse à cette compétition à Kirra, Malibu, Ricon et Honolua. Mais la plupart des spots moins célèbres ont des règles implicites plus subtiles, basées sur les personnalités du cru et les conditions locales. Les jours de cohue sont rares à Ocean Beach. Il s'en trouve pourtant quelques-uns, et les mêmes sensibilités et le même décorum y jouent leur rôle, comme partout ailleurs.

Un après-midi de février, j'étais sorti à Sloat et j'avais trouvé une bonne soixantaine de personnes sur le lineup. Je ne reconnaissais personne. C'était le troisième jour d'une forte houle de l'ouest. Les conditions étaient superbes : vagues d'un mètre quatre-vingts et plus, pas un souffle de vent. Normalement, les bancs de sable de l'hiver commencent à se désagréger au début du mois de février, mais ce n'était pas le cas cette année. Ce qui avait dû se passer, selon moi, c'était que les surfeurs d'un peu plus haut et d'un peu plus bas sur la côte, qui, d'ordinaire, ne voulaient pas entendre parler d'Ocean Beach, avaient décidé en masse que, dans la mesure où les grosses houles hivernales avaient probablement pris fin et que les conditions, si improbable que ce fût, étaient encore convenables, alors on pouvait envahir sans risque la si redoutée O.B. Je comprenais cette bravade assez tordue, puisque j'en étais moi-même la proie, en même temps que je ressentais un immense soulagement à l'idée d'avoir survécu à un autre hiver – le troisième. Pourtant j'en voulais à cette horde. Je me suis fait malmener à l'inside, j'ai fini par glisser de ma planche et je me suis remis en quête d'un pic à surfer. La foule semblait amorphe, distraite – aucune conversation n'était en cours. Tout le monde semblait se concentrer sur les vagues ou sur soi-même. J'ai retenu ma respiration, choisi un repère de lineup – en l'occurrence un bus scolaire garé dans le parking de Sloat –, et j'ai pris une position risquée, debout sur ma planche au beau milieu d'un groupe de quatre ou cinq types.

J'étais peut-être vulnérable si une grosse série m'arrivait dessus, mais, dans une foule, il reste essentiel de faire bonne figure quand on prend ses premières vagues, et, au terme de ce long hiver, je connaissais bien mieux les bancs de sable du coin que ces touristes. Il se trouva que la vague suivante se présenta gentiment, balaya d'un revers de manche les tentatives de deux autres surfeurs de me devancer, et m'offrit un premier ride en piqué, rapide et bien assuré. À mon retour en ramant, je brûlais d'envie de parler à quelqu'un de cette vague – du grand *crac !* qu'avait émis sa lèvre en fendant la surface, derrière moi, des profondeurs mouchetées d'ambre de la partie supérieure de son mur interne. Mais je n'ai trouvé personne. Deux grèbes ont surgi de l'écume derrière moi en écarquillant de grands yeux surpris, leur cou mince pareil à un périscope emplumé. "Et *vous,* vous l'avez vue, ma vague ?" ai-je murmuré.

Tous ceux qui étaient de sortie en mer avaient le premier rôle dans le film qu'ils se faisaient dans leur tête, et, avant d'infliger le récit de ses exploits à quelqu'un, il fallait en demander la permission. Ni les reprises verbales instantanées ni une bruyante exultation ne sont inconnues du surf, mais toutes sont sujettes à un strict protocole où il faut contrôler son ego. Les jeunes surfeurs se méprennent parfois sur cet aspect du contrat social qui préside au surf, et il leur arrive de se pavaner et de se bousculer dans l'eau. Mais ils y mettent généralement une sourdine quand des anciens se trouvent à portée d'ouïe. La foule habituelle d'Ocean Beach est plus âgée que la moyenne – de fait, je ne me souviens pas d'avoir vu un seul ado dans l'eau les gros jours –, et les limites, elles aussi tacites et non écrites, imposées au chahut entre étrangers n'y sont pas moins draconiennes. On fuyait ceux qui les dépassaient. On haïssait ceux qui les franchissaient systématiquement car ils manquaient de respect à la réserve religieuse, quasiment autistique, entourant ce que d'autres surfeurs, surtout parmi les moins exubérants, venaient chercher ici.

J'ai mis le cap sur un pic déserté, légèrement plus au nord du bus scolaire. J'ai pris deux vagues rapides, puis une demi-douzaine de personnes qui m'avaient vu faire n'ont pas tardé à me rejoindre. La bataille pour les vagues s'est faite encore plus vive, du moins pour Ocean Beach. Personne ne parlait. Chaque rêveur se cantonnait à son rêve personnel – luttant, feintant, glissant, gesticulant pour s'emparer de toute vague accessible. Là-dessus une série très convenable a déboulé et a cassé quelque cinquante mètres avant la barre où nous sur-fions. D'énormes murs d'eau blanche nous ont tous arrachés à nos planches et ont repoussé quelques malheureux par-dessus la barre intérieure. Le groupe qui s'est reconstitué quelques minutes plus tard était plus réduit et avait désormais un sujet de conversation. "Mon leash s'est allongé de dix centimètres." "Ces vagues, c'était quasiment du *décembre*." Nous avons réussi à établir une rotation rudimentaire. On prenait la vague ou on la laissait à un tiers, et celui qui y renonçait avait même droit, parfois, à des remerciements. Au bout de quelques vagues notables, on a commencé à murmurer des compliments. On discutait collectivement des chances pour que cette houle durât jusqu'au lendemain. Un Asiatique trapu du Marin County se montra pessimiste : "C'est une houle de trois jours qui vient de l'ouest. Elle revient tous les ans." Il répéta sa prédiction, puis la réitéra une troisième fois pour ceux qui n'auraient pas entendu. S'il ne deviendrait jamais célèbre pour ses reparties, le petit groupe du pic qui faisait face au bus scolaire avait au moins atteint un semblant de cohésion. Le voile fragile d'une entreprise commune s'était comme posé sur nous, et j'ai pris conscience que mon animosité à l'encontre des nouveaux venus s'était dissipée. On reprocha unanimement à la marée montante la longueur d'une accalmie. Le soleil, en descendant sur l'horizon, embrasa d'un Z féroce les fenêtres tournées vers la mer, tout au long d'une route qui escaladait le versant d'une colline éloignée de San Francisco.

Puis un hurlement familier, suivi d'un rire tonitruant, s'éleva de la barre intérieure. "Doc", lança quelqu'un sans que ça soit nécessaire. De tous les surfeurs de San Francisco, Mark était celui que les gens du coin étaient le plus susceptibles de connaître. Il ramait aux côtés d'une autre personne, qu'il régalait de la trame d'un film d'horreur. "Alors la tête pivote toute seule sur elle-même *et se met à mordre et tuer tout le monde.*" Il portait une stupide capuche en néoprène, à courte visière, dont sa barbe saillait par-dessus la jugulaire tandis que sa queue-de-cheval en dépassait et flottait par-derrière, pointant dans ma direction. "Quel zoo !" s'est-il exclamé en faisant la grimace, alors qu'il se trouvait encore à dix mètres. Je me suis demandé ce que les gens qui m'entouraient allaient penser de son commentaire. "Allons surfer Santiago !"

Mark refusait de se plier aux limites tacitement imposées à ce qui était bon de dire ou de ne pas dire dans l'eau. Il déchirait allègrement le contrat social du surf et se servait des lambeaux pour moucher son grand nez brûlé par le soleil. Et il était trop grand, trop spirituel et par trop intrépide pour que quiconque élevât quelque objection. Conscient d'être sur la sellette, j'ai renoncé à contrecœur à ma place dans la rotation et accompagné Mark jusqu'aux vagues qui se cassaient à Santiago, quelque huit cents mètres plus au nord. "Une houle de l'ouest de trois jours ?" Il a reniflé avec dédain. "Qui sont ces mecs ? Elle sera encore plus grosse demain. Tous les indicateurs le prouvent."

Mark se trompait rarement sur le devenir des vagues. Pourtant, s'agissant de Santiago, il avait tort. Les barres y étaient plus pentues que celles que nous avions laissées derrière nous à Sloat. Personne, d'ailleurs, ne surfait à proximité. Raison précisément pour laquelle Mark avait tenu à s'y rendre. C'était un vieux différend entre nous. Lui trouvait les foules stupides. "Les gens sont des moutons", se plaisait-il à affirmer. Et il se targuait d'en savoir toujours plus long que tout le monde sur les vagues, là où elles se casseraient et quand. Plutôt que de s'éclater avec le tout-venant, il préférait longer la plage jusqu'à un spot improbable et y rester pendant des heures avec entêtement, pour surfer des vagues médiocres, inconsistantes. J'avais passé moi-même ma vie à ramer dans l'espoir de trouver des pics désertés, en rêvant qu'ils seraient plus propices au surf que les breaks plus populaires, et parfois – très rarement et brièvement –, ça s'était effectivement confirmé. Mais je me fiais encore, non sans que j'y rechigne, à la jugeote instinctive du troupeau. Les foules s'amassent là où les vagues sont les meilleures. Une attitude qui rendait fou Mark. En outre, Ocean Beach et ses grandes vagues d'hiver désertes modifiait réellement cette équation universellement malthusienne du surf ; une eau glacée, une peur panique des grosses vagues et d'impitoyables raclées ont au moins cette utilité.

J'ai pris une vague moyenne, expédient que je n'ai pas tardé à regretter : la série qui arrivait juste derrière m'a sérieusement tabassé et a bien failli me propulser par-dessus la barre intérieure. Le temps de revenir, le soleil se couchait. Je grelottais et Mark se trouvait à une centaine de mètres plus au nord. J'ai décidé de ne pas l'y suivre et me suis mis en quête d'une dernière vague. Mais, là où j'étais, les pics étaient fuyants, et je n'arrêtais pas de me tromper sur leur vitesse et leur inclinaison réelles. J'ai manqué me faire aspirer par une lame de fond scélérate, puis j'ai dû me démener pour esquiver une série monstrueuse.

Le crépuscule s'était encore assombri. Les embruns qui se décrochaient des crêtes avaient encore un reflet rougeoyant, mais les vagues n'étaient plus que de grands murs bleu-noir indistincts, de plus en plus difficiles à évaluer. Il n'y avait plus aucun autre surfeur en vue. Je tremblais à présent et j'étais tout disposé à tenter de regagner le rivage en ramant – si laide que fût la débandade. J'ai fini par m'y résoudre dès la première accalmie : je ramais ferme, m'efforçais de toujours garder ma planche orientée vers le rivage, en dépit des courants transversaux de la barre extérieure, en me servant du repère fixe d'un feu de camp qui brasillait sur la plage, en même temps que je jetais un coup d'œil par-dessus mon épaule tous les cinq ou six coups dans l'eau. J'étais encore à mi-chemin du rivage et j'arrivais presque à la barre intérieure quand une série apparut derrière moi. J'étais en eau profonde, en sécurité, et il eût été absurde d'essayer de la franchir pendant qu'une série déferlait, si bien que je me suis retourné et assis pour l'attendre.

Sur le fond d'un ciel encore brillant, une silhouette ténue a bondi sur ses pieds au sommet d'une vague massive, bien plus au sud et au large, avant de plonger dans les ténèbres. J'ai plissé les yeux pour tenter de voir ce qui se passait, mais la vague a disparu, occultée par d'autres plus proches. À la vue d'un surfeur prenant au crépuscule une vague aussi colossale, mon estomac s'était retourné, et, alors même que je flottais sur l'eau comme un bouchon, agité par les houles qui s'amassaient avant de donner l'assaut à l'inside, je continuais à scruter du regard l'endroit où elle avait disparu, en quête d'une planche vide charriée par les flots. La vague semblait de celles qui vous brisent un leash. Finalement, une silhouette obscure a surgi à moins de quarante mètres, fusant au travers d'un mur intérieur en dents de scie. Cette personne avait non seulement réussi à prendre la vague, mais encore restait-elle sur ses pieds en plein vol. Quand la vague a heurté l'eau profonde, la silhouette a décrit un énorme et élégant cutback, qui m'a aussitôt renseigné sur son identité. Peewee était le seul surfeur local capable d'un tel virage. Il a négocié un dernier tournant qui l'a ramené à quelques mètres de moi, et est sorti. Je remarquais que son visage ne portait aucune émotion. Il m'a adressé un signe de tête mais n'a rien dit. Ma propre langue était comme nouée. Cela étant, à l'idée de me trouver en sa compagnie pour traverser la zone d'impact, sur laquelle les vagues explosaient dorénavant en continu, j'étais quelque peu soulagé. Mais Peewee avait d'autres projets. Il s'est retourné et, sans un mot, s'est remis à ramer vers le large.

Contre tout abandon de poste

Un peu plus tard le même soir, des grognements, des rugissements et d'affreux râles ont résonné dans l'appartement de Mark. On y projetait des diapos sur les deux derniers hivers à Ocean Beach, et la plupart des surfeurs sur ces photos étaient de la partie. "Ça ne peut pas être toi, Edwin. Tu te planques sous ton pieu quand elles sont si grosses !" Mark convoquait ces réunions presque chaque année. "Voici le meilleur jour de l'hiver passé", déclara-t-il en projetant un cliché d'un énorme, impeccable Sloat, qui fut accueilli par un profond grondement, quasiment unanime. "Je n'ai que cette diapo de lui. Je suis sorti en mer après l'avoir prise et j'ai passé toute la journée dehors." Sa voix avait cette tonalité nasale, comme imbibée d'eau, qu'elle acquiert après une longue session. En réalité, il était rentré une heure plus tôt, et le constant tonnerre des vagues, qui nous parvenait de l'autre côté de la Great Highway, fournissait à la présentation une ligne de basse bien venue. "La lune s'est levée juste au moment où il commençait à faire vraiment noir, m'avait-il dit. Je suis retourné à Sloat. Tous ces kooks s'étaient tirés. Ne restaient plus que Peewee et moi. C'était génial." J'avais du mal à me dépeindre la scène. Non que je ne le crusse pas – ses cheveux étaient encore mouillés. Je ne parvenais tout bonnement pas à m'imaginer qu'on pût, au clair de lune, surfer des vagues aussi grosses que celles qui pilonnaient Sloat au crépuscule. "Bien sûr, a repris Mark. On fait ça une fois chaque hiver, avec Peewee."

Peewee était présent ce soir-là, comme la plupart des surfeurs de San Francisco que je connaissais de nom. La palette des âges était large, ça allait de la fin de l'adolescence à l'approche de la quarantaine. Avec mes trois ans d'ancienneté, j'étais probablement le dernier arrivé à San Francisco. Une diapo me montrant en train de surfer Ocean Beach l'hiver précédent s'attira bien une ou deux huées, mais rien de vraiment bien méchant – je n'étais pas là depuis assez longtemps pour que ça en vaille la peine. Une séquence montrait Mark en train d'explorer en pionnier un effrayant récif extérieur du Mendocino County. Les surfeurs locaux observaient ce break depuis des années, mais personne ne s'était avisé de le surfer jusqu'à ce que, un peu plus tôt ce même hiver, Mark eût persuadé deux surfeurs de grosses vagues du secteur de l'accompagner. La vague se cassait sur un récif à fleur d'eau, à quelque huit cents mètres de la rive, et présentait un drop horrifiant ainsi qu'un assez gênant varech. Les diapos de Mark, prises depuis le versant d'une montagne par un comparse armé d'un téléobjectif, montraient Mark en train de surfer prudemment des murs d'un vert profond deux ou trois fois plus grands que lui. Selon lui, le moment le plus glauque n'était pas intervenu dans l'eau mais, le soir même, dans le troquet du bled voisin : les gens présents s'étaient montrés tout à la fois alarmés et suspicieux en apprenant qu'il avait surfé le récif extérieur, avant de comprendre qu'il était accompagné de deux locaux.

Entendre Mark s'étendre sur les susceptibilités locales était pour le moins surprenant. C'était un vrai problème − je suis tombé une fois sur une coupure de presse d'un journal de Mendocino, dans laquelle le rédacteur décrivait Mark comme "un légendaire super-surfeur de la Bay Area", pour ensuite ajouter, sarcastique : "je regrette de n'être pas resté pour lui demander un autographe" −, mais, d'ordinaire, Mark me semblait imperméable à ces considérations. Évidemment, présenter ces diapos à un tel public pouvait être risqué ; il fallait du doigté, voire faire montre d'un poil d'autodérision. Mark pouvait sans doute, dans l'eau et au milieu d'inconnus, témoigner le plus grand mépris pour les clauses les plus subtiles du contrat social du surf, mais, à Ocean Beach, il était chez lui ; sur terre, il lui fallait composer avec son tempérament corsé. Un peu plus tôt dans la soirée, alors qu'il se plaignait de son asthme qui l'empêchait de respirer correctement, Beeper Dave avait marmonné : "Maintenant tu sais ce que nous ressentons, nous autres mortels."

S'ensuivit un défilé de photographes qui avaient apporté leur propre projecteur de diapositives : clichés de l'eau, dont certains excellents, et nombreuses photos floues d'une Ocean Beach massive. Quelques vétérans passèrent des vues des années 1970 où figuraient des surfeurs dont je n'avais jamais entendu parler. "Parti à Kauai", m'a-t-on expliqué. Ou "Dans l'ouest de l'Australie aux dernières nouvelles." Peewee nous présenta une poignée de diapos de son dernier voyage à Hawaï. Prises à Sunset, le spot de grosses vagues de renommée mondiale, les images, certaines de qualité médiocre, montraient ses amis en train de pratiquer le windsurf par un petit jour de grand vent. "Incroyable, murmura quelqu'un. Du windsurf !" Peewee, sans doute un des rares types de San Francisco capable de surfer Sunset par un gros jour, n'a pas dit grand-chose. Mais la déception du public a paru le divertir.

À mon arrivée à San Francisco, une autre photo était punaisée au mur de la boutique de Wise. Cornée, tachetée de chiures de mouche et sans légende, elle demeurait d'une beauté impensable. On y voyait un surfeur – Peewee, si l'on en croyait Wise –, perché très haut sur la crête d'une gauche de trois mètres apparemment interminable, prise à contre-jour. Couleur de citron vert et sculptée par le vent, elle donnait l'impression d'avoir été photographiée quelque part à Bali, mais Wise nous a affirmé qu'elle avait été prise à l'extérieur de VFW. Ses proportions en étaient si généreuses que la 9'6'' que surfait Peewee avait l'air d'un shortboard. Et la trajectoire qu'il traçait semblait sortie tout droit d'un rêve – trop haute, trop belle, trop inspirée pour relever du monde réel.

Au cours de mon deuxième ou troisième hiver dans cette ville, d'autres photos commencèrent peu à peu d'apparaître sur le mur de Wise. Toutes étaient de très grands tirages sous verre, encadrés de bois, montrant Mark en train de surfer une Ocean Beach colossale, et comportaient une légende typographiée précisant la date et le lieu exacts où elles avaient été prises, ainsi que l'identité du surfeur.

Mark et Peewee étaient le feu et la glace du surf de San Francisco : thèse et antithèse, la première dans le registre du surfait, la seconde dans celui de la discrétion. Deux théories diamétralement opposées sur ce qui fait un caractère. Dans le cas de Peewee, l'expérimentation semblait avoir pour but l'élimination du superflu ; dans celui de Mark, il s'agissait plutôt d'une accumulation. Toujours plus de planches, de défis relevés, de nouveaux spots à conquérir. Tout chez lui, de l'enfance à l'âge adulte, s'articulait autour du surf. Se souvenant de son enfance à L.A., il m'a confié un jour : "Parmi mes amis, beaucoup croyaient à la voie du surfeur. La plupart d'entre eux s'en sont écartés un jour ou l'autre." Les gens qu'il prenait en exemple pour bien vieillir étaient tous des surfeurs plus âgés – qu'il appelait ses "aînés". Doc Ball, un dentiste à la retraite de Californie du Nord qui avait surfé toute sa vie durant, était son modèle favori : "Il est toujours sur la brèche ! Il fait encore du skateboard !"

Peewee convenait que Mark restait d'une jeunesse surnaturelle. "Il a l'air d'avoir toujours vingt ou vingt-deux ans, tant il s'excite et se passionne encore pour le surf", m'a-t-il déclaré lors d'une de nos rares conversations. Mais Peewee restait sceptique quant aux bénéfices sur le long terme d'une vie entièrement fondée sur cette activité. "Les plus grands surfeurs locaux peuvent aussi devenir les pires épaves." Nous étions installés dans un restaurant chinois proche de chez lui, et il me regardait prendre des notes, l'air un peu méfiant. "C'est un sport si génial qu'il te pourrit. Comme de l'addiction à une drogue. Tu ne veux plus faire que ça. Tu n'as plus envie d'aller travailler. Et, quand tu vas bosser, tu as toujours droit à un 'T'as vraiment raté ça !' quand tu en reviens."

Selon Peewee, son métier de charpentier lui autorisait une certaine souplesse dans son emploi du temps, ainsi, chaque année, il s'efforçait de consacrer un mois au surf dans un pays différent, comme Hawaï ou l'Indonésie. Mais il ne pouvait en aucun cas pratiquer son activité favorite avec la même voracité que dans sa jeunesse – de crainte de friser l'abandon de poste.

Il avait appris à surfer sur des planches d'emprunt à Pedro Point, un spot pour débutants à quelques kilomètres au sud de San Francisco. C'était un gamin du Sunset District, admiratif des piliers de son secteur. Il finirait par en devenir un lui-même – plus d'un mètre quatre-vingts, une carrure impressionnante, une belle gueule de *pistolero* blond d'un western de série B. Mais jamais il n'avait réussi à se débarrasser de son sobriquet. Il ne semblait pas non plus s'être départi de la modestie de sa jeunesse. Réussir à lui tirer les vers du nez devant une tasse de thé tiède, dans un restaurant en train de se vider, revenait, journalistiquement parlant, à ramer vers le large à Sloat par gros temps. Ma requête pour une interview l'avait complètement stupéfait. Peewee ne me connaissait que comme un visage dans l'eau, un récent habitué d'Ocean Beach, un des gars de l'équipe de Mark. Et voilà que, brusquement, j'étais aussi reporter. Ça ne voulait pas dire pour autant que j'étais objectif. Pour quelqu'un comme moi qui, depuis plusieurs hivers, se débattait avec l'affirmation de Mark selon laquelle manquer une houle était un péché plus capital encore que rater une deadline, je me sentais plus à l'aise que ne pouvait s'en douter Peewee, si l'on s'en tenait à sa seule description de l'inévitable conflit entre le surf et le travail. Bien sûr, c'était là un argument aussi vieux que Hiram Bingham.

L'effacement de Peewee était si profond qu'on pouvait aisément le croire distant de tout. Mais, au bout d'un moment, je pus moi-même me rendre compte que, derrière son laconisme se cachait plutôt une grande timidité, laquelle, à son tour, dissimulait une sensibilité d'un autre temps. Il avait été premier de sa classe à l'école – je l'ai appris d'autres –, et avait décroché un diplôme de littérature anglaise à l'université de San Francisco. Il avait également suivi des études scientifiques à la fac, dont un cursus en océanographie : lors d'un cours, son instructeur avait avancé que les grosses houles d'hiver qui frappaient la Californie du Nord venaient systématiquement du sud. Cette idée est parfaitement fausse. L'instructeur en question avait refusé d'être corrigé par un de ses étudiants et Peewee avait laissé tomber l'affaire.

Mais, quand passer outre une stupidité lui semblait impossible, il était capable de réactions mémorables. Un jour où VFW était noire de monde, lors de mon premier hiver à San Francisco, un surfeur local s'était très mal comporté – il piquait des vagues, passait avant tout le monde et menaçait tous ceux qui objectaient. Peewee l'avait prévenu une première fois, tranquillement. Le type insista puis manqua décapiter un autre surfeur lors d'un dégagement maladroit, et Peewee l'invita à sortir de l'eau. Le couillon ricana. Peewee le fit dégringoler de sa planche d'un coup de poing, la retourna, puis, en quelques petites frappes sèches du plat de la main, brisa ses trois dérives. Le gars regagna le rivage. Des années plus tard, les habitués d'Ocean Beach qui n'avaient pas été témoins de l'incident demandaient encore à ceux qui y avaient assisté de le leur raconter l'épisode.

Peewee était un local parmi les locaux. Il faisait partie de ces types capables, quand on surfait avec eux à Fort Point, sous le Golden Gate, de vous dire combien d'ouvriers étaient ensevelis dans les piles du pont, de quelle longueur étaient les files d'attente pour l'embauche pendant sa construction à l'époque de la Dépression, quel salaire touchaient les travailleurs et combien gagnaient aujourd'hui les gens chargés de sa maintenance, dont plusieurs appartenaient à sa famille ou étaient de ses amis. Peewee était un charpentier syndiqué et faisait souvent office de délégué syndical sur les chantiers. Quand je l'ai questionné à ce sujet, il m'a simplement répondu : "Je crois aux syndicats du bâtiment." S'agissant des grosses vagues, il n'était guère plus loquace. Il les préférait aux petites parce qu'elles étaient moins assaillies. "La foule peut devenir très crispée, disait-il. Sur les grosses vagues, c'est juste toi et l'océan." Peewee était connu tout autour d'Ocean Beach pour ses nerfs d'acier par gros temps, mais, à l'en croire, il avait mis un bon nombre d'années à se faire aux vagues les plus colossales. "Cela dit, chaque nouvelle correction te fait un peu mieux comprendre que tu es plus en sécurité que tu ne l'imaginais. Ce n'est que de l'eau. Il suffit de retenir sa respiration. La vague passera." Ne paniquait-il donc jamais ? "Bien sûr que si, mais, l'important, en vérité, c'est de se détendre. On finit toujours par remonter." Rétrospectivement, avait-il ajouté, les quelques fois où il avait bien cru se noyer, il n'avait pas réellement frôlé la mort de si près.

"Doc se taille en quelque sorte une réputation ici", concédait-il, dix ans après que Mark avait commencé à surfer Ocean Beach. Qu'en était-il de Peewee lui-même ? "Je me contente de préserver la mienne", admit-il. Il ne surfait que les grosses vagues qui lui semblaient correctes. Quelle était la plus massive qu'il eût prise à Ocean Beach ? "La plus grande, je l'ai ratée. Elle était parfaite, mais ma planche était tout bonnement trop petite. Une 8'4". J'ai dévalé les trois quarts de sa paroi puis je suis tombé et j'ai été aspiré et retourné dans tous les sens. Le moment le plus terrifiant de ma vie. J'ai bien cru que ma chute libre ne s'arrêterait jamais. Mais ce n'était pas si terrible." Grande comment ? "Trois mètres soixante, peut-être quatre mètres cinquante." Peewee a haussé les épaules. "Je ne cherche plus à les mesurer en mètres." Ce n'était pas plus mal, me suis-je dit, parce que nombre de surfeurs en ville croyaient avoir vu Peewee prendre des vagues de plus de quatre mètres cinquante.

Pendant que nous joutions, rampions et pavoisions dans un monde invisible aux autres habitants de San Francisco, nous ne vivions pas moins en ville et il lui arrivait de se rappeler à nous. À marée basse, par une journée ensoleillée, Ocean Beach était immense et grouillait de monde. Les vagues étaient belles et je me pressais sur le sable, ma planche sous le bras. Sur ma gauche, deux jeunes Blacks en doudoune des Forty-niners de San Francisco s'employaient à tester deux buggies des dunes pilotés par des télécommandes ; les véhicules zigzaguaient, tournoyaient et se faisaient des queues de poisson sur le sable. Sur ma droite, un groupe de Blancs battaient de toute leur force des coussins à l'aide de massues en plastique jaune. En passant devant une maison, j'ai entendu des cris et des jurons. "Pétasse ! Pétasse !" "Sors d'ici tout de suite !" Des gens pleuraient. Un type joufflu d'une quarantaine d'années pilonnait une feuille de papier posée sur un coussin. Quand elle s'est envolée, il s'est mis à la pourchasser en beuglant : "Reviens ici, espèce de salope !" Au bord de l'eau, j'ai trouvé un autre homme d'âge mûr en train de scruter la mer, le visage béat, sa massue jaune à ses pieds. Il a lorgné ma planche quand je me suis agenouillé pour attacher mon leash. Je lui demandé qui étaient ces gens qui tapaient sur des coussins et il m'a répondu qu'ils participaient à une opération appelée "Pacific Process". Treize semaines, trois mille dollars. L'exercice, selon ses dires, était intitulé "Engueuler Maman". J'ai remarqué qu'il portait des gants de travail. Eh, inutile de se choper des ampoules en flanquant une volée à sa mère, hein ?

Un peu plus tard, dans l'eau, j'ai vu un surfeur que je ne connaissais pas prendre un peu tardivement un gros pic vitreux. Il montait une planche bleu pâle au nose effilé et il se débattait pour garder son équilibre pendant que la vague, qui faisait deux fois sa taille, se soulevait puis commençait à basculer. Il n'est pas tombé, mais il a perdu de la vitesse dans sa lutte pour rester sur pied, et son premier virage, pris désormais profondément enfoncé dans l'ombre de la vague, a été trop faible. Si la vague n'avait pas frappé une flaque d'eau profonde et marqué une pause le temps d'un battement de cœur, sa première section l'aurait sans doute englouti. Il a pourtant réussi à la contourner, prendre la suivante et tracer une haute ligne au travers du long mur vert. Quand il est passé devant moi en trombe, au tout dernier virage, peut-être, d'un excellent ride, il avait repris pleinement le contrôle. Cela étant, son visage était contracté par l'angoisse, et sans doute aussi par la fureur. Prendre une vague sérieuse exige une intense concentration technique, même de la part d'un surfeur accompli. Mais de nombreuses autres émotions, moins égotistes, vous assaillent également. Même pour des vagues moins ambitieuses, les visages des surfeurs en action affichent parfois un masque terrifiant, trahissant peur, colère ou frustration. Le pull-out* est le moment le plus révélateur, qui se traduit d'ordinaire par un rictus expressif, mélange de soulagement, de désarroi, d'exaltation et d'insatisfaction. Celui de l'inconnu sur sa planche bleu pâle m'avait surtout rappelé les figures crispées, éplorées, des gens qui battaient des coussins sur la plage.

Rien de ce *Sturm und Drang* intime ne collait avec l'image d'un surf insouciant et joyeux – d'un jeu badin au soleil – qui reste encore si répandue parmi les non-surfeurs. Et, maintenant que j'envisageais d'écrire à ce propos, je me suis surpris à me poser la question : que pouvais-je espérer transmettre de cette réalité à des profanes ? Il est des surfeurs qui ne grimacent pas au sortir d'une vague, bien entendu, et dont le style semble se confiner à une sereine réserve, voire à un léger sourire intérieur. Mais, si je me fie à ma propre expérience, ces types-là sont rares.

Et il y avait les surfeurs grandioses, les types fabuleusement doués. Ils étaient par définition rarissimes – même si les professionnels du sport tendaient à se faire lentement plus nombreux, à mesure que le surf grandissait en popularité et que le circuit des concours internationaux arrivait à maturité. Car, pour ceux-là, le surf restait un sport, avec ses entraînements, ses compétitions, ses sponsors, et tout le reste. En Australie, ils étaient traités comme les autres athlètes professionnels ; les champions y faisaient même l'objet d'une adulation publique. Ce n'était pas le cas aux États-Unis, où le fan de sports moyen ne savait pratiquement rien du surf et où les surfeurs eux-mêmes ne prêtaient que bien peu d'attention aux résultats et aux classements des concours. Les meilleurs étaient sans doute admirés, voire révérés pour leur style et leurs capacités, mais l'essentiel de ce que nous partagions avec eux restait ésotérique, du domaine de l'obsession. En aucun cas grand public, mais bien plutôt underground, et certainement pas commercial. (Cela a quelque peu changé au cours des dernières années, mais pas totalement.)

L'essentiel de ce que nous partagions, qu'importe le niveau et le talent, c'était les vagues. Mark avait l'habitude de dire que le surf est "avant tout une pratique religieuse". Mais il y a dans cette définition trop de théâtralité, de compétition (si peu organisée soit-elle), de voracité et de forfanterie pour qu'elle ne me donne pas l'impression de sonner faux. Le style était tout dans le surf – la grâce de vos mouvements, la vivacité de vos réactions, la subtilité des solutions que vous apportiez aux énigmes qui s'avançaient, la profondeur de vos virages et la justesse de leurs enchaînements, jusqu'aux gestes de vos mains. La beauté des performances de grands surfeurs pouvait couper le souffle. Ils pouvaient faire passer leurs mouvements les plus difficiles pour un jeu d'enfant. Puissance désinvolte, grâce proverbiale sous la pression, tels étaient nos idéaux du *beau*[01]. Faire un tube et en sortir avec élégance. Se conduire comme si l'on avait toujours connu ça. Faire une forte impression. C'était ce qui était réellement fascinant, et à la fois terrifiant, dans les photos. Ai-je l'air cool ? Si c'était une religion, alors, peut-être ne supportait-elle pas qu'on puisse réfléchir à ce qu'on adorait réellement. *"Muthiya maar"*, roucoulait parfois Carolie par-dessus ses plaques de gravure quand, devant une bière, j'échangeais des histoires avec d'autres surfeurs.

Tous les surfeurs sont des océanographes. Et, partout où les vagues viennent se casser, tous se livrent à des recherches approfondies de l'océan. On n'a pas besoin de leur expliquer que, quand une vague se casse, c'est l'eau elle-même qui se scinde en particules plutôt que la forme vague qui continue d'avancer. Ils s'emploient à établir d'autres relations ésotériques, telles

01 — En français dans le texte.

que ce lien entre la marée et l'homogénéité de la vague, entre la direction de la houle et la bathymétrie près du rivage. La science des surfeurs n'est pas une science pure, bien évidemment, mais elle est amplement appliquée. Son propos est de comprendre ce que font les vagues afin de pouvoir les prendre, et, surtout, ce que vraisemblablement elles feront ensuite. Mais les vagues dansent sur une musique d'une infinie complexité. Pour un observateur qui attend dans le lineup et cherche à déchiffrer la structure d'une houle, l'énoncé du problème peut véritablement prendre une forme musicale. Ces vagues n'approchent-elles pas sur un tempo de 13/8, à raison de sept séries par heure, et la troisième de chaque série n'oscille-t-elle pas largement selon une sorte de *crescendo* dissonant ? Ou bien : cette houle ne serait-elle pas un solo de jazz de Dieu lui-même, dont l'architecture dépasserait tout entendement ?

Quand elles sont très grosses, ou intimidantes d'une autre façon, ces questions tendent à devenir superflues. La conscience plus précise d'un vaste, insondable dessein intime le silence à toute tentative de compréhension. On se sent tout bonnement honoré d'être là. Certains jours particulièrement magnifiques – ça m'est arrivé à Honolua Bay, à Jeffreys Bay, à Tavarua et même une ou deux fois à Ocean Beach –, j'ai ainsi été réduit au silence, me laissant dériver sur l'épaule d'une vague en observant, les yeux écarquillés, la métamorphose d'une eau de mer ordinaire en une houle superbement charpentée, pure énergie et volonté de puissance, invraisemblablement sculpturale, délicieusement ourlée, en une écume violente.

Je devais reconnaître que Mark avait en partie réussi son projet. Je surfais davantage que je ne l'aurais souhaité seul. J'avais fait l'acquisition de deux nouvelles planches – des thrusters* – et d'une meilleure combinaison qui minimisait mes problèmes d'hypothermie. Nous faisions des virées de surf dans le nord et le sud. Quand Ocean Beach était trop déchaînée ou que le vent y massacrait les vagues, nous nous rendions dans le Mendocino County, où Mark connaissait quelques spots bien abrités. En été, quand O.B. était sans espoir, il me conduisait à son reefbreak préféré de Big Sur, où la houle venait du sud. Son inépuisable générosité semblait être son élément naturel. Il s'était autoproclamé mon entraîneur, mon moniteur de santé et mon conseiller en toutes choses. Il attendait maintenant avec jovialité que je finisse son portrait. Je songeais davantage au surf, ne fût-ce que parce que j'avais moi-même proposé d'écrire sur ce sujet. Mais prenais-je le surf davantage au sérieux ? Pas franchement. Je couchais encore des notes sur le papier, mais surfer me faisait l'effet d'une activité à laquelle je me livrais surtout parce que je l'avais toujours exercée. Le surf et moi avions été mariés, pour ainsi dire, pendant une bonne partie de mon existence, mais c'était un de ces mariages où l'on parle peu. Mark voulait m'aider, et surfer faisait office de rustine à ce mariage muet et tenace. Je ne tenais pas spécialement à nous raccommoder, le surf et moi. Toujours était-il que la juxtaposition d'une assez considérable inconscience et de ce autour de quoi tournait mon existence me convenait très bien. Je ne parlais presque jamais du surf, sauf avec d'autres surfeurs. Il n'apportait pas grand-chose à l'image que je me faisais dorénavant de moi-même. Ce n'est qu'à contrecœur que je le regardais comme une part de ma vraie vie d'adulte, que je m'employais désormais à tenter de démarrer. Le journalisme me poussait vers des mondes qui m'intéressaient bien davantage que la chasse aux vagues.

Mais il se passait une chose étrange : mettant de côté mon ambivalence, je me laissais emporter par l'enthousiasme de Mark, lui permettant ainsi de devenir le moteur de ma vie de surfeur. D'une certaine façon, me rendais-je compte, je l'avais autorisé à s'interposer *entre* le surf et moi, à occuper absurdement le devant de la scène, à remplir mes rêves de ses fantasmes personnels, jusqu'à accepter que ses coups de téléphone interrompent mon sommeil les nuits d'hiver. Je lui avais même permis de présider à certains moments cruciaux, quand, de ses ricanements méphistophéliques, il tirait par-dessus l'abîme béant de ma terreur des grosses vagues comme une corde de rappel jusqu'à quelque façade rocheuse où s'accrochaient ses crampons psychiques. Ce besoin d'un alter ego traduisait une passivité bien propre à un journaliste. Mais il y avait quelque chose de forcé. Je me reconnaissais difficilement dans le miroir que me présentait l'escouade de Doc.

Certes, le surf m'avait envoûté dans mon enfance – dévaler rêveusement un sentier à l'aube, enflammé par les visions de vagues repoussées par les alizés, ou bien transporté à la seule perspective de devoir ramer sans fin pour avoir raison du long trajet jusqu'aux Cliffs. Mais ce vieux sortilège avait été rompu à un moment donné, ou du moins il avait paru l'être. Cependant il avait toujours été là, dormant sous la surface mais intact, quand je me trimballais aux quatre coins du monde, que je vivais dans des endroits où les vagues brillaient par leur absence – dans le Montana, à Londres, à New York. Je me souvenais de la première fois où, peu après avoir emménagé à San Francisco, j'avais accompagné Mark sur la côte de Mendocino. La houle était forte et effrayante, mais un vent glaçant du nord-ouest ruinait tous les spots à l'exception de la crique de Point Arena, protégée par un épais tapis de varech. J'avais suivi fébrilement Mark dans le chenal, un tantinet effarouché par le vent, l'eau glacée et, surtout, par les vagues massives qui plongeaient sur le récif et l'érodaient dans leur ruissellement. Mark s'était jeté dans la mêlée pour surfer avec agressivité et je m'étais moi-même éloigné peu à peu de lui, le long du récif, pour choper des vagues de plus en plus grosses. J'ai fini par en prendre une colossale, et j'ai failli tomber quand, au moment du take-off, le nose de ma planche s'est pris dans un clapot. Je me suis rétabli de justesse et j'ai réussi mon drop. Par la suite, Mark, qui avait assisté à la scène, m'avoua qu'il avait eu peur pour moi : "Si tu avais raté ton coup, ç'aurait pu très mal finir. Elle faisait bien trois mètres de haut, et tu ne dois qu'à tes vingt ans d'expérience d'avoir pu dévaler sa face." Que j'eusse surfé sur le moment de manière purement instinctive, trop absorbé pour avoir la trouille, était la stricte vérité, même si une apnée sur cette partie du récif avait de bonnes chances d'être longue et très violente. L'admettre m'eût sans doute embarrassé, mais la remarque de Mark me fit excessivement plaisir. Je m'efforçais de découvrir comment vivre avec ce désamour du surf que je ressentais désormais – et certains efforts de Mark accentuaient ce désenchantement –, tout en étant conscient cependant que nombre de ses commentaires étaient réellement gratifiants.

Contre tout abandon de poste

Beaucoup d'autres me rendaient furieux. Une fois, lors d'une autre virée à Mendocino, alors que nous surfions dans une exquise petite crique dissimulée aux regards, et que je venais de prendre très correctement une vague sous ses yeux, il m'a lancé, pendant que nous rentrions en ramant : "Tu avais vraiment pris le rythme avec celle-là. Tu devrais faire ça plus souvent." Selon moi, donner dans l'eau un conseil qu'on n'avait pas demandé était un coup de pic à glace dans le contrat social du surf. La condescendance de sa remarque aggravait encore les choses. Mais j'avais ravalé ma langue, ce qui ne me ressemblait pas. J'étais sans doute conscient qu'une telle susceptibilité était d'un ridicule achevé. Mais ce n'est pas vraiment la raison qui m'a empêché de lui rétorquer qu'il pouvait bien se fourrer son conseil dans le cul. C'était plutôt parce que je projetais déjà d'écrire un article sur lui. Depuis que j'avais reçu cette commande, j'avais changé. J'étais devenu moins sincère, moins spontané. Pour moi, il ne s'agissait plus seulement d'une relation d'amitié compliquée entre deux surfeurs, mais d'un projet d'écriture, d'un reportage, d'un travail – et, en vérité, d'une belle opportunité. Lui répondre vertement aurait tout gâché. Je me suis donc efforcé de jouer les observateurs objectifs. Il me semblait que la démentielle insouciance de Mark le rendait hermétique aux émotions d'autrui, ça et cette sempiternelle certitude d'être invulnérable et privilégié.

L'homogénéité de son univers me fascinait – sa volonté de fer, ses centres d'intérêt toujours constants, ses satisfactions réelles. Par comparaison, ma propre vie semblait faite de hauts et de bas. Le surf, déjà, n'était plus pour moi qu'une sorte d'image rémanente, une séquelle meurtrie de l'enfance, qui continuait sans que je le veuille de s'inscrire sur la rétine de mon présent. Surfer de grosses vagues, en particulier, avait un côté atavique – une sorte de retour compulsif à quelque scène primitive, cherchant à démontrer on ne sait quelle vérité originelle sur l'humanité. Peewee aussi commençait à me fasciner. Son monde intime semblait également constant, uniforme, mais d'une façon toute différente de Mark. Chez lui, ce formidable enchaînement entre passé et présent, enfance et âge adulte, faisait le lien entre des lieux, des communautés, des caractères.

Tous étaient si secrets. Ils ne donnaient jamais l'impression d'avoir besoin de se donner en spectacle.

Sloat semblait haute d'au moins cinq réfrigérateurs quand je m'y suis pointé un dimanche après-midi de janvier. Cela étant, les vagues qui cassaient à l'inside étaient difficilement discernables. Le soleil brillait, mais les vagues distillaient une bruine salée qui saturait l'atmosphère des deux côtés de la Great Highway – une brume au goût métallique, pareille à une essence remontant du fond de l'océan. Il n'y avait pas de vent, mais des plumets d'embruns gris n'en giclaient pas moins des crêtes des plus grosses vagues, soulevés, au moment où elles plongeaient, par leurs seules masse et vitesse. Quant à l'inside, c'était un chaos de déferlantes mortelles, de taille moyenne, aux faces couleur de chocolat noir striées d'écharpes d'écume. Les contours de l'outside* étaient flous et la houle désordonnée, mais, par-delà, on apercevait des vagues lisses et brillantes, avec des pics et des sections corrects, qui se cabraient aléatoirement dans la brume. Certaines avaient l'air surfables – belles mais létales.

J'ai eu la surprise de trouver le parking de Sloat complet. C'était un jour de SuperBowl, les Forty-niners allaient jouer et le coup de pied d'envoi était imminent. La plupart des voitures, des camions et des fourgonnettes m'étaient pourtant familiers : l'équipe d'Ocean Beach était sortie en force. Quelques-uns de ses membres étaient encore affalés sur leur volant, d'autres assis sur le capot de leur caisse, et un petit groupe debout sur le remblai qui dominait la plage. Personne ne portait de combinaison et aucune planche à leur côté. Tout le monde regardait la mer. Je l'ai scrutée une minute sans rien y voir. J'ai descendu ma vitre et appelé Sloat Bill qui se tenait sur le remblai, les mains enfoncées dans les poches d'un blouson de ski, ses lourdes épaules voûtées. Il s'est retourné, m'a fixé un instant derrière ses lunettes de soleil miroir, puis il a tendu le menton vers les vagues et dit : "Doc et Peewee."

Je suis descendu de voiture et je me suis planté à mon tour sur le remblai, en m'abritant les yeux de la lumière, et j'ai fini par distinguer deux petites silhouettes, dépassant d'une massive houle argentée. "Aucun des deux n'a décollé depuis une demi-heure, a déclaré Sloat Bill. C'est franchement le bordel." Quelqu'un avait fixé un appareil photo à un trépied, mais il ne se donnait pas la peine de s'en servir ; la brume rendait impossible toute photographie. "Ils surfent tous deux un yellow gun", a précisé Sloat Bill. Il ne quittait pas l'horizon des yeux. Il avait l'air mal à l'aise, je trouvais – encore plus bourru que d'habitude. Sans doute se demandait-il, torturé par cette question, s'il devait lui-même sortir ramer. Sloat Bill se prenait pour un surfeur de grosses vagues, et il sortait parfois par de très gros jours. Mais c'était un médiocre rameur et il lui arrivait de ne pas dépasser l'inside. Puissamment bâti, avec un cou de taureau – il jouait au rugby en compétition bien qu'il eût dépassé la quarantaine et sans doute aurait-il soulevé des haltères deux fois plus lourds que les miens –, mais ramer rapidement n'est pas seulement une affaire de force physique. Faire glisser une planche à la surface dépend en partie de votre habileté à exercer un effet de levier, et la pousser à travers les vagues largement de votre adresse à leur présenter le moins de résistance possible. Les grosses vagues, elles, exigent une combinaison de compétences paradoxale – férocité et passivité –, ce que Bill Sloat, apparemment, n'avait jamais maîtrisé. Il n'en gardait que la férocité. Il roulait et tanguait sur les vagues comme un tronc de séquoia. Il n'était que pure testostérone. Il amusait les autres surfeurs, dont bien peu jouaient au rugby, mais il m'intéressait, même si j'avais l'impression de l'agacer. Lors d'une partie de poker chez lui, il m'avait traité de communiste. Pire, il m'était arrivé de sortir certains jours où il en avait été incapable.

Ce jour-là, j'étais assez tenté de m'y risquer. Ces vagues outrepassaient de loin mes limites. Je voyais mal comment Mark et Peewee s'étaient débrouillés – ni même comment Mark avait pu l'en convaincre. Je suis resté un moment à côté de Sloat Bill, en m'efforçant de ne pas les perdre de vue. Entre deux houles, ils disparaissaient parfois de mon champ de vision plusieurs minutes d'affilée. Ils ramaient constamment vers le nord, luttant à contre-courant, et réussissaient tout juste à se maintenir à la même position. Au bout de quelques minutes, un des deux a brusquement reparu au sommet d'un mur immense et s'est mis à ramer furieusement vers le rivage sur la crête d'un pic aussi large qu'un pâté de maisons. Un concert de cris aigus et de jurons s'est élevé tout au long du remblai du Sloat. Mais la vague a dépassé le rameur ; noire et abrupte, elle a barré l'horizon pendant ce qui m'a paru une éternité puis s'est brusquement et silencieusement cassée en deux. On a perçu cette fois des cris de soulagement et des jurons étrangement déçus. Tant dans le parking que sur le remblai et la plage, tous les profanes ont relevé les yeux, décontenancés. Aucun ne semblait se douter de la présence de surfeurs dans l'eau.

J'avais rendez-vous ailleurs, de l'autre côté de la ville, chez un ami où un petit groupe de gens, dont aucun n'était surfeur, se réunissaient chaque année pour regarder le SuperBowl. J'ai demandé à Sloat Bill depuis quand Mark et Peewee étaient dans l'eau. "Deux heures environ, m'a-t-il répondu. Ils ont bien mis une demi-heure pour y aller." Il n'avait même pas tourné la tête.

J'étais encore là, vingt minutes plus tard, à attendre qu'il se passât quelque chose. La brume s'était épaissie, le soleil était plus bas dans le ciel à l'ouest. J'allais rater le coup d'envoi. Deux grosses séries se sont bien présentées, mais ni Mark ni Peewee n'étaient à proximité. Bien qu'il n'y eût toujours pas de vent, les conditions commençaient à se détériorer. De puissants courants de marée commençaient de circuler entre les bancs de sable extérieurs, ajoutant à la confusion des vagues. La seule question serait bientôt : comment Mark et Peewee allaient-ils faire pour rentrer ?

Finalement, quelqu'un prit une vague, une droite gigantesque, trois ou quatre fois la taille d'un homme, mais dont une autre, juste devant, a bloqué toute vue du surfeur immédiatement après son drop. Plusieurs secondes ont passé. Puis il est réapparu cinquante mètres plus bas, en train d'escalader sa face presque à angle droit, arrachant des cris de surprise à l'assemblée. Pas moyen de déterminer son identité. Il a surfé sa crête tout du long, pivoté sur fond de ciel puis plongé de nouveau hors de vue. Des grognements et des cris appréciateurs ont jailli. "Putain d'*arrachage* !" s'est exclamé quelqu'un. L'homme surfait la vague comme si elle ne faisait qu'un tiers de sa taille réelle. Et il a continué dans cette voie, à pivoter et tracer, du creux à la crête, d'immenses cutbacks et des arcs de cercle serrés, tandis que, devant lui, l'autre vague agonisait, nous offrant à présent une vue parfaitement dégagée. Deviner son identité restait impossible, même si l'on distinguait maintenant le jaune de sa planche à travers la brume. Je n'avais jamais vu Mark ni Peewee surfer une vague de cette taille avec une telle nonchalance. Elle avait diminué de moitié et perdu toute sa puissance en heurtant l'eau profonde entre les deux barres, mais le surfeur n'en trouva pas moins un zeste de houle égarée pour le porter sans bavure à travers le bassin, jusqu'à la barre intérieure, et, quand la vague se cabra par-dessus le banc de sable, il réussit on ne sait comment à dévaler sa face, assez tôt pour négocier un virage puis tracer sur une quarantaine de mètres, sous sa lèvre en suspension, une ligne à couper le souffle, les bras en croix sur fond de mur à contre-jour, avant de finalement redresser le cap et se soustraire à l'explosion en la distançant d'assez loin sur l'eau étale. Il resta droit sur ses pieds quand l'eau blanche le rattrapa, son énergie épuisée, et il la sillonna jusqu'au sable en louvoyant.

Alors qu'il remontait la plage, la planche coincée sous son bras, l'identifier restait toujours aussi difficile. Puis il devint clair qu'il s'agissait de Peewee. Dès l'instant où on le reconnut, Sloat Bill s'avança jusqu'au rebord du remblai et entreprit de frapper solennellement dans ses mains. D'autres, dont moi-même, se joignirent à lui. Peewee releva les yeux, stupéfait. Son visage exprima d'abord une sorte d'inquiétude puis de l'embarras. Il se retourna, piqua plein sud à travers la plage, en secouant la tête, puis escalada le remblai là où personne ne pouvait plus le voir.

Caroline avait achevé ses études. Elle travaillait la nuit à ses gravures, mettait ses impressions en vente dans des galeries du coin – des images de captivité, d'ailes bridées dans des boîtes, toutes extrêmement détaillées et ciselées. Elle avait pris un emploi journalier, secrétaire d'un détective privé, puis en était devenue un elle-même. Elle surveillait des marchands de sommeil, interrogeait des détenus, incarnait des personnages – cadre bancaire, locataire en puissance, démarcheur d'United Way. Je l'ai accompagnée une ou deux fois à des réunions louches pour la soutenir. Elle feintait les gens en énonçant leur patronyme puis leur remettait une citation à comparaître. Quelques-uns – persuadés que, s'ils ne touchaient pas le document de la main, il ne pouvait être considéré comme remis légalement –, balançaient d'un coup de pied la citation dans l'escalier. (Grossière erreur.) J'étais là pour veiller à ce que Caroline ne subisse pas le même sort. (Certains s'y essayaient. Un sale type qui s'était fait avoir par le coup du démarcheur d'United Way l'avait pourchassée à travers les collines d'Oakland. Par bonheur, elle avait été sprinteuse au lycée.) Elle travaillait pour des avocats. Elle a commencé à s'intéresser au droit américain.

Elle était venue aux États-Unis pour sa scène artistique. S'agissant de la médiocrité qui affligeait San Francisco, elle tombait en tout point d'accord avec ma mère. Si elle avait voulu vivre dans une ville agréable et décontractée, elle aurait pu rester à Harare, près de ses parents et de ses amis d'enfance. New York lui tendait les bras. Pourtant, elle commençait à voir d'un mauvais œil une carrière artistique. Une galerie de New York avait sans doute pris quelques-unes de ses gravures, mais, pour en vivre décemment, elle aurait dû vendre ses œuvres à des prix plus élevés. Tout cela lui semblait étouffant, un peu trop prétentieux et éloigné du monde réel. Elle ne réussissait pas non plus à accepter l'idée que son apprentissage prenait fin.

Mark, son père, est venu en ville pour un voyage d'affaires. C'était un négociant en minéraux, désormais à la tête de l'entreprise, récemment nationalisée, chargée d'exporter les minéraux du Zimbabwe. Caroline et lui se couchèrent tard, finirent une bouteille de mauvais vin et eurent une prise de bec à propos de la guerre. Leur famille avait fait partie des rares Blancs qui s'étaient opposés au gouvernement de l'ancienne Rhodésie, encore sous domination blanche. Mais Mark s'était livré à certaines violations de sanctions pour le régime scélérat et sa fille voulait à présent savoir pourquoi. Ce fut une nuit pénible suivie d'une vilaine gueule de bois. Mais cette discussion n'avait que trop tardé. À un moment donné, Caroline fit part à son père de son intention d'étudier le droit américain. Mark proposa de l'aider à payer ses études, certain qu'avec son artiste de fille, on n'en viendrait jamais là. (Erreur. Juris Doctor, Yale, 1989.)

Mon livre sur l'enseignement au Cap allait bientôt être publié. Je comptais retourner en Afrique du Sud avant cette date. Le gouvernement expulsait les journalistes étrangers et refusait d'accorder un visa à ceux qui avaient publié un ouvrage qu'il n'appréciait pas. Peut-être n'étais-je pas encore dans son collimateur. Le *New Yorker* m'a confié la mission d'écrire sur les journalistes noirs d'un canard libéral blanc de Johannesburg. Shawn, le rédacteur en chef, ne semblait guère s'inquiéter que je ne lui eusse encore rien remis sur mon médecin surfeur, alors qu'une année au moins s'était écoulée depuis la commande. New York me tendait aussi les bras. Si Caroline et moi aspirions tous deux à émigrer à l'Est, ce n'était pas une pure question de sérendipité. Notre couple avait survécu à des débuts difficiles, je pouvais encore me montrer tyrannique, mais nous nous étions ouverts l'un à l'autre. Nous avions le même humour.

Vers la fin du troisième hiver à San Francisco, au terme d'une succession de tempêtes, une vague commença à se casser, pour la première fois depuis notre arrivée, sur le banc de sable de VFW Extérieure. Je compris vite pourquoi cette vague était une légende locale. À Ocean Beach, la barre était d'une longueur et d'une rectitude inhabituelles, avec un profond chenal à son extrémité nord. La houle du nord-ouest y engendrait des vagues très correctes mais qui n'autorisaient que de très courts rides. Elles frappaient le banc de sable de plein fouet ; il fallait décoller très près du chenal pour les prendre. D'un autre côté, les houles qui venaient plus directement de l'ouest la heurtaient moins à la perpendiculaire, produisant de longues gauches rapides d'une qualité exceptionnelle. Dans la mesure où les vagues ne commençaient à se casser sur le banc de sable que quand la houle dépassait un mètre quatre-vingts, VFW Extérieure n'était jamais bondée. Je l'avais vue se casser plusieurs fois, particulièrement à l'occasion de deux journées effrayantes où seuls Mark, Peewee, Tim Bodkin et une poignée de surfeurs de grosses vagues certifiés avaient ramé vers le large. Je l'avais surfée quelques rares fois, certains jours pas trop violents, quand elle ne se cassait pas avec autant de férocité. Puis, au début de 1986, nous eûmes droit à une grosse et belle journée, avec des vagues plutôt belles. Mais je n'avais pas la planche adéquate. Mark, oui, en revanche. "Tu peux te servir de ma 8'8", m'a-t-il répété plusieurs fois, tout en enfilant sa combinaison, en me montrant le yellow gun allongée dans sa fourgonnette. Je prendrai ma 8'6"."

Que Mark tentât une dernière fois de m'offrir en sacrifice aux dieux impitoyables d'Ocean Beach me traversa l'esprit. Peut-être savait-il déjà que je m'efforçais de puiser en moi le courage de lui avouer que j'avais décidé de m'installer à New York. Ce départ m'inspirait des sentiments mitigés, mais à l'intérieur le soulagement prédominait. Chaque hiver à Ocean Beach, j'avais connu au moins une grosse frayeur – un méchant épisode à l'intérieur de grosses vagues, qui avait ensuite troublé mon sommeil pendant un certain nombre de nuits. Bob Wise pouvait le comprendre. "Les surfeurs ne se noient jamais ici, m'avait-il affirmé une fois. Ce sont les touristes, les cyclistes bourrés et les marins qui se noient. Mais les surfeurs les plus chevronnés eux-mêmes finissent par se persuader qu'ils manqueront de se noyer au moins une fois par hiver à Ocean Beach. C'est ce qui rend ce spot si bizarre." Je présumais que Mark qui, lui, prospérait sur cette bizarrerie, ne pouvait pas comprendre. Mais je me félicitais de m'en tirer sans m'être noyé, tout comme de me soustraire bientôt à ses injonctions. J'étais las aussi de jouer les faire-valoir. Naguère, en Asie du Sud-Est, Bryan avait ressenti le besoin de s'éloigner de moi. Mais c'était différent. Nous étions des partenaires. Je ne savais pas trop comment annoncer à Mark mon départ. Je ne tenais pas à l'entendre me dire que je m'écartais de la voie du surfeur.

Une dizaine ou une quinzaine de types traînaient sur le remblai. VFW Extérieure était le spot le plus populaire d'Ocean Beach et les garçons qui ne faisaient pas mine de sortir ce jour-là y surfaient pourtant régulièrement. Un peintre en bâtiment, plutôt costaud, répondant au nom de Rich se tenait parmi eux. C'était un des surfeurs alpha de cette extrémité de la plage. Rich m'a jeté un regard sourcilleux quand je suis passé devant lui, ma 8'8" jaune sous le bras. Je me suis aperçu que je ne l'avais jamais vu surfer des vagues de plus d'un mètre quatre-vingts. Elles faisaient à présent entre deux mètres quarante et trois. La houle était très forte et venait de l'ouest. Les conditions n'étaient pas impeccables – il y avait un petit vent latéral et un violent courant – mais plusieurs gauches stupéfiantes ont malgré tout déferlé, désertes, pendant que nous nous préparions. Bokin et Peewee étaient sortis, avaient déjà pris chacun deux énormes vagues, mais ils surfaient prudemment, laissant passer les plus percutantes.

Ramer sur la planche de Mark revenait à piloter un pétrolier miniature. Je réservais aux gros jours une vieille 7'6" en single, mais j'avais surfé un thruster 6'9" presque tout l'hiver. Pourvu d'un rail épais et d'un nose effilé, le gun de 8'8" flottait très haut au-dessus de l'eau et je n'avais aucun mal à suivre Mark dans le chenal. L'eau, très froide, était d'un vert brunâtre ; la passe qui menait du rivage à la mer bien dégagé : aucune barre intérieure à traverser et pas de clapot. Il n'en était pas moins effrayant, avec ses énormes houles qui le balayaient de part en part et formaient de déplaisantes lames en forme de A, qui se cassaient à moitié avant de disparaître. Il y avait, au nord, un affleurement sur lequel des vagues gigantesques venaient se cabrer puis s'éventrer avec d'horribles grondements. Au sud, la dernière section de la longue et sinueuse gauche de VFW n'était guère plus inspirante. Elle aussi semblait très épaisse et peu profonde. Nous avons marqué une pause pour regarder une vague à la face lisse basculer lourdement par-dessus la dernière section de la barre, à quelque vingt mètres à peine de l'endroit où nous nous tenions. Mark a beuglé "La mort !" à l'intention du grand tube sombre qu'elle avait formé. L'idée avait l'air de lui plaire.

Je continuai de bifurquer vers le large tandis que Mark prenait à gauche et coupait au travers de la barre. Peewee et Bodkin étaient à quelque deux cents mètres au sud et Mark les rejoignait en traçant une ligne droite, mais j'ai préféré la contourner et passer pour un pleutre plutôt que risquer de me faire happer par une grosse série. Une petite s'est engouffrée, déjà trop à l'intérieur pour qu'un de nous pût la prendre, mais elle n'en a pas moins tonitrué, menaçante, en se cassant. La seule taille de ces vagues était décourageante. Je n'étais guère pressé de voir arriver une grosse série. J'ai vérifié ma position par rapport au rivage tout en poursuivant lentement mon cheminement vers le sud. Sur le remblai, des graffitis en lettres énormes – MARIA, KIMO et PTAH – balisaient ma progression. Comme souvent les gros jours, le rivage semblait singulièrement paisible et normal. Un alignement de cyprès sombres se dressait derrière le remblai – brise-vent destiné à l'extrémité côté océan du Golden Gate Park –, et deux éoliennes les surplombaient. Au nord, les falaises étaient éclaboussées de fleurs roses et bordées d'un belvédère de pierre, vestige d'un ancien manoir de Sutro. Tout avait l'air particulièrement stable. Je n'arrêtais pas de tourner la tête de droite et de gauche, de me démancher le cou pour tenter de me repérer puis dans l'autre sens afin de vérifier qu'une série cauchemardesque ne jaillissait pas déjà de la mer et fondre sur moi.

Se trouver au milieu de grosses vagues a un côté onirique. Terreur et extase rôdent toutes deux ensemble, menaçant de submerger le rêveur. Une splendeur surnaturelle émane de la vaste arène d'eau mouvante, de ciel, d'une violence latente et explosions bien trop réelles. Ces scènes qui s'offrent à vous semblent déjà mythiques alors même qu'elles se déploient. Je suis toujours la proie d'une ambivalence féroce : j'aimerais être n'importe où ailleurs à cet instant et, en même temps, je n'aspire qu'à être ici. J'ai envie de me laisser dériver, de contempler ce spectacle, de m'en imprégner, mais une vigilance maximale à ce que me prépare l'océan est de rigueur, et il n'est pas question de relâcher cette attention une seule seconde. Les grosses vagues ("grosses" est un terme relatif, évidemment – celles dont j'estime qu'elles mettent ma vie en danger, sachant que le quidam d'à côté les trouvera peut-être parfaitement surfables) sont un champ de forces qui vous fait vous sentir tout petit, et auquel on ne survit qu'en décryptant soigneusement et distinctement celles qui l'agitent. Mais l'extase que procurent les grosses vagues que l'on surfe exige aussi qu'on mette de côté la terreur, la peur d'être submergé : le filament qui sépare ces deux états d'esprit devient soudain ténu, diaphane. La chance pure pèse lourdement, cruellement, dans la balance. Quand ça tourne mal, ce qui arrive inéluctablement – quand on se retrouve happé à l'intérieur d'une très grande vague ou quand on échoue à la prendre – l'adresse, la vigueur et la jugeote paraissent inutiles. Nul ne saurait conserver sa dignité lorsqu'il se fait retourner par une grosse vague. On ne peut espérer maîtriser qu'une seule chose : sa panique.

Je progressais lentement vers le sud, en direction de Mark et des autres surfeurs, en prenant régulièrement de profondes inspirations afin de ralentir mes battements de cœur, lequel cognait d'assez déplaisante façon depuis que j'avais sérieusement envisagé de ramer vers le large. Mark prit une vague alors que j'approchais de le lineup. Il se lança à l'assaut d'une face colossale en poussant un hurlement et disparut derrière un mur brun bouillonnant. Je remarquai que le point de take-off se trouvait juste en face d'un gros graffiti rouge : PTAH VIT. Bodkin, qui était encore assis à côté de Peewee, cria mon nom ; il souriait jusqu'aux oreilles. Il me semblait que c'était un sourire qui devait autant à l'amusement sardonique que lui inspirait ma prudente trajectoire jusqu'au lineup qu'à sa satisfaction de me voir parmi eux malgré tout. Peewee se borna à m'accueillir d'un signe de tête. Son calme dans l'eau était généralement une bénédiction. Sa capacité virtuose à rester de marbre laissait aux autres surfeurs un grand espace psychologique qu'ils pouvaient occuper, ce que, selon moi, nombre d'entre eux appréciaient. Mais, parfois – ce jour-là, peut-être –, il me semblait que la décontraction de Peewee était un peu forcée. Bien sûr, il ne regardait sans doute pas VFW Extérieure comme une vague particulièrement effrayante quand elle faisait cette taille, et sans doute aussi ne se rendait-il pas compte qu'elle devait me faire l'effet d'une montagne...

Il se trouva que la chance (et une planche adéquate) était avec moi cet après-midi-là. Je pris plusieurs grosses et bonnes vagues au cours des deux heures qui suivirent. Je ne les ai pas spécialement bien surfées – le mieux que je pus faire était de maintenir ma 8'8" orientée à peu près dans la bonne direction –, mais ce furent de longs rides rapides, dont je parvins chaque fois à m'extirper sans une égratignure. La planche de Mark était d'une stabilité merveilleuse et me permettait de prendre les vagues très tôt. J'ai même pris celle que Mark a baptisée "la vague du jour". Un autre jour et sur une autre planche, je l'aurais sans doute laissée passer, mais je me suis retrouvé tout seul sur sa crête, très loin du rivage, alors qu'une seconde vague, tout aussi vaste, arrivait sur moi. Elle s'étirait vers le nord sur plusieurs pâtés de maisons, apparemment imprenable, mais je me fiais dès lors en priorité à la barre et au chenal. Je l'ai prise très tôt, en me servant d'un petit clapot transversal – ce que les surfeurs de grosses vagues appellent un *chip shot* – pour me lancer par-dessus sa lèvre. J'ai dû réprimer une petite poussée d'acrophobie en me relevant – le fond de la vague me semblait à des kilomètres. À la moitié de sa face, je me suis penché rudement en arrière pour négocier un virage, en luttant pour rester sur ma planche, laquelle gagnait de la vitesse dans l'eau qui remontait vers la crête. Mes nerfs ont vacillé une deuxième fois quand j'ai jeté un regard sur le mur, bien plus grand que je ne l'avais escompté, qui se dressait derrière moi : plus haut, plus escarpé et menaçant que jamais. Je me suis retourné et, comme si je portais des œillères, de nouveau concentré sur les quelques pieds d'eau bouillonnante qui s'étendaient immédiatement devant moi, j'ai décrit de longs virages à grande vitesse, de plus en plus rapides. La vague tenait superbement, et je l'ai surfée aisément, encore que son ultime section proche du chenal, grosse comme une maison, m'expulsa si vite et si violemment que je dus renoncer à toute prétention de style ou de maîtrise pour essayer de rester debout, les genoux fléchis, en passager reconnaissant.

Peewee ramait dans le chenal quand j'en ai émergé. Il a hoché la tête. Je tremblais de tout mon corps. Au bout d'une minute, je n'ai pas pu m'empêcher de lui demander : "Elle était haute de combien ?" Il a éclaté de rire. "Soixante centimètres", m'a-t-il répondu.

Nous avons déménagé à New York cet été-là. Il m'a fallu sept ans pour écrire l'article sur Mark et Ocean Beach. Des sujets plus urgents – l'apartheid, la guerre, d'autres calamités de toute sorte – avaient retenu mon attention. Autant d'affaires sérieuses exigeant un travail absorbant et de projets trouvant en eux-mêmes leur propre justification. Contrairement au surf. Avant d'avoir terminé le portrait de Mark, j'avais publié trois livres, deux sur l'Afrique du Sud, un troisième sur la guerre civile au Mozambique, et j'avais aussi bien avancé sur un manuscrit ambitieux sur la régression sociale aux États-Unis. J'en étais venu à travailler à plein temps pour le *New Yorker*, où, entre autres choses, je publiais des dizaines de billets d'opinion. C'était l'autre raison de mes tergiversations : j'y écrivais, de manière souvent polémique, sur la pauvreté, la politique, le racisme, la politique étrangère des États-Unis, la justice en matière de criminalité et le développement économique, en espérant qu'on prendrait mes arguments au sérieux. Je n'étais pas certain que "sortir du placard en tant que surfeur" y contribuerait. D'autres spécialistes de la politique n'allaient pas manquer de me dire : *Bah, t'es qu'un crétin de surfeur, qu'est-ce que t'y connais, en politique ?*

La raison principale de cette réticence, c'était la certitude que Mark n'apprécierait sans doute pas cet article. Je l'admirais, et écrire sur lui ne me posait aucune difficulté, mais c'était un personnage complexe, dont le nombrilisme surdimensionné agaçait, au mieux, de nombreux membres de la petite communauté du surf que je m'efforçais de dépeindre en même temps. Après mon départ de San Francisco, il avait commencé à tenir dans *Surfer* une rubrique de conseils médicaux. Ses exploits et les épigrammes sur ceux-ci étaient devenus un classique des colonnes régionales du magazine. Les revues de surf découvraient Ocean Beach en partie grâce à lui. Puis, en 1990, *Surfer* publia une phénoménale séquence de quatorze photos pleine page d'Aaron Plank, un jeune goofy foot, sur une gauche déferlante d'O.B. haute de deux fois sa taille. Sur sept d'entre elles, Aaron disparaissait complètement − pendant environ quatre secondes − puis en ressortait indemne. C'était la fin d'une époque. Tout le monde connaissait désormais ce spot. Une compétition pro, appris-je, se déroulait même à VFW.

Mais la nouvelle la plus singulière que m'apporta *Surfer* sur San Francisco, ce fut sans conteste un panégyrique de Peewee par Mark. "Tranquille, apparemment réservé, il n'attire que bien peu l'attention − jusqu'à ce qu'il rame vers le large et se lance, écrivait-il. Le meilleur spot de la plage ? Peewee y sera. La meilleure vague de la série ? Peewee la prendra. La meilleure de la journée ? Il la surfera." Mark comparait Peewee à Clint Eastwood et le fameux incident de l'arrachage des dérives était mentionné. C'était un éloge à la fois gracieux et ambigu. Étais-je passé à côté de leur rivalité ? Ou bien Mark se montrait-il enfin tout à fait sincère ?

J'avais eu tort, tout bien pesé, de craindre la réaction de Mark à l'annonce de mon départ de San Francisco. Il ne cilla pas. Nous fîmes ensemble une dernière balade à Big Sur et il me souhaita bonne chance. Mais Mark ne laissait jamais non plus passer une occasion de me rappeler que, depuis que je vivais à New York, j'avais manqué un nombre incalculable de grandes vagues à Ocean Beach, ni de me décrire ses voyages – en Indonésie, au Costa-Rica, en Écosse –, auxquels, de manière assez inexplicable, je refusais de me joindre. En Alaska, il avait affrété un avion, exploré des centaines de kilomètres de côte et, au pied d'un glacier, découvert et surfé seul des vagues magnifiques depuis une plage portant encore les empreintes fraîches d'un grizzly.

Je me trompais aussi sur le fait de perdre ma crédibilité de journaliste politique en révélant mon statut de surfeur. Ça n'intéressait personne semble-t-il.

En revanche, j'avais raison de redouter la réaction de Mark à la publication de mon article. Il l'a détesté.

Peter Spacek, Jardim do Mar, Madère, 1995

BASSO PROFUNDO

Madère, 1994-2003

Mon existence avait pris la tournure d'une vie rangée à la quarantaine. Caroline et moi étions mariés et vivions à New York depuis huit ans. Je croulais sous le travail : éditoriaux, articles, livres. Journalisme. J'avais effectivement quarante ans. Nous étions bien installés. Avions acheté un appartement. Nos amis étaient écrivains, rédacteurs en chef, éditeurs, universitaires. Caroline avait renoncé à l'art et était devenue, à sa propre surprise, une surprise qui n'en finissait pas, avocate de la défense. Elle aimait se mesurer intellectuellement au "gouvernement". Je me fiais plus que jamais à son regard lucide et chaleureux. Nous dansions sur un même rythme. Nul autre ne pouvait connaître ce que nous partagions, le langage intime que nous avions forgé ensemble. Avant notre mariage, nous nous étions séparés quelque temps et chacun avait vécu de son côté : une expérience mortelle.

Mes reportages me conduisaient un peu partout, au cœur de guerres civiles et de mondes que je ne connaissais pas bien. Certains projets m'absorbaient des mois, voire des années. La plupart des sujets que je traquais restaient sombres, chargés de souffrances et d'injustices. Mais certains, comme les premières élections démocratiques en Afrique du Sud, se révélaient formidablement gratifiants. Dans ce vieux dilemme entre ma dévotion pour le surf et l'aspiration à une profession digne d'un âge adulte, le travail avait remporté le bras de fer et pris le dessus sur la chasse aux vagues. Puis le vieux roublard de surfeur que j'étais y est revenu avec application tout d'un coup. Ce retournement fut encouragé, et même inspiré, par un regular foot chevronné du Rincon : Peter Spacek.

Nous nous étions rencontrés à Montauk, le vieux village de pêcheurs à la pointe est de Long Island. Le rédacteur en chef d'un magazine de surf m'avait donné l'adresse de Peter, dans un quartier du front de mer appelé Ditch Plains. Il s'agissait d'un bungalow au toit de bardeaux, loué pour l'été ; scotchée sur la porte d'entrée, une note indiquait que se trouvait sous le perron un longboard Herbie Fletcher ; la note, dessin, aussi habile que nonchalant, représentait de petites vagues prises d'assaut. Ditch Plains se dresse sur un spot intéressant pour les surfeurs. C'est, de toutes les implantations de la côte de Long Island donnant sur l'océan, la plus orientale. Près de cent cinquante kilomètres de beachbreaks s'étirent vers l'ouest, jusqu'à Coney Island et New York : un littoral remarquablement plat et sablonneux. Mais, à Ditch même, le sable cède la place à des rochers, et des reefbreaks et des pointbreaks sont disséminés sur les six derniers kilomètres menant à la pointe de Montauk, au pied de falaises d'ardoise auxquelles aucune route ne permet d'accéder. En été, Ditch est une plage familiale populaire, où des camions vendant des burritos stationnent sur les dunes, et où une longue et douce gauche vient se casser sur la ligne où la roche se substitue au fond sablonneux. C'est un break idéal pour un débutant. Je n'avais jamais été très emballé d'y surfer.

Les vagues devaient m'arriver à la poitrine ; elles semblaient faibles et friables. C'était par un après-midi ensoleillé de fin d'été. Une quarantaine de personnes devaient être de sortie, de loin la foule de surfeurs la plus dense que j'eusse vue sur la côte est. Je n'avais pas monté un longboard depuis des décennies. Dans les années 1980, le surf avait connu un revival du longboard, dû principalement à des types vieillissants qui ne pouvaient plus surfer un shortboard. Les longboards exigent moins de vigueur et d'agilité. Ils prennent plus facilement les vagues. Mais ceux qui les surfent les prennent si tôt que, sur de nombreux spots, ils commençaient à évincer les planches capables de meilleures performances. Pour ma part, alors que j'entrais dans la quarantaine, je mettais un point d'honneur à surfer avec un shortboard. Je pensais que revenir au longboard m'aurait fait l'effet de recourir à un déambulateur – Eh oui, tu n'as plus l'âge de danser ! Et j'avais compté tenir ce code de conduite le plus longtemps possible. J'ai contourné la horde de Ditch en ramant à genoux et pris une vague un peu plus loin. Ça me faisait tout drôle de piloter cette planche de trois mètres de long, mais les vieux réflexes me sont revenus peu à peu, l'un après l'autre, et, à la fin du ride, je m'avançais déjà avec timidité, mais d'une façon ironique, jusqu'à son nose. Quand je suis revenu me mettre en position dans l'eau, un type m'observait, assis sur l'épaule de la vague. Un nez en bec d'aigle, des cheveux châtain clair et un petit bouc. "On ne m'avait pas dit que tu surfais un longboard", a-t-il ricané.

Peter était illustrateur, et le rédacteur en chef qui nous avait mis en relation voulait que nous collaborions à l'écriture d'un article consacré à la traque d'un cyclone au nord de la côte est. J'avais surfé quelques houles d'ouragan à Fire Island, mais, la plupart du temps, je ne pratiquais plus le surf qu'à l'occasion de mes voyages – en Californie, au Mexique, au Costa Rica, dans les Caraïbes ou en France. Et, pour être sincère, ces voyages pouvaient tout aussi bien être qualifiés de *vacances*. Je surfais donc encore, mais de façon sporadique. Je n'étais même pas connecté aux vagues autour de New York.

Je lui ai remis les pendules à l'heure sur cette question de longboard, puis Peter et moi avons convenus que l'article sur la traque d'un cyclone ne tenait pas la route : trop de trajets en voiture le long d'un littoral que nous trouvions tous deux imprévisible. Là-dessus, il s'est fait fort de me faire connaître Montauk. "Mon petit paradis", disait-il. Il ne parlait pas de Ditch Plains mais des reefbreaks et beachbreaks peu fréquentés qui l'entouraient. Peter habitait à Manhattan et, depuis des années, partageait la location estivale d'un bungalow à Ditch, il lui restait encore à étudier les spots plus obscurs et capricieux de Montauk et ses alentours. Il était originaire de Santa Barbara et avait vécu à Hawaï. La première fois que nous avons pris de bonnes vagues ensemble, près d'un récif à l'est de Ditch et par une constante houle d'automne, j'ai trouvé époustouflantes la fluidité et la puissance de son surf. Ce n'était pas un style fréquent sur la côte est, où les petites vagues et les rides brefs tendent à engendrer un surf saccadé et disgracieux.

Le soir, pendant le dîner, il m'a montré un article d'un magazine de surf qui l'avait rendu dingue. Sur les photos, les vagues étaient d'une beauté renversante : énormes, richement teintées, si lisses qu'elles en étaient à tomber à genoux. Bien entendu, en accord avec le code des magazines de surf, nulle trace de localisation, mais les rédacteurs ne s'étaient pas trop échinés à la travestir et Peter affirmait la connaître : "Madère. Comme le vin." Il a déplié une carte. L'île se trouvait pile au centre de la fenêtre hivernale de la houle de l'Atlantique Nord, à quelque huit cents kilomètres au sud-ouest de Lisbonne. Peter tenait à le vérifier par lui-même. Et moi aussi, soudainement.

Nous y fîmes notre premier voyage ensemble en novembre 1994. Madère était saisissante : côtes verdoyantes, petites routes tortueuses embrassant des falaises, paysans portugais scrutant nos planches d'un œil suspicieux, lourdes vagues surgissant des profondeurs de l'océan. Nous avons traversé en voiture des gorges et des forêts, emprunté des corniches à des hauteurs vertigineuses. Nous mangions du *prego no pão* (un sandwich au steak et à l'ail) dans des cafés en bord de route et ingurgitions un bon nombre d'espressos. Nous escaladions des digues et dévalions des remblais. Il semblait n'y avoir aucun autre surfeur dans les parages. Sur la côte nord, près d'un village du nom de Ponta Delgada, nous avons trouvé une grosse gauche. Elle était assez agitée et, comme la plupart des spots que nous avions visités, se cassait beaucoup trop près de récifs à l'air vorace. Mais la vague s'ordonnait plus loin en contournant la pointe à l'abri du vent. J'ai pris une série de screamers*. Peter, qui ramait à mes côtés, a grogné : "Veux-tu bien cesser de m'arnaquer ?" J'aimais sa franchise et son sens de la compétition. Il surfait d'ordinaire mieux que moi et, à Delgada, il s'aventurait seul dans une zone d'eau bleue balayée par le vent, par-delà la pointe, pour traquer des monstres dont je ne voulais rien savoir. Mais, contrairement à moi, il n'avait pas de chance avec les vagues qu'il choisissait. Il faut dire aussi que, contrairement à moi, il avait une petite amie qui l'observait depuis la rive.

Alison était l'élément surprise qui s'était glissé dans mes bagages. Avec Peter, ils ne s'étaient rencontrés que peu de temps auparavant. Elle était mince, forte, acerbe, très brune, toujours partante pour tout, et elle aussi illustratrice. Tous deux dessinaient sans arrêt – dans les cafés, les salles d'attente des aéroports, hachurant interminablement des carnets, elle tendant le bras pour ajouter de l'encre à son dessin. "N'aie pas peur de noircir !" Ils faxaient ensuite leurs œuvres à leurs clients aux États-Unis depuis l'hôtel ou une agence de location de voitures. Tous deux étaient des voyageurs classieux, peu exigeants, que rien ne rebutait. Mais ils pouvaient aussi se montrer inconstants. Le lendemain de notre arrivée à Madère, avant que nous ne trouvions des vagues, ils ont déclaré qu'ils préféraient regagner le Portugal continental qui leur avait paru plus amusant. C'était hors de question, avais-je répondu, horrifié intérieurement. Qu'est-ce qui n'allait pas chez eux ? Peter avait commencé à s'affubler d'un béret – un autre mauvais signe. Puis nous avons commencé à prendre des vagues. D'abord à Ponta Delgada, et, quelques kilomètres plus à l'est, nous avons découvert un gros reefbreak régulier que Peter a surnommé *Shadowlands* – les Terres de l'ombre. La falaise y était si haute – près de mille mètres – que le rivage ne recevait jamais le soleil hivernal. Nous portions des combinaisons légères – courtes aux jambes, longues aux manches –, et apprenions lentement à trouver le moyen d'enfiler, à marée basse, une section des tube surprise que nous réservait Shadowlands.

Mais la principale région de vagues était la côte sud-ouest, où les houles du nord-ouest contournaient l'extrémité occidentale de l'île, lissées, entre-temps, en de longues lignes bien ordonnées. Grâce au magazine de surf, notre seule source de renseignements, nous savions cependant où chercher. Un village appelé Jardim do Mar – le Jardin de la mer – s'élevait sur un petit cap de conte de fées. À en croire les photos, une grosse vague se cassait au large de ce cap. La première fois que nous y sommes allés, le vent soufflait du mauvais côté et les vagues étaient petites. Sans trop m'attendre à en trouver, je suis allé explorer en ramant la côte à l'ouest de Jardim (une côte verticale, déserte, étonnante), pendant que Peter et Alison crapahutaient sur les rochers. Lui aussi trimballait une planche, au cas où. Arrivés à Ponta Pequena, un promontoire accidenté jonché de gros rochers, nous sommes tombés sur un surprenant dispositif : de féroces mais très correctes petites vagues, déferlant dans une crique peu profonde. Peter et moi nous y avons plongé. Pour des vagues à hauteur de la poitrine, la punition en cas de chute était d'une extraordinaire sévérité, et Peter a saigné sur ces rochers. J'ai eu plus de chance en surfant de meilleures vagues. Plus tard, je me suis rendu compte que, dans les dessins qu'il avait faits de notre première session à Ponta Pequena, Peter avait à nouveau tenu le compte des vagues qui avaient été plus clémentes avec moi. Si l'on suit son dessin et une case réservée au score incluse, il semble qu'il n'avait pris qu'un tube et demi tandis que j'en prenais cinq. Il s'était blessé et pas moi. Tout cela sous les yeux de sa petite amie.

Je me suis aperçu plus tard que, si j'appréciais tant les petites compétitions qu'organisait Peter, c'était aussi parce que je semblais les remporter toutes. Autrement, il n'aurait jamais eu la rudesse de l'indiquer sur ses dessins. Sous ses dehors de skateboarder grunge (à plus de quarante ans, il faisait encore du skateboard dans son quartier de TriBeCa), il était d'une discrète et parfaite courtoisie. Ses parents étaient des immigrants tchèques qui avaient fui l'Europe de l'Est durant son enfance, et, selon moi, il tenait d'eux, au moins en partie, cette politesse peu commune : c'était un rejeton du Vieux Monde élevé dans la sauvagerie californienne. Le reste de son comportement, en revanche, n'appartenait qu'à lui seul. Mais j'aimais sa façon de puiser dans la frime et la constante surenchère du surf pour, pince-sans-rire, les tourner en dérision. J'avais surfé en compagnie de trop de garçons avec qui il fallait constamment rivaliser, sans qu'il en fût jamais fait mention pour autant. Au rayon des beaux-arts, le héros de Peter était Robert Crumb. Il partageait avec son maître la même inclination à moquer les travers les plus criants de leurs semblables.

J'avais acheté mon tout premier gun pour Madère, une planche spéciale pour les grosses vagues. C'était une squashtrail thruster de 8'0", épaisse et taillée en flèche pour la vitesse. Elle avait été façonnée par Dick Brewer, un vieil artisan du North Shore. Brewer était le plus célèbre de tous les shapers de planches pour grosses vagues, et je doutais qu'il eût fait davantage que dessiner ma planche et la signer. Je l'avais achetée à Long Island après l'avoir vue sur le râtelier d'une boutique de surf. Ce que faisait là une Brewer restait un mystère – Long Island ne verrait sans doute jamais de vagues assez grosses pour une telle planche, même à l'occasion des houles de tempête les plus violentes – et son apparition inattendue m'avait semblé être un signe. Peter m'avait pressé de la prendre et je m'étais exécuté. Lui aussi avait acheté un gun.

Au bout de quelques jours à Madère, nous nous étions convaincus d'avoir fait une découverte extraordinaire. Pleinement l'appréhender exigea néanmoins d'abord l'apprentissage de cette vague.

La première fois que nous avons surfé Jardim Do Mar – ou, du moins, que nous l'avons surfé correctement –, ce fut sans doute l'année suivante. C'était une vague sérieuse, même quand elle ne faisait qu'un mètre quatre-vingts. De lourdes lignes à long intervalle surgissaient de l'ouest pour s'infléchir autour du cap suivant une courbe à couper le souffle. Elles écumaient, grossissaient puis se cassaient aux deux extrémités de ce fer à cheval avant de retourner à la mer en ruisselant sur le rivage rocheux. Nous avons commencé à ramer à partir d'un débarcadère rudimentaire – une sorte de rampe de béton moussue prolongeant une digue – tout au bout de la pointe. À mesure que nous nous rapprochions du lineup, la puissance et la beauté des vagues se faisaient plus éblouissantes. Une grondante série s'est ruée vers nous, scintillant sous ce bas soleil hivernal d'après-midi, et ma gorge s'est nouée d'émotion – mélange indicible de joie, de peur, d'amour, d'excitation sexuelle et de gratitude.

Une foule de villageois s'était rassemblée sur le parvis au pied du clocher de l'église. Nous n'étions pas les premiers surfeurs qu'ils voyaient. Pourtant, tandis que nous cherchions le lineup, ils semblaient passionnés par nos progrès. Quand nous prenions une vague ils nous acclamaient. Les take-offs étaient intenses et devaient leur paraître spectaculaires : d'abord la grande rampe argentée de la face, puis, tout de suite après, se soulevant rapidement à contre-jour, le large mur d'un vert mordoré.

Nous surfions prudemment tous les deux, en choisissant avec soin nos vagues avant de filer rapidement et d'emprunter dans le respect leurs grandes parois pour tracer, sans y pénétrer, des virages autour des sections. La vitesse, la profondeur et l'échelle des vagues étaient pour nous une révélation. Les paysans eux-mêmes savaient reconnaître un beau ride. Ils connaissaient aussi parfaitement ce corps de mer et, de leur position en élévation, jouissaient d'un meilleur point de vue. Ils se sont mis à siffler pour nous donner des indications. Un coup de sifflet aigu signifiait qu'une grosse vague arrivait et que nous devions ramer plus au large. Suraigu : il nous fallait ramer plus vite. Plus sourd : nous étions pile au bon endroit. Nous avons surfé jusqu'à la nuit.

Le soir, nous avons mangé dans un café du village de l'*espada preta* – un poisson des grandes profondeurs, à l'aspect monstrueux et à la saveur douceâtre. Nous tenions à remercier les siffleurs, à leur payer un verre, mais, peu habitués aux étrangers, les gens étaient intimidés. Peter a qualifié la vague de "suprême". Je me suis mis en quête d'un gîte.

Madère est devenue ma retraite hivernale. Ce n'étaient pas des vacances mais une immersion dans un autre monde, qui parfois pouvait durer plusieurs semaines. Les spots que nous surfions étaient tous des reefbreaks hasardeux, extrêmement complexes, exigeant la plus précise des études et infligeant les plus cruelles punitions au moindre faux pas. En ce qui me concernait, compte tenu de la diminution de mes ressources physiques et de mon travail de journaliste qui n'en finissait jamais, choisir cette période de ma vie pour mener un tel projet à haut risque, implacable et éloigné de toute aide, était sans doute étrange.

Mais j'avais découvert en cette île un refuge qui résonnait quelque part en moi. La plupart des Portugais qui émigraient à Hawaï venaient apparemment de Madère. Les *malasadas* (les beignets portugais) que nous mangions quand nous étions enfants, tout comme les saucisses que j'avais dévorées crues à une certaine occasion, venaient d'ici. Jusqu'à l'ukulélé qui trouvait son origine à Madère, où on l'appelait *braguinha*. Je reconnaissais, ou, tout du moins, je croyais reconnaître, sur les visages des habitants de Madère des traits communs à ceux des Pereira et des Carvalho que j'avais connus à Maui et à Oahu. Les Madérieurs étaient venus par milliers à Hawaï pour travailler dans les champs de canne à sucre – le sucre avait été le principal produit d'exportation de l'agriculture de Madère. L'île était renommée pour son vin, mais ce n'était pas le vin qu'elle exportait avant tout ; c'étaient les gens eux-mêmes. Depuis le milieu du XIXe, l'île n'était plus en mesure de subvenir aux besoins de sa propre population. Ses habitants, et surtout les jeunes, émigraient en très grand nombre. Afrique du Sud, États-Unis, Angleterre, Venezuela, Brésil – tous les Madérieurs que je rencontrais avaient de la famille outremer.

Les liens avec l'Afrique semblaient les plus puissants. Quand António Salazar, le dictateur portugais du milieu du XXe siècle, avait tenté d'exporter ses problèmes de surpopulation agricole dans ses colonies de l'Angola et du Mozambique, un grand nombre de Madérieurs s'étaient joints à l'exode. La plupart étaient devenus agriculteurs (coton, noix de cajou), mais, inévitablement, beaucoup devaient s'engager dans l'armée. Le petit Jardim do Mar lui-même comptait parmi ses quelques centaines d'habitants plusieurs anciens combattants de l'armée portugaise qui avaient participé aux guerres anticolonialistes. Ayant écrit moi-même sur la guerre civile qui avait éclaté au Mozambique après l'indépendance, j'étais bien placé pour le savoir. Mais je n'ai jamais trouvé aucune raison de me flatter de mon séjour au Mozambique auprès des anciens colons de Madère. Presque tous les Portugais avaient fui après son indépendance.

Et, à présent, ils fuyaient l'Afrique du Sud démocratique naissante. À Jardim, des conteneurs maritimes s'entassaient continuellement sur la *praça*, la place. Tout le village apparaissait alors pour décharger le butin – meubles en bois de fer, appareils électroniques usagers, et même voitures –, arrivant tout droit de Pretoria. J'ai noué des liens d'amitié avec un natif de Jardim du nom de José Nunes qui après avoir vécu en Afrique du Sud habitait à présent, avec sa famille au-dessus d'un petit bar-épicerie hérité de son père. "Les gens rentrent parce qu'ils ne se sentent plus en sécurité en Afrique du Sud, m'a-t-il confié. Ici, ils ne sont plus en danger. Mais ils ne trouvent pas d'emploi."

Les gens continuaient de pêcher et de cultiver la terre, mais tout le travail agricole se faisait manuellement – un labeur harassant – sur de petites terrasses fermées par des murets de pierre. Des vieillards au visage rougeaud, aux jambes torses, au corps encore robuste, s'en chargeaient, coiffés d'une casquette en tweed et vêtus d'un cardigan. Vignes, bananes, canne à sucre, papayes – tous les pans de colline, sauf les plus escarpés, étaient découpés en champs et en parcelles minuscules. À Jardim, le moindre perron ou mur croulait sous les fleurs. Le léger murmure musical de l'eau de source ruisselant du flanc de la montagne s'y faisait constamment entendre, noyant les autres bruits – l'eau dévalait un peu partout dans le village, empruntant un système compliqué de rigoles de caniveaux pour arroser des potagers luxuriants. Aux coins, on apercevait les figurines en céramique de colombes, de chats, de petits chiens ressemblant à des boxers et d'écoliers coiffés de chapeaux d'autrefois.

Je descendais souvent dans le nouvel hôtel du village, ou je louais une chambre. J'apportais du travail pour les jours où il n'y avait pas de vagues ou quand les vents étaient contraires. Mais mes journées étaient réglées sur le surf. Quand les vagues étaient grosses, brume et fracas saturaient l'atmosphère. La nuit, quand il y avait de la houle, Jardim tout entier résonnait d'une sorte de rugissement – la pulsation d'une basse profonde qui ne venait pas de la mer mais du grondement des rochers sous-jacents à la pointe. Madère n'a pas de plateau continental. Elle a cela de commun avec Hawaï. De monstrueuses houles de tempête du nord et de l'ouest balaient une eau très profonde sans que rien ne les arrête et frappent l'île de plein fouet. À ceci près qu'Hawaï dispose en de nombreux endroits de récifs et de plages sablonneuses qui absorbent l'impact avant le rivage. Madère, elle, est censée avoir une plage quelque part sur son littoral oriental, mais, en dix ans de chasse aux vagues, je ne l'ai jamais vue. Le rivage est entièrement constitué de falaises et de rochers, qui multiplient bien souvent le coefficient de danger pour y surfer, lequel est déjà très élevé. Nous exploitions un filon en or, c'était une authentique mine de félicité. Le désastre n'était jamais bien loin.

Le deuxième hiver nous avons connu notre première mésaventure. Peter en a été victime à Ponta Pequena. Nous étions sortis en mer à Jardim dès l'aube. Les vagues étaient lisses et énormes – deux fois la taille de notre première grande session de l'après-midi. Nous montions tous les deux notre gun. Tout était à grande échelle. D'excellentes vagues déferlaient encore là où nous avions déjà surfé plus tôt, mais la zone n'était plus sûre ce jour-là. De grosses séries se pointaient très loin au large – des bandes plus sombres, larges et lourdes, striant la surface d'un bleu pâle et fondant sur nous en silence depuis le sud-ouest. Quand les vagues se rapprochaient, j'avais le plus grand mal à maintenir ma position. Découragé par la taille de la houle, je filais toujours plus vers le sud-est, en ramant ferme pour tenter de gagner une eau plus profonde. Les vagues étaient aussi grosses que celles que j'avais surfées à Ocean Beach, mais ça, c'était dans une autre vie, une vie où j'étais encore très en forme physiquement. Quelques badauds étaient plantés sur la terrasse de l'église pour nous regarder, mais ils ne sifflaient pas, à moins que le constant fracas du ressac sur le rivage ne noyât le son. Peter avait sans doute plus de tripes, puisqu'il rejoignait avec calme vers l'horizon à chaque nouvelle série. Il s'orientait vers le mur extérieur sans trop s'en écarter.

Le take-off impliquait une énorme vague à la paroi lisse et dégagée, qui ne se cassait pas de manière extraordinairement violente et dont le mur semblait rester plus ou moins prévisible, sans aucune section catastrophique jusqu'à la pointe. Peter finit par prendre une vague. Il se dressa sur ses pieds en poussant un cri, passa par-dessus la lèvre et disparut pendant ce qui me parut être une éternité. J'ai cru un instant distinguer la piste qu'il traçait, mais sans certitude. Puis il émergea de la vague en volant par-dessus son épaule, les bras levés, très, très près du rivage. Il revint en pestant. C'était jouable, assurait-il. Mais *démentiel*. Je me suis rapproché du lineup, le cœur battant, et j'ai pris deux vagues d'affilée. Les take-offs étaient vertigineux, à la limite du haut-le-cœur, mais pas exceptionnellement raides.

Les parois faisaient bien six mètres de haut. (Plus tard, on ne les considérerait plus que comme des trois ou trois mètres soixante.) Les rides étaient longs et se faisaient d'une traite, le long de murs bleus comme de grandes toiles distendues. Chacun de mes rides était une glisse sur l'eau sans danger qui s'achevait non loin de l'embarcadère. J'étais très content de mon gun. Je retrouvais lentement mon assurance. Puis Peter m'a surpris en lançant : "Tirons-nous d'ici. Il y a trop de pression."

J'étais ravi d'aller ailleurs. Mes cheveux étaient encore secs. Nous avons remonté la côte, en ramant sur quelque huit cents mètres d'eau étale, jusqu'à Ponta Pequena. Le take-off extérieur était assez doux – non pas sans envergure, mais il était aisé. Pequena était une vague singulière. Au-dessus d'un mètre quatre-vingts, elle ne perdait pas en hauteur quand on la prenait comme le font la plupart, mais devenait brusquement, vers l'intérieur, près de la crique peu profonde où nous l'avions surfée en premier lieu, plus puissante, plus rapide et beaucoup plus violente. Il fallait se tenir prêt pour faire face à cette accélération. C'était un peu comme de surfer une seule et unique vague de Malibu au North Shore. Mais, juste avant cette métamorphose, il y avait une pause qui vous laissait tout juste le temps de vous préparer à ce brusque passage en hypervélocité, de décider à la fois de la ligne à tracer et d'une éventuelle échappatoire. Je commençais à bien aimer Pequena, surtout pour son côté mutant, et, ce matin-là, sous le soleil, après avoir survécu sans une égratignure à la grosse Jardim, je l'ai surfée avec âpreté, allégresse, sans aucune crainte. C'est pour cette raison, sans doute, que j'ai mis tant de temps à prendre conscience de la disparition de Peter. Nous surfions jusque-là à tour de rôle. Puis je me suis retrouvé tout seul. Je continuais d'inspecter du regard le chenal et la zone d'impact. Je n'étais pas inquiet. Peter était vigoureux et futé. Cette impression d'un danger imminent, que j'avais ressentie un peu plus tôt, s'était dissipée. J'ai fini par le repérer. Il était assis sur le rivage à côté de sa planche, derrière les gros rochers qui marquaient l'extrémité inférieure de Pequena, la tête entre les jambes. J'ai piqué dans cette direction et rejoint la rive.

Peter m'a fait un signe de tête. Il scrutait la mer. Pas franchement le regard perdu mais pas loin non plus. Apparemment, il avait surfé une vague trop longuement, avait été happé par la suivante et aspiré dans le ressac. Puis son leash s'était étroitement entortillé autour d'un rocher. À ce point de la marée (haute) et compte tenu de la grosseur des vagues, les rouleaux de Pequena sont une zone formellement interdite. Ils s'y cassent sur un éboulis rocheux de lave acérée puis viennent se dresser contre une falaise. Incapable de se libérer de son leash, ni même d'atteindre sa cheville de la main pour l'en arracher, Peter s'était retrouvé piégé – tour à tour entraîné dans l'eau puis rejeté sur les rochers, le plus souvent sous les flots. Il n'avait pas tenu le compte du nombre de celles qu'il avait dû affronter. Son leash avait fini par craquer, mais pas avant qu'il n'ait conclu qu'il n'allait pas tarder à se noyer. "C'est un miracle, a-t-il bredouillé. Je me demande encore pourquoi il s'est cassé."

Sa planche semblait bien plus abîmée qu'il ne l'était. Il s'est fendu par la suite d'une série de dessins sur ses tribulations dans le ressac de Pequena. Certes, un titre comme *Situation peu enviable n°002* offrait un regard comique sur ce moment, mais le dessin des rochers, des falaises et cette côte aux terrasses désertes y toisaient toujours lugubrement le nez d'aigle du surfeur enchaîné sous l'eau.

Nous n'étions plus les seuls surfeurs de ce spot. Peu après notre premier séjour, un groupe de professionnels hawaïens avait visité Madère. Ils avaient pris de belles vagues et, dans le somptueux magazine où ils se répandaient sur leur voyage, ils comparaient favorablement Jardim à Honolua Bay. De sorte que le secret fut bel et bien éventé. Mark Renneker luimême, ai-je entendu dire par la suite, s'était offert un séjour à Jardim, où il avait surfé coiffé d'un casque de protection. Dans l'underground mondial du surf, le spot se voyait non seulement attribuer une note de vingt sur vingt, mais encore était-il regardé comme un joyau d'une extrême rareté : c'était de grosses vagues se cassant sur un pointbreak, peut-être le meilleur de la planète. Nul ne connaissait avec certitude la taille de la houle qu'il était capable d'engendrer ; nul encore ne l'avait vue s'éteindre. Les Hawaïens avaient également été impressionnés par un autre spot : un tube concasseur qui venait se briser près du rivage à Paul do Mar, le premier village à l'ouest. On apercevait la vague depuis Jardim – par-delà Ponta Pequena –, mais la traversée de la montagne jusqu'à Paul passait par une route très tortueuse.

Une grande fresque de la vague de Jardim, véritable défi à la perspective peint par un surfeur californien, s'était matérialisée pendant notre absence sur un mur de la *plaça*. Entre-temps, une foule bigarrée de surfeurs – Britishs, Aussies, Américains et Portugais du continent – avait entrepris de séjourner dans le village, logeant çà et là. Nous étions tombés sur un jeune couple venu y passer l'hiver, Moona et Monica. Lui était écossais, elle roumaine. Ils s'étaient rencontrés en Bosnie où ils avaient tous les deux exercé des activités humanitaires pendant la guerre. Ils venaient d'avoir un bébé, Nikita. Monika s'employait à traduire *Le Patient anglais* en roumain. Naguère skateur professionnel, Moona s'efforçait pour sa part de convertir, avec des résultats mitigés, ses talents de patineur en compétences de surfeur, tout cela dans des vagues absolument implacables. Ils formaient un couple lumineux, qui vivait dans une chambre éloignée de tout donnant sur la mer. J'avais moi-même écrit sur la Bosnie et Moona ainsi que Monica m'ont conseillé de visiter Tuzla, la vieille cité de mines de sel où ils s'étaient rencontrés : selon eux un îlot d'internationalisme au cœur d'un océan de chauvinismes. Ils se montrèrent d'ailleurs si persuasifs que, l'hiver suivant, ayant repris le boulot, je suivis leur conseil et je me rendis à Tuzla. Ils avaient raison. C'était une ville ravagée, poignante, où l'on ne pouvait songer à la guerre qui venait de s'achever sans regretter avec amertume la Yougoslavie multiethnique.

Un matin, une douzaine d'entre nous s'étaient rassemblées à Paul do Mar. Les vagues faisaient deux mètres quarante de haut et se succédaient sans interruption. En moins d'une heure, Peter avait cassé sa planche et s'était ouvert le pied, tandis que James, un Américain, avait été haché menu par une vague et s'était brisé la cheville. Tous deux gagnèrent ensemble l'hôpital de Funchal, la capitale, à trois heures de voiture. Deux jours plus tard, encore à Paul, je me coinçai le pied entre deux rochers en plein ressac. Je me suis retrouvé dans le même hôpital pour passer des radios (rien de cassé) et, toute la semaine qui a suivi, j'ai surfé le pied et la cheville bandés d'une épaisse couche de scotch pour assurer ma stabilité. Peter m'a déclaré que Paul do Mar n'était pas un spot de surf mais un close-out pittoresque pour kamikazes. Je n'étais pas tout à fait d'accord. J'avais trouvé une vague fascinante.

Mais si dangereuse que c'en était absurde. Outre sa puissance pure, il y avait le rivage. Les rochers étaient ronds pour la plupart, mais la bande limitrophe où venaient se casser les rouleaux de bord, et qu'il fallait traverser pour entrer dans l'eau, était tout bonnement trop large, surtout quand les vagues étaient grosses. Même en minutant soigneusement son coup, en permettant, dans l'attente d'une accalmie, aux rouleaux de se répandre avant de foncer, la planche sous le bras, sur les rochers mouillés, vous aviez souvent le plus grand mal à atteindre une eau assez profonde pour vous permettre de ramer avant que la vague suivante ne vous frappe et ne vous envoie – planche, homme et dignité éraflées, parfois sévèrement – valdinguer contre les rochers. Ce n'était pas un phénomène ordinaire, commun à tout l'océan, mais plutôt une anomalie arithmétique – temps et distance, pour une raison réservée à la seule Madère, ne se conjuguaient pas. Je n'avais jamais vu un spot dont l'accès fût aussi risqué. Quant à la sortie, au retour en terrain sec, il pouvait être pire encore. La vague que j'allais surfer se trouvait au mieux à moins de trente mètres du rivage, mais il me fallait parfois réaliser un très long trajet en ramant et contourner une digue à l'extrémité la plus orientale du village au lieu de me retrouver face au break.

Ce qu'il y avait de sublime avec cette vague, c'était sa vitesse tout du long. L'eau était parfois totalement transparente à Paul, ce qui rendait le take-off déconcertant. Quelquefois, quand vous preniez la vague, bondissiez sur vos pieds puis, si tout se déroulait comme prévu, viriez vivement sur la droite, le fond donnait l'impression de n'avoir pas bougé du tout. Les gros rochers blancs qui le tapissaient restaient stationnaires, quand ils ne reculaient pas légèrement. Le volume de l'eau qui remontait et générait sa face était si important que, quelle que fût la vitesse à laquelle votre planche se déplaçait à sa surface, vous faisiez ce que sur la terre ferme on appellerait du "sur-place". Encore une fois, ce n'était pas non plus un comportement normal pour l'océan. Puis, au bout de quelques instants d'une animation suspendue qui vous retournait l'estomac, vous vous retrouviez subitement à fuser vers la côte, tandis que, dans l'eau bleue, les rochers qui défilaient sous vos pieds formaient une longue ligne blanche et floue. Si vite que, lorsque la vague obliquait assez fort vers l'ouest, vous pouviez la surfer sur une centaine de mètres sans paraître le moins du monde vous rapprocher du rivage. Peter ne s'y était pas trompé : cette vague avait un côté kamikaze. Elle était creuse, peu profonde, et se cassait rarement sur toute sa longueur. Mais, à mes yeux, la droite de Paul do Mar valait à elle seule le prix de l'aller-retour en avion depuis New York.

Un matin de grisaille, j'en ai pris trois d'affilée rapidement. Se méprenant sur l'interaction du vent et de la houle, Peter était parti à l'aube pour la côte nord. Au cours de l'hiver précédent, nous y avions découvert un spot que, pour une raison qui m'échappe à présent, nous avions baptisé Madonna. Nous n'y avons jamais vu une seule personne. C'était une gauche satinée, bien protégée du vent, au pied d'une falaise striée de cascades d'eau douce couleur vif-argent. Je sentais qu'elle m'appelait, je me demandais chaque jour ce qu'elle devenait. Ce matin-là, donc, Peter avait rejoint Madonna sur la base d'une intuition. Mais le trajet était long, une houle solide frappait Paul do Mar, et, la première règle en matière de chasse aux vagues étant de ne jamais leur tourner le dos, je ne l'avais pas suivi. Il s'était fait accompagner par quelqu'un d'autre.

J'ai trouvé le shorebreak de Paul do Mar un peu trop effrayant à mon goût et je me suis coltiné le long crochet par l'est. Le village de Paul était long, étroit, poussiéreux et semi-industriel – rien à voir avec le hameau compact, aux toits de tuiles serrés, d'un Jardim perché sur son cap chatoyant. Déjà, Paul puait. Une forte odeur de poisson régnait à son extrémité orientale, aux alentours du quai. À l'autre bout, du côté des vagues, la pestilence était d'une origine plus scatologique : les gens se servaient des rochers du rivage comme de toilettes publiques à ciel ouvert. Des logements rudimentaires destinés aux ouvriers s'alignaient le long de la route perpendiculaire à la mer. Sales et à demi nus, des enfants insultaient les voitures qui passaient. Certains après-midi, une bonne moitié des adultes du village semblaient tituber, ivres morts. Les habitants de Paul prenaient ceux de Jardim pour des snobs et les Jardimeiros regardaient les Paulinhos comme de la racaille, appris-je plus tard. Les deux villages, déjà séparés par une montagne sur la terre ferme, se faisaient face de part et d'autre d'un bras de mer large de près de deux kilomètres, et il n'y avait aucun autre signe de civilisation en vue. Leur rivalité remontait à des siècles. J'ai appris à aimer ces deux villes.

Par ce matin gris, donc, j'avais d'abord ramé assez loin au large puis parallèlement à la côte, en tâchant de repérer ce que les vagues faisaient devant moi. Elles avaient l'air assez grosses, lisses, pointues et féroces. Deux petits génies étaient de sortie, de jeunes Portugais du continent surfaient sur des planches minuscules. J'ai fait halte un moment pour prendre quelques vagues avec eux. C'étaient d'excellents surfeurs, mais ils jouaient la sécurité et ne prenaient que l'épaule de vagues qui commençaient à se casser longtemps avant que nous ne les distinguions. Et, effectivement, ils se contentaient de miettes. Oh, de belles miettes ! Mais j'avais mon gun. J'étais fébrile, sans doute, mais je ne flageolais pas de peur, même quand les plus massives sections de la série gerbaient un peu plus haut sur la côte et s'y fracassaient en tonitruant. J'ai entrepris de ramer vers l'ouest, en m'enfonçant en eau plus profonde. Les repères du lineup étaient d'ordinaire deux cheminées d'usine en brique, mais il crevait les yeux que cela ne me serait d'aucune aide ce jour-là : le pic principal se trouvait beaucoup plus à l'ouest.

La vague que j'ai fini par surfer n'était pas très éloignée du rivage, mais à l'ouest d'un chenal que je n'avais jamais vu jusque-là – une portion de mer agitée, parcourue par un courant puissant et un énorme volume d'eau qui se déversait plus au large. J'ai dû bifurquer pour le prendre puis ramer comme un forcené pour traverser le chenal, lequel ne donnait pas l'impression de suivre les contours des fonds marins. De toute évidence, l'existence de cette rivière qui allait se perdre en mer devait tout à la dynamique, à l'orientation et au pur volume de la houle de cette matinée. Au-delà, j'ai trouvé un spot de surf plutôt effroyable mais parfaitement intelligible – je dirais même inhabituellement compréhensible : un pic classique en fer à cheval, énorme, rapide et très correct. Je savais où me placer – là où il se dressait de toute sa hauteur – et j'y suis allé.

J'ai pris trois vagues, chacune séparée de la suivante par quelques minutes d'intervalle et toutes en plein cœur du pic. Des vagues quasiment réglementaires : énormes drops, tunnels béants, épaules fiables, rides relativement brefs. L'eau était boueuse, d'un gris turquoise agité, de sorte qu'il ne m'était pas possible de voir si les rochers du fond reculaient légèrement lors des take-offs. Pourtant j'étais conscient, en mon for intérieur, que tout dans ces vagues clochait : l'eau en remontait trop vite la face, la lèvre explosait avec trop de violence. Pour toute personne disposant d'une certaine expérience, même modeste, il était évident qu'elles ne répondaient pas aux lois de la physique. Elles étaient bien trop grosses pour le volume d'eau qu'elles charriaient. C'était pour cette raison qu'elles se cassaient si rudement et qu'elles me propulsaient comme une poupée de chiffon vers leur épaule. Pour contrebalancer ces accrocs inquiétants aux lois de la physique, je devais rectifier le tir en me montrant plus agressif, en surmontant mes réactions instinctives de take-off et en disposant de la planche adéquate. J'avais exactement celle qu'il me fallait. Ma troisième vague présentait un mur plus allongé que les précédentes. J'ai tracé une plus longue ligne sur sa face relativement plate, au sortir de la chambre qui partait à gauche de son tube, et pris une claque de la part d'une grosse patte d'eau blanche. J'ai manqué de chuter, puis je me suis retrouvé dans une zone calme, non loin de la rive, au niveau du grand courant d'arrachement. J'ai saisi ma chance au vol, piqué vers la terre et touché les rochers les pieds devant, porté par un rouleau qui, après avoir donné l'impression de peser le pour et le contre, a décidé de m'épargner. Il s'est ensuite retiré, sans trop de violence, pendant que je m'agrippais à un rocher, et, quelques secondes plus tard, j'étais debout en terrain sec sous un morne soleil, à faire signe de la main à un groupe de gamins. Ils m'avaient observé tout du long depuis le sommet d'un mur de béton, hurlant et sifflant à chacun de mes rides.

Ils se taisaient à présent. Ils m'ont retourné mes signes sans m'aider davantage.

J'ai lentement longé la route de la côte jusqu'au village. J'étais pieds nus et je dégoulinais. Aux yeux des Paulinhos, j'étais, je le savais, un de ces *estrangeiros* nouveaux venus, un de ces sauvages étrangers qui rentrent tout ruisselants de la mer avec, sous le bras, un fragile et pâle esquif équipé d'ailerons. Personne ne m'a dit *Bom Dia*. Un haut mur rongé par le sel me bloquait la vue de l'océan. Ces trois vagues... j'avais rarement surfé (si je l'avais jamais fait) des vagues plus dangereuses. Il eût été vain de songer à ce qui serait advenu si j'avais mal calculé un take-off, glissé ou hésité une seconde de trop. En toute franchise, il me semblait les avoir surfées très convenablement après avoir éperonné mon agressivité, l'avoir utilisée comme si j'avais été un bien meilleur et bien plus courageux surfeur. La chance avait sans doute joué un grand rôle dans ma réussite, mais ma longue expérience du surf m'avait aussi beaucoup aidé. Je devais reconnaître à ces vagues leur caractère létal mais aussi leur quasi-perfection ; et également admettre qu'elles étaient surfables pourvu qu'on disposât d'une technique suffisante et d'un équipement correct.

Je m'attendais plus ou moins à me mettre à trembler, frappé par une poussée d'adrénaline maintenant que j'étais en sécurité sur la terre ferme. En lieu et place, je me sentais fabuleusement bien, apaisé, le pied léger. Je suis arrivé devant un petit troquet. J'y suis entré et le patron m'a fait crédit d'une tasse de café et d'un petit pain. Du haut des marches de son perron, je pouvais voir l'océan. De grosses séries, plus fortes encore que tout à l'heure, déferlaient à présent tout le long de la côte. Le courant d'arrachement avait disparu. J'avais donc eu droit à un bref créneau de grosses vagues bien ordonnées à très haute concentration ; et ce spot n'existait déjà plus. J'avais eu une chance extravagante. Pour un peu, j'avais presque envie de chercher une église, d'y allumer un cierge et de m'y prosterner.

Qu'est-ce que je fabriquais sur cette île ? Pourquoi étais-je ici ? J'étais un adulte, un homme marié, un citoyen, dont la vraie vie – en Amérique – était truffée de conventions petites-bourgeoises. J'avais quarante-quatre ans, pour l'amour de Dieu ! Et n'avais rien d'un religieux c'est peu de le dire. Tout me paraissait irréel, jusqu'à mon incrédulité. Cependant une chose était sûre : ma tasse ne tremblait pas. Et ce café instantané trop clair avait un goût divin.

Aux premiers jours de notre amitié, il m'était parfois arrivé de mal juger Peter. Je l'avais invité à l'inauguration d'une galerie de SoHo. Toutes les œuvres étaient signées de détenus. "Ouais, ouais, de 'l'art brut'", avait-il déclaré en étudiant les toiles. Il avait incliné la tête, s'était rapproché, avait reculé d'un pas et froncé les sourcils. J'avais bien tenté d'apporter ma contribution : "On dirait que ce gars a un peu trop regardé les toiles de Magritte."

Peter avait tourné vers moi son regard sourcilleux. "Tu vas me refaire toute l'histoire de l'art ?"

J'ai pris conscience qu'il voulait seulement dire que j'alignais des poncifs. Il ne pouvait pas vraiment se montrer plus direct.

Nous nous retirions souvent dans son loft de Murray Street, où il confectionnait des margaritas ("On ne sait pas les préparer à New York"), et où nous regardions des films sur le surf avec son chien, Alex, un caniche nain aux yeux brillants. Au rez-de-chaussée, il y avait un bar topless à l'enseigne des New York Dolls. La boîte faisait son beurre avec les types de Wall Street. Peter, ce drôle et tranquille skateboarder qui vivait à l'étage, y descendait parfois avec son carnet de dessins pour travailler, et avait droit à un traitement de faveur – bière au tarif normal, pas de rentre-dedans –, et ce passe-droit s'étendait à ses invités. Les barmaids passaient pour bavarder entre deux danses privées. C'étaient toutes, comme pour mieux correspondre au cliché, des étudiantes diplômées à la poitrine renversante. L'établissement était hautement improbable, mais étonnamment décontracté et *gemütlich*[01] (Peter se servait vraiment de ce terme). Son New York était truffé de surprises. Il avait débuté, après les Beaux-Arts, en travaillant pour une grosse agence de publicité – difficile de se l'imaginer –, puis s'était mis à son compte et avait prospéré en free-lance. Il s'était marié et avait divorcé. Il avait connu une jeunesse de

01 — "Confortable."

noctambule et de fêtard, et ses amis de l'époque parlaient encore de la fois où il avait repéré Cher dans une boîte de nuit, l'avait invitée à danser, puis, avec elle, avait mis le feu à la piste de danse.

"C'était bien Cher ! m'a-t-il affirmé quand je lui ai fait part de mon scepticisme. C'était ma soirée !" Le sarcasme, chez lui, comportait plus de degrés que je ne pouvais en déchiffrer.

Mais cette existence en métropole avait brutalement pris fin quand Alison et lui s'étaient trouvé une petite maison vétuste sur un terrain de premier choix à Ditch Plains. Tous deux vendirent leur loft respectif pour aller s'y installer. Ils firent construire un studio en face de la maison, divisèrent l'espace en deux et continuèrent d'y aligner leurs illustrations en travaillant à quelques mètres l'un de l'autre. L'océan était de l'autre côté de la rue. Ils achetèrent un kayak de mer et entreprirent de pêcher le bar, le pagre, le tassergal et la plie. Ils allaient récolter des palourdes à Napeague Bay, des crabes dans les bassins d'eau salée locaux. Peter installa un petit fumoir sous un abri. Au bout d'un an ou deux, ils semblaient vivre uniquement de leur collecte des produits de la mer et de leur potager. Ils firent l'acquisition d'un vieux bateau de pêche, que Peter remit à neuf dans leur jardin. Quand il fit trop froid pour travailler dehors, il installa un camp Quonset au-dessus du bateau. Je venais les voir souvent. Les jours de grosse houle et de tempête, je restais chez eux et nous surfions des reefbreaks et des pointbreaks méconnus mais superbes, à l'est de Ditch Plains.

Ils se marièrent alors qu'une houle du sud pompait avec violence. La cérémonie se déroulait à Montauk Point, au pied du phare, sur le versant d'une colline herbue. L'après-midi était déjà bien avancé – la *golden hour*, l'heure dorée –, et Turtles, un pointbreak situé juste au sud de là où nous nous tenions, s'était embrasé. Du côté du marié, les surfeurs four-millaient ; nombre d'entre eux venaient de Santa Barbara. Devant le spectacle que nous offrait Turtles, les Californiens n'en croyaient pas leurs yeux : on se serait cru un bon jour à Rincon. Tout le monde s'efforçait de s'intéresser aux noces, mais, chaque fois que quelqu'un murmurait "Une série !", la plupart des têtes se tournaient. Il y eut bien quelques œillades courroucées et autres discrets coups de talon aiguille, mais, avant même que la cérémonie ne s'achevât, Alison elle-même éclatait de rire.

L'orchestre joua *Up, up and Away*[01] à la réception de Peter et dans le jardin d'Alison. Des gens tiquèrent (dont moi-même), croyant à une erreur. "C'est notre chanson !" coassa Peter alors qu'il dansait avec la mariée. La ringardise serait-elle devenue soudain du dernier chic ? Peter portait une tenue extravagante : pantalon de cuir moulant lacé à la braguette, bottes à bout pointu, blouse de pirate à ruches. "Je ne vois pas pourquoi elle serait la seule à être sexy", m'a-t-il confié. Caroline lui a confirmé qu'il était grandiose. Il avait la charpente d'un éternel surfeur : la taille mince sous un large trapèze de dorsaux. Caroline le regarda danser et, pendant des années, l'appela Ol' Snake Hips – Vieux serpent déhanché. On distribua des mugs à café à l'effigie d'un couple chaussé de cuissardes, tenant chacun une grosse canne pour la pêche au lancer et penché très loin en arrière, accrochés l'un à l'autre par leurs hameçons. L'image était puissante et un tantinet perturbante, et le style du dessin un mélange de celui de Peter et d'Alison.

Un peu plus tard dans l'année, après Thanksgiving, nous allâmes pêcher tous les quatre sur leur bateau rénové. Nous gagnâmes un spot profond que connaissait Peter, à quelques kilomètres au nord-ouest de Montauk Point, en naviguant sur une eau grise et sombre. Peter me montra combien de mètres de ligne il fallait dérouler. Les poissons que nous convoitions étaient tout au fond de l'eau. Le vent s'est levé et la moindre giclée d'embruns qui passait par-dessus le bastingage se changeait bientôt en glace sur le pont. Caroline et Alison se blottirent dans la timonerie avec un thermos de thé épicé brûlant. Finalement, juste avant qu'il ne fasse nuit, nous avons attrapé avec Peter un bar noir de bonne taille. J'avais le visage engourdi. Nos mains n'étaient plus que des massues inutiles. Nous avons remonté le poisson à bord puis regagné Montauk Harbor en jubilant. Le même soir, chez eux, j'ai nettoyé mon poisson, qui continuait de se tortiller et de

01— "On se lève, on se lève et on file."

tressauter. Trop fatigué pour cuisiner, je l'ai remisé dans le frigo. Des heures plus tard, nous l'entendions encore cogner à l'intérieur.

Nous poursuivions nos pèlerinages à Madère. Mais je commençais à trouver sa ferveur suspecte. Il n'arrêtait pas de me proposer d'aller explorer un autre spot. Pourquoi faire une chose pareille ? Ça me rappelait notre premier voyage à Madère, quand Alison et lui avaient failli retourner sur les terres du Portugal. Ils faisaient à présent de longues virées de pêche – aux îles Christmas, dans le Pacifique central, aux Bahamas pour le bonefish –, quand ils en avaient le temps et les moyens. "Il n'est jamais mauvais de faire de nouvelles expériences", me dit Peter. "Non, je veux juste refaire Madère", me suis-je surpris à répondre. Depuis quand étais-je devenu un pleurnichard qui voulait refaire toujours la même chose ?

Je disposais en fait de très bons arguments en faveur de cet éternel retour. Dont l'exceptionnelle qualité des vagues et leur aspect singulièrement effrayant, totalement différent de toutes celles que nous avions surfées l'un et l'autre jusque-là. Et ce n'était pas comme si elles étaient désormais faciles à surfer, comme si nous avions surmonté les nombreux défis qu'elles présentaient. Loin de là. En plus, Madère commençait à acquérir une grande célébrité dans le monde du surf. Elle était un peu plus envahie chaque année. Elle serait donc bientôt frelatée, surpeuplée, à l'instar de Bali et de dizaines d'autres Mecques du surf. On parlait déjà d'organiser à Jardim des concours de grosses vagues sponsorisés par des multinationales, avec un gros prix à la clé. Je voyais tous ces signes, j'entendais tous ces bruits de couloir avec une terreur grandissante. C'était maintenant qu'il fallait la surfer, avant qu'elle ne devienne un enfer.

Les plus gros supporteurs des vagues de Madère étaient les Portugais du continent. L'île n'avait pas tardé à devenir leur Hawaï, leur North Shore. Des pros du continent débarquaient en avion à chaque houle. Dont Tiago Pires, un jeune type aux burnes en acier trempé, visiblement doté d'un rare talent. Premier (et toujours unique) surfeur portugais à se qualifier pour le circuit professionnel mondial, il y ferait une carrière honorable. Les magazines de surf portugais se répandaient à l'envi sur Madère. Le nom de l'île éclaboussait toutes les couvertures, on publiait de longs articles sans aucune retenue. C'était un gros morceau pour tout le monde. La première affiche sur Madère que j'ai vue, un dépliant dans un magazine, montrait un pro du Portugal en train de surfer un énorme mur vert à Jardim. "La plus grosse vague jamais surfée sur le territoire national portugais", pouvait-on lire sur la légende. Le gros titre de l'affiche était *Heróis do Mar* – Les Héros de la mer.

Peter comprenait sans doute l'urgence qu'il y avait à surfer Madère avant qu'elle ne devînt, on pouvait le dire, un vrai cirque. Mais il savait aussi, contrairement à moi, que les surfeurs qui s'aventureraient à Jardim ou à Paul do Mar par un très gros jour ne seraient pas légion. Il avait montré à l'époque ce premier article de *Surfer* à de nombreux types de Montauk, dont il croyait qu'il les intéresserait. Ce n'était pas le cas : trop géante. J'étais le seul à mordre à l'hameçon. Mais j'avais aussi trouvé sur le coups que les photos prêtaient à ces spots un aspect idyllique. Je les trouvais à présent trompeuses. Sans les falaises et les rochers, sans le facteur peur, on ne pouvait rien comprendre à ces breaks. Mais, en dépit de ma peur, je me sentais désormais enchaîné à eux. Peter entretenait avec eux une relation moins obsessionnelle, plus distante. Et il était aussi plus intrépide.

Peter était ce que les surfeurs appelaient (et appellent encore parfois) un "gnarly* dude" – un mec vraiment impressionnant. Il y a toujours eu des types, généralement des surfeurs de grosses vagues qui, tranquillement, nonchalamment, se livrent à des actes défiant toute raison. Je me rappelle avoir entendu dire, par le biais du moulin à rumeurs hawaïen, que Mike Doyle et Joey Cabell, deux stars du surf de ma jeunesse, avaient entrepris de longer à la nage, à Kauai, la Na Pali Coast. La Na Pali Coast, ce sont plus de vingt-cinq kilomètres de pure et inabordable sauvagerie, qui font face au nord-ouest et à la plus grande zone génératrice de tempêtes du Pacifique. L'épreuve avait duré trois jours. Ils ne portaient chacun qu'un maillot de bain et des lunettes de plongée, et ils n'avaient emporté qu'un couteau de poche pour gratter les coquillages sur les rochers.

Basso profundo

Ils l'avaient fait pour s'amuser, pour voir, et ils avaient vu. Ces deux-là étaient des *gnarly dude*. Ils s'étaient livrés à cette expérience improbable et y avaient survécu.

Peter était de cette étoffe. Il pouvait se rendre en kayak jusqu'à Amagansett, à vingt kilomètres de Ditch Plains, une canne à pêche juchée sur son épaule pour voir s'il parvenait à prendre quelque chose, ou sauter dans un morutier en hiver et aller pêcher au large de Block Island parmi les épaves. Il s'est planté une fois un énorme hameçon à silure dans la main et, dans cet état, il a roulé jusqu'à l'hôpital de Southampton, près de quarante kilomètres plus loin. Il surfait, généralement seul, pendant les plus gros jours qu'on eût vus à Montauk, et les histoires qu'il racontait sur ces sessions, quand on lui demandait de fournir des détails, étaient fiables, cocasses, vivantes et empreintes d'autodérision. Il transformait en dessins comiques des épisodes terrifiants. Un très gros après-midi à Jardim, il s'est fait lessiver lors d'un take-off trop tardif et a failli subir une apnée de deux vagues. Il était resté sous l'eau si longtemps, m'a-t-il dit par la suite en regagnant le lineup, qu'il s'était surpris à dire adieu à ses proches. Dans un dessin que j'ai vu plus tard, on voyait cet antihéros familier, au nez d'aigle et aux longs cheveux, en profondeur enfoui sous la vague monstrueuse, l'air perplexe, tandis que les bulles représentant ses pensées encadraient Alison et un caniche nain semble-t-il inquiets.

Quand j'habitais à San Francisco, Mark Renneker et Peewee Bergerson avaient été les mecs les plus *gnarly* de la région. C'était ce qui expliquait pourquoi ils en obsédaient tant d'autres. Une matière brute pour des récits d'aventure pour jeunes garçons, des récits stupides à bien des égards. Cependant réussir à surfer des vagues exigeant à la fois une certaine bravoure et une grande adresse sans toutefois s'en vanter est un excellent test pour juger du caractère de quelqu'un. Le surf professionnel, lui, abrite un nombre grandissant de ces "mecs impressionnants", si ce n'est qu'ils sont flanqués de leurs agents et autres sponsors, ce qui est tout à fait paradoxal.

Peter avait amené deux vieux amis à Madère. Je les aimais bien, mais l'attitude désinvolte de Peter, façon "on mélange tout", me laissait perplexe. Dans l'espoir de faire coïncider notre voyage avec de bonnes houles, j'avais cherché à prédire le comportement des vagues à Madère en collectant tous les renseignements que je pouvais trouver dans les prévisions de la météo marine, et en tenant un inventaire des plus obsessionnels des tempêtes de l'Atlantique Nord – de leurs passages par l'Islande et l'Irlande jusque dans la Baie de Biscaye, de la vitesse maximale des vents au jour le jour et des chiffres de plus basse pression en leur centre – dans le but de, avant de téléphoner à José Nunes pour lui demander ce qu'il en était le même jour à Jardim, tenter d'en déduire ce que feraient les vagues dans le sud-ouest de Madère. José était un homme très occupé, qui avait sans doute mieux à faire que de crapahuter jusqu'au front de mer pour les étudier, d'autant qu'il ne disposait pas du vocabulaire spécialisé qui lui aurait permis de s'étendre davantage sur ce qu'il voyait, mais malgré tout il fit de son mieux et contribua à me faire comprendre que je me trompais constamment. C'était avant que ne se déploie une prévision de l'état des vagues à l'échelle mondiale accessible online, ce qui rendrait inutiles toutes ces tentatives rudimentaires.

Si bien que ni Peter ni moi-même ne pouvions imaginer la houle géante qui allait s'abattre sur Jardim do Mar par un après-midi hivernal de 1997. Je surfais depuis l'aube à Paul et Pequena, et, d'épuisement, je commençais à trembler de tous mes membres. Puis je vis une succession de très belles séries débouler sur Jardim. On était en fin de journée, mais l'idée de rejoindre la terre ferme ne me traversa même pas l'esprit. Je ne savais pas exactement où était Peter. Il n'y avait que moi dans l'eau, si bien que jauger la taille des vagues restait malaisé. J'avais pris mon gun, ce qui s'était révélé une excellente idée. Les vagues étaient hautes de deux fois ma taille, rapides, puissantes, d'un vert profond, et creusées par les rafales d'un vent de terre. J'en ai pris deux ou trois. Une montée d'adrénaline eut tôt fait de triompher de ma lassitude. Alors que je me précipitais pour prendre un autre long mur, je remarquai qu'un autre surfeur ramait sur son épaule et se démanchait le cou pour scruter les ombres au creux de la vague, où moi-même je tentais de tracer une ligne droite. C'était Peter.

"Je savais que ce ne pouvait être que toi, dit-il en se marrant. De l'embarcadère, on distinguait tout juste ta silhouette."

La réverbération du soleil sur les vagues était effectivement aveuglante. J'étais tout content de retrouver Peter. Sa compagnie était rassurante. Ses amis étaient restés sur le rivage.

"On dirait que de belles filles de putes sont en préparation là-bas", a-t-il ajouté.

Nous avons ramé ferme vers le sud pour esquiver une série monstre. La houle semblait enfler. Nous avons lentement repris place au lineup et accroché quelques vagues massives. Rien à voir avec celles, traditionnelles, de Jardim — le vent était trop fort — mais elles étaient grosses, rapides et excitantes. Peter avait peut-être raison : ce spot ne serait jamais envahi. Trop épineux.

Encore une série monstre, suivie d'un long et pénible déport vers le sud. Peter a pris la plus grosse le premier et je me rappelle l'avoir vu jaillir latéralement au travers de sa crête verticale éclairée à contre-jour, une crête haute de quatre mètres cinquante à six mètres ; je ramais dur pour gagner le flanc suivant de l'épaule. Il s'en est fallu d'un cheveu mais nous l'avons surmontée tous les deux. Un petit bateau de pêche flottait un peu plus loin, dangereusement proche des vagues, et une demi-douzaine de pêcheurs nous observaient, appuyés au bastingage.

"Ils doivent nous prendre pour des dingues.

— Ils n'ont pas tort !"

L'idée que ces pêcheurs, qui, eux, savaient décrypter leur pré carré d'océan, aient cherché à nous proposer de nous prendre à leur bord pour nous conduire en lieu sûr, dans quelque havre plus à l'est, ne m'a même pas effleuré. Nous leur avons fait signe de la main, nous avons inspiré profondément et nous nous sommes remis à ramer vers la zone de take-off en alignant le clocher sur une aiguille de la falaise. C'était là que se trouvait le spot d'ordinaire. Le bateau s'est éloigné.

De grosses séries continuaient de se succéder, nous entraînant de plus en plus loin au large. Elles ont commencé à se casser plus haut sur la pointe, sur un nouveau spot, et de gonfler avec une amplitude dont je n'avais jamais été témoin à Jardim. "Que dit Brock Little ? m'a hurlé Peter alors que nous ramions sur la crête d'une énorme vague. T'es censé regarder ou pas ?"

Je ne voyais pas de quoi il parlait. Brock Little était un surfeur de grosses vagues hawaïen. Nous étions à présent très éloignés de la zone de take-off normale de Jardim. Nous avions pris la série. Le soleil se couchait. "Soit il dit de regarder au fond pour voir exactement ce que fabrique le creux, comme ça tu sais où tu en es, a repris Peter. Soit il le déconseille, t'invite à rester optimiste, à ne pas te soucier de ce que la vague risque de t'infliger et à ne songer qu'à prendre toutes les filles de putes qui se présentent."

Je n'ai pas regardé. Les deux dernières vagues avaient été franchement terrifiantes. Quand elles se cassaient, leur fracas évoquait la collision de deux trains de marchandises.

"Il faut revenir vers le rivage si nous voulons prendre des vagues, ai-je dit. Regarde où on est."

Peter était d'accord. Nous étions si loin de la rive que c'en était risible. Nous nous sommes remis à ramer vers l'intérieur le long de la pointe, en regardant derrière nous après chaque claquement dans l'eau. Une série de taille moyenne s'est pointée. Peter a baissé la tête et ramé plus fort. Il s'éloignait rapidement de moi. La fatigue me reprenait, mêlée d'une crainte nauséeuse. Une grosse vague arrivait. J'étais plus ou moins en position. Je présumais que Peter avait pris la précédente et je ne tenais pas à rester seul. J'ai ramé plus âprement. Quand elle a commencé à me soulever, un clapot latéral a happé mon rail, me déstabilisant. J'ai continué à souquer. J'entendais Peter crier. Je ne le voyais pas mais il me semblait entendre : "Va ! Va ! Va ! Va !" La vague donnait l'impression de m'ignorer. Pas moyen de m'y engager. Puis je me suis aperçu que Peter criait : "Pas ça ! Pas ça !" J'ai viré sur la droite, agrippé mon rail de gauche et escaladé latéralement la grande face de la vague. Je suis passé par-dessus la crête puis j'ai été balayé par un long jet d'embruns poussés par le vent de terre, au moment où la vague se soulevait puis venait se casser quelques mètres plus loin.

Quand la brume s'est éclaircie, j'ai vu que Peter était très loin de moi au sud-est. Pour ma gouverne, il ramait vers le sud et le large. Une série monumentale se présentait au sud-ouest, occultant quasiment l'horizon. Elle était encore assez loin. Je me suis remis à ramer vers le sud-est en réprimant ma panique et en m'efforçant de ne pas hyperventiler.

Nous l'avons traversée sans dommages. Les vagues, toutefois, étaient les plus grosses que j'eusse jamais vues du haut d'une planche de surf. Quand nous nous sommes enfin arrêtés de ramer, Peter a fait un commentaire étrange : "Au moins on sait que l'océan ne peut rien engendrer de plus colossal." J'ai parfaitement compris ce qu'il voulait dire, parce que c'était précisément l'effet que ça me faisait. Malheureusement, je savais aussi qu'il se trompait. Lui aussi le savait, avec certitude. L'océan peut générer de bien plus grosses vagues et, à ce rythme, il n'y manquerait certainement pas. Cette perspective était tout bonnement trop effrayante pour qu'on pût l'envisager. Mieux valait faire mine de croire qu'on avait atteint une sorte de limite scientifiquement prouvée.

"Tu vois celle que tu as essayé de prendre ?"

Je voyais parfaitement.

"T'avais l'air d'une fourmi. Elle t'aspirait en arrière, comme si tu ne ramais même pas. Ta planche ressemblait à un cure-dents. Tu ne regardais même pas derrière toi."

C'était la stricte vérité. Contre toute jugeote, j'avais résolu de ne pas me retourner sur cette vague. Je savais maintenant pourquoi Peter avait crié : "Pas ça !"

Nos planches, des guns de 8'0", étaient à peu près aussi efficaces ici que des skateboards. Bien trop petites.

Le soleil s'était couché.

"Regagnons l'embarcadère, ai-je proposé. On ne prendra aucune de celles-là."

Nous sommes repartis, avons ramé très loin des vagues vers le sud-est, puis vers l'est le long de la côte. D'énormes lames déferlaient sur la pointe, mais, pour l'instant au moins, il n'y avait plus aucune série apocalyptique en vue oblitérant l'horizon. Nous distinguions des gens sur le parvis de l'église de Jardim et, un peu plus bas, sur le mur proche de l'embarcadère. Comme lors de nos premières sessions sur ce spot. Sauf qu'il y avait à présent des surfeurs étrangers dans la foule, et que, si d'aventure quelqu'un sifflait, le fracas des vagues était trop fort pour qu'on l'entendît, d'autant que nous étions beaucoup trop loin du rivage. En plus, je craignais pour ma vie. Je n'aurais su en dire autant de Peter.

Nous avons entrepris de nous retourner afin de regagner la rive se situant un peu plus haut que l'embarcadère. L'eau blanche pilonnait les rochers en contrebas du village. Nous visions ces derniers, sachant que nous serions déportés plus bas sur la côte avant de les avoir atteints. Mais, même ainsi, nous avions sous-estimé à la fois le niveau de violence ininterrompue qui régnait dans la zone d'impact et la puissance du courant intérieur. Nous nous efforcions de minuter notre course vers le rivage en louvoyant entre les séries de taille moyenne, mais nous ne progressions que piètrement au travers des remous et, tout à coup, le village s'est mis à défiler sous nos yeux. Nous étions encore à cinquante mètres minimum du rivage. J'entendais des cris. Mais nous avons dépassé l'embarcadère à toute allure, sans aucun espoir de l'aborder. Puis Peter a hurlé : "Au large !" Nous avons pivoté et mis le cap sur la haute mer.

Nous étions désormais dans un autre monde, quelque part à l'est de Jardim. Les vagues qui arrivaient sur nous ne participaient pas du grand pointbreak. C'étaient de simples shorebreaks*, des vagues géantes, informes, qui allaient se casser sur le mur de récifs et de falaises d'un littoral qui nous était inconnu. Le vent n'y soufflait même plus de la terre. La surface de la mer était grise et clapoteuse, et, apparemment, la prochaine série allait nous tomber dessus. Sans même nous concerter, nous avons viré pour nous écarter l'un de l'autre. Nous ne tenions pas à être frappés ensemble ni à nous retrouver entremêlés sous l'eau. Trois vagues ont déferlé sur nous. Nous avons largué nos planches et plongé aussi profond que possible. Nos leashs ont tenu le coup et nous avons réussi à rester à l'écart des rochers. À la fin de la série, nous avons lentement repris le chemin de la haute mer, trop fourbus pour parler. Mes bras étaient des tubes remplis de plomb pendus à mes épaules.

J'ai cessé de ramer. "Regagnons la rive ici", ai-je proposé.

Peter s'est redressé sur sa planche, s'est retourné et a examiné le rivage : "Impossible.

— Je vais essayer.

— Tu n'y arriveras pas.

— Je vais tenter ma chance.

— Tu vas te faire tuer. »

J'allais probablement être blessé mais pas tué pensais-je. Je tenais seulement à être sur la terre ferme avant qu'il ne fît entièrement nuit. Je ne sentais plus mes bras. Je n'avais même pas l'intention d'inspecter le rivage des yeux. Je savais déjà qu'il s'agissait d'une côte déserte, extrêmement accidentée, s'étirant sur des kilomètres à l'est de Jardim. Me cogner aux rochers puis tenter d'escalader avec mes dernières forces une falaise serait au mieux pénible. C'était une perspective préférable à la noyade.

« Que devrions-nous faire, à ton avis ?

— Retourner à Jardim en ramant.

— Je ne peux pas. Mes bras n'en peuvent plus.

— Je resterai avec toi. »

Ce n'était pas un plan de survie mûrement réfléchi. Mais, à ce stade, je me fiais davantage au jugement de Peter qu'au mien.

« OK. »

Nous avons recommencé à ramer vers l'ouest, à travers le clapot d'une eau agitée et presque noire. La force est lentement revenue dans mes bras. Bien qu'il fût en meilleure forme que moi, Peter se maintenait à mon rythme, patient. Impossible de dire si nous faisions des progrès. Sur notre droite, la côte était carrément plongée dans le noir. Les lumières de Jardim commencèrent à nous apparaître, encore très éloignées. Nous nous orientâmes quarante-cinq degrés plus haut, dans l'espoir de nous retrouver par-delà le courant côtier. Nous étions décidément très loin du rivage. De grosses houles passaient devant nous et allaient exploser un peu plus près de la rive, vingt ou trente secondes plus tard. Pas moyen de déterminer si les lumières du village se rapprochaient. Puis nous en avons vu tressauter de plus petites en contrebas – des lampes torches. C'était donc que nous approchions et qu'on nous savait toujours en mer. Il n'y avait pas de garde-côtes dans les parages mais la vue de ces faisceaux m'a un peu réconforté.

Notre plan était à demi démentiel. Nous l'avions pratiquement mis sur pied sans aucune discussion. Nous ramerions jusqu'en haut de la pointe, puis nous nous écarterions de nouveau l'un de l'autre pour éviter les collisions et, arrivés juste sous la pointe, nous obliquerions selon un angle plus aigu. Nous ne distinguions plus les vagues, mais quand elles arriveraient sur nous – quand nous les entendrions arriver –, nous ne tenterions aucune manœuvre d'esquive. Nous resterions à la surface, dans l'espoir d'être déportés vers le rivage et propulsés par-delà le courant côtier. Gagner les rochers un peu plus haut que l'embarcadère, tel était notre objectif.

Le plan a fonctionné. Nous avons ramé très longuement et, pendant tout ce temps, entendu série après série nous dépasser pendant que, sur la digue, les faisceaux des lampes torches continuaient de vaillamment s'agiter vers le ciel pour tenter de nous guider. Puis nous nous sommes tournés l'un vers l'autre et nous nous sommes souhaité bonne chance avant de piquer en direction du clocher. Je ne voyais pas quelle trajectoire avait empruntée Peter. Je me contentais de ramer vers la rive en respirant régulièrement et profondément. En entrant dans la zone d'impact, j'ai remarqué que l'eau changeait d'odeur : un relent vaseux de fond marin. J'avais davantage progressé que je ne m'y étais attendu quand j'ai entendu rugir une première série de vagues arrivant du large. Il restait juste assez de jour dans le ciel pour me permettre de voir, juste avant qu'il ne m'ait frappé, le grand mur sombre qui me surplombait.

Repousser ma planche tout en restant à la surface était un geste profondément dérangeant, contraire à tous mes réflexes, et, dans cette position délibérément vulnérable, la violence de l'impact fut fracassante. J'ai très vite été retourné puis elle m'a aspiré si profondément que j'ai touché le fond la tête la première. Normalement, je me serais protégé le visage de l'avant-bras, mais je m'efforçais de tenir une position de façon à ce que la vague me propulse. Ce choc dans le noir fut une surprise mais mon front seul heurta le fond, et le coup ne fut pas particulièrement violent. Quoi qu'il en soit j'étais avant tout focalisé sur une chose : je n'étais pas en eau très profonde. J'étais même, sans doute, très près du rivage. Quand j'ai enfin refait surface, les lumières du village me toisaient, et les rugissements de l'écume sur les rochers m'ont paru à la fois atrocement proches et rassurants. J'ai laissé la vague suivante me ballotter de manière tout aussi peu naturelle. Elle m'a projeté contre les rochers puis m'a refoulé de nouveau. J'étais désormais aux prises avec le courant côtier, qui m'a promptement emporté le long de la pointe, tout près du rivage, en me faisant rebondir sur les plus gros brisants. Une autre vague a suivi qui, elle, m'a balancé contre la digue juste au-dessus de l'embarcadère. Piégé dans un remous, j'ai glissé sur toute la surface moussue de la rampe sans trouver de prise à quoi me raccrocher, puis j'ai été recraché dans les ténèbres. J'entendais des gens hurler. Ils m'avaient vu dévaler la rampe. Ma planche – toujours attachée à ma cheville – heurtait le ciment en produisant un son creux. Là-dessus, interrompu par le mur rocailleux de la rampe, le courant a perdu son emprise quand l'eau a reflué. J'ai passé le bras autour d'un rocher, je me suis cramponné et j'ai senti l'eau faiblir, m'abandonner là. Je me suis retourné et, une fois assis, j'ai traîné ma planche par-dessus les rochers. Je l'ai prise sous mon bras et j'ai entrepris d'escalader le mur sous le vent de l'embarcadère. J'ai trouvé là Peter, remontant en titubant, avec sa planche, sur la même pente humide et moussue.

"Vous n'avez aucun respect pour vos parents, votre famille et vos amis, vous autres surfeurs. Sortir par une mer comme celle-ci et risquer votre vie… et pourquoi ? Vous ne respectez pas ce village, ni les pêcheurs qui, depuis des générations, risquent la leur en mer pour nourrir leur famille. Des gens d'ici y ont *perdu* la vie, ou y ont *perdu* des proches. Vous n'avez aucun respect pour eux !"

C'étaient là (traduites par mes soins) les imprécations d'une vieille femme de Jardim vilipendant quatre surfeurs portugais sur la digue proche de l'embarcadère, peu après qu'ils avaient cherché à ramer vers le large par un jour de gros temps. Ils avaient échoué dans leur tentative, avaient brisé planches et leashs et avaient été rejetés sur le rivage après avoir subi une sérieuse correction. J'avais surpris son sermon. C'était deux ans après notre *Götterdämmerung* au coucher du soleil. Personne ne nous avait sermonnés ce soir-là, mais j'ai découvert par la suite que les sentiments de la vieille dame étaient tous partagés par les villageois. Il y avait certes des exceptions – José Nunes parlait avec émotion de la bravoure de certains surfeurs, et, notamment, de Terence, un goofy foot néo-zélandais. Mais le surf, à l'exception des quelques avantages économiques que leur apportait ce tourisme, avait fini par exaspérer, sinon horrifier, la plupart des habitants de Jardim.

Peter n'était pas revenu. Si *gnarly* qu'il fût, cette expérience à laquelle on avait réchappé de justesse lui avait appris deux, trois choses pour la suite. Quand je lui ai posé la question quelque temps plus tard, il m'a répondu : "Tout commençait enfin à s'organiser comme je le souhaitais, et ce seul faux pas allait tout foutre en l'air et attrister plein de monde..." J'aurais pu dire la même chose. En fait, j'aurais même dû la dire. Mais je n'avais pas sa lucidité. Je n'en avais pas fini avec Madère.

J'étais descendu dans une chambre à la pointe de Jardim. Rosa, la propriétaire, vivait au rez-de-chaussée. Elle avait vingt et quelques années et était née dans le village. Son mari travaillait en Angleterre dans un fast-food de l'aéroport de Gatwick. Rosa louait deux de ses chambres à des surfeurs de passage. Spartiates et minuscules, elles donnaient directement sur la grande vague. Les huit dollars par jour que me coûtait la chambre ne semblaient guère améliorer la situation financière de la famille. La mère de Rosa vivait chez elle et toutes deux gravissaient la montagne jusqu'à la grand-route, à Prazeres, une exténuante grimpée d'une heure, plutôt que de payer les quelques escudos du bus. Comme tous les Madériens ruraux, elles étaient de formidables marcheuses.

En dépit de sa beauté, Jardim était un lieu de rancœur et de mélancolie, où fleurissaient encore des haines ancestrales entre certaines familles. On y trouvait une femme à barbe, mentalement dérangée, qui marchait toujours pieds nus. Dans sa jeunesse, m'a-t-on dit, des hommes et des jeunes garçons avaient abusé d'elle. Une nuit, elle est tombée d'une falaise proche de la pointe et a atterri sur les rochers en position assise. Elle en est morte. D'aucuns affirmaient qu'elle avait sauté. Une brillante jeune femme qui exécrait la vie qu'elle menait au village m'avait violemment réprimandé pour avoir marché sur les rochers à l'aplomb des falaises de Ponta Pequena. Son frère avait trouvé la mort sur ce même sentier, tué par une chute de pierres. L'*aguardente*, un rhum frelaté de fabrication maison, prélevait un lourd tribut au village, surtout parmi les chômeurs.

Basso profundo

Les Vasconcellos étaient apparemment la seule famille prospère. C'étaient les seigneurs de Jardim. Tous les membres de la famille habitaient maintenant à Funchal ou à Lisbonne, mais ils avaient régi le village pendant des siècles. Madère tout entière avait été morcelée et redistribuée, avec ses serfs et ses esclaves, à des factions ou à des individus appartenant à la branche mineure de la couronne portugaise et à son interminable liste de sycophantes. Les vieux Jardimeiros se souvenaient encore de l'époque où l'on exigeait des villageois qu'ils transportent dans des hamacs prêtres et richards pour les descendre dans la plaine ou les remonter dans la montagne. C'était avant la construction, en 1968, de la grand-route qui part de Prazeres. Les visites d'un curé obèse étaient particulièrement redoutées. Et, à mesure que l'on remonte dans le temps, l'histoire de l'île se fait de plus en plus sombre.

La *quinta* – le manoir – de Jardim appartenait aux Vasconcellos. C'était une vieille bâtisse croulante, la plus grande du village, avec sa propre chapelle. Une année, le conseil municipal avait pris son courage à deux mains et demandé à la famille qui l'habitait d'avoir l'obligeance de transformer une partie de sa bananeraie en terrain de foot. Nul autre champ de la commune n'était assez grand ni assez plat pour remplir cet office, et tous les autres villages – jusqu'au misérable et dépenaillé Paul do Mar – en avaient un. "*Não*", avait répondu la famille (ou ses avocats). Tant et si bien qu'une nuit, quelqu'un s'était faufilé dans les champs et avait tronçonné tous les bananiers. À mon retour à Jardim l'hiver suivant, ils n'étaient toujours pas replantés. Quand je lui ai posé la question, Rosa eut un sourire narquois. Elle semblait penser que replanter n'aurait eu d'autre résultat que d'inspirer de nouveaux actes de vandalisme. Je n'aurais su dire si, à ses yeux, le premier sabotage était le fruit d'une révolte justifiée ou bien d'une sordide vendetta. Je n'ai jamais pu me faire une idée précise sur ce que les gens de Jardim pensaient réellement de la politique. Je détestais par principe les gens de la *quinta*. N'en avoir rencontré aucun n'y était sans doute pas pour rien.

J'avais passé l'automne à rendre compte de la guerre civile au Soudan. Les jours sans vagues, je m'asseyais à une table réservée au jeu de cartes dans ma chambre pour écrire sur la situation géopolitique du Nil, la famine, l'esclavage, l'islamisme, les nomades éleveurs de bétail et mes voyages en compagnie des guérilleros soudanais dans le terrifiant Soudan, Sud libéré. J'ai passé beaucoup de temps à fixer un océan balayé par les vents. Nous étions affligés cette année-là de vents du sud-ouest – "le pet du diable", comme les appelait un surfeur de Cornouailles. À marée basse, les villageois ramassaient des *lapas* (des berniques) sur les rochers exposés. Kiko, un nain, participait lui aussi à la récolte, mais ses jambes trop courtes lui interdisaient de clopiner sur les gros rochers glissants et ses efforts faisaient peine à voir. Mais, à marée haute, il pêchait au harpon près de la pointe et, dans ces conditions, il était dans son élément. Ses palmes et son masque semblaient énormes à chaque extrémité de son corps noueux et tassé. Il lui arrivait de disparaître sous l'eau pendant plusieurs minutes, du moins nous semblait-il. On disait de lui qu'il s'introduisait hardiment, à force de frétillements, dans les anfractuosités où se cachent les poulpes. Natif de Jardim, Kiko y avait grandi et connaissait le moindre rocher marin proche du village. Il vendait ses prises à un café du coin, le Tar Mar, qui en avait fait la spécialité de la maison. J'en ai souvent mangé.

J'aimais observer les manœuvres des petits bateaux de pêche qui exploitaient la rive escarpée de Jardim. Les nuits calmes, ils restaient au large et les lumières jaunes de leurs phares bravaient vaillamment les ténèbres, çà et là, sous un champ d'étoiles. L'hymne national portugais s'intitule *"Hérois do Mar"* – les Héros de la mer. Et *Les Lusiades*, ce poème épique du seizième siècle, au rythme et au sujet océaniques, qui occupe une place centrale dans la littérature portugaise, célèbre le voyage aux Indes de Vasco de Gama avec plus d'un millier de strophes en *ottava rima*. Le poème est fantastique et sans doute un peu trop précieux dans sa langue pour le goût actuel, mais sa description de l'océan et des navires est proprement fabuleuse. Les plus petits détails y sont mis en lumière de façon éblouissante, exactement comme dans l'architecture de l'âge d'or de l'empire portugais – le style manuélin, ainsi qu'on l'a nommé d'après le roi Manuel Premier. Jusque dans les sculptures sur pierre des portails des églises de l'époque, les détails les plus subtils (brins de corail exécutés à la perfection, algues au rendu d'une stupéfiante précision) font tous, invariablement, allusion à l'océan. Henri le Navigateur, le roi João II. La Renaissance portugaise fut brève mais riche, et tournait presque entièrement autour de la la mer. Quand l'auteur des *Lusiades*, Luis de Camões, un patriote malchanceux et un marin, écrivit son chef-d'œuvre, l'Inquisition était à l'œuvre et l'empire – d'ores et déjà aux mains des banquiers allemands –, était sur son déclin final.

Je me demandais si la poignante tristesse du fado, la musique populaire portugaise dont les thèmes, eux aussi, tournent souvent autour de la mer, ne devait pas sa nostalgie à une conscience commune de cette grandeur perdue. Mais, sans doute percevais-je les racines arabes du fado. À l'instar de l'Espagne, le Portugal a toujours été le principal interlocuteur d'Europe occidentale avec le Maroc et l'Afrique du Nord musulmane, ainsi que le pays qui en était le plus frontalier.

Plus proche du Maroc que de l'Europe, Madère est restée inhabitée jusqu'en 1420, année où les explorateurs portugais l'ont découverte par hasard. L'île était très boisée, d'où son nom. Les colons ont dégagé ces terres arables en y brûlant ses forêts primitives. Un grand incendie s'est déchaîné, hors de contrôle, et, selon la légende, aurait duré près de sept années. Madère est devenue une plaque tournante du trafic du sucre puis de la traite des esclaves. Tout arrivait et partait par la mer et, à cet égard, elle était plus portugaise que le Portugal lui-même : elle était encore plus pélagique.

Aujourd'hui, la principale ressource de l'île est le tourisme. Les paquebots mouillent à Funchal, ville hérissée d'hôtels, de casinos et de boutiques pour touristes. Allemands, Britanniques et Scandinaves visitent l'île à bord d'énormes bus ou de petites voitures de location. Les plus aventureux s'adonnent à des randonnées dans ses montagnes et ses gorges.

Durant l'hiver, j'ai attrapé un mauvais rhume. Cecilia, la mère de Rosa, en a souffert aussi. Elle en faisait porter la responsabilité à un marchand de fruits et légumes qui aurait négligé de rincer de leurs pesticides les pommes-cannelles d'un lot précis. Nous nous sommes rendus dans ma voiture à une clinique de Calheta, un peu plus bas sur la côte. Cecila toussait, les yeux gonflés. Nous dépassions sans arrêts des hommes chargés de grosses nourrices jaunes sanglées à leur dos et armés de tuyaux à la buse effilée – des pulvérisateurs de pesticides. Cecilia les fixait d'un œil noir, en marmonnant.

Nous nous sommes rétablis juste à temps pour le Carnaval, une *festa* locale qui dure quatre jours et s'achève sur un gueuleton au Mardi Gras. À Jardim, les gens se réunissaient au Tar Mar. Rosa, Cecilia, les jeunes neveux et nièces de Rosa préparaient des déguisements. Ils m'ont coiffé d'une atroce perruque vert citron, m'ont fait chausser de grosses lunettes de soleil disco et nous sommes tous partis pour le café.

Une bonne moitié de la population du village était de la fête. Le jukebox beuglait des sambas, des fados et de la pop européenne. La plupart des gens étaient déguisés – les gosses portaient des capes de superhéros ou des costumes de lapins, tandis que bon nombre d'adultes, à ma grande surprise, étaient travestis en laiderons hypersexuées, aux énormes nichons et aux fesses rembourrées de gros coussins, affublées de perruques bouffantes, de masques aux rides profondes et d'un maquillage outrancier. Une certaine hystérie régnait autour de ces soirées flamboyantes, car nul n'aurait su dire si la personne qui se cachait derrière tel ou tel costume était un homme ou une femme. Des dames peinturlurées dansaient, s'amusaient et flirtaient outrageusement, mais prenaient bien soin de rester silencieuses. S'agissant de déterminer leur identité, sans doute était-ce plus difficile pour moi, mais la confusion était cependant générale, vertigineuse, tout comme était complètement bouffon et burlesque cet étalage de sexualité. Et, à mesure que la soirée avançait, que le vin coulait à flots, que la musique se faisait de plus en plus braillarde et que les rires allaient se briser en grosses vagues sur le plafond, une sorte de délire collectif parut s'emparer peu à peu du public. Ce fut une soirée fantastique. Je ne me suis jamais senti plus proche d'un village, ainsi entouré de tous ces déguisements cocasses, de cette vie communautaire secrète, implicite, de Jardim do Mar.

Peter m'invita à une présentation de diapos sur le surf dans le voisinage du Flatiron, à Manhattan. Le lieu de la réunion était le bureau luxueux d'une agence de publicité dirigée par un de ses amis. Le public était entièrement composé d'hommes, dont quelques surfeurs que je connaissais un peu de Montauk. Ça se passait après les heures de travail, il y avait beaucoup de bière et sans doute de la coke pour ceux que ça intéressait. Certaines photographies avaient été prises à Montauk, et il y a eu des huées et quelques rires (mais pas de grondements primitifs – ce n'était pas un groupe de fanatiques purs et durs). Quelques photos de qualité professionnelle provenaient d'un voyage de surf au Costa Rica. Mais le clou de la projection était une série de clichés de Madère fournie par Peter. Je n'en connaissais pas la plupart. Fidèle à mon habitude, je n'avais pratiquement pris aucune photo durant nos voyages. Peter s'était montré un poil plus consciencieux. Il avait shooté plusieurs vues stupéfiantes des lineups de Jardim, Pequena et Paul do Mar, montrant les vagues en pleine explosion. La pièce bruissait de jurons sincèrement approbateurs. Mais il n'y avait rien d'autre que ces photos de vagues monstrueuses : tout comme moi, Peter était incapable de rester à terre quand les vagues étaient bonnes.

Cependant plusieurs associations et personnes de passage nous avaient photographiés à Madère au fil des ans, et elles avaient par la suite envoyé leurs clichés. Ces photos étaient au mieux d'une qualité moyenne, mais, à les voir, mon cœur s'est mis à battre la chamade : deux clichés de moi, entre autres, pris lors d'une journée inoubliable à Pequena par un des vieux amis de Peter qui nous y avait accompagnés en 1997. L'exultation inouïe de prisonnier que j'avais ressentie durant cette session – j'avais surfé pendant six heures – me revint comme un flash à la vue de ces photographies, floues et lointaines, de deux de mes vagues. Elles étaient massives et je virevoltais comme un dingue dessus. Il y avait aussi une photo de Peter sur la grosse vague de Jardim, prise par James, l'Américain qui s'était brisé la cheville à Paul et qui, un peu plus tard la même semaine, avait claudiqué jusqu'à la pointe, la jambe dans le plâtre, pour shooter du haut de la falaise.

"On vous remorquait ?" demanda quelqu'un.

Nous avons éclaté de rire. "Jamais de la vie, bordel !"

Expérimenté d'abord à Hawaï, le surf tracté était encore, à l'époque, une pratique récente pour le surf de grosses vagues. L'emploi de jet-skis, permettant de déposer dans d'énormes vagues des types enchaînés par un pied à de courtes et lourdes planches, avait pratiquement doublé, voire triplé du jour au lendemain la taille maximale des vagues surfables. C'était strictement réservé aux spécialistes – à la petite poignée de cinglés qui surfaient les plus grosses vagues du globe, en fait. Pas à nous, autrement dit. Pas même un peu. Mais, en voyant cette photo de Peter à Jardim, je me suis dit qu'en réalité la question n'était pas aussi stupide qu'il y paraissait. Il émergeait du creux d'une grosse vague sombre – la face devait bien faire six mètres – en laissant derrière lui un sillage étrangement long, comme chauffé à blanc. Il se penchait en avant, les genoux fléchis, comme pour obtenir de sa planche un maximum de vélocité et lui permettre de virer très loin en bout de ligne. Il donnait l'impression d'avoir été propulsé dans la vague par une force agissant derrière elle. Je connaissais bien la section qui l'avait précipité, et je savais pourquoi il filait si vite. En réalité, on pénétrait son mur intérieur et on éprouvait alors toute la puissance de catapultage de Jardim. Ce n'était pas sans raison qu'on appelait ce spot le meilleur pointbreak de grosses vagues du monde.

Peter avait aussi des photos, prises par un de ses vieux copains, de la nuit où nous avions failli ne pas en réchapper. Sur une d'entre elles, une grosse vague qui avait des airs féroces, juste avant le coucher du soleil – sans doute la dernière que nous eussions surfée ce jour-là. Deux autres avaient été prises au flash à notre retour sur terre, quand, à moitié hagards, nous nous trouvions encore sur la rampe des bateaux. Elles m'ont curieusement rappelé ce qu'avaient dit les amis de Peter pendant le dîner qui avait suivi. Le premier, un kneeboarder de Santa Barbara, avait avoué qu'après notre disparition il avait commencé à mettre au point, dans son esprit, la façon de l'annoncer à la mère de Peter. L'autre, un de ses anciens condisciples des Beaux-Arts, semblait frappé par la foudre. Lui aussi avait agité cette pensée dans son esprit. Chacun s'était senti ensuite horriblement coupable d'avoir présumé le pire, et tous deux semblaient bouleversés. Pourtant ce jour-là, sans doute toujours en état de choc en sortant de l'eau, nous étions gais comme des pinsons, sifflions du vin et trinquions à la vie. Sur la première photo, celle de la rampe, nous avions l'air complètement à côté de nos pompes. Peter faisait le signe de Shaka face à l'objectif. J'avais un filet de sang sur la figure.

"Ouch !" a lancé quelqu'un de l'auditoire à cet instant de la projection.

Sans nous concerter, nous avons opté pour taire ce qu'il s'était passé ce soir-là. Le cliché suivant, et le dernier de la présentation, aurait normalement dû avoir encore moins de sens pour le public : au sommet de la rampe, nous avions tourné le dos à la foule en liesse pendant un court instant, le temps de nous remettre. Nous nous étions retirés au bord de la digue et nous y étions restés assis une minute pour scruter les ténèbres rugissantes. On ne voyait que nos dos et nos combinaisons brillantes. Un cliché assez médiocre. La lumière est revenue, tandis qu'on réclamait des bières à cor et à cri. "J'allais te passer le bras autour des épaules, mais, tu sais bien…" m'a lancé Peter depuis le fond de la pièce. Je savais.

Caroline m'a rejoint à Madère dès la première semaine de cette retraite. Nous descendions dans le nouvel hôtel de Jardim, un établissement froid et pratiquement désert, construit, disait-on, avec de l'argent d'Afrique du Sud. Elle appréciait la splendeur naturelle de Madère et ne détestait pas se trouver loin de son bureau. Elle pouvait passer des journées entières à se promener sur les terrasses et à lire ce qu'elle appelait des romans criminels – des polars – pendant que je surfais. Je me souviens d'une matinée brumeuse où je surfais seul Jardim. Elle lisait sur un balcon de l'hôtel qui surplombait directement le break. Les vagues m'arrivaient à la tête et c'était à peine si les séries avaient le temps de s'évanouir sur les rochers. Je levais les yeux à la fin de chaque ride. Caroline avait toujours le nez plongé dans son bouquin. Je l'appelais. Elle me faisait signe de la main. Elle ne regardât aucune des vagues que je prenais. Quand, finalement, je suis monté la retrouver pour lui en parler, elle a tenté de m'expliquer, pour la énième fois, à quel point regarder surfer les gens pouvait être d'un ennui mortel, tant les accalmies semblaient parfois durer des heures. Et j'en avais connu, je dois l'avouer, de très longues.

Mes remarques à ce sujet, à dire vrai, étaient plus superficielles que réellement ressenties. Caroline me pardonnait ma passion du surf jusque dans ses aspects les plus puérils, bien au-delà de ce à quoi j'étais en droit de m'attendre, et je tâchais scrupuleusement de ne jamais perdre cela de vue. Si indifférente qu'elle fût à l'océan et à tout ce qui tournait autour des vagues, elles étaient étroitement mêlées à notre vie commune. Elles étaient comme un arrière-plan, une idée jamais bien éloignée, comme une force gravitationnelle. Le jour de nos noces, nous avions échangé nos vœux sous un pommier, hors de vue de l'océan. Néanmoins, le matin même, avec Bryan nous étions mis en quête de vagues. Il n'y en avait aucune de surfable, mais j'avais quand même ramé jusqu'à une plage obscure de la côte sud de Martha's Vineyard, où j'en avais pris une d'un shorebreak qui m'arrivait aux genoux, dans le seul but de permettre à Bryan de me prendre en photo en train de surfer le jour de mon mariage − en prenant la pose juste avant de toucher le sable à l'occasion d'une soul arch* empreinte de nonchalance et d'assurance. Un peu plus tard, durant le dîner de la noce, il avait porté un toast subtilement formulé. L'un de ses principaux thèmes était une sorte de mise en garde adressée à Caroline, il la prévenait qu'elle devait s'attendre à ce que chacune de nos sorties, et, à tout le moins, toutes nos vacances futures, prissent cruellement, impitoyablement, les allures d'un voyage de surf. Il avait eu raison à maintes reprises − en France, en Italie, à Tortola, et, plus tard, en Espagne et au Portugal. Caroline, qui n'avait pourtant rien d'une personne prête à céder, se montrait particulièrement souple à ce sujet.

Elle profitait au maximum des à-côtés : des spots obscurs, souvent d'une beauté échevelée, où je la traînais ; du temps libre qu'elle pouvait consacrer à la lecture ; des fruits de mer. Pour quelqu'un de l'intérieur des terres, elle témoignait d'un remarquable goût pour les coquillages. À Madère, elle goûtait particulièrement l'*espada* du Tar Mar et le vin jeune qu'on appelle le *vinho verde*.

Comment prenait-elle mes fréquentes absences, pas seulement les journées où j'allais chasser les vagues en solo, mais aussi celles, encore plus fréquentes et prolongées, où je partais en reportage ? La réponse changeait à mesure que nous-mêmes évoluions. Il lui arrivait aussi de partir pendant des semaines, pour aller voir des amis et des parents au Zimbabwe, et ces séparations nous faisaient le plus grand bien, me semblait-il, du moins les premières années. Nous avions besoin de ces pauses. Plus tard, il nous est devenu de plus en plus difficile de nous séparer. Pour autant, Caroline disposait d'une bonne dose d'autonomie. Elle se débrouillait très bien toute seule. Selon moi, elle devait tenir ce trait de caractère de June, sa mère, qui, tout en étant profondément attachée à son mari, n'en restait pas moins coriace et circonspecte, dormait très peu et pouvait passer toute une nuit à écouter BBC Afrique. Mark, le père de Caroline, qui pourtant n'était pas très friand de déplacements, passait malgré tout beaucoup de temps à l'étranger à l'occasion de voyages d'affaires dans le cadre de sa profession de négociant en minéraux. Caroline travaillait très dur – elle faisait preuve, dans son métier d'avocate, d'autant de perfectionnisme que dans la gravure. Dans son esprit, mes voyages à Madère restaient en partie pardonnables parce que ce n'étaient pas que des voyages consacrés au surf, mais aussi des retraites pour écrire. Je partageais cette impression. Mais il m'arrivait de me sentir bien seul. Jardim n'avait encore ni Internet ni de service de téléphonie mobile, de sorte que j'appelais chez moi le soir depuis une cabine de la *praça*. Une volière communale se dressait juste à côté, hébergeant des perroquets de toutes les couleurs. De jour, les oiseaux chantaient et picoraient une énorme tête de chou balancée dans leur cage. De nuit, pour se tenir chaud, ils se serraient les uns contre les autres, de vraies petites boules de plumes grises silencieuses. Je me blottissais dans la cabine, les soirs de pluie et de grand vent, en tendant l'oreille pour mieux entendre les notes réconfortantes de la voix de Caroline, ses comptes rendus enjoués de notre luxueux train-train quotidien.

Je donne peut-être l'impression que les vagues étaient toujours énormes. En réalité, j'ai connu à Madère de nombreuses douces journées de shortboard – des sessions semblables à celle de cette matinée brumeuse où Caroline lisait sur le balcon. Les gros jours effrayants où je montais ma 8'0'' n'étaient pas la norme. Pourtant, tout dans le surf avait pris un tour plus sérieux. Après avoir utilisé pendant de longues années à peu près toutes les planches qui me tombaient sous la main, je prêtais désormais une très grande attention à celles que je montais. J'avais découvert un shaper d'Hawaï, un excentrique du North Shore du nom d'Owl Chapman, dont j'adorais les planches. C'étaient toutes des thrusters à queue-d'aronde et au nose pointu, épaisses et rapides, peu concaves et pourvues de rails rabattus à l'ancienne – des planches des années 1970, sauf que leur ligne était plus subtile, que les matériaux étaient plus légers et qu'elles avaient trois dérives. J'ai brisé trois Owls dans des vagues qui se cassaient rudement (les manutentionnaires des aéroports m'en ont aussi brisé une ou deux), et toutes les pièces de remplacement ne fonctionnaient pas bien – Owl avait des idées bien précises sur les planches que je devais surfer. Toujours est-il que mes Owls étaient des planches magiques – réactives, rapides, stables dans les tubes. J'ai surfé la première au milieu des années 1990 à l'occasion d'un reportage sur le North Shore, et rarement d'autres au cours des dix années qui suivirent.

Pourquoi étais-je devenu si sensible aux spécificités techniques présidant aux performances d'une planche ? En un mot : Madère. L'île m'avait jeté corps et âme dans de grosses vagues puissantes, et cela d'une manière tout à fait nouvelle. L'ambivalence qui me suivait comme une ombre à Ocean Beach avait disparu. Malheureusement, mon surf déclinait. Je prenais de l'âge. C'était surtout frappant les jours où Pequena était surpeuplée. "Surpeuplée" est sans doute à Madère un terme relatif – peut-être y avait-il une douzaine de surfeurs de sortie, pour la plupart des Portugais chauds bouillants, dont, sans doute, l'élite des professionnels du pays. Ils ramaient et surfaient en décrivant des cercles autour de moi. Me dire qu'ils avaient probablement la moitié de mon âge, voire encore moins, et qu'ils surfaient dix fois plus ces derniers temps auraient dû m'aider à relativiser. Ce n'était pas le cas. Parfois, je me faisais même peur. Je ratais des vagues que j'aurais normalement dû prendre, ou je me relevais poussivement quand j'aurais dû bondir comme un ressort sur ma planche. Le surfeur vieillissant, avais-je entendu dire, passe par un long, lent et humiliant processus où son niveau rétrograde, ce qui le ramène à l'état de *kook* – de novice. Je me cramponnais à l'illusion que j'étais encore capable de surfer correctement. Les Owls m'étaient d'un grand secours.

Mon cauchemar d'une Madère trop courue, pillée, commençait peu à peu à devenir réalité. Une première compétition s'était déjà tenue à Jardim. J'avais pris soin de rester à New York pendant qu'elle se déroulait. Le gagnant était un Sud-Africain à dreadlocks. La date d'un second concours avait été fixée, avec une liste inquiétante d'entreprises sponsors de la compétition, et de célèbres surfeurs de grosses vagues professionnels. De manière plus menaçante, les sauvages piliers d'un monde considéré dans son ensemble comme le paradis du surf s'y montraient de plus en plus ostentatoire. Tim, de Caroline du Nord, traînait à présent dans les ruelles pavées de Jardim vêtu d'un pantalon violet à taille élastique en délirant, sous la capuche de son sweat-shirt, sur les "tunnels interminables" qu'il avait accumulés l'année précédente en "Indo". "Bawa, *man*, irréel. Mieux que G-Land. Mieux qu'Ulu. Bien mieux qu'*ici*." Je savais que je n'avais pas le droit de les mépriser, mais voir Hatteras Tim et ses pareils hanter Jardim et me narguer dans l'eau en nasillant leurs vantardises hargneuses me blessait profondément.

Les villageois se montraient logiquement méfiants, avec les visiteurs les plus rustres. Et quand deux jeunes locaux entreprirent de s'adonner eux aussi à ce sport dangereux, ça ne leur fit sûrement pas plaisir. Toutefois, les compétitions étaient bien vues – elles rapportaient de l'argent au village –, et, s'agissant de la surpopulation aquatique, aucun autochtone ne partageait mes inquiétudes. Le surf connectait Jardim au reste du monde, et je devais sans cesse me rappeler à quel point on avait ici aspiré à cette connexion. C'était dû, ou du moins le croyais-je, au lourd poids de la féodalité et de l'insularité. L'ancien ordre despotique du clergé et de la noblesse prospérait quand les contacts avec le reste du monde étaient encore réduits. L'arrivée de l'électricité à Jardim, d'une route asphaltée partant de Prazeres, ces deux événements – chacun à leur façon, furent une bouffée d'oxygène en dépit de leurs inconvénients. Un dimanche matin où il n'y avait pas de vagues, j'ai écouté, dans l'église du village, le sermon d'un prêtre brésilien en visite exaltant la théologie de la libération.

Jamais on n'aurait entendu de tels propos quand on ne pouvait accéder au village que par un sentier de chèvres ou par bateau.

Un soir, l'équipe nationale de surf du Portugal s'est montrée à Jardim. Je n'étais pas très familiarisé avec ce concept d'équipe nationale de surf. Mais ce qui m'a impressionné avant tout, c'était de voir à quel point les villageois l'étaient, eux. Bon sang, l'équipe *nationale* ! Ils surfaient *pour le Portugal* ! Tous portaient un coupe-vent officiel, comme des athlètes olympiques – ou la bien-aimée équipe de *futebol* nationale. À mes yeux, bien sûr, ce n'était qu'une bande de jeunes ébouriffés. Toutefois leur coach, c'était autre chose, il me fascinait. Je ne lui ai pas adressé une seule fois la parole. Je l'ai juste regardé sortir lentement de sa voiture de location, un matin, sur la *praça*. Il était accompagné de sa femme et d'un nourrisson dans une poussette, portait le coupe-vent officiel ainsi qu'un jogging assorti, et il avait l'air d'un coach sportif, d'un prof d'éducation physique ou d'un entraîneur de foot. Ce qui me fascinait chez lui, c'était son côté ordinaire, son relâchement. J'imaginais toujours le surf comme une pratique sportive indomptable. Qu'on surfe seul ou avec des amis, ça se passe au large, dans l'océan. On ne pouvait pas le domestiquer. Bien sûr, en Australie, j'avais vu combien les clubs de surf pouvaient devenir communs et présentables. Le surf pouvait donc être mondain et, ici même, à Jardim, dans ce village agréable et loin de tout, j'avais un aperçu de la sujétion de ma vieille obsession d'anachorète aux normes d'une équipe sportive euro-yuppisante. Un phénomène identique devait probablement se produire, plus timidement, en Californie du Sud et en Floride.

Pourtant, il restait encore à Jardim quelques personnes fréquentables. Outre Moona et Monica, qui persévéraient dans leur besogne humanitaire au Liberia en guerre, on trouvait un groupe assez informel de Britanniques, qui tous n'étaient pas surfeurs, et dont la précédente destination pour les vacances avait été certain village de campagne irlandais, où, par un bel après-midi, ils eurent la chance d'apercevoir Seamus Heaney en train de se promener. C'était ce genre d'ultra-célébrité qui les fascinait, et ils s'enorgueillissaient de ne l'avoir jamais interrompu dans ses cogitations. Deux des filles de cette bande de rats de bibliothèque s'étaient pris d'intérêt pour un surfeur professionnel américain qui vivait à Jardim – un blondinet sympathique de Long Island. Il avait apporté une panoplie exhaustive de planches fournies par son sponsor et, selon ses deux groupies British, semblait n'avoir que du ciel bleu dans la tête. Quand il n'était pas là, elles cherchaient à m'extorquer, devant un verre de vin, des détails sur l'increvable mentalité samouraï des surfeurs américains. Je m'efforçais de leur répondre, principalement parce que ce type m'intéressait. Il passait ses hivers à Hawaï à surfer les plus belles et dangereuses vagues de la planète. Quand il sortait une planche de sa pile et cherchait à vous expliquer pourquoi le rocker de telle ou telle lui permettait de tenir bon sur la boule d'écume – l'eau blanche qui se forme, invisible de la plage, à l'intérieur d'une vague qui se casse en creux – et de rester plus longtemps dans le tube, je lui posais quelques questions et écoutais ses réponses avec attention. Ce gamin avait surfé des vagues à des endroits où je ne me serais jamais aventuré.

Un couple, Tony et Rose, était au centre de ce contingent british. Lui était surfeur et peintre paysagiste au pays de Galles. Et elle tenait un restaurant à Jardim en été. Ils y avaient acheté une maison délabrée, où on les connaissait sous le nom de Mr. et Mrs. Estaca. Ce nom parce qu'à leur arrivée au village, le conseil municipal leur avait gracieusement prêté en échange de quelques travaux d'intérêt général une maison encore plus délabrée que celle qu'ils avaient achetée. Aussi, une des premières tâches qu'on leur avait confiées avait été de tailler des centaines de piquets servant de tuteurs aux bananiers. Ces piquets s'appelaient des *estacas* en portugais. Leur chien lui-même s'appelait Estaca. En réalité, les villageois aimaient beaucoup Tony et Rose. Quand le temps tournait à l'orage, avec un vent du sud-est, et qu'avec Tony nous filions vers la côte nord, les vieilles femmes nous enguirlandaient. N'avions-nous pas mieux à faire que de quitter le village par ce temps exécrable ? Il y avait des glissements de terrain, des éboulements. Les routes de montagne étaient inondées. Nous y allions malgré tout. Je devais prendre des nouvelles de Madonna, ma gauche soyeuse. Et même quand il n'y avait pas de vagues, Caroline et moi avions trouvé dans le Nord un café qui servait un poisson-perroquet grillé justifiant n'importe quelle expédition sur cette côte.

J'avais gagné Pequena à pied par un après-midi ensoleillé. Une houle se préparait. De loin, les vagues avaient l'air désordonnées, avec un vent d'ouest qui hachait le take-off, raison pour laquelle, sans doute, personne n'était de sortie ; mais j'avais désormais appris quelques petites choses sur Pequena − comment, par exemple, ce vent pouvait rebondir sur les falaises, souffler de nouveau de la terre par-dessus la plate-forme et rendre au mur intérieur un aspect spectaculaire. Ce fut d'ailleurs bientôt le cas. J'ai surfé seul pendant une heure, pris des monstres complètement anarchiques en glissant par-dessus leur lèvre avant d'enfiler en droite ligne leur section de tube avec ma robuste Owl. Plus tard, trois pros portugais m'ont rejoint, dont Tiago Pires, leur chef de meute. Il restait encore de nombreuses vagues à prendre, mais Pires virait si sec qu'il me semblait imprévisible, et nous avons fini par nous gêner et nous avons chuté ensemble de la crête de la plus grosse vague du jour. Nous avons eu de la chance de ne pas nous blesser. Ce fut une très longue apnée, puis une lourde série nous a encore pilonnés. Il a paru s'en tirer sans dommages. Moi, j'étais secoué.

J'ai envisagé un instant de rentrer. Caroline regagnait New York le lendemain matin. J'ai décidé d'en prendre une dernière. Une bonne. Mais elles n'arrêtaient pas de grossir et mon surf avait quelque chose de négligé. Les take-offs étaient intimidants mais faciles, à condition de bien connaître la vague, c'était mon cas. J'ai néanmoins réussi à en rater deux, puis une série m'est tombée sur la tête. J'étais éreinté. La taille des séries s'élevait progressivement, chacune plus haute que la précédente. Elles faisaient bien trois mètres maintenant. Les autres gars étaient quelque part derrière moi... hors de vue. J'ai finalement opté pour surfer la première qui se présenterait avant de plier bagage. J'en ai trouvé une de taille moyenne, peut-être la première d'une série, et je l'ai prise en tremblant de soulagement. Je me suis débrouillé pour me vautrer à nouveau. J'ai refait surface, agacé, et je me suis retrouvé face à un mur d'eau qui semblait sortir de mes pires cauchemars.

Il aspirait déjà l'eau de la plate-forme, m'attirant vers lui dans son flux, et je n'avais aucune chance de lui échapper. C'était la plus grosse vague que j'eusse jamais vue à Pequena et elle commençait seulement à se casser. J'ai nagé furieusement vers elle et j'ai plongé dessous, mais elle m'a arraché aux profondeurs et m'a ballotté sans merci jusqu'à me tirer un cri, une protestation impuissante. Quand j'ai refait surface, une autre arrivait juste derrière, tout aussi grosse et mauvaise. Il semblait qu'il y avait un peu plus d'eau sur la plate-forme. J'ai nagé vers le fond et cherché à m'agripper à un pan de roche rugueuse, mais j'en ai aussitôt été arraché. Nouvelle longue et sévère raclée. J'ai cherché à me couvrir la tête de mes bras, au cas où elle s'aviserait de me plaquer contre le fond. Elle s'en est abstenue. J'ai fini par remonter à la surface.

Il y en avait une troisième, plus grosse encore. Mais, surtout, elle aspirait toute l'eau de la plate-forme. De gros rochers saillaient déjà à découvert devant, puis je me suis retrouvé debout au milieu d'un champ de brisants, plongé jusqu'à la taille dans une eau tumultueuse. Je ne savais plus où j'étais – un champ de roches avait émergé de l'océan, très loin du rivage, sur un break que je croyais connaître. Je n'avais jamais rien vu de tel en toute une vie de surf. La vague s'était transformée en un hideux mur d'eau blanche bouillonnante, haut de deux étages, pratiquement sans se casser – elle ne trouvait plus d'eau à aspirer. Je ne disposais que d'un bref instant pour décider de ce que j'allais faire avant qu'elle ne me frappe. J'ai choisi une brèche dans le mur et je m'y suis engouffré. J'espérais vaguement que, si je parvenais à me tortiller assez pour m'enfoncer suffisamment profondément en elle, l'eau blanche m'engloutirait au lieu de me précipiter sur les rochers et me tailler en pièces. C'est peu ou prou ce qui s'est passé, semble-t-il. La vague m'a fauché et j'ai été roulé dans ses entrailles vers le rivage, telle une poupée de chiffon, mais je n'ai pas heurté le fond. J'étais en eau profonde, sain et sauf, dans le chenal à l'est de Pequena.

J'ai entrepris de lentement regagner Jardim. Mon cerveau semblait s'être arrêté de tourner. L'espace d'un instant, je m'étais préparé à mourir. Pas dans un vague futur, mais ici, maintenant. Comment m'y prendre pour me réadapter au monde réel ? J'avais le plus grand mal à le concevoir. Je suis arrivé à l'hôtel. Caroline s'est rendu compte que quelque chose clochait. Elle a fait couler un bain. Normalement, je n'en prends jamais. Je suis resté longtemps dans l'eau. La nuit est tombée. Elle a allumé des bougies, nettoyé les blessures de mes pieds. J'ai essayé de lui expliquer ce qui s'était passé. Je ne suis pas allé bien loin. J'ai déclaré que je voulais rentrer à New York avec elle. Elle m'a lavé les cheveux. Je lui ai demandé pourquoi tous ces risques stupides que je prenais ne la mettaient pas en colère. Elle était consciente que je parlais aussi bien de mon travail de correspondant de guerre que de ma passion du surf. Elle partait du principe que j'en avais besoin, m'a-t-elle répondu.

Mais ne s'inquiétait-elle donc pas ?

Elle a mis un bon moment à répondre : "Je crois que, quand ça tourne mal, tu gardes ton sang-froid. Je me fie à ton jugement."

Je ne me voyais pas comme ça, je ne m'étais jamais vu ainsi. Néanmoins, c'était toujours bon à prendre. Elle m'a plus tard avoué qu'elle se laissait parfois aller à une sorte de pensée qu'elle espérait magique, surtout quand je disparaissais pendant un certain temps dans des zones de conflit ou que je m'aventurais dans des points chauds où les kidnappings étaient fréquents.

Trop honteux pour quitter Jardim, j'y suis resté après son départ, à m'apitoyer sur moi-même. J'ai été témoin d'une journée où les vagues étaient si grosses que nul ne s'est aventuré à sortir. Les conditions étaient bonnes. Sans doute des équipes de surf tractées auraient-elles pu s'y risquer, à condition de partir d'un havre abrité. Mais personne ne s'y risquait à Madère, du moins pas encore. Je suis resté plusieurs heures à l'observer, pas franchement tenté. Tony, le peintre paysagiste du Pays de Galles, m'a déclaré qu'un jour de tempête les vagues se cassaient directement dans la baie entre Paul do Mar et Pequena. Quand on se tenait sur le quai de Paul, a-t-il ajouté, on ne distinguait qu'un empilement de montagnes d'eau blanche dont ne restait visible, très haut au-dessus de l'écume et de la brume d'embruns, que le pic lointain de la vague la plus extérieure en train de se casser, peut-être haute de quatre mètres cinquante et se déplaçant de la droite vers la gauche – une après-midi de béhémoths mystiques se succédant l'un derrière l'autre le long de cette côte.

Tony était un rouquin passionné d'une quarantaine d'années. Madère, affirmait-il, avait renversé ses toiles cul par-dessus tête. "Ce sont ces falaises de six cents mètres. Brusquement, l'horizon se retrouve juste devant tes yeux et la mer se fond dans le ciel. Les nuages sont sous tes pieds, la mer te surplombe." Madère avait aussi transformé radicalement sa façon de surfer. "À jamais. Je ne surfe plus jamais au pays. À quoi bon ? Ici, c'est la puissance d'un océan profond. Tu sais intimement ce que c'est. Ces trucs te chassent jusqu'au bout de la pointe et tu n'as qu'une seule envie, te tirer de là. Te mettre au vert, comme on dit." Comme Peter, Tony ne s'inquiétait guère de voir la foule débouler ici. "Les gens ont peur de ces vagues."

À juste titre, me disais-je.

Pour autant, est-ce que je surfais pour me faire peur ? *Non*. J'aimais la puissance, l'adrénaline, jusqu'à un certain point. Se mettre au vert, c'était surfer avec prudence, rien à voir avec un trip extrême. À mon âge, je n'étais sans doute plus bon qu'à ça. Je ramais vers le large en quête d'une poussée de dopamine, à la fois rare et familière, qui exigeait sans doute de l'expérience et des nerfs d'acier mais n'avait rien de commun avec la terreur pure. De la même façon, lorsque j'étais parti en reportage, je me mettais en quête de sujets qui sauraient satisfaire ma curiosité, me permettraient de trouver un sens aux malheurs, mais je ne cherchais certainement pas à me faire tirer dessus. En fait, un des pires moments que j'aie vécus dans l'exercice de cette profession est survenu au Salvador un jour d'élections, pendant la guerre civile. Trois journalistes avaient été tués et un quatrième blessé. Je m'étais retrouvé piégé dans une fusillade, dans un village de la province d'Usulután. Dans le village voisin, un jeune cameraman hollandais, Cornel Lagrouw, avait pris une balle dans la poitrine. L'armée avait attaqué la voiture qui tentait de le conduire à l'hôpital, la clouant au sol sous des tirs aériens. Lagrouw était mort sur la route. J'étais présent quand on avait prononcé son décès. Annelies, sa petite amie et ingénieur du son, n'arrivait pas à le quitter des yeux. Elle embrassait ses mains, sa poitrine, ses yeux, sa bouche, essuyait de son mouchoir la poussière qui souillait ses dents. Après avoir rédigé et envoyé mon article, je suis allé surfer. Il y avait au Salvador une grande vague appelée La Libertad que la guerre laissait déserte. Je suis resté là-bas une semaine. Surfer était un antidote à l'horreur, si dérisoire fût-il.

Deux extrémités opposées du grand livre de la vie.

Les vagues mollirent et restèrent chétives. Je me suis laissé pousser la barbe. Je travaillais à un article sur le mouvement altermondialisation, qui faisait à l'époque les gros titres. J'écrivais des lettres, principalement à Bryan. Je ne pensais pas que Madère l'intéresserait beaucoup, sauf peut-être sur le papier. Notre dernier voyage de surf remontait à plusieurs années : cinq jours, en coup de vent, à Nova Scotia, pendant un bref séjour qu'il avait effectué Deirdre et lui au Williams College. Nous avions eu la chance de tomber sur de belles vagues désertes.

Bryan avait suivi sa muse au cœur du continent américain. Il avait écrit pour le *New Yorker* un article en deux parties, intitulé *"Large Cars"*, sur la vie d'un chauffeur de poids lourds au long cours, suivi d'un inoubliable portrait de Merle Haggard, et pondu un livre érudit, magnifique et passionné, sur un joueur de base-ball du XIXe siècle du nom de John Montgomery Ward. Puis il était revenu à ses premières amours, la fiction.

On méditait à Jardim un projet grotesque : le gouvernement voulait construire un tunnel reliant le village à Paul. Cela semblait un canular absurde : un tunnel autoroutier long de près de deux kilomètres pour relier, au travers d'une montagne rocheuse, deux petits villages de pêcheurs qui se haïssent cordialement ?

Eh oui ! Et ce n'était pas tout. L'Union Européenne investissait un paquet d'argent dans ses "zones sous-développées". Le Portugal en touchait la majeure partie, et Madère était au Portugal continental ce que ce pays était à l'Europe – plus austral, plus à l'ouest et traditionnellement plus pauvre. En conséquence, on creusait des tunnels et on bâtissait des ponts partout dans l'île, en dilapidant sauvagement les fonds accordés par l'U.E. pour l'"infrastructure des transports". Selon l'U.E., ces projets permettraient de "gagner du temps". En attendant, ils fournissaient des emplois aux Madérieurs et rapportaient des profits inattendus aux grosses sociétés et sous-traitants locaux bénéficiant de soutiens politiques. Accords officieux et corruption allaient bon train – du moins la rumeur se répandait. Mais rien n'en transparaissait dans la presse, où, en revanche, Alberto João Jardim (aucun rapport avec le village éponyme), l'homme fort local et gouverneur régional, semblait se rendre presque chaque jour à la cérémonie d'inauguration de quelque nouveau et massif édifice. On s'empressait de construire avant que l'U.E. n'admît en ses rangs les pays de l'Europe de l'Est, qui accapareraient alors tous les fonds.

Ces rumeurs de corruption étaient-elles fondées ? Difficile à dire. Toujours était-il qu'une sorte de folie s'était emparée de l'île. Le moment était venu de faire de l'argent facile – là où, au fil des siècles, les occasions d'en gagner ne s'étaient que très rarement présentées. Nombre de vieilles personnes, à la vue des paisibles terrasses à flanc de colline qu'elles avaient connues toute leur vie durant défoncées par des bulldozers pour édifier des ponts et des autoroutes impeccables, en restaient effarées. Les gens craignaient que, le tunnel terminé, des voyous ivres de Paul ne commencent d'envahir la tranquille *praça* de Jardim et ne la transforment en un bouge. Des hommes du village trouveraient du travail dans la construction du tunnel et leur famille s'en frottait les mains. C'était toujours mieux que d'émigrer au Venezuela.

À mon arrivée l'année suivante, le tunnel était en chantier. La nuit, quand les vagues ne rugissaient pas, j'entendais le grondement des machines et les explosions de dynamite dans la montagne. Incapable de trouver le sommeil dans ma chambre humide, j'imaginais Adamastor, un monstre marin des *Lusiades*, entièrement fait de roche : "Son attitude est menaçante, son teint pâle, sa barbe épaisse et fangeuse, sa chevelure est chargée de terre et de gravier, ses lèvres sont noires, ses dents livides, sous de noirs sourcils, ses yeux roulent étincelants."

Les vagues furent sans intérêt cet hiver-là. Les tempêtes de l'océan Atlantique sur lesquelles nous comptions passèrent plus bas que d'habitude, frappèrent Madère elle-même et sabotèrent les vagues qu'elles nous dépêchaient. Quand l'heure fut venue de rentrer, les cartes météo signalaient qu'une autre tempête arrivait encore sur nous. Je me disais qu'elle serait peut-être différente. J'ai décidé de rester. Elle s'est abattue. Elle n'était en rien différente, du moins à Jardim : les vagues étaient énormes mais insurfables.

J'ai roulé jusqu'à la côte nord avec André, un jeune gars blond de l'Oregon, pas bavard, avec une carrure de bûcheron. Un nouveau tunnel de près de trois kilomètres nous permettait de traverser en moins d'une heure la chaîne de montagnes centrales. Le nord était ensoleillé et à l'abri du vent : un monde entièrement différent du sud de l'île. Et Madonna, ma vieille maîtresse, s'était, comme on dit, embrasée. Elle était géante. La vague filait normalement tout près des rochers, piégée dans l'ombre des falaises. Lisse et lourde au soleil, elle se cassait à présent dans une eau bleu profond. Je me félicitais d'avoir mon gun avec moi. Nous avons sauté des rochers assez loin dans la crique. André semblait excessivement enthousiaste. Mes propres mouvements étaient hésitants ; j'avais du mal à déglutir. Il ne tarda pas à me devancer d'une bonne centaine de mètres. Je l'entrapercevais de temps à autre, ramant sur des vagues massives, encore plus grosses que ce à quoi je m'étais attendu. Je me demandais sérieusement s'il existait une raison pour que je me trouve là.

Puis André m'est apparu, battant des bras au sommet d'une énorme vague. Il l'a prise à revers, est tombé en chute libre, a réussi à se réceptionner sur sa planche et s'est mis à surfer avec agressivité, en ciselant rudement la vague avant de passer par-dessus son épaule. Un ride magistral. Mais je n'y assistais – sans en perdre le moindre détail – qu'au travers d'un voile de terreur. Le rugissement de l'eau blanche contre les falaises, sur ma gauche, me soulevait le cœur. Je m'interdisais sans cesse de regarder dans cette direction. Les vagues grosses comme des camions qui explosaient devant moi n'étaient pas faites non plus pour améliorer mon moral. Elles me faisaient regretter d'avoir quitté la rive. Les take-offs me semblaient effroyablement rapides et escarpés, et la punition en cas d'échec sévère au-delà du raisonnable. En réalité, ces vagues n'étaient sans doute pas plus impraticables que les trois monstres que j'avais surfées ce grand jour à Paul do Mar. Mais ils s'agissaient de gauches et ça s'était passé trois ans plus tôt, un jour où j'étais bien plus sûr de moi. Là, j'étais terrifié et j'imaginais la catastrophe à venir.

La catastrophe a trouvé André en premier. Il avait ramé jusqu'au bout de la pointe, dans une zone aussi dangereuse qu'absurde. J'avais moi-même fait halte et je me servais des repères de lineup que je connaissais à Madonna − un tunnel routier, une cascade −, sauf que je me cantonnais à trente ou quarante mètres du point de take-off normal et que je piquais un sprint vers l'eau profonde dès qu'une série se pointait. Je n'avais pas encore pris une seule vague, ni même sérieusement tenté ma chance. André, lui, en avait déjà surfé plusieurs, en se positionnant si profond que, même lorsqu'il les quittait, j'étais toujours hors de portée de cri. Il semblait qu'il était en mission suicide. Une grosse série pouvait culminer là où je me trouvais, se casser sur toute la distance le long de la pointe et le piéger. Ça n'a pas tardé. Il a failli l'éviter. Il a tenté de passer en force à travers la lèvre d'une vague colossale, mais elle l'a aspiré, l'a renversé, a brisé son leash et l'a maintenu sous l'eau pendant un laps de temps horriblement long. Quand la suivante s'est abattue sur lui, sa planche avait déjà heurté la falaise. Il a fini par aborder la rive un peu plus bas sur la pointe. Il a récupéré sa planche tout éraflée, m'a fait comprendre d'un geste que c'en était fini pour lui aujourd'hui et a regagné la voiture.

Je suis resté des heures en mer. J'avais trop peur pour bien surfer, mais je n'arrivais pas à me résoudre à rentrer en ramant. J'ai pris quelques vagues, rien que de grosses épaules relativement faciles et sans risque. J'ai eu quelques sueurs froides en esquivant certaines séries. Plutôt que de chercher à traverser en force la crête de la plus grosse vague de la journée − un pur monstre −, j'ai préféré abandonner ma planche et plonger dessous. L'eau, limpide et profonde, rendait un son creux surnaturel − le fracas, me suis-je rendu compte, de gros rochers dévalant une pente. Je les voyais d'ailleurs sous moi, ces rochers de la taille d'un classeur de bureau, soulevés du fond des mers par le passage de la houle. Un spectacle inconnu jusque-là. Mon leash avait tenu et il n'y avait plus de vagues dans cette série. J'étais, si cela est possible, encore plus terrifié qu'avant.

Plusieurs voitures de surfeurs sont arrivées. J'ai repéré Tony dans la petite foule des spectateurs. La présence d'un public aggravait encore la situation – l'humiliation que je ressentais pour avoir surfé avec si peu de courage. Mais, le pire, c'était encore de rentrer en ramant, le cœur serré, par-dessus de grandes vagues délicieuses, sans la moindre envie de prendre le risque d'un take-off. Quel gâchis ! Quelle lâcheté ! De quoi faire grimper en flèche, jusqu'à la nausée, mon dégoût de moi-même.

Ce soir-là, de retour à Jardim, je suis resté un bon moment dans le noir, allongé sur un lit de camp plein de bosses, à me demander si je n'allais pas renoncer au surf. Le vent du sud-ouest grondait dans les auvents de la vieille maison où je résidais. L'intégralité de mon corps me faisait souffrir. Mon œil gauche larmoyait d'avoir été trop exposé au soleil et à l'eau salée. Une de mes mains me lançait, une entaille que je m'étais faite en essayant d'aborder le rivage à Madonna. L'autre gardait encore le souvenir des épines d'oursins qu'elle avait heurtés la semaine précédente à Shadowlands, lorsque je m'étais pris le récif. Mes deux pieds étaient balafrés de coupures infectées. Le bas de mes reins était aussi douloureux que si j'avais passé le mois à creuser une tranchée.

J'étais vraiment trop vieux pour ça. J'avais perdu de ma vivacité, ma force, mes nerfs. Pourquoi ne pas laisser tout cela à ceux qui, comme André, étaient encore en pleine possession de leur forme physique ? Même des types de mon âge – dans la quarantaine, voire la cinquantaine – qui cherchaient encore à surfer des vagues sérieuses, se débrouillaient pour entrer dans l'eau deux ou trois cents fois par an. Qui trompais-je en ne surfant qu'une infime fraction de ce temps ? Pourquoi ne pas lui tourner le dos pendant que je le pouvais encore ? Y renoncer laisserait-il réellement un tel vide dans ma vie ?

Basso profundo

Au matin, Jardim était toujours aussi chaotique. Nous sommes retournés avec André sur la côte nord. J'ai fait le trajet en pilote automatique, sans penser à rien, sans grand enthousiasme. Sur la route, André m'a parlé de son divorce. Qu'il fût marié était déjà une première surprise... il était si jeune. Sa femme et lui s'étaient séparés, m'a-t-il appris, à cause du surf, bien sûr. Les nanas devraient se rendre compte que, quand elles épousent un surfeur, c'était le surf qu'elles épousent, a-t-il ajouté. Soit elles s'y font, soit elles partent. "C'est comme si toi ou moi on épousait une dingue de shopping. Une accro, je veux dire. Il nous faudrait alors accepter de passer notre vie entière à déambuler dans les galeries marchandes. Ou, plutôt, *à attendre l'ouverture des galeries marchandes.*"

Je pouvais comprendre que leur couple n'y put résister.

Sur la côte nord, la houle était retombée. Le vent soufflait à Madonna et il pleuvait. Les vagues étaient chétives, la marée trop haute. Nous avons somnolé dans la voiture – deux clients attendant l'ouverture de la galerie marchande.

Puis, de manière improbable, elle a ouvert. Le vent a molli, la marée est redescendue et les vagues se sont mises à danser. Elles étaient moins hautes que la veille. Nous avons ramé vers le large. Les take-offs restaient épineux – la plupart en de brèves chutes libres –, mais je me suis surpris à anticiper ces instants d'apesanteur, à y recourir, pour effectuer un rude virage au fond de la vague – un bottom turn –, et gagner ainsi de l'accélération en ligne droite. Les plus petites passaient un peu trop près de la falaise, qui, puisque je prenais la vague à revers, se trouvait juste devant moi ; en défilant à toute vitesse sous mes yeux, les rochers contribuaient encore à accroître cette impression de vitesse diabolique. Quelques touristes s'arrêtaient bien au bord de la route pour prendre des photos, mais aucun surfeur ne se montra. Il n'y avait plus que moi et un jeune fou furieux de l'Oregon pour surfer ces vagues magnifiques, à ne plus en pouvoir tant c'était bon, heure après heure. Un pur délice.

Le tunnel de Jardim à Paul do Mar fut achevé – incroyable ! – avant l'hiver suivant. Des épaves avinées de Paul do Mar n'envahirent pas la *plaça* de Jardim. En vérité, le tunnel se semblait que bien peu fréquenté. Il était long, sombre et humide. Personne ne le traversait à pied. Mais il se révéla très pratique pour les surfeurs. Les vagues de Paul n'étaient plus qu'à cinq minutes en voiture. Tout à Madère devenait rapidement accessible. Funchal, naguère encore – lors de nos premiers séjours – à trois heures de route de Jardim, n'en était plus qu'à une. Bien évidemment, les Madériens appréciaient cette commodité. Je redoutais – en proie à une sorte de crainte religieuse –, que cet accès plus aisé n'entraînât la survenue de nombreux autres surfeurs. Une seconde compétition s'était tenue à Jardim. Un surfeur de grosses vagues tahitien connu sous le nom de Poto – un champion de renommée internationale – l'avait remportée. Ce n'était pas bon pour nous.

Les énormes transferts de fonds, encore en cours, de l'U.E. vers Madère – ils se comptaient en centaines de millions d'euros –, n'étaient pas sans revêtir à mes yeux un aspect ironique. En théorie, j'étais favorable à tout ce racket. Pour une fois, il concordait avec ma conception personnelle du côté bénéfique (peut-être le seul, en l'occurrence) de la mondialisation : lorsque des pays riches viennent en aide à des pays plus pauvres. Développer l'infrastructure était bon en soi, même si ça restait assez abstrait pour le moment. Par contre, la plupart des projets de construction m'horrifiaient. Ils étaient hideux, synonymes de gaspillage, et semblaient parfaitement inutiles pour la plupart, si ce n'est à apporter des emplois temporaires ou à permettre à quelques-uns de s'enrichir.

J'ai commencé à entendre cette année-là – on était au début de 2001 – des rumeurs sur une "promenade" que le gouvernement envisagerait de construire sur le front de mer de Jardim. Ça n'avait aucun sens. À marée haute, l'océan se fracassait sur les falaises. J'en discutais avec un entrepreneur en bâtiment du village. Il affirmait soutenir le projet, mais restait vague sur le résultat. Si jamais ça devait se faire, ça resterait modeste, affirmait-il – rien qu'une petite allée asphaltée. C'était infaisable, ai-je répondu. Et à quoi ça servirait, d'ailleurs ? José Nunes me conseilla de ne pas m'inquiéter. Ce n'étaient sans doute que des idées en l'air.

Notre fille, Mollie, est née en novembre 2001. Nous voulions un enfant depuis un bon moment. Dire que nous en étions gagas serait plus qu'un euphémisme. Notre univers, soudain, s'était à la fois rétréci et élargi. Son sourire fripon était tout pour nous désormais. Je ne voyais plus aucun intérêt à quitter New York. Avant que Caroline ne tombe enceinte, j'étais parti en reportage en Bolivie et en Afrique du Sud. Désormais, me rendre à Miami pour couvrir un article me semblait le bout du monde. Quand on m'a envoyé à Londres, Caroline et Mollie m'ont accompagné. J'ai cessé d'être correspondant de guerre, même lorsque les dangers encourus étaient minimes. J'ai raté deux hivers à Madère sans le moindre regret.

Mais je continuais d'entendre des échos : la future "promenade" de Jardim avait pris la forme d'une route du bord de mer et quand, en octobre 2003, j'y suis retourné avec Caroline et Mollie, le chantier avait bien commencé.

Le projet avait pourtant rencontré une certaine opposition. Will Henry, un surfeur californien qui venait souvent à Madère, avait organisé des manifestations. Des écologistes, des géologues, des botanistes et des surfeurs, du Portugal et de l'étranger, s'étaient retrouvés à Funchal et à Jardim pour protester. La menace qui pesait sur la grande vague de Jardim n'était pas l'unique sujet de ralliement – d'autres spots de surf étaient sacrifiés au profit d'autres projets tout aussi vaseux, dont l'édification de plusieurs marinas. Selon les contestataires, le boom de la construction induit par les aides de l'U.E. mettait en péril la totalité de l'environnement du littoral de Madère lui-même. On apprit qu'un des bénéficiaires des contrats portant sur ces gigantesques projets de construction n'était autre qu'une société appartenant au gendre du gouverneur régional Alberto João Jardim.

Le gouverneur Jardim devint dingue. Il traita les manifestants de "communistes". Il déclara à un journal local que les surfeurs étaient précisément "le genre de touristes va-nu-pieds dont Madère n'a pas besoin. Allez surfer ailleurs !" Il se moqua même de leur compréhension des vagues de l'océan : "Les surfeurs ? Un tas de débiles qui croient que les vagues se cassent de la terre vers la mer. Et alors ? Qu'est-ce que ça peut bien faire qu'elles se cassent ici ou quinze mètres plus loin dans l'eau ? Ce seront toujours les mêmes."

À Jardim do Mar, les protestataires eurent droit à un accueil hostile. Des hommes du village, en cheville avec le parti au pouvoir, les chassèrent en les insultant et en leur balançant des tomates. Un jeune surfeur de la région fut expulsé. Will Henry fut frappé au visage. Pour qui se prenaient donc ces étrangers, ces moins-que-rien qui ne savaient rien sur rien et croyaient pouvoir arrêter le progrès à Madère ? Les constructions se poursuivirent.

Sur la suggestion de Tony, nous ne séjournions pas à Jardim mais en montagne, dans une auberge, installée dans une *quinta* du XVIIe siècle, qui disposait d'une petite piscine avec vue sur l'océan. Mollie, qui allait sur ses deux ans, appelait l'océan la "grande piscine". Quand je descendais à Jardim, ma planche dans la voiture, les gens me tournaient le dos sur la *praça*. Je me persuadais qu'ils avaient honte. À moins qu'ils ne détestent dorénavant tous les surfeurs.

Même quand on y faisait face, le saccage du littoral restait difficile à appréhender dans sa totalité. J'avais affirmé que construire une promenade serait infaisable, mais c'était faire preuve de bien peu d'imagination. On avait apporté par camion d'énormes quantités de roche et de terre qu'on avait déversées le long du front de mer tout autour du cap. Le boulot n'était pas terminé, mais il crevait déjà les yeux qu'à condition de remblayer suffisamment le terrain, on pourrait parfaitement, si l'on en avait l'intention, construire une autoroute à huit voies le long de la côte. De gros engins de terrassement jaunes allaient et venaient en grondant sur le remblai, lequel n'était pas encore goudronné. Un plumet de boue d'un brun laiteux partait de Jardim pour s'enfoncer dans la mer. Et, entre l'eau et la route à moitié achevée, s'élevait la plus hideuse digue que j'eusse jamais vue : un entassement chaotique de cubes de béton gris géants, d'une uniformité agressive, offensant le regard. Ces blocs évoquaient des milliers de cercueils qu'on aurait sauvagement déchargés sur place. C'était cela, le nouveau littoral. Des vaguelettes brunes venaient en lécher le béton.

Bien sûr, le gouverneur Jardim se trompait. Bien qu'il fût issu d'un peuple de marins, son ignorance de la mer était confondante. Les vagues ne viennent pas de la terre quand on enfouit un récif. Elles se heurtent tout bonnement à ce qui l'a remplacé. Pourtant, à la vue de la dévastation qui s'était opérée à Jardim, j'avais le plus grand mal à comprendre sa finalité. Peut-être qu'à marée basse, par un très gros jour... Même dans les conditions, rarissimes, où il eût encore été possible de surfer, un spot qui avait toujours été dangereux le deviendrait mille fois plus. Entre-temps, on avait gâché la beauté renversante de la côte vue de la mer − les falaises, les terrasses de bananeraies, de potagers et de papayers entre la pointe et la crique − pour la remplacer par un lugubre mur industriel. Accepte-le : la grande vague est morte. Tout comme les flaques laissées par la marée où, depuis des générations, les Jardimeiros allaient ramasser des coquillages, les rochers et les anfractuosités où Kiko harponnait ses poulpes. Tout était enseveli sous des milliers de tonnes de roche pulvérisée.

José Nunes restait fataliste : "Tu crois vivre au paradis... Et là...". Suivi d'un haussement d'épaules éloquent ; cette équivalence gestuelle du fado.

Rosa était moins diplomate. Elle critiquait ouvertement ce fiasco et citait des noms : qui en avait profité, qui avait menti. Bien entendu, sa pension avait périclité. En lui parlant, j'ai pris conscience que j'avais finalement obtenu ce que j'avais appelé de mes vœux : il n'y avait plus d'autres surfeurs dans les parages.

J'ai eu droit, de la part d'autres villageois, à de nombreuses justifications sur la nouvelle digue et l'autoroute. Elles contribueraient à protéger le village de la mer. Les habitants seraient plus nombreux à pouvoir rejoindre leurs maisons en voiture. C'était un progrès − d'autres villages, après tout, avaient connu ces améliorations. Les touristes, m'a-t-on même affirmé, viendraient admirer la mer depuis la route. Ces commentaires m'étaient servis tantôt sur un ton amical, tantôt avec agressivité ; sur la défensive ou du bout des lèvres. Certains contenaient une part de vérité, d'autres aucune. La brutale réalité, c'était que le gouvernement avait décidé la réalisation de ce projet pour ses propres raisons politiques ou financières et que les villageois n'avaient pas eu voix au chapitre.

J'ai mentalement concocté mon compte rendu pour Peter − Allison et lui avaient maintenant une fille, Anni, plus jeune que Mollie d'un an. Nous sommes allés nous balader dans les montagnes, le long d'un système de canaux d'irrigation, les *levadas*, qui quadrillent Madère. Construites le plus souvent à la main par des esclaves, les *levadas* commençaient à tomber en ruine maintenant que l'économie de l'île s'était focalisée sur le tourisme et non plus sur l'agriculture. Dans la quinta restaurée où nous séjournions, les autres hôtes, danois, allemands ou français, ronchonnaient et se plaignaient que toutes ces constructions nouvelles avaient ôté beaucoup de son charme à Madère.

La création ou la destruction des spots de surf doivent autant à la nature qu'à la main de l'homme. Kirra, une des meilleures vagues du globe, a disparu peu après notre passage avec Bryan. Un nouveau régime de dragage, à l'embouchure de la Tweed, deux ou trois kilomètres plus au sud, a accumulé du sable dans la crique où se cassait Kirra et, en quelques mois, cette vague miraculeuse avait cessé d'être. Un nouveau break, le Superbank, s'est formé plus près de l'embouchure grâce à ce même changement et son apport de sable. La vague sublime que nous surfions à Nias, dans Lagundri Bay, a été violemment altérée par le séisme de 2005 – non pas celui qui s'était produit près de Sumatra à la fin de l'année précédente et avait déclenché le tsunami responsable de la mort de plus de deux cent mille personnes, mais un second qui, trois mois plus tard, avait frappé Nias encore plus durement. Le récif de Lagundri avait été soulevé d'au moins soixante centimètres et la vague s'était encore améliorée, désormais spectaculairement plus lourde et creuse qu'elle ne l'était – sans doute aussi plus difficile à surfer, vu son aspect, mais elle était sans conteste meilleure.

Au-delà des profits et des pertes, je trouvais pour ma part profondément perturbantes ces subites modifications de spots de surf bien établis. Je me souviens d'un orage d'hiver, quand j'étais encore lycéen, qui avait fait monter le niveau du lagon de Malibu et modifié la topologie de la célèbre pointe. Je ne pouvais tout bonnement pas accepter que Malibu fût devenue une autre vague. Que le génie civil construise une jetée à quelque beachbreak ou à l'embouchure d'un port, éliminant ce faisant une vague surfable ou en créant une nouvelle, c'est une possibilité. Mais Malibu, pour moi, était éternelle. Un pivot dans mon univers. J'avais continué de la surfer après ce gros orage : c'était à présent une droite courte et informe. Mais j'étais dans le déni. Pour moi, la *vraie* Malibu était encore quelque part sous tout ce sable. Elle ne tarderait pas à réémerger.

Il se trouva que la vieille pointe de galets finit effectivement par réapparaître, plus ou moins identique, quelques années après mon départ de L.A. Peut-être, en digne fils de la Californie du Sud, aurais-je dû me montrer un catastrophiste endurci, conscient que notre environnement prend toujours, et souvent violemment, la même et unique direction : tremblements de terre, incendies de forêt, grandes sécheresses. Mais le malaise que m'inspirait ce déluge de 1969 persistait. En ce qui me concernait, le pilier central d'une cosmogonie stable passait par certains spots de surf (Kirra, au terme d'une colossale entreprise de déblaiement de son sable, a récemment donné quelques signes de résurrection.)

Tous les deux ans, avec Peter nous parlons de retourner à Madère. On devrait le faire. L'hiver prochain. Personne n'y va plus. Il existe encore d'excellents spots. Peut-être Jardim quand la marée est propice, si elle est assez grosse. Mais je ne peux pas m'y résoudre. Et lui non plus, je crois.

Les vagues étaient encore médiocres en ce dernier matin à Madère. Pendant que Caroline et Mollie dormaient, j'ai foncé vers la côte nord pour un ultime coup d'œil. Ce devait être une authentique houle du nord. Pas la moindre ondulation ne parvenait jusqu'à Jardim. La côte nord, en revanche, était géante, avec des lignes visibles sur des kilomètres. Des vagues se cassaient en mer sur des récifs dont j'ignorais l'existence jusque-là. Les vents de terre étaient légers. Près de la route, les vagues faisaient au moins trois mètres.

J'ai roulé vers l'ouest et Madonna. Je me suis garé au bord de la route. Les hautes falaises noires, les cascades diaphanes – rien n'avait changé. Il n'y avait pas âme qui vive. Les vagues étaient énormes et lisses. Le bouillonnement extérieur, là où j'avais vu une fois rouler de gros rochers sur le fond, reprenait à chaque série. Je savais l'eau profonde à cet endroit, mais la face des vagues était noire et elles se pliaient en deux comme sur un haut-fond, donnant l'impression de manquer d'eau pour pleinement exprimer leur fureur. Elles semblaient alors trop mauvaises pour qu'on les surfât. Puis elles se gonflaient et roulaient sur le récif de manière plus ou moins ordonnée. Ces murs-là, ces grosses gauches, étaient aisément prenables, à condition d'être la bonne personne, de disposer de la planche *ad hoc*, de faire tout correctement et de surfer au meilleur de sa forme.

Je suis resté une bonne heure à l'observer. J'ai rebroussé chemin le long de la route pour étudier le shorebreak en m'efforçant de minuter séries et accalmies. Invraisemblablement, il semblait ne connaître aucune accalmie. C'était encore plus intimidant que les pires tempêtes dont j'avais été témoin à Paul do Mar – mon repère lorsqu'il s'agissait de juger de la dangerosité déraisonnable d'un break. Il faudrait tout bonnement sauter dans l'eau autre part, peut-être dans le port de Seixal, un peu plus bas sur la côte, quelques kilomètres plus à l'est. Et revenir ensuite sur place en ramant. Pas moyen d'aborder le rivage à proximité de Madonna.

Envisageais-je sérieusement de surfer ? Si j'avais aperçu quelqu'un d'autre en train de revêtir une combinaison ou de waxer sa planche, je l'aurais probablement imité. J'étais conscient d'entendre les rouages tourner, entraînés par quelque compulsion très ancienne. D'un côté, j'anticipais déjà le choc de l'eau, j'imaginais la ligne d'approche. C'était davantage un réflexe qu'une véritable réflexion. C'était la partie la plus inconsciente, la plus irrationnelle en moi, qui s'exprimait. Sans tenir compte des risques ni des probabilités. Ce moment n'était pas de ceux où l'on "prend une bonne décision". Je n'en étais pas fier. En m'éloignant, j'éprouvais honte et regrets.

Tavarua, Fidji, 2002

❿

LES MONTAGNES CHANCELLENT AU CŒUR DES MERS

New York, 2002-2015

Un longboard me tente. Si j'avais habité une maison près de la plage ou une maison tout court, ou si j'avais possédé une fourgonnette, j'en aurais sans doute eu un. Mais je vis dans un Manhattan encombré, où je peux ranger mes shortboards dans des placards, dans les coins, sous les lits ou dans un râtelier bricolé accroché au plafond. Je peux sauter avec dans un train ou dans un bus, prendre même le métro, courir assez aisément dans le hall d'un aéroport, caler ma planche dans une voiture ; où il ne devrait pas avoir la place de rentrer. Je persiste cependant à repousser l'inéluctable. Pourtant, dans les petites vagues faiblardes que je prends, j'ai désormais du mal à me relever, surtout quand je porte une lourde combinaison. Ces jours-là, un longboard serait effectivement une aubaine – glisser avec grâce sur les vagues, sans effort, au lieu de tous ces fiascos et de cette frustration. Je préfère donc éviter les plus petites vagues. Quand elles sont légèrement plus grosses, mes shortboards fonctionnent encore très bien : la poussée plus forte, la verticalité – la planche tombe plus vite que moi, s'écartant de mes pieds et permettant à mes jambes de s'étendre correctement. Je ne monte pas ces planches minuscules, dernier cri, qui font pour la plupart moins d'un mètre quatre-vingts de long. Mais je continue d'utiliser celles qui, selon mes critères, sont maniables, rapides, et s'adaptent bien aux tubes – lors des rares moments, galvanisants, où je réussis encore à les prendre.

C'est drôle à dire, mais je suis devenu à New York, au cours de la dernière décennie, un surfeur quotidien. Du point de vue topographique, la ville se dresse dans l'entrecuisse formé par les deux jambes étirées de Long Island et du Jersey Shore. S'il m'a fallu des années pour découvrir les vagues de Montauk – en partie parce que j'étais occupé mais surtout à cause d'un certain snobisme, bien enraciné sur la côte ouest, relatif à tout ce qui a trait à l'Atlantique –, j'ai mis encore plus longtemps à me rendre compte qu'il existait des vagues réellement intéressantes presque aux portes de la ville. Le rideau opaque derrière lequel se cassent les plus belles – j'aurais dû le savoir – n'est autre que l'hiver lui-même. Non seulement les journées sont courtes et d'un froid épuisant, mais le créneau durant lequel les conditions sont bonnes – houle persistante, vents de terre ou absence de vent –, est souvent très bref. Les étés sont peu propices au surf sur la côte est. L'automne est la saison des ouragans, qui peuvent apporter de belles houles. Mais c'est l'hiver qui m'a poussé à aller chasser des vagues non loin de la ville. Ces tempêtes qu'on appelle souvent "tempêtes du nord-est" fondent sur la côte et y engendrent assez souvent une combinaison de houle et de vent d'une qualité stupéfiante. Il suffit de savoir où se trouver et quand.

De surcroît, il faut pouvoir exercer sa profession de nuit, disposer d'une famille tolérante, d'une combinaison à capuche à la pointe de la technologie et, si je me fie à ma propre expérience, d'Internet. Sans les données en ligne des bouées maritimes, les relevés du vent en temps réel, des prévisions précises sur le vent et la houle et les webcams en direct des spots de surf, il est impossible, c'est peu de le dire, de savoir où se rendre et à quel moment. Ces webcams sont implantées çà et là – sur des grilles, des barreaux anti-cambriolage, des rambardes –, et leur objectif est tourné vers l'océan, sur les spots dont on sait qu'ils reçoivent des vagues. Les jours où le créneau pour surfer se réduit à quelque deux heures, elles tendent à vous fournir des renseignements sur les vagues qui vous ont échappé. Si ce que vous montre votre écran vous semble convenable, il est probablement déjà trop tard. Les conditions se seront détériorées avant votre arrivée. On va donc y surfer avant tout sur une intuition se basant sur toutes ces données.

Les montagnes chancellent au cœur des mers

La chasse aux vagues marque à mes yeux la naissance de vraies amitiés. Mon éducation, pour faire face aux aléas et au dédale des jetées locales, aux bancs de sable, à la configuration des vents, aux flics chargés de surveiller le rivage et pour me permettre de savoir où, aux alentours de New York, on pouvait ôter ou enfiler en vitesse sa combinaison, s'est surtout faite par l'entremise d'un danseur goofy foot du nom de John Selya. Nous avons fait connaissance quand Mollie était encore petite. Selya vivait à quelques pâtés de maisons de chez nous, dans un Upper West Side ringard, mais, en hiver, quand les loyers étaient encore très bas, il louait aussi, avec un groupe d'autres surfeurs, une maison à Long Beach, dans Long Island. Long Beach a des vagues. Une gare ferroviaire. Elle se trouve à moins d'une heure de voiture de Manhattan. Quand nous surfions sur place ou dans les parages, cette maison nous permettait de nous changer, de faire sécher nos combinaisons, d'y laisser nos planches et même d'y dormir lorsque la houle durait deux jours. Mais elle n'était pas essentielle. Quand les vents soufflent de l'ouest, comme c'est souvent le cas, nous nous rendions dans le New Jersey plutôt qu'à Long Island. Les autres copains de surf de Selya, du moins les deux principaux, étaient Alex Brady, un autre danseur, et un géophysicien, lui aussi goofy foot, qu'on surnommait le Lobbyiste. Quand ils ont laissé tomber cette maison, je ne l'ai même pas remarqué. Dès lors, j'étais dans le circuit, à l'écoute, prêt à tout laisser choir quand les planètes (et les bouées) s'alignaient, et à foncer au volant de ma voiture, seul la moitié du temps, dans un véhicule que j'avais emprunté à une connaissance.

Pourtant, Selya me fait passer pour tiède et à demi intéressé par le surf. "Surfer comme toi une fois par semaine, c'est mauvais, affirme-t-il. Ça suffit à peine à te maintenir en forme." Selya souffre de la pire forme de fièvre du surf que j'aie connue. Insatiable, il traque la moindre trace de houle. C'est un amateur invétéré de vidéos de surf, un connaisseur exigeant des grands surfeurs et des grosses vagues, un étudiant assidu de toutes les techniques les plus avancées. Il s'attend en fait à voir son propre surf progresser. Et il s'améliore effectivement chaque année, de manière perceptible, phénomène auquel je n'avais jamais assisté jusque-là chez un individu sorti de l'adolescence. Selya avait trente et quelques années lors de notre rencontre et c'était déjà un excellent surfeur, au style à la fois très physique et très délicat ; mais, quand je le complimente sur une vague qu'il a bien prise, sa réponse est du genre : "Merci. C'était chouette. Mais il me faut davantage de verticalité."

Sûrement un truc de danseur.

"Et un truc de Juif, ajoute-t-il. Il faut souffrir."

Mais jamais se plaindre, du moins dans son cas. Selya surfe avec allégresse des vagues pourries pour lesquelles je ne me lèverais pas de mon bureau. C'est un artisan à l'ancienne – il s'échine dur à tout faire passer pour facile. Un après-midi de décembre, nous étions dans l'eau sous des rafales de pluie verglaçante, au large du Laurelton Boulevard, à Long Beach. Les vagues étaient grosses : de longues gauches costaudes, bien plus hautes que nous, qui déferlaient de l'est ; toutes effilochées et d'un gris noir, avec un hideux courant est-ouest. Apparemment, Selya et moi étions les seuls dans l'océan. Un vent âpre soufflait du nord, pile de la terre. Nous devions ramer constamment à contre-courant. Quand l'un de nous deux virait pour prendre une vague, les grêlons venus de la terre l'aveuglaient. Il fallait baisser les yeux, fixer le deck de sa planche, passer au jugé par-dessus la lèvre et ne surtout pas relever les yeux de la planche. Selya a pris un long mur, l'a chevauché sur un pâté de maisons, voire davantage. Il a dû s'acharner pour surfer le lineup. Quand je lui ai demandé comment était sa vague, il m'a crié : *"Like buttah"* – Ça glissait comme dans du beurre ! C'est devenu la rengaine de cette session. Nous étions trop épuisés pour en dire plus. Les vagues étaient vraiment superbes et valaient largement la peine et le dérangement. Et on tenait là, à feindre la facilité en plein hiver dans cet Atlantique démonté, une sorte de perfection.

Quand nous avons enfin échoué sur la rive, un début d'hypothermie perturbait ma notion du temps et de l'espace. Alors que je crapahutais devant les énormes bâtisses des maisons de retraite de Long Beach, ma planche sous le bras, la tête baissée pour protéger mon visage du vent, je n'aurais pas su dire quel jour nous étions, ni même si nous nous trouvions dans la même rue verglacée où nous avions laissé la voiture.

C'était pourtant le cas. Selya ne pouvait pas se permettre de rester dans cet état d'hébétude suite à une session de surf. Il avait un spectacle le soir même. Il était la star du *Movin' Out* de Twyla Tharp, comédie musicale à l'affiche depuis longtemps à Broadway. Nous nous sommes changés dans sa voiture (c'était après qu'il avait renoncé à louer la maison) et nous avons regagné Manhattan en huitième vitesse. Je l'ai déposé à l'entrée des artistes. Il a bondi dans les coulisses quelques minutes avant la représentation.

Mes parents avaient emménagé à New York au milieu des années 1990. *Réemménagé*, devrais-je dire. J'y ai vu comme un retour en fanfare, une sorte de gros "fourre-toi *ça* dans ta liste noire" adressé au fantôme de Joe McCarthy. Mais, quand je leur en ai fait part, ils ont paru déroutés. C'était de l'histoire ancienne. Ils étaient revenus parce que leurs enfants y vivaient. Michael était journaliste d'investigation au *Daily News*. Et Colleen n'était pas bien loin – elle vivait avec sa famille dans l'ouest du Massachusetts.

Ils produisaient encore des films et des téléfilms, de sorte qu'ils étaient souvent à L.A. ou sur le lieu d'un tournage. Mais leur appartement de la 90ᵉ Rue Est devint le nouveau point de rassemblement du clan, surtout quand les petits-enfants débarquaient – d'abord les deux filles de Colleen puis notre Mollie. Me retrouver à nouveau entouré d'une famille que j'avais quitté trop tôt ressemblait à une seconde chance. Il y avait un siège pour Moll à l'arrière de mon vélo, et gagner l'appartement de mes parents, où nous étions toujours attendus avec joie, ne représentait qu'une courte ballade à travers le parc. Nous mangions dans la cuisine, les chiens à nos pieds, tandis qu'à l'arrière-plan la télé marmonnait ses infos. Je n'arrivais absolument pas à trouver ma place dans cet appartement que, pourtant, j'aspirais plus ou moins à réintégrer bien entendu. Il n'y avait pas de retour en arrière possible. Pourtant, le réconfort que m'apportait la fréquentation de ces gens pleins de vie, aimants et terriblement familiers qu'étaient mes parents me laissait sans voix.

Ils avaient immédiatement mené une vie mondaine d'une énigmatique et très grande richesse. Quelques-uns de leurs nouveaux amis n'étaient en réalité que de vieilles connaissances – des gens du théâtre et du cinéma avec qui ils avaient travaillé. Mais ils semblaient aussi se réinventer avec une aisance sidérante. Quand Frank McCourt fit un tabac avec *Les Cendres d'Angela*, il s'avéra qu'ils avaient déjà copiné à l'Irish Arts Center, à moins que ce ne soit à l'American Irish Historical Society. J'ignorais jusque-là que mes parents s'étaient passionnés pour la cause hibernienne, mais, bon, ils arrivaient en ville et portaient un authentique et magnifique patronyme du vieux pays. Ils se rendaient à des concerts, à des représentations théâtrales et à des lectures de poésie à un rythme étourdissant. Ma mère, surtout, avait un féroce appétit de culture. Mon père avait mouillé son voilier à Long Island et entrepris de sonder les eaux locales. Je croyais que la Californie lui manquait, mais plus nous naviguions ensemble et plus je me rendais compte de mon erreur. Il adorait explorer de nouvelles baies et de nouvelles côtes inconnues. Ma mère n'a pas tardé à prétendre qu'elle ne se souvenait pratiquement plus de L.A. (elle ne lui donnait d'ailleurs jamais ce nom ; en honneur de quelque obscur principe ou de la fierté que lui inspirait sa ville natale, elle l'appela toute sa vie "Los Angeles"). Les soixante-dix ans ou presque qu'elle y avait passés s'évanouissaient à présent rapidement dans la brume de sa mémoire. New York, c'était son vrai chez-soi. Je la fais passer pour une diva, ce qu'elle n'est pas le moins du monde. Ma mère était tournée vers l'avenir. Elle avait pris des cours de français pendant des années et, à présent, elle s'était aussi mise à l'italien.

Avec Caroline, nous chantions des berceuses à Mollie pour l'endormir ; d'abord dans notre chambre, où son berceau était resté pendant deux ans, puis dans la sienne. Nous en avions inventé une qui énumérait tous ses oncles, tantes, cousins et grands-parents par leur prénom, célébrait l'affection que chacun d'eux lui portait et s'achevait sur nos propres déclarations d'amour. C'était une berceuse soporifique, sincère, qui nous venait toujours en premier. Ensuite, chacun y allait de son répertoire personnel. J'entendais comme dans un demi-sommeil la voix haute et claire de Caroline se glisser jusqu'à moi du fond du couloir et effeuiller *The Holly and the Ivy*. Mon répertoire se composait principalement de musique folk, sortie tout droit des 33 tours que possédaient mes parents quand j'étais petit – de vieux standards américains ou des reprises interprétées par Joan Baez, Pete Seeger et Peter, Paul and Mary. Ainsi que le Bob Dylan des débuts et, bien sûr, de la chanson du bouffon à la fin de la *Nuit des Rois*.

Mais lorsque je vins à l'âge d'homme,
Hé, ho, le vent et la pluie – Contre
Les drôles et les voleurs les hommes ferment leurs portes,
Car la pluie chaque jour pleuvait

Ces mots s'étaient semble-t-il incrustés en moi, au-delà de tout esprit critique. Je chantais jusqu'à ce que Mollie se fût endormie puis je m'en allais sur la pointe des pieds.

Je me suis demandé, quand elle a grandi, si elle avait jamais prêté l'oreille aux paroles. Comme un rituel, nous avons chanté pour l'endormir, jusqu'à ses huit ou neuf ans. Je lui ai posé une fois une question, juste pour voir comment elle allait y répondre, sur un vers du quatrième couplet de *Autumn to May* par Peter, Paul and Mary. Elle semblait le connaître par cœur. L'oisillon du cygne se transformait d'escargot en oiseau puis en papillon, répondit-elle. *"And he who tells a bigger tale would have to tell a lie"* – Et celui qui voudrait dire un plus beau conte devrait raconter un mensonge.

Je me suis mis en quête, en tant que journaliste, des lieux où j'avais grandi à Los Angeles. Ils n'existaient plus. Les collines étaient couvertes de maisons ; Mulholland Drive était goudronnée. Les arbrisseaux qu'on avait remorqués jusque-là étaient à présent des séquoias. Woodland Hill était devenue une banlieue qui en avait vu d'autres. J'ai interviewé Mr. Jay, mon prof d'anglais préféré au lycée. Il m'a appris que le lycée avait mal tourné. Des bandes se bagarraient désormais sur le parking de l'établissement. (Arméniens contre Iraniens, selon ses dires.) Les cours sur Shakespeare étaient depuis longtemps une vieille histoire. Les parents friqués envoyaient maintenant leurs gosses dans des écoles privées. Si j'avais l'intention d'écrire sur ce que cela signifiait de grandir dans une banlieue dortoir, ce qui était le cas, il valait mieux que j'aille voir au moins deux vallées plus loin.

J'ai donc pris le chemin de l'Antelope Valley, dans le nord du L.A. County. Tous les sujets de mécontentement causés par l'expansion urbaine y étaient concentrés, les retombées de l'éclatement de la bulle immobilière, le déclin des industries de la défense et de l'aérospatiale, et la réduction des budgets de la fonction publique, à l'exception de celui des prisons. Une tension raciale étouffante régnait dans les écoles, en même temps qu'y explosait une épidémie de consommation de méthamphétamine. Je me suis finalement résolu à écrire sur quelques adolescents qui pataugeaient dans cette mare ex-urbaine toxique, et qui essayaient de ne pas s'y noyer. Mon article se focalisait sur deux gangs rivaux de skinheads, en guerre ouverte, le premier antiraciste et le second néonazi. C'était un sujet délicat avant même qu'un des gamins dont j'avais fait la connaissance ne poignarde un de ses rivaux pendant une fête.

Ce n'était plus la banlieue où j'avais grandi, ni même une sorte d'ertzest modernisé, mais un nouveau monde, glacial, désolé, entièrement fondé sur la mobilité des uns et des autres. Ce reportage, qui m'a occupé plusieurs mois, me perturbait profondément et je m'efforçais de faire une pause de temps en temps, en tâchant que ces pauses coïncident avec la météo et ces vagues. Il m'arrivait de rouler le soir jusqu'à un petit appartement que Domenic avait conservé au nord de Malibu, d'y passer la nuit et, le lendemain matin au réveil, d'emprunter une planche pour gagner un pointbreak voisin. Ces matinées étaient à la fois cathartiques et enchanteresses. Les collines crayeuses étaient tapissées de bougainvillées. Varech, herbe marine, et ces douces vagues bleues. Les phoques aboyaient, les mouettes criaient, les dauphins crevaient la surface. Le sujet sur lequel je travaillais semblait m'avoir spirituellement empoisonné – un cocktail âcre de colère, de tristesse et de désespérance bouillait en moi. Surfer ne m'avait jamais paru plus sensé.

Je dirais que le surf trace comme une miroitante ligne mémorielle au travers d'une succession d'affectations professionnelles diverses et variées. En 2010, aspirant à une matinée de répit après avoir débriefé des victimes de tortures policières à Tijuana, j'ai filé de l'autre côté de la frontière vers une vague que je connaissais, une brillante gauche. En 2011, je me trouvais à Madagascar avec une équipe d'herpétologues qui s'efforçaient d'empêcher les braconniers de conduire à l'extinction, en ramassant leurs œufs, d'une rare espèce de tortues à carapace dorée. Ces spécialistes pouvaient parler jour et nuit de tortues, de serpents et de lézards. Ils semblaient capables d'errer indéfiniment dans la brousse en plein cagnard, s'ils pensaient qu'un spécimen intéressant risquait de s'y cacher sous un rocher. À un moment donné, je me suis aperçu que l'aspect scientifique et préservation de la nature mis à part, avec Selya nous observions à peu près le même comportement dans notre propre domaine d'expertise : le surf. Nous pouvions débattre de vagues jusqu'à ce que tous les non-surfeurs à portée d'oreille – à commencer par nos épouses –, s'enfuient, horrifiés. Et cela n'importe où et n'importe quand : à l'occasion de virées de surf, de la lecture de magazines ou du visionnage de vidéos, à la terrasse d'un café de Broadway, ou en descendant des shots de tequila, que Selya appelait la *"loudmouth soup*[01]*"*. Le sujet était inépuisable, du moins à nos yeux, et ses subtilités effectivement infinies. À Madagascar, l'équipe que j'accompagnais avait décidé de lancer une nouvelle expédition pour tenter d'observer une autre espèce de tortue, et je me suis défilé en douce pour me rendre à Fort Dauphin, une ville de la côte où j'ai dégotté une planche – une vieille 6'6" cabossée mais encore utilisable – et j'ai surfé pendant trois jours, jusqu'à l'épuisement, des vagues démontées et battues par le vent, en attendant leur retour.

En 2012, un sujet m'a conduit en Australie. C'était la première fois que j'y retournais depuis que Bryan et moi nous nous étions éclipsés de Darwin. J'écrivais sur le boom de l'exploitation minière provoqué par la Chine, et sur Gina Rinehart, un magnat de cette industrie. C'était une femme ouvertement de droite, la plus riche habitante d'Oz et une sorte d'obsession nationale. Mon reportage se déroulait en partie à Sydney et Melbourne, mais surtout dans l'ouest de l'Australie, où se trouvaient Rinehart et ses filons de fer. J'ai

01 — "La soupe à ouvrir sa gueule."

trouvé l'Australie changée : moins effrontée, moins "le valet vaut bien son maître", plus fascinée par ses milliardaires – mais peut-être était-ce parce que je m'intéressais à l'un d'entre eux. J'ai cherché à retrouver Sue, ma vieille copine du Paradis du Surfeur, qui vivait à présent sur la côte sud de Perth. Elle, au moins, avait conservé toute son insolence, bénie soit son âme scélérate. C'était désormais une grand-mère folle de ses petits-enfants, dont la maison remplie de livres donnait sur une baie superbe. "Tu n'aurais jamais cru que je gagnerais du pognon un jour, j'imagine", m'a-t-elle dit. C'était la stricte vérité. Avec un simple permis pour la pêche aux ormeaux, elle avait réussi à se créer une existence des plus confortables. Elle m'a aussi conseillé de ne pas perdre de vue que Rinehart, qui me faisait jusque-là l'impression d'une mégère paranoïaque, était la seule femme dans le monde macho de l'exploitation minière, et j'ai essayé de garder cela en tête. Simon, le fils de Sue, qui vivait non loin de chez elle, m'a prêté une planche et une combinaison et m'a indiqué où trouver un beachbreak du nom de Boranup. C'était, dans un décor rural, un spot à l'eau turquoise, froide et limpide, au sable blanc, cerné de grosses collines broussailleuses ; aucune construction en vue et seulement une poignée de camionnettes appartenant aux surfeurs éparpillées sur la plage. Pâlichonnes mais lisses, les vagues faisaient d'un mètre vingt à un mètre quatre-vingts de haut et le vent soufflait de la terre. J'ai surfé pendant des heures et lentement appris à comprendre les bancs de sable. Mon dernier ride a amplement récompensé mes efforts : une longue gauche bouillonnante, deux fois plus haute que moi, jusqu'aux hauts-fonds.

Je n'aurais su dire quand exactement, mais la pratique du surf avait explosé. De mon point de vue assez fermé sur la question, sa popularité avait toujours été trop grande. Aux breaks trop célèbres, la foule avait sans cesse posé problème. Mais, là, c'était différent. Le nombre des pratiquants avait doublé et redoublé – de cinq millions dans le monde, selon une estimation de 2002, à vingt millions en 2010 –, et dans pratiquement tous les pays munis d'un littoral, fût-ce d'un grand lac, les gamins prenaient le train en marche. Pire, le concept même du surf était devenu un phénomène marketing mondial. Les logos assimilés au sport blasonnaient tee-shirts, lunettes de soleil, casquettes, sacs à dos, fleurissaient sur les étagères de toutes les galeries marchandes, d'Helsinki à Idaho Falls, et on se les arrachait. Certaines de ces marques qui rapportaient désormais des milliards de dollars avaient démarré à l'arrière des fourgonnettes de vendeurs ambulants, en Californie ou en Australie. D'autres avaient été lancées plus tardivement par de grosses multinationales.

À vrai dire, l'iconographie du surf servait depuis longtemps à vendre toutes sortes de choses. Cinquante ans plus tôt, les affiches de la bière Hamm où l'on voyait Rusty Miller en train de prendre une vague à Sunset étaient déjà dans tous les bars et les boutiques de spiritueux des États-Unis. Au beau milieu de friches industrielles de New Havan, Connecticut, j'ai aperçu un panneau publicitaire avec un type au cœur d'un tube – là encore, une vague de Sunset aisément reconnaissable – avec le mot SALEM inscrit en ronds de fumée sur la face de la vague. Les grosses entreprises de boissons alcoolisées et de l'industrie du tabac, avides d'associer leur marque à un sport sain et pittoresque, ont été les principaux parrains des compétitions au début du surf professionnel. Mais cette actuelle ubiquité, malvenue, agaçante, de l'imagerie du surf, ça, c'était une nouveauté.

Cinq planches de surf rouge sang sont boulonnées à un mur de granit de Times Square. Depuis 1987, date à laquelle j'ai commencé à travailler pour le *New Yorker*, j'ai traversé Times Square par tous les temps, mais je n'ai commencé à m'y sentir mal à l'aise qu'au cours de ces dernières années. En grande partie à cause de ces planches. Ce sont des pin-tails en single, au nose élégamment mais exagérément effilé. Ce ne sont pas de vraies planches, seulement un décor – la vitrine d'un point de vente Quiksilver –, mais leur contour en goutte d'eau étirée me rappelle viscéralement un moment de ma vie et un lieu (Hawaï, la fin de mon adolescence), où des planches de forme identique étaient du dernier cri lorsqu'on prenait les plus grandes vagues. Mais, en plus, il y a cette vidéo qui passe en boucle sur les nombreux grands écrans qui surplombent le même magasin. Pour tous les autres passants, ce n'est sans doute que clinquant et plaisir pour les yeux. Cette vague turquoise qui roule d'un écran à l'autre ? Je la connais, cette vague. Elle se trouve dans l'est de Java, à la lisière d'une jungle. Bryan et moi avons campé là-bas, dans une cabane branlante au sommet d'un arbre. C'était dans une vie antérieure. Pourquoi faut-il qu'ils montrent ici cette vague précisément ? Et ce jeune gars qui, le dos voûté, glisse dans ses profondeurs ? Je sais qui c'est. C'est un personnage curieux, en raison surtout de son refus d'exploiter son talent. Il ne concourt pas, ne se livre pas non plus à des démonstrations ostentatoires dans les situations qui, de toute évidence, devraient les appeler. Ses sponsors, dont Quiksilver, le paient pour surfer ainsi avec obstination et style : une sorte de Bartleby postmoderne, admiré dans tout le milieu du surf pour son déni de tout. Et alors, si je reconnais au premier coup d'œil ce flemmard qui enfile un tube indonésien qui m'est familier, quelle importance ? Eh bien, c'est parce qu'il me semble, parfois, que ma vie privée, une partie importante de mon âme, est exposée là, livrée au regard de tous, comme n'importe quelle affiche publicitaire vantant telle camionnette ou tel crédit à la consommation, et ce, sur toutes les surfaces où mes yeux se posent, y compris, dernièrement, sur les écrans de télévision des taxis.

Les surfeurs espèrent avec amertume que le surf se ringardisera un jour comme la pratique des rollers. Alors, peut-être, des millions de kooks renonceront-ils et laisseront-ils les vagues aux seuls purs et durs. Mais les multinationales qui cherchent à fourguer l'image et l'idée du surf sont bien décidées, naturellement, à "promouvoir ce sport". Un certain panache discret peut servir le marketing, mais, en réalité, plus ça deviendra grand public, plus ces boîtes s'en frotteront les mains. Entre-temps, des millions d'entrepreneurs ont ouvert, pour la plupart des surfeurs sous-employés, sur le front de mer de dizaines de pays, des concessions destinées à l'enseignement du surf. Les complexes hôteliers incluent à présent des cours de surf dans le dépliant vantant leurs services. "Rayez le surf de la liste de vos lacunes." Ces écoles de surf pour touristes n'ajouteront sans doute pas de nombreux visages nouveaux aux lineups surpeuplés, où des surfeurs chevronnés se battront pour prendre quelques rares vagues. Pourtant, quand j'entends des habitants de Manhattan, pris au hasard, annoncer sans s'émouvoir qu'"ils surfent", ça ne manque pas de me défriser. Mais oui, ajoutent-ils, j'ai appris l'été dernier au Costa Rica, pendant les vacances.

Les surfeurs du coin – les locaux de Long Island et de Jersey – sont bizarrement cordiaux. Je n'ai jamais pu m'y faire. On observait, en Californie et à Hawaï, une espèce de retenue de base, une certaine notion de ce qui est cool quand on est dans l'eau, de ce qui mérite d'être commenté, des rides, des vagues ou des manœuvres qui, par leur qualité, appellent un hourra d'approbation ; une réserve que j'avais intériorisée enfant et qu'il m'est impossible de désapprendre. Sur cette côte, les gens félicitent n'importe qui, ami ou inconnu, et font du bruit pour pratiquement n'importe quoi d'à peu près convenable. J'aime bien la modestie, l'absence totale de snobisme, pourtant quelque chose de rebelle en moi se crispe quand ça arrive. Contrairement au stéréotype, l'ambiance des plus grands lineups de New York reste bon enfant. Je n'ai jamais été témoin d'une menace, jamais assisté à une confrontation, encore moins à une bagarre, dans l'eau. En partie parce que la foule n'y est jamais aussi bondée qu'à Malibu ou Rincon ; en partie aussi parce que les vagues, la plupart du temps, ne méritent pas qu'on les conteste ; mais, surtout, pour des raisons culturelles. L'arrogance et le nombrilisme, qui, depuis bien longtemps, sont devenus la norme sur les côtes et les îles les plus célébrées du surf, n'auraient jamais pu prendre racine dans ces parages. Il est plutôt aisé que le ton monte avec un inconnu au lineup – ça m'est arrivé une centaine de fois. Les gens ici sont même avides de vous fournir des informations détaillées sur leurs breaks. Un autre surfeur expatrié de ma connaissance appelle cela l'"*aloha* urbain". Mais, en réalité, ces comportements sont plutôt de nature banlieusarde ou balnéaire. En tout cas je n'ai jamais rencontré dans l'eau quelqu'un qui m'ait affirmé vivre à Manhattan. À Brooklyn, oui. Quelquefois.

Selya est un gars du coin partout où nous allons. Il est né à Manhattan et y a grandi, mais, pendant cette période de l'adolescence, critique pour le développement d'un surfeur, il a vécu sur le Jersey Shore, et il est à coup sûr chez lui à Long Island. En fait, *Movin' Out* est une comédie musicale qui, sur des airs de Billy Joel, parle des enfants d'ouvriers de Long Island. Selya y incarnait Eddie, le roi de sa promotion au lycée, qui, envoyé au Vietnam, en revient blessé. Musclé, nerveux et charismatique, il a la tête de l'emploi et est entré sans mal dans la peau du personnage : sa façon de danser mettait le feu à la scène. La première fois que je l'ai rencontré, il m'a demandé si je connaissais Arlene Croce, la critique du *New Yorker* chargée de la danse. Je ne la connaissais pas. "Va falloir que je mette madame dans ma poche", a-t-il glissé. J'ai consulté sa chronique de *Movin' Out*. "Un danseur absolument remarquable", écrivait-elle. Selya a passé une bonne partie de sa carrière à l'American Ballet Theater, au tout début sous la direction de Mikhail Baryshnikov, avant de venir à Broadway. Il marchait toujours en se déhanchant, à la manière des balle-rines. J'ai constaté, dans une interview qu'il avait donnée au *New York Times*, qu'il comparait le surf à la danse. Dans la musique comme dans les vagues, disait-il, "on aspire à quelque chose de plus grand que soi-même". Il touchait là quelque chose de très juste.

Chasser les vagues en compagnie de Selya, c'est un peu comme de plonger sous la surface de cette mégalopole que nous appelons "notre chez-nous". Il en connaît tous les rac-courcis, les blagues pour initiés, les bouges, le folklore. Il entre à l'aube dans un *dîner* de Broadway, commande un sandwich à l'œuf avec tout le jeu de scène d'un habitué, cette dégaine qu'on ne trouve normalement que dans un film au montage soigné. "Faites-moi ça bien." Il prête l'oreille avec un sourire distant au débat radiophonique de deux odieux spécialistes sportifs. Je le soupçonne de pouvoir discuter aussi longtemps que ces deux animateurs de la technique de chacun des lan-ceurs des Mets. Comme avec Peter, surfer en sa compagnie est un vrai plaisir. Il est capable à la fois de compétitivité et d'autocritique. Il rame avec bien plus de puissance que moi ces derniers temps, et il prend des tonnes de vagues. Son surf est précis, agressif, éclatant – chorégraphique. Il dispose aussi d'une capacité d'écoute extraordinairement affûtée. Par un froid après-midi d'hiver du New Jersey, nous surfions de grosses vagues changeantes sur un spot où nous nous rendions rarement. Nos spots habituels étaient trop violents ce jour-là, et les vagues se refermaient en même temps sur toute leur longueur, interdisant qu'on les prenne. Assez tard au cours de cette session, je rame vers une série qui fond sur moi. Je me retrouve piégé dans sa lèvre – maudissant ma lourde combinaison, mes bras faiblards –, puis c'est tout juste si je réussis mon drop ; je vire au fond, ramassé sur moi-même sous un mur sombre d'une hauteur et d'une épaisseur surprenantes. Je réussis à prendre la vague et j'en ressors à l'intérieur d'un tube d'ombre escarpé. J'ai perdu Selya de vue. Alors que je regagne le chenal, tout en me demandant s'il a assisté à ce drop, je l'entraperçois un peu plus au large, en train de tanguer sur une houle dans un rayon de lumière oblique. Il me tourne le dos, mais il lève le bras, le poing serré. Ça répond à ma question. Il l'a vu.

Un autre jour d'hiver dans le Jersey : les vagues sont encore plus massives et plus inconsistantes – la houle vient trop de l'est ; notre intuition n'a pas bien fonctionné. "Je ne le sens pas trop", dit Selya. Il reste sur le rivage. Ce n'est pas un surfeur de grosses vagues. Moi non plus, mais je n'ai pas envie de rentrer en ville sans rien avoir surfé. J'enfile donc ma combinaison et je me mets à ramer. L'eau doit faire moins un, l'air un tout petit peu plus et il souffle un vent d'ouest glacial. L'océan est d'un brun maléfique. Cette session est horrible – vagues manquées, chutes. Les vagues sont énormes, du moins selon les critères de la côte est, mais pas laides. Je me laisse porter jusqu'au rivage. "Navré, mais ça puait la défaite", déclare Selya. Pendant le trajet de retour, il me semble que je parviens à le convaincre, qu'il n'a rien raté à part une bonne raclée. Quand les gratte-ciel de Manhattan nous apparaissent enfin par-delà les marais salants et les docks de la Newark Bay, Selya déclare : "Regarde-moi ça. On dirait un récif géant. La roche et le corail se dressent vers le ciel et toute la vie marine pullule dans les anfractuosités."

Le travail de Selya l'occupe à temps plein, mais, en tournée, il réussit à s'adonner au surf entre deux spectacles. Il a trouvé planches et vagues au Brésil, au Japon. Il a filé une fois de

Londres aux Cornouailles – cinq heures de route – pour aller surfer. L'an passé, il m'a posté du Danemark, via son portable, des clichés d'une horrible bouillie en mer du Nord : on le voyait partout, en train d'escalader des rochers en dents de scie. Il donne un spectacle annuel à Honolulu, en décembre, avec le Ballet Hawaii – en pleine saison de surf sur le North Shore. Lui et son épouse Jackie, qui est chanteuse à Broadway, s'envolent dès qu'ils le peuvent pour Porto Rico. En 2013, ils ont loué une maison dans le nord-ouest de l'île, le secteur du surf, pendant la saison. J'y ai séjourné avec eux durant une houle si forte que je me suis félicité d'avoir emporté mon gun Brewer de 8'0".

Nous allions parfois chasser les vagues très loin de chez nous. Voilà quelques années, avec un groupe d'autres surfeurs, nous avons affrété un bateau à l'ouest de Java. En ce qui concerne ce que nous y avons trouvé, ce voyage fut un fiasco. Nous avons mouillé pendant dix jours près d'une île déserte du détroit de la Sonde connue pour ses grosses vagues. C'était le comble de la saison de la houle en Indonésie, mais les vagues restaient médiocres. Selya avait apporté un sac plein de DVD, dont quelques films de Steve Buscemi et la série intégrale de *The Office*, l'originale, britannique, avec Ricky Gervais. Il les passait toute la nuit sur un petit lecteur portable dans le réduit étouffant où nous dormions tous, Gervais est devenu l'improbable mascotte de ce voyage. Selya connaissait les dialogues par cœur. On pouvait l'entendre se marrer au lineup, murmurer ses répliques préférées, épingler l'accent provincial prétentieux de David Brent, le chef de service interprété par Gervais, tandis que nous ramions en rond en quête de vagues minables. Selya est un fin connaisseur de moments embarrassants. L'ingéniosité qu'on peut mettre à tenter désespérément de conserver sa dignité face à l'humiliation lui plaît plus que tout. "Je m'identifie", explique-t-il. Vers la fin du séjour, j'ai souffert d'une apparente rechute de malaria. J'en avais été victime de façon intermittente au fil des ans : fièvre et frissons prononcés. Il n'y avait aucune couverture épaisse à bord – le bateau était ancré à six degrés sud. De sorte que, quand les frissons ont empiré, Selya m'a prêté un survêtement en velours – noir à liserés rouges – qu'il avait apporté pour les trajets en avion. Roulé en boule dans ma couchette, vêtu comme un affranchi du New Jersey, je grelottais, je grognais et j'imbibais le survêtement de transpiration. Pas grave, disait Selya. Si jamais nous regagnons la terre ferme un jour, nous pourrions toujours le brûler.

Peter Spacek était du voyage. Il m'a veillé quand je suis tombé malade. Il surfait à peine – les vagues n'en valaient pas la peine –, mais il a beaucoup dessiné : études attentives de la vie du récif, de la vie à bord et des nombreuses espèces de poissons qu'il prenait. Nous ramassions des fragments brisés de corail rouge ou bleu pour nos filles.

Mon père a conduit son voilier en Floride pour l'hiver. Ce n'était pas nécessaire – la plupart des propriétaires de voiliers du nord-est se contentaient d'échouer le leur quelque part – mais, maintenant qu'il avait pris sa retraite, il avait du temps devant lui. Je l'ai rejoint au printemps pour une courte croisière dans le Nord, à partir de Norfolk, Virginie. Nous avons navigué sur toute la longueur de la baie de Chesapeake, descendu le Delaware puis contourné Cape May et remonté le long de la Jersey Shore. En sortant de la baie du Delaware pour éviter Cape May, nous avons frisé notre traditionnel désastre annuel. Une vaste flottille de barques de pêche à coque blanche semblait exploiter les bancs de poissons au large du cap. Nous nous demandions ce qui pouvait bien se passer pour en attirer autant. Il se trouva que ces "bateaux" n'étaient autres que des vagues. Nous étions assez loin du rivage, mais les relevés de l'échosondeur ont commencé à donner une profondeur de six mètres, puis, successivement, de quatre mètres cinquante, de trois mètres et, soudain, les vagues se cassaient tout autour de nous. J'étais à la barre, où je m'efforçais frénétiquement de les esquiver et de gagner une eau plus profonde. Le tirant d'eau du voilier était de six pieds, et je voyais encore descendre les relevés : un mètre cinquante, un mètre vingt, quatre-vingt-dix centimètres. À ce stade, on devait rudement gîter et s'attarder dans les creux pour éviter à la quille de heurter le fond sableux. Les vagues n'étaient pas grosses, mais pas anodines non plus – et se cassaient dans une eau qui devait m'arriver à la poitrine. Nous pouvions voir le fond. Il était pâle. Le moment eût été mal choisi pour courir vers la terre ferme, à des kilomètres du rivage et dans une eau qui devait faire entre 4° et 5°. Je ne sais trop comment, nous avons fini par nous écarter du haut-fond. Nous avons regagné le large au moteur, puis étudié nos cartes marines. Ouaip, ils étaient bel et bien là. D'horribles brisants. Le chenal navigable étreignait le littoral du Delaware. Au terme d'une semaine de navigation vigilante à travers des baies peu profondes et d'étroits chenaux, nous avons vu la haute mer et stupides, nous avons relâché notre concentration. Nous étions trop secoués pour en rire. Nous sommes lentement remontés à la voile jusqu'à Atlantic City, et nous avons amarré le voilier. Puis nous avons pris un bus Greyhound pour New York.

Ç'avait été une semaine vraiment agréable. En cabotant le long de la Chesapeake, on tombe sur des hameaux qu'on ne voit jamais de la route. Nous avons mangé toutes sortes de crabes, à carapace dure, à carapace molle, des crabes bleus, des crabes femelles, papoté avec des serveuses et des patrons de magasins d'articles de pêche. Mon père et moi avions toujours partagé un goût effréné, presque compulsif, pour la découverte de lieux retirés. Nos épouses respectives se moquaient sans arrêts des crochets impromptus auxquels nous nous livrions durant les voyages en famille. L'activité préférée de mon père, dans sa profession de producteur de films et de téléfilms, avait été le repérage des décors. La mienne, durant mes reportages, consistait à me laisser pousser par ma curiosité naturelle, tourner au coin d'une rue, franchir la crête suivante, traquer des faits, poser des questions, me rendre là où mon article promettait de s'étoffer. Un soir, amarré à une bouée conique sous une falaise couverte de chênes, alors qu'il sirotait la seule vodka tonic qu'il se permettait quotidiennement, mon père me demanda de lui parler de la Somalie. Il avait lu l'article, mais il voulait savoir à quoi ressemblait le pays, quel effet il faisait, comment vivaient les gens ordinaires, ce qu'ils mangeaient, et dans quelles conditions j'y avais bourlingué. Je me suis exécuté, et, dans la pénombre sans cesse plus profonde de cette paisible crique, il a écouté avec une attention si soutenue ma description d'une Mogadiscio bombardée, des longues cicatrices qu'arboraient les femmes, des pistoleros adolescents que j'avais engagés comme gardes du corps et des "technicals", ces véhicules blindés équipés d'armes lourdes dans lesquels ils se déplaçaient, se battaient et dormaient la nuit, qu'il s'est imprégné de la situation tragique du pays et du moindre détail de ce monde lointain, sans feindre une seconde l'étonnement qu'il lui inspirait, et que je me suis senti honoré de lui avoir appris tout cela. Il était conscient qu'il n'irait jamais là-bas ; je m'y étais rendu, et il avait tenu à ce que je lui en parle. S'il s'était inquiété pour ma sécurité, il ne m'a pas fait part de ses inquiétudes. Nous avions toujours eu de la chance dans la famille — stupides mais veinards, disait-il. Nous avions en commun cette curiosité insatiable.

Le bourg le plus étrange que nous avions exploré cette semaine-là était Delaware City, une toute petite ville sise sur le Delaware, à l'embouchure d'un canal qui coulait naguère jusqu'à la Chesapeake et reliait Philadelphie à Washington, Baltimore et d'autres villes plus septentrionales avant d'être supplanté par un canal plus large et profond empruntant un trajet différent. La grand-rue assoupie de Delaware City reste un monument honorant parfaitement sa grande époque : deux impressionnantes rangées d'énormes immeubles de brique du XIXe siècle. Nous avons dîné dans un grand hôtel construit en 1828. Nous en étions les seuls clients.

Toute cette croisière m'a fait l'effet d'un voyage dans le temps, à travers les strates d'un pays plus ancien que nous, et les strates de notre propre passé, d'une histoire que nous avions ou n'avions pas partagée. J'ai demandé à mon père s'il avait gardé des contacts avec des gens d'Escanaba, sa ville natale. Cette perspective lui a littéralement arraché un frisson. Non. Mais ne trouverait-il pas intéressant de se rendre, disons, à la soixantième réunion des anciens élèves de son lycée, qui n'allait plus tarder ? *Non.* Il aurait préféré se couper le bras droit, m'a-t-il répondu. Pourquoi ? "Parce qu'il me faudrait raconter ma vie. Et de quoi pourrais-je bien me vanter ? Producteur à Hollywood ?" Je ne voyais pas ce que cela avait de si effroyable. Mais je ne suis pas de l'Upper Midwest.

À un moment donné, alors que nous quittions Annapolis, il m'a déclaré : "Tu as pris l'habitude de taire beaucoup de choses, de les repousser sous le tapis." Je suis resté silencieux, abattu. "C'est sans doute dans le sang", a-t-il ajouté.

Je me suis demandé de quoi il voulait parler. Il avait l'air de faire allusion à certaines rancœurs. En nourrissais-je de si nombreuses à son encontre ? Fut un temps où je le rendais, en secret, responsable de tous mes malheurs, de l'angoisse qui m'avait habité durant mes années de fac après le départ de Caryn. J'étais persuadé à l'époque que la dévotion que lui inspirait ma mère, cette dépendance affective, m'avait donné le mauvais exemple en m'imposant une image, un modèle de l'amour qui avait fini par me dévaster. Mais j'avais renoncé depuis longtemps à cette analyse, à cet absurde ressentiment. En vérité, je me félicitais même d'avoir tenu secrètes bon nombre de choses. Pour autant, cette réflexion m'a longtemps obsédé. Elle me hante encore aujourd'hui. Elle et tout ce que je regrette de n'avoir jamais dit quand j'en avais l'occasion.

Un moment me revient. Nous traversions à moteur le Delaware et le canal de Chesapeake – le gros, pas celui qui débouche dans la petite bourgade de Delaware City. Un énorme remorqueur océanique nous a dépassés en vrombissant, halant une péniche. Mon père se tenait au bastingage, vêtu d'un ciré à capuche, les bras le long des flancs, et il regardait passer le bateau, l'air fasciné par son pont imposant et ses lumières rouges et blanches. Je me souviens encore du nom du remorqueur – *Diplomat* – inscrit en lettres d'or sur sa coque. Sur le pont arrière, un marin roux musculeux, un jeune homme aux bras énormes croisés sur la poitrine, était en train de fumer. Il a paru prendre la pose quand son regard nous a croisés. Mon père semblait comme envoûté. Son recueillement m'a frappé. Amusé, touché. J'admirais cette absence de démonstration de toute émotion. Mais il y avait quelque chose d'alarmant dans cette fixité. Cette façon de rester les bras ballants.

Tavarua avait depuis longtemps la réputation d'être une vague de rêve. Elle était célèbre – dans le milieu du surf, en tout cas – pour sa quasi-perfection, mais aussi pour son aspect exclusif, privé. C'était la seule grande vague de la planète à ne pas succomber à cette tragédie où tout était transformé en affiche publicitaire. Elle ne devint jamais affreusement surpeuplée, ce qui bien sûr, gâchait le plaisir de tous. Propriété américaine, la station balnéaire prospérait. Aux yeux des surfeurs qui ne souffraient pas qu'une vague fût réservée aux cochons qui payaient pour être là, cet arrangement restait sans doute une pure bouffonnerie. En principe, je me rangeais de leur côté. Je m'étais moi-même longuement étendu, dans différents contextes, sur la privatisation des communs, dont celle des eaux municipales en Bolivie et de la maintenance du métro à Londres, et, en règle générale, j'étais farouchement contre. J'avais aussi mes petites idées à propos de cette station balnéaire, en souvenir des journées idylliques que nous avions passées avec Bryan sur cette île.

Mais en tant que surfeur, je restais aussi sensible que le premier couillon venu quand il s'agissait de fantasmer sur des grandes vagues désertes. Je me justifiais en me disant que nous vivons tous dans un monde déchu. Je crevais d'envie de surfer de nouveau Tavarua. Il se trouva que le gouvernement des îles Fidji, alors une dictature militaire, brisa ce fantasme en 2010 en décrétant brutalement l'annulation de l'accord – depuis longtemps en vigueur – portant sur la "gestion du récif" par le complexe hôtelier de Tavarua. Les vagues furent ouvertes au grand public, autrement dit aux tours-opérateurs du surf. Des bateaux bourrés de surfeurs ne tardèrent pas, à chaque trace de houle, à piquer vers Tavarua depuis les hôtels et les marinas voisins, et les lineups prirent rapidement l'aspect familier d'une frénésie appelant au malthusianisme.

Mais, avant que cela ne se produise, j'étais devenu un client régulier de cette station balnéaire. Ça remontait à 2002. Le complexe fonctionnait de telle manière que des groupes d'une trentaine de personnes le réservaient pour une semaine dans sa totalité, la plupart du temps d'une année sur l'autre. Or, cette année-là, un groupe de Californiens m'invita à combler un vide. Je n'y ai pas trop longtemps réfléchi. J'allais avoir cinquante ans et l'appel de Tavarua était plus fort que mes convictions les plus profondes sur la privatisation. Je voulais retourner la surfer tant que ça m'était encore possible.

La station restait discrète. Seize bungalows, des repas pris en commun. Les propriétaires avaient semble-t-il fait sauter à la dynamite une partie du récif pour élargir le chenal réservé aux bateaux, mais au large, en face, la vague restait identique à elle-même : même gauche à l'âme cannelée, trop belle pour être vraie, éclatant à pleine vitesse sur le récif. La surfer déclenchait chez moi comme une bourrasque dans ma mémoire sensorielle : la houle bleue qui se cassait très loin sur le récif, les complexes graffitis qui ornaient sa face, le corail sans merci ; l'instant critique qui semblait se prolonger indéfiniment, l'impression d'une impossible abondance. Mon niveau était retombé d'un ou deux crans depuis la dernière fois où je l'avais surfée, vingt-quatre ans plus tôt ; la vague elle, surtout lors des take-offs, était toujours aussi rapide. Mais j'étais riche d'une longue expérience et je pouvais encore la prendre et la surfer dignement. Bien sûr le lineup n'était plus désert. Il fallait partager. Mais ça restait facile. Le point de take-off, que nous avions appris à repérer grâce à deux cocotiers croisés de très haute taille, était désormais balisé par la réflexion de la lumière dans le miroir du bar du restaurant de l'hôtel.

Sur l'île, je suis allé faire un tour à notre ancien site de bivouac. Le séchoir à poissons où je dormais n'était plus là, sinon, rien n'avait changé. La vue sur la vague, les îles par-delà, le sable rugueux, l'air tiède. Les *dada-kulachi*, ces serpents à la morsure mortelle, étaient désormais une rareté. J'avais l'impression de débarquer dans un nouveau monde, particulièrement confortable. Il y avait de la bière. Des *chaises*. Un héliport là où les pêcheurs entassaient autrefois du bois sec pour faire des feux de signalisation. Je me suis demandé ce qu'était devenu le petit Atiljan, qui avait naguère dormi dans un nid de feuilles vertes. Était-il devenu pêcheur, avait-il à son tour des enfants ? La plupart des gens qui travaillaient à l'hôtel étaient des villageois de Nabila, mais seuls un ou deux étaient d'origine indienne. La démocratie du pays avait été mise à mal par une succession de coups d'État militaires ourdis par des nationalistes d'origine Fidjienne. Les Indiens étaient devenus des citoyens de second ordre. La station de Tavarua avait réussi à se gagner les faveurs du régime militaire en organisant une compétition de surf professionnel au moment où les liens qu'entretenaient les Fidji avec le monde du sport avaient été coupés en grande partie par des sanctions internationales. Quand j'ai demandé à une jeune et gentille barmaid de Nabila ce qu'elle pensait des sévices que le gouvernement infligeait à la démocratie et aux sujets originaires de l'Inde, elle m'a timidement répondu qu'elle soutenait l'action du gouvernement : "Il est pour les Fidjiens."

Après m'être enquis de ce qu'étaient devenus Bob et Peter, nos anciens skippers − je n'ai strictement rien appris −, deux types de Nabila un peu plus âgés, qui travaillaient à présent à Tavarua, se sont brusquement souvenus de moi. Ils me traitaient comme un cousin éloigné, perdu depuis longtemps de vue, et se sont payé une bonne crise de rire : j'étais l'Américain qui n'avait pas réussi à monter un hôtel ici. Toutes les semaines, la station organisait ce qu'elle appelait une "soirée fidjienne", avec tambours, kava et discours en fidjien des anciens du village à l'intention des clients. Je me suis retrouvé en bonne place dans ces discours, bombardé acteur de l'histoire de l'île et de l'arrivée du surf. Aucun de mes camarades ne s'en est aperçu, mais les Fidjiens qui participaient au spectacle hochaient tous la tête d'un air entendu, gloussaient, et, par la suite, quand ils me croisaient sur une des pistes de l'île, me tapotaient amicalement l'épaule. Ils avaient dû se rendre compte au premier coup d'œil, j'imagine, que je n'avais pas les moyens d'ouvrir et de gérer un hôtel aux Fidji. Un des deux surfeurs/fondateurs américains avait dû apporter les capitaux. Il avait depuis longtemps récupéré ses billes en vendant ses parts à d'autres investisseurs. L'autre, le plus coriace, était le vrai responsable de la création de ce petit empire sous les Tropiques. Il vivait maintenant en Californie et ne venait plus qu'occasionnellement. Il s'était fait construire une grande maison au sud de l'île en rognant du terrain sur la jungle.

Je redoutais le moment où il me faudrait écrire à Bryan pour lui raconter cette visite. Il attendait mon compte rendu. Il se trouva que, contrairement à ce que j'avais craint, il ne me reprocha pas de m'être adonné à ces vagues privatisées, modernisées et hors de prix (chambre et pension complète revenaient environ à quatre cents dollars la nuit.) Il n'a même pas paru vomir à ma description de la "soirée fidjienne". Bizarrement, ce qui l'a le plus écœuré, c'est la photo d'une partie de volley-ball opposant les clients au personnel. J'imagine

d'ici les "sourires factices" et "le fiel intériorisé", m'écrivit-il.
Mais sa réaction à mon résumé n'en fut pas moins complexe
et réfléchie, riche de colère, de plaisanteries, d'envie, d'admiration et, comme toujours, d'autocritique. Il émettait ensuite
le vœu de se livrer à de plus fréquentes visites du littoral de
l'Oregon, où il allait parfois surfer.

Les propriétaires de l'hôtel avaient découvert une seconde
vague, elle aussi une longue gauche, sur un récif en pleine
mer, à un kilomètre et demi environ au sud de Tavarua. Ils
avaient appelé le spot Cloudbreak, et c'était à lui, en fait, que
la station balnéaire devait d'être rentable. La vague de l'île,
pourtant mondialement renommée pour sa perfection, était trop
inconstante pour alimenter la rotation, une semaine sur l'autre,
d'une clientèle fortunée. Elle pouvait facilement refuser de se
casser pendant huit jours. (Les propriétaires l'avaient appelée,
d'une manière impardonnable, Restaurants.) Cloudbreak qui, en
revanche, prenait toutes les houles de passage, était bien plus
constante. Des bateaux faisaient la navette toute la journée et
jetaient l'ancre dans le chenal pendant que les clients surfaient.
Cloudbreak était plus grosse, plus changeante et plus brute de
décoffrage que Tavarua, et elle souffrait en plus de nombreuses
imperfections. Le spot présentait de très nombreux points de
take-off et un tas de vagues imprenables. Mais il avait aussi
sa grandeur. J'ai commencé à me lever de bonne heure pour
aller surfer Cloudbreak à l'aube et lentement apprendre à
déchiffrer les repères de son lineup. Une fois que vous aviez
procédé à une triangulation rudimentaire, les collines de Viti
Levu, une dizaine de kilomètres plus à l'est, pouvaient vous
donner une petite idée de l'endroit où vous vous trouviez sur
le long récif plat scintillant au soleil.

J'y ai brisé dès la première semaine une Owl flambant neuve.
Les morceaux sont allés rejoindre un gros tas de planches
cassées pourrissant dans la jungle derrière l'abri des bateliers
de l'île. À mon avis, toutes ces planches devaient être des victimes de Cloudbreak. La vague disposait d'insondables réserves
de puissance qui puisait sa source de son eau profonde. Elle
ressemblait à Madère de ce point de vue, mais elle ne m'effrayait
pas autant, en partie parce que d'autres surfeurs en avaient

dressé une carte bien plus précise dans toutes les conditions météo, mais surtout parce qu'elle ne présentait ni rochers ni falaises. On pouvait sans doute toucher le fond, surtout dans sa section intérieure où l'eau était aussi peu profonde qu'à Tavarua, mais, quand elle vous balayait ou quand vous vous retrouviez piégé à l'intérieur, elle pouvait toujours vous drosser par-dessus le récif. Comme partout ou presque, plus loin elle vous emportait, plus sa violence décroissait. Lors des marées les plus basses, le récif saillait à fleur d'eau et on pouvait alors l'arpenter jusqu'à un endroit permettant de sauter. Il y avait d'ailleurs une partie du personnel chargée de la surveillance, en l'occurrence les bateliers, qui veillaient sur les clients. Les gros jours, ils se déplaçaient en jet-ski dans le chenal et piquaient sur la zone d'impact pour recueillir les surfeurs en péril. Pendant cette première semaine, à deux reprises un jet-ski est venu à ma rescousse. Je l'ai chaque fois congédié d'un geste – j'allais bien. Je prenais Cloudbreak très au sérieux, mais ces virées à Madère pendant une décennie, à surfer des spots où se laisser rouler par les flots n'était pas nécessairement une garantie de survie, m'avaient endurci contre d'autres dangers, plus ordinaires, de l'océan.

Il n'était pas question de me consacrer autant à Tavarua qu'à Madère. Maintenant que Mollie occupait une place centrale dans notre existence, je n'y tenais d'ailleurs pas. Nous pouvions tout juste nous offrir ce type de voyage. Pourtant j'étais devenu un habitué des lieux ; j'y allais tous les ans et je passais six ou huit heures par jour à Cloudbreak. Les groupes que j'accompagnais étaient hétéroclites : des entrepreneurs – des Républicains de Floride – et leurs ambitieux carriéristes de fistons, des gens du cinéma et leurs ambitieux carriéristes de fistons. De jeunes espoirs d'Hawaï voyageant aux frais de leurs sponsors. Quelques-uns des pros internationaux étaient souvent de la partie. Domenic est venu une ou deux fois au début. Il vivait à présent à Malibu, s'était marié une seconde fois et avait quatre jeunes enfants. Il se moquait toujours de mon penchant à l'autodérision, mais partager à nouveau des vagues dans le Pacifique Sud me faisait l'effet de vivre un rêve. Pour autant, il ne tarda pas à considérer que ces séjours centrés sur le surf, loin de sa famille, manquaient de sens. Avec

Bryan nous n'avons même pas caressé l'idée de son éventuel retour. Je me suis fait quelques amis à Tavarua, dont Dan Pelsinger et Kevin Naughton, deux Californiens qui avaient à peu près mon âge et, qui, comme moi, n'arrivaient pas à s'en lasser. Nous avons entrepris ensemble des virées de surf à petit budget – au Mexique, au Nicaragua. Mais c'était pour les Fidji que je m'entraînais, que j'économisais, que je vivais.

"Les gens que je connais à New York sont toujours sur le point de rentrer d'où ils viennent pour écrire un livre, ou de rester où ils sont pour en écrire un sur l'endroit d'où ils viennent." Ainsi parle A. J. Liebling dans *Apology for Breathing*[01], un bref et formidable essai. Liebling y feint de s'excuser d'être né à New York, ville qu'il aimait justement à la folie. Je fais désormais partie de ces New Yorkais qui sont toujours sur le point de rentrer d'où ils viennent. Mais il ne s'agit pas de faire mes valises ni de rester sur place, mais bien plutôt d'être toujours prêt, dès que la houle, le vent et la marée se liguent pour engendrer des vagues surfables, à me lever de mon bureau et à envoyer balader tout ce que j'étais en train de faire pour gagner quelque mer voisine. C'est de là que je viens : de ce fugace, fragile corps de mer.

En vérité, ceci est un livre sur ce lieu, cet espace incrusté dans l'ambre du mythe.

Un éditeur web du *New Yorker* qui avait remarqué mes nombreuses et soudaines désertions de poste, m'a suggéré de publier un blog sur le surf autour de New York. J'ai trouvé l'idée plutôt bonne. Absentéisme et production insuffisante pouvaient en effet déboucher sur de bons textes, permettant de présenter aux lecteurs, comme l'aurait tourné la rédaction, "tout un monde souterrain de chasseurs de vagues urbains". Nos étranges engouements, nos frustrations, nos petites victoires et nos singularités, assortis de photos et de descriptions de quelques personnages du front de mer pouvaient probablement maintenir un blog en ébullition. Je me suis vu moi-même en train de rédiger des courriers aussi concis que sibyllins, tout en rentrant chez moi, à moitié gelé, par la Van Wyck Expressway.

---

01 — "Pardonnez-moi de respirer."

Les montagnes chancellent au cœur des mers

Par courtoisie, j'ai parlé du projet de blog à la plupart des types avec qui je surfais. "Non", a fait l'un d'eux. "Absolument pas", a dit un autre. Ils ne tenaient pas à ce que nos spots soient divulgués. Ni à passer pour mes faire-valoir. Les blogs, c'était ringard. Les objections furent maintenues, et le projet fut remisé.

Je précise plus souvent que je suis journaliste. Les souvenirs racontés dans mes papiers sont moralement flous. La plupart des gens ne s'attendent pas à ce qu'on écrive sur eux, surtout de la part de leurs proches. J'ai toujours plus ou moins tenu un journal. Mais l'idée d'écrire un bouquin sur ma vie de surfeur, et surtout sur les gens avec qui j'ai chassé des vagues et qui pensaient que tout cela resterait à jamais entre eux et moi, est plutôt récente. Peu de mes compagnons l'imaginaient.

Déjà embarqué dans l'écriture, j'en ai, m'attendant au pire, fait miroiter l'idée à mon équipe de surf new-yorkaise. Nous rentrions péniblement chez nous par la Van Wyck. Ils se sont montrés étonnamment enthousiastes. Pour on ne sait quelle raison, un livre leur paraissait moins inacceptable qu'un blog – moins actuel, sans doute, moins susceptible de déballer toute leur vie privée.

"John sera dedans ?" me demanda le Lobbyiste.

Il parlait de Selya, qui était au volant.

"Je ne suis qu'une simple note en bas de page", a lâché celui-ci.

Pas tout à fait, en vérité.

Mais il y aurait bel et bien une vraie note de bas de page – la voici : Barack Obama ne m'avait pas cru quand je lui avais avoué quel lycée j'avais fréquenté. C'était en 2004, avant qu'il ne soit célèbre. J'écrivais son portrait et le fait qu'il était passé par la Punahou School, la plus renommée des écoles préparatoires à l'université d'Hawaï. Nous étions installés dans un restaurant, à la déco caribéenne, d'un petit centre commercial de Hyde Park, Chicago. "Putain, non !" s'était-il exclamé. (En fait, il n'a pas vraiment dit "putain". Mais nous ne nous enregistrions pas.) Je suis bien allé pendant un certain temps au lycée de Kaimuki. Mais aucun de mes camarades ne se doutait que j'écrirais un jour. Nos vies étaient strictement privées. C'est le côté le plus épineux de l'exercice. Les faits, eux, ne posent pas de problème.

L'apparence stoïque de mon père au bastingage de son voilier n'était pas aussi simple. Il avait la maladie de Parkinson. Les symptômes sont d'abord apparus lentement puis se sont précipités. Sa maladie a emporté son esprit loin de nous. Son existence est devenue une torture. Il n'a plus dormi pendant une année. Il est mort en novembre 2008 dans les bras de ma mère, entouré par ses enfants. Ils étaient mariés depuis cinquante-six ans.

La dernière année de mon père avait amaigri ma mère au point de la rendre méconnaissable. Elle avait toujours été mince, elle était maintenant émaciée. Elle a recommencé à sortir — à aller au concert, au théâtre, au cinéma — avec moi ou des amis. Elle était encore enthousiaste — je me rappelle avec quelle ferveur elle avait aimé *Winter's Bone* et combien elle avait détesté *Avatar* — mais ses poumons la trahissaient déjà. Elle souffrait de bronchestasie, une maladie respiratoire qui, entre autres choses, provoque l'essoufflement, et qui sapait toutes ses forces. Une entière existence passée à respirer le smog de Los Angeles y était pour beaucoup. Nous l'avons emmenée en vacances à Honolulu et nous avons loué une maison dans le vieux quartier proche du Diamond Head. Sa chambre donnait sur la mer. Ses trois petites-filles se blottissaient avec elle dans le grand lit. Jamais elle n'aurait pu être plus heureuse, disait-elle.

L'été suivant, nous avons vécu ensemble un épisode amusant. C'était la dernière fois qu'elle allait à la plage — à Long Island, par un après-midi frais et ensoleillé. Elle était si frêle que nous l'avions emmitouflée dans des couvertures et installée dans un coin, au soleil, à l'abri du vent, d'où elle pouvait observer les vagues. Ses petites-filles s'étaient agglutinées autour d'elle pour lui tenir chaud. J'ai fait remarquer que les vagues, encore qu'épouvantables, avaient malgré tout l'air surfables. Le vent d'ouest soulevait une droite constante, presque à la lisière du sable, qui m'arrivait à la taille. "Va surfer", m'a exhorté ma mère. Je n'avais pas emporté de planche, mais Colleen avait un longboard dans sa camionnette. C'était une énorme bûche archaïque, achetée dans un vide-greniers, on ne sait trop pour quelle raison. Caroline m'a fait un signe de la tête, tout en ouvrant les yeux en grand. Je me suis jeté dans la mer et pris quelques vagues. La planche était idéale pour ce shorebreak et j'ai filé le long de la plage en exécutant quelques manœuvres à l'ancienne sur ces petites vagues miteuses, jusqu'au moment où j'ai heurté le sable. Je suis retourné à notre petit campement dans les dunes. Les yeux bleus de ma mère brillaient. J'avais l'impression d'avoir de nouveau dix ans et de frimer devant elle. "Tu étais sur cette planche exactement le même que quand tu étais petit", m'a-t-elle dit en souriant. La faute à cet antique longboard. Tous les autres bavardaient ou riaient. M'avaient-ils vu prendre mes vagues ? "Non, m'a répondu ma fille. Va en prendre une autre."

En même temps qu'elle devenait moins assurée sur ses jambes, ma mère s'était mise à marcher plus rapidement. Elle avait toujours avancé très vite, mais, là, c'était différent : elle prenait toujours une longueur d'avance sur vous, d'une démarche chancelante qui vous donnait envie de lui courir après pour l'empêcher de tomber. Quand ça lui est finalement arrivé, je me le suis reproché. Nous rentrions d'une visite chez le pneumologue et, pendant quelques secondes, je l'ai laissée seule, sans soutien, sur la 90ᵉ Rue Est. En me retournant, je l'ai vue esquisser un pas trop long. Elle a basculé en arrière avant que j'aie pu la rattraper et s'est fracturé la hanche. Elle s'est retrouvée grabataire. Mollie et moi passions pratiquement toutes nos soirées avec elle. De vieux amis de Californie lui rendaient visite. Michael, qui travaillait à présent au *Los Angeles Times*, venait aussi souvent que possible. Tout comme Colleen et sa famille, Kevin et son compagnon.

Mais, le plus souvent, nous n'étions que nous deux – Caroline était occupée par un long procès fédéral. Nous formions un trio bien assorti : Moll roulée en boule avec un bouquin, ma mère et moi ressassant des souvenirs, regardant la télé ou refaisant le monde. Ma mère portait toujours un grand intérêt à mes projets et, quand je lui soumettais des premiers jets qu'elle trouvait un peu trop faibles, elle n'y allait pas par quatre chemins. Elle restait très pince-sans-rire. Elle avait toujours pris un malin plaisir à se moquer d'un savoir-faire maladroit, et l'une de ses mimiques consistait à se planter le bout de la langue dans la joue, dodeliner de la tête puis rejeter ses cheveux en arrière avant de me lancer : "On se voit demain." Ce que se disent d'un air distrait les gens, qui, quand ils se séparent, n'ont pas grand-chose à se dire ou manquent de vocabulaire. Un soir, alors que nous rassemblions nos affaires pour la laisser se reposer, elle m'a fait le coup et, à ma grande surprise, elle a bel et bien dit "on se voit demain" en y mettant un soupçon d'amusement attristé. C'était donc à cela qu'était désormais réduite notre famille. Notre univers avait décidément rétréci. Ma mère changeait. Elle comprenait chacun de mes gestes, tout ce qui pouvait me passer par la tête. Un amour sans peur, indéfectible. Elle et Mollie donnaient l'impression d'être encore, si possible, encore plus en phase. Ma mère ne croyait pas à la vie après la mort. Il n'y avait rien à ajouter.

Une nausée chronique a eu raison d'elle. Elle perdit tout appétit et dépérit. Sa lucidité finit par lui faire défaut. Nous avons dispersé ses cendres et celles de mon père en pleine mer, au large de Cedar Point, un lieu-dit proche de Sag Harbor où ils passaient souvent en voilier.

On ne peut que haïr la façon dont le monde tourne.

Avant même le décès de mes parents, je faisais preuve d'une imprudence croissante. À Dubaï, alors que j'enquêtais sur un trafic d'êtres humains, j'ai piétiné les plates-bandes d'esclavagistes ouzbeks et de leurs protecteurs locaux, de sorte que j'ai dû fuir précipitamment l'émirat. Au Mexique, lors d'un reportage sur le crime organisé, je me suis jeté dans la gueule du loup plus loin que je ne l'aurais dû. Précisément le genre d'enquêtes dont je m'étais promis de m'abstenir à la naissance de Mollie. Cette même impulsion ressurgissait lorsque je surfais. Je me suis rendu à Oaxaca pour surfer Puerto Escondido, beachbreak qu'on regarde généralement comme le plus lourd du monde. J'y ai brisé deux planches et je suis rentré chez moi avec un tympan perforé. Je n'étais pas en train de devenir un surfeur de grosses vagues – je n'aurais jamais les nerfs assez solides –, mais je m'aventurais sur un terrain qui n'était pas le mien. Les très gros jours à Puerto, j'étais le plus âgé dans l'eau, et de plusieurs décennies.

Qu'est-ce que je m'imaginais ? L'idée de bien vieillir me plaisait. Après tout, l'option inverse était mortifiante. Mais il était rare que j'accorde une pensée sérieuse à mon âge. Il semblait que j'étais incapable de laisser passer une occasion de prendre une grande vague. S'agissait-il, pour moi, d'une manière de faire mon deuil, de tromper la mort ? Je n'en croyais rien. Quelques semaines après mon soixantième anniversaire, j'ai enfilé deux tubes coup sur coup à Pua'ena Point, sur le North Shore d'Oahu ; aussi longs et profonds que tous ceux que j'avais pu prendre depuis Kirra, en plus de trente ans de surf. J'en suis ressorti indemne dans les deux cas. La promiscuité avec tant de beauté... Non, c'était mieux que la côtoyer... c'était m'immerger en elle, être transpercé par elle... Voilà ce que je visais. Tous les dangers n'étaient que des notes en bas de page.

Au cœur de cette activité compulsive, de ce désir obsédant de chasser les vagues avant qu'il ne fût trop tard, Selya faisait un excellent compagnon de route. Il avait la quarantaine passée et les premiers rôles commençaient à lui échapper. Il pouvait encore sauter, soulever et rattraper sa partenaire, et, selon lui, il dansait mieux que jamais. Mais la préférence des producteurs allait aux visages et aux corps juvéniles. Il avait décroché un grand rôle en 2010 dans un spectacle de Twyla Tharp construit autour des chansons de Frank Sinatra. Le clou de cette production, à mon avis, était son solo de danse sur *September of my Years*. Tout en retenue, d'une grande élégance, presque méditatif, et d'un symbolisme qui n'avait sans doute échappé à personne. "Je tenais à ce que ce solo fût l'incarnation même de John", avait déclaré Tharp au *Times*. Après en avoir donné 188 représentations à Broadway, Selya suivit le spectacle en tournée, en tant que directeur artistique, tout en continuant de danser sur scène. Il chorégraphiait, enseignait et écrivait un scénario. Mais sa carrière de danseur se terminait. Lors d'une soirée, j'ai entendu quelqu'un le questionner sur ses projets imminents ; Selya a répondu par une allusion à un astéroïde qui faisait les gros titres à l'époque ; les gens s'inquiétaient de le voir passer trop près de la Terre. Lui disait espérer qu'il la frapperait de plein fouet. C'était le meilleur dénouement qu'il pût envisager pour sa carrière.

Il canalisait toute sa fureur dans le surf. De ces piètres journées à Long Beach, il réussissait à réaliser des mouvements dignes d'un skatepark, trayait la moindre goutte de jus de vagues qui lui arrivaient à la taille. Était-il possible qu'il s'améliorât encore ? L'attention qu'il portait aux plus infimes raffinements techniques ne vacillait pas. Il était à la fois forcené et d'une patience infinie. Son style se lissait, donnait l'impression de la facilité alors même qu'il forçait. Il voyait dans les prestations de certains surfeurs des subtilités qui m'avaient échappé toute ma vie durant. Les types de la côte ouest, selon lui, se passaient la main dans les cheveux en sortant d'une vague qu'ils avaient bien surfée. Dans la même situation, les Australiens, eux, revendiquaient ce triomphe en se frottant le nez. Ça semblait trop bête pour être vrai, pourtant, au visionnage d'une vidéo de surf, il lui arrivait de s'exclamer : "Joli ! Maintenant, frotte-toi le nez !" Et le surfeur de s'exécuter. "*Quelle classe !*"

Quand il n'était pas coincé au Danemark ou à Dallas, Selya était toujours disposé, à chaque tempête du nord-est, à filer vers l'est ou au sud, selon la direction des vents. Il trouvait moyen de se procurer des tuyaux sur les bancs de sable et les jetées surfables à partir des photos postées par certains pros locaux sur Instagram, elles ne nous ont rarement trompés. Quand Jackie travaillait *extra muros*, Selya allait lui tenir compagnie, mais, si elle exerçait ses talents à proximité d'une côte, il embarquait des planches. Il se trouvait à Boston lorsqu'une succession de houles a paru embraser le moindre cap de la Nouvelle-Angleterre. Ses messages téléphoniques étaient extatiques.

Une de ces houles était l'ouragan Irene. J'ai pris moi-même le front d'Irene à Montauk. Ce fut fantastique. Puis je suis rentré chez moi pour passer cette nuit de grands vents avec Caroline et Mollie. Au matin, quand la tempête a pénétré dans les terres et balayé le Vermont, les vents ont tourné vers l'ouest et, avec la permission de ma famille, je suis parti dans le New Jersey, seul dans ma voiture. Les surfeurs de la côte est entretiennent avec les ouragans de l'Atlantique une relation quelque peu morbide. Quand ceux-ci font pleuvoir la destruction sur les Antilles et, parfois, sur la côte est des États-Unis, ils en bavent d'impatience. Irene fut aussi violent (Sandy serait pire encore.) Le New Jersey ne fut pas trop durement frappé, mais, à mon arrivée, les plages étaient encore inutilement fermées au public sur les ordres du gouverneur. (On se souvient de Chris Christie s'adressant à ses administrés, juste avant le passage d'Irene : "Barrez-vous des plages, bon sang ! Vous êtes bien assez bronzés comme ça !") Les vagues étaient massives et lisses, et le vent mollissait. Je me suis garé à quelques pâtés de maisons, à l'intérieur des terres, j'ai gagné la côte sur la pointe des pieds et j'ai surfé pendant des heures. Ma vague préférée dans l'Est, une droite hurlante au large d'une jetée, a décidé de se lever en fin d'après-midi. Elle était presque trop grosse, mais j'étais seul dans l'eau, de sorte que je pouvais choisir avec soin mes vagues parmi d'innombrables séries superbement damées. Je prenais les vagues qui fusaient plein nord. Elles étaient sombres, ridiculement belles et crachaient un son guttural. Sur le rivage, les gyrophares de la police lançaient des éclairs rouges et bleus dans la pénombre. Toute la scène avait quelque chose d'onirique – sauf que mes rêves de surf sont toujours hantés par la peur, la frustration ou une forme bien particulière d'angoisse, obsession d'une vague qui aurait pu m'être fatale, mais jamais colorée des grosses vagues que je prends réellement. Je ne savais pas trop si les flics attendaient mon retour. Par prudence, je suis resté dans l'eau jusqu'à la nuit puis j'ai ramé vers le nord et dépassé deux autres jetées avant de me faufiler sur la terre ferme.

Je regardais à une certaine époque mon travail comme l'antithèse du show-business. Je n'en suis plus si persuadé. Quand on est jeune, retrouver son père sur un plateau ou en extérieur, c'est un peu comme de rencontrer sa seconde famille. Une équipe de tournage, c'est un monde en soi, riche d'émotions, de détermination, de fortes personnalités. De gens qui, jetés sur le même bateau, finissent par s'impliquer étroitement, fiévreusement dans un court laps de temps, à la tâche qui leur incombe. *Finissons ce truc*. La plupart de mes projets – mes longues compositions narratives – prennent une tournure similaire. Je m'attache aux gens sur lesquels je souhaite écrire. Nous traînons ensemble, nous nous frayons un chemin, à coups de mots, dans leur univers. Puis, à un moment donné, la chose est publiée, l'article sort, et nous en avons terminé. On démonte les décors. Nous restons parfois en contact, il nous arrive même parfois de nous lier d'amitié, mais c'est rare. Selya vit à chaque spectacle sa propre version de ce phénomène. J'ai de la chance : je fais partie d'une équipe, celle du magazine pour lequel je travaille depuis des décennies. Maintenant que j'y pense, la plupart de mes amis sont des écrivains, des surfeurs ou les deux à la fois. J'ai toujours détesté les miroirs, mais, aujourd'hui, quand je croise le reflet de mon œil dans la glace, il me semble souvent voir mon père. Il a l'air soucieux, voire confus, et ça m'attriste. Il avait tant de punch. Sans doute la crainte de l'échec, m'a-t-il confié un jour. Plus vieux, alors qu'il venait de se réveiller dans un lit d'hôpital après une opération de la rotule, il m'a fixé d'un air indigné avant de me lancer : "Depuis quand t'es-tu mis à grisonner ?"

De la part de ses parents, Mollie bénéficie d'une attention toute différente de celle que me portaient les miens. Nous l'adulons, nous tenons compte de son air, nous veillons étroitement sur elle et nous l'écoutons attentivement. Pendant un moment, j'ai cru que nous nous montrions trop protecteurs. Quand elle n'avait encore que cinq ou six ans, nous nous amusions, elle et moi, à plonger sous les vagues à Long Island. J'ai sous-estimé une vague plus grosse que les autres et lâché sa petite main. Quand je ne l'ai plus vue en remontant à la surface, j'ai paniqué. Elle est réapparue quelques mètres plus loin, en larmes, terrifiée, l'air d'avoir été trahie. Mais, non, merci, elle ne voulait pas rentrer. Elle voulait juste que je fasse plus attention. J'ai redoublé de vigilance. Je me remémorais mes méditations, en position fœtale sous les vagues brunes tonitruantes de Will Rogers, avant que je susse seulement faire du bodysurf. Quelqu'un m'avait-il surveillé, guettant ma réapparition ? Je n'en ai jamais rien cru. Sans doute ne peut-on apprendre à connaître les vagues qu'en se faisant brimer par elles au premier faux pas. Mais je me voyais mal laisser ma petite protégée gagner aussi violemment ses galons. Par chance, bien qu'elle ne déteste pas aller dans l'eau, elle ne s'intéresse pas au surf. En revanche, pour dissiper mes craintes, elle fait preuve d'un esprit d'indépendance très prononcé, qui n'a besoin d'aucun encouragement. Quand ses parents la déposent à son camp de vacances, ce sont eux qui se sentent abandonnés. À douze ans, elle a commencé à prendre seule, avec une tranquille allégresse, le bus scolaire qui traverse la ville. S'agissant du métro, nous mettons encore le holà.

Est-ce que je ne songe pas à ma fille quand je prends des risques stupides ? Si, bien sûr. En mars 2014, de façon inattendue, j'ai manqué d'air sous deux vagues d'affilée à Makaha, un break de l'ouest d'Oahu qui fut naguère fameux. C'était par une journée pluvieuse, sans un souffle de vent. Je venais tout juste de terminer un remplacement dans l'enseignement à Honululu et j'avais quelques heures à tuer avant de prendre l'avion. Makaha était grosse, selon les rapports – de trois à quatre mètres cinquante –, mais elle avait l'air plus surfable que le North Shore, j'ai donc choisi de m'y rendre. De la plage, on ne voyait qu'eaux blanches et brouillard. Les vagues surfables étaient sans doute quelque part au large, derrière le rideau d'écume. Je n'avais pas apporté mon gun à Hawaï, et, je m'en rendais compte à présent, c'était une erreur. Quelques types ramaient à l'oblique vers le large en empruntant un large chenal dégagé qui piquait plein sud, mais tous disposaient de planches massives. J'avais pour ma part une fine 7'2'' en quattro* que j'adorais – celle-là même qui, l'hiver précédent, m'avait permis d'enfiler ces deux tubes à Pua'ena Point, et dont les ailerons maintenaient la face inférieure évidée – mais, de toute évidence, ce n'était pas la planche adéquate ce jour-là. Je me suis mis à ramer malgré tout. Je me disais que je risquais autant de me repentir d'être sorti en mer que de m'en être abstenu – et de le regretter de la même manière corrosive, empreinte de tout ce mépris pour moi-même, qu'à Rice Bowl quand j'avais quatorze ans. Ç'aurait assurément été différent si j'avais pu voir les vagues. À Puerto Escondido, je n'avais pas envisagé une seconde de me mettre à ramer le plus gros jour que j'ai jamais vu. Des gens surfaient, mais je me serais sûrement noyé. C'était une évidence. À Makaha, un break moins effrayant, il me fallait au moins voir ce qui se passait là-bas avant d'aller dans l'eau.

Cette sortie fut d'une beauté singulière. Le chenal qui, jusque-là, n'était encore que gros et étale, avec des houles bien espacées, donnait à présent l'impression de prendre son élan, de s'échauffer comme un orchestre. Le lineup, quand il m'apparut, était un champ spacieux tout à fait inattendu, parfaitement dégagé, du moins durant les accalmies, uniquement occupé au large par une petite poignée de types et, quelque deux cents mètres plus haut sur la pointe, par un second groupe encore plus réduit. Le plus proche s'était rassemblé pour surfer le Makaha Bowl – une colossale fin de section constamment reproduite dans les magazines et les films de surf de ma jeunesse. Le plus éloigné des groupes arrivait à Makaha Point, une vague rarement photographiée. Les gros jours, ces deux spots sont reliés par un mur très long, qui se casse avec ténacité et n'est pas très praticable d'un bout à l'autre. Le Bowl a perdu depuis longtemps son attrait au profit de grosses vagues plus creuses qui se cassent près du rivage. La Point a conservé une grande réputation dans le milieu underground du surf. J'ai adopté un itinéraire prudent menant au Bowl, en me cantonnant au sud dans l'eau profonde. Des vagues plus petites, mais qui ne l'étaient qu'en apparence, se cassaient avec régularité derrière moi, me brouillant la vue du rivage. Je fixais l'horizon d'un œil méfiant. La pluie était légère, la surface de la mer vitreuse et pâle, presque blanche – du même gris pâle que le ciel. Les houles à l'approche étaient plus sombres. Plus elles tiraient vers le noir, plus elles étaient escarpées. Tout était de noir ou de blanc, d'une définition anormalement précise.

La moyenne d'âge du groupe du Bowl était assez élevée. Deux types au moins avaient mon âge. Presque personne ne surfait un gun. L'ambiance était à la fois excitée et sérieuse, plutôt accueillante. Ces types, pour la plupart originaires de West Oahu, m'ont fait l'effet de ne vivre que pour ces vagues. J'ai suivi la meute quand les grosses séries se sont pointées, et j'ai ramé vers le large. Lorsque les houles ont commencé à s'assombrir en mer, j'ai piqué vers le chenal. Dès que les vagues s'apprêtaient à se casser, leur face virait pratiquement au noir. Ma planche était parfaitement inappropriée. Seuls deux ou trois gars aspiraient réellement à prendre les plus grosses vagues. Un Hawaïen plus âgé, perché sur un énorme gun jaune, s'est engouffré avec calme dans plusieurs monstres. J'en ai pris trois moi-même, mais, ma planche vacillant sous mes pieds, chacun de mes drops était un peu trop tardif et mal mené. À chaque reprise, j'ai poussé un cri malgré moi. Mes vagues n'étaient pas vraiment grosses, et je ne les avais pas non plus bien surfées.

Deux séries propres se présentèrent : des murs de six mètres qui se cassaient très loin au large, en eau profonde. Nous fûmes tous piégés à l'intérieur. J'ai gardé mon sang-froid et plongé assez tôt très profondément. Une des deux vagues a rompu mon leash. Un nageur-sauveteur, monté sur un jet-ski qui paressait dans le chenal, s'est précipité dans la zone d'impact où se brisaient planches et leashs. Il y a récupéré ma planche. Quand il me l'a tendue, il m'a décoché un long regard mais s'est contenté de me demander : "Ça va en fait ?" J'étais dans une demi-extase. J'avais la trouille, je montais la mauvaise planche, mais je voyais ce jour-là des choses que je n'oublierais jamais. Sur le fond noir de la face des vagues, les couleurs des planches contrastaient fortement. Le type à la planche rouge rechigne à y aller. Celui à la planche orange se lance. Voyez comme elle se colle à cette face noire, en cherchant à obtenir assez de traction pour tenter le drop. Le vieil Hawaïen à la planche jaune plaque les plus brillants et sublimes coups de brosse sur le canevas noir des murs les plus élevés. La crête de quelques vagues, juste sous la lèvre, vire au cobalt au moment de se casser. D'autres, des grosses séries qui formaient des tubes, se teignaient d'une nuance bleu marine plus chaude dans la partie la plus ombreuse de leur gueule. Comme si, à ce stade, le gris du ciel ne participait plus au nuancier, comme si l'océan fournissait ses propres teintes sous-marines.

Et il y avait les gars de la Point. Eux surfaient des shortboards. Les vagues n'y étaient pas aussi grosses que les béhémoths du Bowl, mais de longs, très longs murs gris encordés ; et on voyait s'activer tout du long, sous leur lèvre, au plus profond de la pénombre, ces minuscules silhouettes qui semblaient tomber du ciel et qui, dans une sorte de respectueux abandon, déchiraient ces énormes vagues roulantes, et les surfait avec un niveau que j'avais rarement vu. Qui *diable* étaient ces types ? J'avais trop peur pour ramer jusqu'à eux, et sans doute ne surferais-je jamais ainsi, mais ce seul spectacle me remplissait de joie.

Mon petit fiasco de Makaha tenait en partie à mon impatience, en partie à ma contemplation de ces shortboarders, en partie encore à un acte de foi d'une profonde stupidité. J'étais comme un somnambule, je régressais. J'ai quitté le chenal qui bordait le Bowl, j'y avais guetté des accès de dernière seconde, pour m'enfoncer très loin dans la zone d'impact. De grosses et sublimes vagues, arrivant de la Point, y déferlaient régulièrement, rugissantes et démontées. Elles semblaient peu ou prou surfables, même avec ma planche. Elles n'étaient laissées pour compte par les autres surfeurs que parce que leur point de take-off se trouvait dans une zone interdite, à l'intérieur du Bowl et plus haut sur la côte – le tout dernier endroit où il fallait se trouver à l'approche d'une grosse série. Je me suis faufilé jusque-là en misant sur ma chance : j'allais attraper une grande vague avant l'arrivée de la grosse série suivante. Un pari stupide, écervelé, que j'ai perdu. Les vagues qui m'ont englouti étaient des montagnes. J'ai cru que j'allais m'en tirer parce que l'eau donnait l'impression d'être encore très profonde. J'ai piqué vers le fond, mais je n'ai pas réussi à me soustraire aux turbulences. De puissantes, violentes colonnes d'eau ont plongé, m'ont happé et m'ont pilonné. Je n'ai pas paniqué, mais j'ai manqué d'oxygène. J'ai dû grimper le long de mon leash bien avant de m'être convaincu que c'était ce qu'il fallait faire. J'ai eu le plus grand mal à inspirer une bouffée d'air en refaisant surface – trop d'écume, un courant cinglant. Mais je n'ai eu que le temps d'en inhaler deux lampées parce que la vague suivante, encore plus grosse, était déjà en train de se casser, prête à m'exécuter. Et c'est là que m'est venu cet éclair de lucidité à propos de Mollie : Je vous en prie, faites que ce ne soit pas mon heure. On a encore besoin de moi.

J'ai conclu à l'âge. Tous mes rapides calculs, toutes mes fermes intuitions quant à la capacité de mes poumons à rester en apnée longtemps étaient caducs. J'ai survécu à la seconde vague, mais l'air m'a de nouveau manqué, plus tôt que je ne m'y étais attendu. De quelques secondes. L'intervalle était assez long ce jour-là, tant et si bien que j'ai échappé à une apnée de deux vagues qui aurait sans doute été la dernière.

Il se trouva que la troisième fut plus petite. J'ai regagné avec difficulté le chenal. Ensuite, je me suis senti comme apaisé. Honteux, complètement éreinté, mais soudain bien décidé à ne plus jamais remettre ça – à ne plus me prêter à ce genre d'absurdité, à ne plus me livrer corps et âme à l'océan démonté, au comble de sa violence, dans l'espoir de je ne sais quelle absolution. De l'eau salée coulait encore de mon nez dans le taxi qui me ramenait de Newark à la maison.

Quand je ne suis pas sur la route ni en train de surfer dans les environs, je m'efforce de faire des longueurs, sur près de deux kilomètres, dans une piscine en sous-sol de la West End Avenue. Cette modeste habitude et les exercices qui l'accompagnent sont ce qui me sauve des dangers du surf. Quand je pouvais encore m'en passer, je souscrivais pleinement à l'opinion de Norman Mailer selon laquelle, sans l'excitation, la compétition, le danger et la détermination, les exercices physiques épuisent tout bonnement l'organisme au lieu de le renforcer. Les longueurs en piscine me semblaient bien vaines. Mais je ne vois plus les choses de cette façon aujourd'hui. Si je ne nageais pas, je deviendrais rapidement un tas de lard en forme de poire. Mon rude labeur régulier dans les vaguelettes chlorées du cours d'aérobic reste la seule barrière qui se dresse entre moi et une existence exclusivement consacrée au longboard. Oubliée, la capacité pulmonaire permettant de prendre les grosses vagues. Je veux seulement pouvoir ramer et bondir sur mes pieds. La première fois où, tabassé et abattu, à Madère, dans les années 1990, je me suis senti trop vieux pour surfer, je n'avais jamais fait une longueur ni même touché à un haltère. Je suis désormais en meilleure forme physique qu'à l'époque. Mais, chaque année, me mettre debout exige de moi davantage d'efforts et se fait un peu plus difficile. Il ne s'agit plus de s'entretenir, comme dirait Selya, mais de ralentir le rythme du déclin.

En vrai fils de l'Upper West Side qu'il est, Selya trouve Jerry Seinfeld génial. Ce dernier, qui n'a pas besoin de travailler, continue pourtant de donner des one man shows, de peaufiner de manière obsessionnelle ses sketches au rythme d'une centaine de représentations par an. Il affirme qu'il persévérera jusqu'à "quatre-vingts ans et plus". Dans une interview qu'il a donnée il y a peu, il se compare aux surfeurs : "Alors pourquoi font-ils cela ? Pour la pureté, tout simplement. Vous êtes tout seul. Les vagues sont bien plus grosses et plus puissantes que vous. Vous êtes toujours surpassé en nombre. Elles peuvent à chaque instant vous broyer. Pourtant vous l'acceptez et vous en faites une petite forme d'art, fugace et futile."

Selya souffre depuis quelque temps d'arthrite de la hanche. Il peut encore danser et enseigner, dit-il, mais il ne peut plus surfer. C'est trop douloureux. Il a eu droit à un resurfaçage chirurgical. Tout le temps où sa hanche lui interdisait de surfer, il ne nous accompagnait pas moins à la chasse aux vagues. Pendant que nous surfions, lui faisait du bodysurf. Ça vaut toujours mieux que de rester coincé sur la terre ferme, affirmait-il.

Vers la fin de mes ignominieux voyages payants à Tavarua, j'ai détruit la dernière de mes planches Owl. Cloudbreak l'a d'abord gauchie en ouvrant des craquelures fines comme des cheveux au travers de son bottom. Puis, pendant un ride, des fibres de verre se sont brusquement détachées de la surface de glisse sur un mètre vingt, jusqu'aux dérives, et l'une d'elles s'est arrachée. C'était en 2008, en fin de séjour, et la houle grossissait. Par chance, la même semaine, Selya avait lui aussi apporté une Owl à Tavarua pour s'en servir dans les grosses vagues. La sienne était rouge sang mais identique à la mienne. Juste après la session matinale qui avait totalement défoncé ma planche, un méchant petit vent du nord s'était levé. Il soufflait le long du littoral, dans une direction épouvantable à Cloudbreak. Les bateaux ont interrompu leur va-et-vient. Je tenais absolument à aller au moins jeter un œil, mais personne n'avait l'air intéressé. Je souffrais de cet accès de folie que Cloudbreak me communiquait souvent. Il fallait absolument que j'y aille. J'ai baratiné deux bateliers et je les ai convaincus de m'y conduire. Selya m'a prêté son Owl au cas où nous trouverions quelque chose. Pendant la traversée du chenal, le vent du nord est tombé et la mer est devenue d'huile. J'étais excité, même si les bateliers restaient sur leur réserve. J'ai appris plus tard que Selya s'était installé en haut d'une tour de guet, petite plate-forme ombragée surplombant les arbres dans le sud-ouest de l'île. Il avait continué tout du long de braquer ses jumelles sur nous.

Alors que nous approchions de Cloudbreak, j'ai trouvé les vagues phénoménales. Sans doute liées à quelques rafales résiduelles du vent du nord, mais soufflant fort et nettoyant rapidement la mer. Elles étaient de soixante centimètres plus hautes qu'au matin, et les lignes de houle plus longues et continues que jamais dans ces parages. Inia Nakalevu, notre batelier, un goofy foot à la large carrure, a sauté dans l'eau à mes côtés. Son partenaire, Jimmy, un Californien, est resté dans le bateau et xa jeté l'ancre dans le chenal. Il nous rejoindrait plus tard, a-t-il précisé.

Mes deux premiers rides ne furent que des échauffements pour tester la planche et les vagues. La planche était parfaite – stable mais maniable, familière et rapide. Les vagues, elles, étaient copieuses ; extrêmement rapides, elles faisaient deux fois ma taille et fléchissaient tout en bas du récif. Je les prenais avec facilité et je les surfais avec prudence. Je remarquais qu'Inia ramait fort après les siennes en secouant la tête. Je connaissais cette sensation : il y en avait trop, c'était trop bon. Leur face présentait encore un léger clapot, mais cela ne faisait qu'accroître la sensation de vitesse. La troisième que je pris était plus grosse, plus difficile. Je l'ai surfée plus profondément, dans l'ombre de la lèvre, en zigzaguant largement sur sa face pour prendre autant de vitesse qu'il m'était possible. Ce n'était pas un tube très compliqué ni technique. Il me suffisait de maintenir ma planche à plat et de me cantonner loin du fond, où la lèvre s'écrasait dans un fracas ininterrompu. J'ai finalement resurgi du plus profond de la vague à la lumière du soleil et exécuté un dernier virage en S pour en émerger juste avant qu'elle ne se referme sur un récif à fleur d'eau. Au moment de faire halte dans les eaux calmes, j'ai cherché à me souvenir de la dernière fois où j'avais pris une vague aussi bonne, aussi intense. Impossible. Ça remontait à des années.

L'orgueil précède la chute : j'ai pris la quatrième beaucoup trop à la légère. J'ai viré un peu trop sec au fond, sans prendre la peine de regarder derrière moi pour voir ce qu'elle me préparait, en me concentrant plutôt sur un inhabituel virage en y allant à toute vitesse. Le nose de ma planche a dû s'engager dans un clapot, reliquat du vent du nord que je n'avais pas vu. J'ai basculé si vite que je n'ai pas eu le temps de me protéger le visage du bras. Ma tempe a frappé la surface avec une telle violence que j'ai eu l'impression d'avoir heurté un objet solide ou qu'il s'était précipité sur moi. La vague m'envoya bouler mais elle ne m'aspira pas. J'avais effectué cette culbute à grande vitesse juste avant qu'elle ne se casse. Je suis remonté sur ma planche et je me suis remis à ramer, étourdi, des bourdonnements dans les oreilles. J'ai toussé et vu du sang. J'en avais dans la gorge. Ce n'était pas douloureux, mais je devais tousser et le recracher pour pouvoir respirer. J'ai atteint l'eau claire et je me suis assis sur ma planche. Je continuais à cracher du sang dans ma paume. Les oreilles me sonnaient un peu moins à présent. Je n'avais plus que l'impression d'avoir reçu une vraie baffe.

"Bill !" Inia avait aussi vu le sang. Il voulait qu'on regagne le bateau. "Tu peux ramer ?"

Oui, je pouvais. Je me sentais bien, à part un mal de crâne persistant et ce besoin de tousser. J'allais bien, j'ai répondu. Je voulais encore surfer.

"Non, tu ne peux pas."

Inia semblait effrayé. Surveiller les clients faisait partie de son boulot. Il me faisait de la peine.

"Je vais bien."

Il m'a regardé droit dans les yeux. Il allait sur ses trente ans – c'était un homme, pas un adolescent. Son regard était d'une surprenante gravité. "Tu connais Dieu, Bill ? m'a-t-il demandé. Tu sais qu'Il t'aime ?"

Il attendait une réponse.

"Pas vraiment", ai-je marmonné.

Il a froncé les sourcils. C'était mon âme, et non ma toux qui l'inquiétait désormais.

Nous avons fait un marché. Nous continuerions à surfer, mais il me suivrait de près – quoi que ça pût signifier –, et je me montrerais prudent – quoi que ça pût signifier aussi.

La houle forcissait, ses lignes se faisaient de plus en plus grosses. Nous avons ramé vers une grosse série qui, de dos, donnait l'impression de se refermer. Inia l'a étudiée. Nouvelle inquiétude.

Je n'avais plus mal à la tête. Je voulais une vague. Une superbe approchait, qui commençait déjà à se casser plus haut sur le récif. "Non, Bill, pas celle-là. Elle se referme tout du long."

J'ai suivi son conseil et j'ai ramé par-dessus. La suivante semblait identique. "Celle-ci, a dit Inia. Elle est bonne."

C'était donc cela notre arrangement : je devais me fier à son jugement. Je me suis retourné et j'ai piqué vers la vague. Son intuition avait été d'une justesse exceptionnelle. La vague que j'ai prise déroulait le long du récif. La précédente, pourtant identique à mes yeux, s'était cassée d'un seul tenant ; je m'en rendais compte à présent. J'ai surfé prudemment, juste histoire de pouvoir me remettre en selle. Quand j'en suis ressorti, je me suis aperçu qu'Inia avait pris la vague qui arrivait derrière la mienne. C'était donc ainsi qu'il allait me suivre à la trace. Lui surfait furieusement, à la limite de ses capacités – tout le contraire de "prudemment". Son masque était féroce, ses yeux comme des projecteurs. Je me suis rendu compte que Inia passait un mauvais quart d'heure.

"Dieu aime-t-Il tout le monde ?", lui ai-je demandé quand nous avons regagné le rivage en ramant.

La question a paru l'enchanter. Sa réponse fut un oui catégorique.

Alors pourquoi permet-Il la guerre et la maladie ?

"Celui qui juge toute la terre ne doit-il pas exercer sa justice ?"

Inia était un prédicateur laïc, l'esprit gavé des Saintes Écritures. Il souriait à pleines dents. Ouvrons le débat théologique. Il allait me convertir. C'était une sorte de Hiram Bingham doublement inversé : un évangéliste à la peau sombre qui surfait à en devenir dingue.

Il en fut donc ainsi ensuite : Inia me déconseilla quelques vagues et m'en suggéra d'autres sans jamais se tromper. Je n'arrivais pas à comprendre ce qu'il voyait, quelles distinctions il percevait. C'était la démonstration suprême d'une parfaite connaissance des vagues locales. Il me sauvait la mise. Je m'efforçai toujours de surfer prudemment par la suite, et je ne suis pas tombé une seule fois. J'ai vu Inia jouer le grand jeu et prendre un énorme tube. En en ressortant, il a déclaré que c'était la meilleure vague de toute son existence. Loué soit le Seigneur, ai-je dit. Alléluia ! a-t-il conclu.

Plus tard, Selya me raconta que, depuis son point d'observation, à plus d'un kilomètre, il n'avait vu que les take-offs : sa minuscule planche rouge brillant sur fond de vagues vert clair. Ensuite, quand elles se cassaient sur le récif, il ne distinguait plus que nos seuls sillages : de minces fils blancs se dévidant tout du long.

Les vagues ont continué de déferler, scintillantes et mystérieuses, saturant l'atmosphère d'une exaltation austère. Inia – le surfeur comme le prêcheur – était déchaîné. Doutais-je encore ? "Nous n'aurons rien à craindre ; lorsque la terre est bouleversée, et que les montagnes chancellent au cœur des mers, quand les flots de la mer mugissent, écument..."

Je continuais à douter. Mais je n'avais pas peur. Je souhaitais seulement que ça ne finisse jamais.

GLOSSAIRE DU SURF

Beachbreak : Zone où les vagues surfables se cassent sur une plage ou des bancs de sable.

Bottom turn : Premier virage dans le creux de la vague.

Break : Zone (plage, récif, etc.) où se cassent des vagues surfables.

Closed-out : "Refermée." Se dit quand une vague se casse en même temps sur toute sa longueur, interdisant qu'on la prenne.

Cutback : Virage serré à l'intérieur de la vague permettant au surfeur de se replacer dans le sens normal de son déferlement.

Deck : Dessus de la planche.

Drop : Moment où l'on prend la vague et où l'on se relève sur la planche.

Duck-dive : Action de passer sous la vague qui arrive de face pour rejoindre l'extérieur.

Glassage ou *glaçage* : Application de plusieurs couches de résine époxy (*glass*) et polyester sur la planche pour assurer son étanchéité et sa glisse.

Gnarly : Tordu, terrifiant, impressionnant.

Goofy foot : Surfeur qui place le pied gauche à l'arrière de la planche, contrairement au *regular foot*.

Grom, grommet, gremlin : Débutant, novice.

Hang five, hang ten : Poser respectivement cinq ou dix orteils sur le nose.

Inside : Barre intérieure.

Kickout : Sortie de la vague par la crête en s'éjectant derrière elle au moment où elle se referme.

Kneeboard : Surf qui se pratique à genoux sur une courte planche.

Kook : Surfeur médiocre. Une merde, un branleur.

Leash : Lien qui rattache l'arrière de la planche à la cheville du surfeur.

Lineup : Zone où la plupart des vagues commencent à se casser et où les surfeurs patientent pour les prendre.

Longboard : Planche longue (plus de 7').

Nose : "Nez." Avant de la planche.

Outside : Barre extérieure.

Pintail : Planche au tail pointu.

Pointbreak : Zone où un récif sous-marin crée des vagues propices au surf.

Pulling-in : Action d'enfiler un tube.

Pull-out : Sortie d'un ride.

Quattro : Planche à quatre dérives.

Rails : Rebords de la planche.

Reefbreak : Spot où les vagues se cassent sur des récifs.

Regular foot : Surfeur qui place le pied droit à l'arrière de la planche.

Ride : Prise de vague.

Rocker : Désigne la concavité de la planche, du nose à la tail.

Screamer : Très grande vague.

Shaper : Facteur ou fabricant de planches de surf.

Shorebreak : Vague géante qui vient se casser près du rivage, donc dans une eau très peu profonde.

Shortboard : Planche courte, d'une longueur généralement inférieure à 7'.

Single : Planche à une dérive.

Soul arch : Figure de style mythique où le surfeur arque le dos en arrière, debout sur son longboard.

Stringer : Latte de bois ou de carbone centrale de la planche, qui sert à lui conserver solidité et rigidité.

Take-off : Départ d'un ride.

Tanker-surfing : Surf qui se pratique à proximité de porte-conteneurs.

Thruster : Planche à trois dérives.

Top-turn : Virage exécuté au sommet de la vague.

Twin : Planche à deux dérives.

Wax : Cire à base de paraffine qu'on applique sur le dessus de la planche pour accroître son adhérence et empêcher le surfeur d'en glisser.

TABLE

RÉALISATION : NORD COMPO À VILLENEUVE D'ASCQ
IMPRESSION : NORMANDIE ROTO IMPRESSION S.A.S. À LONRAI
DÉPÔT LÉGAL : MARS 2017. N° 131953 (1701420)
Imprimé en France